D1292223

Les Portes de Québec

La mort bleue

DU MÊME AUTEUR

Un viol sans importance, roman, Sillery, Septentrion, 1998.
La Souris et le Rat, roman, Gatineau, Vents d'Ouest, 2004.
Un pays pour un autre, roman, Sillery, Septentrion, 2005.
L'été de 1939, avant l'orage, roman, Montréal, Hurtubise HMH, 2006.
La Rose et l'Irlande, roman, Montréal, Hurtubise HMH, 2007.
Haute-Ville, Basse-Ville, roman, Montréal, Hurtubise, 2009 (réédition de *Un viol sans importance*).

SAGA LES PORTES DE QUÉBEC

Tome 1, *Faubourg Saint-Roch*, roman, Montréal, Hurtubise HMH, 2007.
Tome 2, *La Belle Époque*, roman, Montréal, Hurtubise HMH, 2008.
Tome 3, *Le prix du sang*, roman, Montréal, Hurtubise HMH, 2008.
Tome 4, *La mort bleue*, roman, Montréal, Hurtubise, 2009.

SAGA LES FOLLES ANNÉES

Tome 1, *Les héritiers*, roman, Montréal, Hurtubise, 2010.
Tome 2, *Mathieu et l'affaire Aurore*, roman, Montréal, Hurtubise, 2010.
Tome 3, *Thalie et les âmes d'élite*, roman, Montréal, Hurtubise, 2011.
Tome 4, *Eugénie et l'enfant retrouvé*, roman, Montréal, Hurtubise, 2011.

JEAN-PIERRE CHARLAND

Les Portes de Québec

La mort bleue

Tome 4

Hurtubise

Catalogage avant publication de Bibliothèque et Archives nationales du Québec et Bibliothèque et Archives Canada

Charland, Jean-Pierre, 1954-

Les portes de Québec

Sommaire: t. 1. Faubourg Saint-Roch – t. 2. La belle époque – t. 3. Le prix du sang – t. 4. La mort bleue.

ISBN 978-2-89647-039-6 (v. 1)
ISBN 978-2-89647-087-7 (v. 2)
ISBN 978-2-89647-110-2 (v. 3)
ISBN 978-2-89647-165-2 (v. 4)

I. Titre. II. Titre: Faubourg Saint-Roch. III. Titre: La belle époque. IV. Titre: Le prix du sang. V. Titre: La mort bleue.

PS8555.H415P67 2007 C843'.54 C2007-941413-3
PS9555.H415P67 2007

Les Éditions Hurtubise bénéficient du soutien financier des institutions suivantes pour leurs activités d'édition:

- Conseil des Arts du Canada;
- Gouvernement du Canada par l'entremise du Programme d'aide au développement de l'industrie de l'édition (PADIÉ);
- Société de développement des entreprises culturelles du Québec (SODEC);
- Gouvernement du Québec par l'entremise du programme de crédit d'impôt pour l'édition de livres.

Conception graphique de la couverture: René St-Amand
Illustration de la couverture: Luc Normandin
Maquette intérieure et mise en pages: Andréa Joseph [pagexpress@videotron.ca]

ISBN version imprimée: 978-2-89647-512-4
ISBN version numérique (PDF): 978-2-89647-386-1

Dépôt légal: 2e trimestre 2011
Bibliothèque et Archives nationales du Québec
Bibliothèque et Archives du Canada

Diffusion-distribution au Canada:
Distribution HMH
1815, avenue De Lorimier,
Montréal QC H2K 3W6
Téléphone: 514 523-1523
Télécopieur: 514 523-9969
www.distributionhmh.com

Diffusion-distribution en Europe:
Librairie du Québec/DNM
30, rue Gay-Lussac
75005 Paris FRANCE
www.librairieduquebec.fr

Imprimé au Canada
www.editionshurtubise.com

Liste des personnages principaux

Buteau, Émile: Frère de Marie, devenu curé de la paroisse Saint-Roch.

Buteau, Marie: Jeune fille née dans le quartier Saint-Roch, veuve d'Alfred Picard, elle dirige le commerce fondé par ce dernier.

Caron, Élise: Meilleure amie d'Eugénie Picard, fille du médecin des deux familles Picard, elle épouse Charles Hamelin en 1908.

Dubuc, Paul: Député libéral de Rivière-du-Loup, père de deux filles, Amélie et Françoise. Il se lie à Marie Picard, née Buteau, en 1916.

Dugas, Gertrude: Servante dans la maisonnée de Marie (Buteau) Picard.

Dupire, Fernand: Il épouse Eugénie Picard en 1914. Il succède à son père dans son étude de notaire et, à ce titre, s'occupe des affaires des Picard.

Girard, Jeanne: Domestique employée d'abord chez les Picard, puis chez les Dupire après le mariage d'Eugénie.

Létourneau, Fulgence: Administrateur des ateliers de confection de Thomas Picard. Son épouse se prénomme Thérèse. En 1909, il adopte un garçon, Jacques, dont il ne connaît pas les véritables parents.

Paquet, Évelyne: Fille d'un avocat en vue, elle épouse Édouard Picard en 1917.

Picard, Édouard : Fils d'Alice et de Thomas Picard, il assume des responsabilités grandissantes au magasin.

Picard, Eugénie : Fille d'Alice et de Thomas Picard, elle a épousé Fernand Dupire, dont elle aura trois enfants.

Picard, Mathieu : Fils de Marie Buteau et de Thomas Picard. Alfred Picard en avait assumé la paternité. Il s'est porté volontaire pour le service militaire en 1917.

Picard, Thalie : Fille de Marie Buteau et d'Alfred Picard, elle s'inscrit à l'Université McGill en 1918.

Picard, Thomas : Propriétaire d'un magasin à rayons, marié en secondes noces à Élisabeth Trudel, père d'Eugénie et d'Édouard. Organisateur politique pour sir Wilfrid Laurier, il se trouve mêlé intimement à l'existence du Parti libéral.

Trudel, Élisabeth : Recrutée à dix-huit ans afin de s'occuper des enfants de Thomas Picard, elle devient sa seconde épouse.

Personnages historiques

Bégin, Louis-Nazaire (1840-1925) : Prêtre, il est nommé archevêque de Québec en 1898 et cardinal, à la tête du même diocèse, en 1914.

Bourassa, Henri (1858-1952) : Homme politique, chef du mouvement nationaliste, fondateur du journal *Le Devoir* (1910), il s'oppose à la conscription pendant la Première Guerre mondiale.

Laurier, Wilfrid (1841-1919) : Avocat de formation, journaliste et homme politique, il est député libéral du comté de Québec-Est de 1877 jusqu'à sa mort. Pendant la Première Guerre, il s'efforce de concilier les obligations du Canada à l'égard de la métropole et les réticences des Canadiens français à s'engager dans le conflit.

Lavergne, Armand (1880-1935) : Avocat, député du comté de Montmagny à Ottawa (1904-1907), puis à Québec (1908-1916). Il s'oppose farouchement à la conscription. Une rumeur persistante en fait le fils naturel de Wilfrid Laurier.

Lavigueur, Henri-Edgar (1867-1943) : Marchand, maire de Québec (1916-1920; 1930-1934), il est aussi député aux communes de 1917 à 1930.

Lavigueur, Louis (1893-1918) : Fils du précédent, gérant de la succursale du quartier Saint-Roch du commerce familial, il meurt de la grippe espagnole.

Chapitre 1

Les « grandes », au nombre d'une demi-douzaine, régnaient en quelque sorte sur le Quebec High School, objets de l'admiration des plus jeunes. Elles incarnaient un idéal très récent qui, par ailleurs, éveillait souvent de vifs soupçons : celui de femmes instruites, susceptibles de troubler les rapports avec les membres de l'autre sexe. Fréquenter l'école à dix-huit ans représentait un accomplissement : de rares garçons, des filles moins nombreuses encore, profitaient de ce privilège. L'innovation demeurait bien suspecte.

Ces demoiselles allaient et venaient à leur guise dans l'établissement, géraient elles-mêmes leur temps d'étude et s'adressaient aux institutrices d'égales à égales. Au moment de quitter les lieux en fin d'après-midi, Thalie, devenue « Thalia » en ces murs, s'arrêta un moment dans le hall pour contempler le tableau d'honneur. Plusieurs photographies de jeunes soldats se trouvaient ornées d'un ruban noir. Leur nombre augmentait avec une affreuse régularité. Celle de Mathieu, demeurée vierge de tout ornement, retint un long moment son regard. Les nouvelles venaient du front avec une inquiétante lenteur. Après un silence long de plusieurs semaines, elle devait se résoudre à espérer que son frère se portait toujours bien, sans en avoir la certitude.

La jeune femme laissa échapper un soupir lassé, plaça son chapeau de paille sur l'abondante masse de ses cheveux noirs, faisant attention à la lourde tresse sur sa nuque. Le mois de mai se montrait radieux, le soleil déjà chaud. Les événements dramatiques survenus le premier jour d'avril, au lendemain de la fête de Pâques, paraissaient lointains déjà. Les passants tués par la mitraille, près de l'École technique de Québec, s'estompaient progressivement des mémoires. Bien peu d'habitants de la ville pouvaient encore dire leurs noms.

Thalie marcha rapidement dans le chemin Saint-Louis, traversa la place d'Armes sans ralentir, malgré les invitations toujours maladroites, souvent égrillardes, de militaires soucieux de douces rencontres avant de s'embarquer vers les champs de bataille.

Elle se trouva bientôt face à la devanture familière de la boutique ALFRED. La clochette placée au-dessus de la porte signala son arrivée. Quelques clientes se promenaient entre les étals, promptes à se lamenter de la rareté de la marchandise. Maintenant que les États-Unis se trouvaient engagés à fond dans la guerre européenne, la production de vêtements pour femmes paraissait bien accessoire.

— Elle est arrivée, déclara Françoise depuis son poste, derrière la caisse enregistreuse.

Son sourire exprimait une sympathie un peu inquiète. Marie délaissa une jeune acheteuse pour s'approcher de sa fille. L'invitée de la maison chercha l'enveloppe sous le comptoir pour la tendre à la nouvelle venue. Le coin supérieur gauche portait les armes de l'Université McGill.

Thalie déchira le revers du bout de son pouce, sortit la feuille de papier d'un blanc immaculé, parcourut les premiers mots tapés à la machine. *Dear Miss Picard*… La suite se mêla un peu sous ses yeux, elle recommença à lire la phrase afin d'être bien certaine.

— Je suis admise, articula-t-elle bientôt d'une voix émue.

Le « Oh ! » joyeux de Françoise ne fut suivi d'aucune félicitation. Elle tourna son regard vers Marie, soucieuse d'adapter sa réaction à celle de la femme qui, depuis le mois de septembre précédent, était devenue sa patronne et son hôtesse. La mère gomma bien vite de son visage une petite pointe de déception, retrouva son sourire des meilleurs jours pour commenter :

— Je te félicite de tout mon cœur. Tu as tellement mis d'efforts dans tes études… Tu le mérites pleinement.

Elle ouvrit les bras, la grande fille s'y précipita, se laissa enserrer étroitement, le visage enfoui dans les cheveux noirs et ondulés. Le «Merci» s'étouffa dans sa gorge. Son amie la félicita à son tour, soulignant ses bons mots d'un long câlin. Devant les clientes curieuses, la commerçante expliqua, le ton empreint de fierté bien sûr, mais aussi d'un peu de tristesse:

— Ma fille vient d'être admise à l'Université McGill. Elle commencera l'automne prochain.

Les quelques femmes demeurèrent silencieuses. La situation se révélait si nouvelle qu'aucune formule de politesse ne paraissait adaptée à celle-ci.

— Elle souhaite devenir médecin, continua la propriétaire des lieux.

La précision ne diminua en rien leur malaise, bien au contraire. Ces consommatrices trouvaient pareille ambition bien présomptueuse. Avant l'heure du souper, dans tous les commerces de la rue de la Fabrique, les commentaires iraient bon train: Thalie se révélait tout aussi fantasque que son père. Pensez donc, vouloir exercer une profession d'homme!

~

L'admission à McGill méritait une petite célébration. Le lendemain, un samedi, en fin d'après-midi, Thalie tendit le bras à son amie tout en affirmant:

— Tu as assez travaillé, tu mérites une pause.

— Le magasin ne fermera que dans deux heures.

— Mais maman pourra bien se passer de nous.

À l'autre extrémité de la grande pièce, Marie leur adressa un signe de la main, afin de leur donner congé. Françoise acquiesça, chercha son chapeau et ses gants dans la pièce de repos, au fond de la boutique. Un instant plus tard, sur le trottoir, elle remarqua:

— Les militaires paraissent de plus en plus nombreux dans nos rues.

— Depuis que toutes les exemptions ont été annulées, des centaines de jeunes gens se trouvent appelés sous les drapeaux. Ce sera encore pire dans quelques semaines.

— Comment cela ?

— Dans tous les séminaires et les collèges de la province, des finissants assisteront à la distribution des prix de fin d'année avec leur convocation au fond de leur poche. Ils se regrouperont au camp Valcartier pendant les derniers jours de juin.

Les nouveaux diplômés du cours classique, tout comme les étudiants de l'Université Laval, appartenaient au groupe d'âge, de vingt à vingt-trois ans, dont on avait révoqué les exemptions. Les vœux des directeurs d'établissement aux finissants comprenaient habituellement des promesses de carrières bien remplies. Cette année, ils prendraient des accents pathétiques ; les mots « devoir », « courage » et même « sacrifice ultime » s'y mêleraient.

— Les nouveaux conscrits seront donc particulièrement nombreux dans un mois, conclut Thalie.

Les deux jeunes femmes, bras dessus, bras dessous, traversèrent la petite place en diagonale afin de rejoindre la rue Buade. Un instant plus tard, elles débouchaient devant le Château Frontenac. L'immense hôtel, le plus majestueux de la ville, bourdonnait d'activité. Là aussi, les hommes en uniforme se révélaient envahissants. Leur présence compensait un peu la raréfaction des touristes venus du pays voisin.

Du hall, elles passèrent à la salle de bal, très grande, richement décorée. Tout autour de la piste de danse, des tables accueillaient les clientes. Très souvent accompagnées de leur mère, parfois d'une sœur ou d'une cousine plus âgée, plus rarement d'une domestique particulièrement fiable, des jeunes filles rougissantes affichaient leurs plus beaux atours.

— Je n'ai pas pensé à nous munir d'un chaperon, déclara Thalie en jetant un œil circulaire sur l'assistance.

Le ton témoignait combien cet oubli la laissait indifférente. Elle entraîna sa compagne vers une table située un peu à l'écart, commanda du thé et des biscuits. Pendant que la serveuse s'éloignait, elle commenta encore, moqueuse :

— Avec la prohibition, nous devons renoncer au sherry.

— Je n'oserais jamais… pas en public.

En fin de soirée, Françoise, réfugiée dans l'appartement quiet situé au-dessus du commerce de vêtements féminins, aimait bien tremper ses lèvres dans un petit verre de cristal. Au milieu d'étrangers, la chose lui paraissait incorrecte.

Dans un coin de la grande salle, un petit orchestre accordait ses instruments. Bientôt, le rythme d'une valse envahit le vaste espace. Comme s'ils répondaient à un appel, des hommes apparurent près de l'entrée, pour la plupart sanglés dans un uniforme kaki. Ces fins d'après-midi permettaient aux jeunes gens des deux sexes de se rencontrer sous les yeux attentifs de dames respectables, pour des danses et des conversations bien chastes.

Françoise, songeuse, contempla les nouveaux venus. Ceux-là attendaient sans doute le prochain convoi de transport de troupes qui les conduirait de l'autre côté de l'Atlantique. Un long soupir s'échappa de ses lèvres.

— Il y a bien trois semaines que nous n'avons rien reçu, prononça-t-elle, dépitée.

— Cela ne doit pas être facile, là-bas. Tu as vu ses dernières lettres…

Depuis son passage en Belgique, les missives de Mathieu se réduisaient à peu de choses : des mots mal dessinés à la mine sur de petits rectangles de papier.

— Au fond d'une tranchée, continua Thalie après une pause, ce grand sot ne trouve certainement pas le temps ou la place pour écrire de longues lettres.

— Juste un mot me suffirait. Seulement pour me signifier…

Signifier qu'il vivait toujours, tout simplement. Les journaux regorgeaient de descriptions dantesques de la vie dans les tranchées. Chaque jour, ils publiaient des colonnes intitulées « Tombés au champ d'honneur ». Celles-ci alimentaient les terreurs les plus grandes. Thalie ne sut comment enchaîner, aussi elle se contenta de serrer la main de sa compagne, posée sur la table.

Devant leurs yeux, des couples commençaient à tourner sur eux-mêmes au son de la musique. L'uniforme seyait à la plupart des hommes ; il ajoutait une touche de virilité aux plus veules d'entre eux. Après un moment, deux garçons se détachèrent du mur opposé pour s'approcher de leur table. Le plus audacieux commença, à l'intention de Thalie :

— Mademoiselle, voulez-vous danser ?

— Bien sûr, avec plaisir, répondit-elle dans un sourire.

Le second garçon s'inclina devant Françoise.

— Et vous, mademoiselle ?

— ... Je...

Thalie toucha la main de son amie, fixa ses yeux dans les siens.

— Oui, je veux bien, consentit-elle enfin.

Un moment plus tard, la jolie châtaine se laissait guider sur la piste de danse. Son partenaire contempla ses grands yeux gris pendant une bonne minute, puis trouva le courage de remarquer :

— Vous vous apprêtiez à refuser.

— Pardon ?

— Vous vouliez refuser de danser avec moi, votre amie vous a fait changer d'idée. Je... je ne vous plais pas ?

Pas très grand, sa bouche trop large le faisait ressembler à une gargouille. L'ensemble de sa personne semblait tout de même plutôt sympathique. Françoise trouva son expression la plus amène pour dire :

— N'allez pas croire une chose pareille.

— Alors, pourquoi ?

— Mon fiancé se trouve près d'Ypres, avec le 22e. Cela me fait tout drôle de danser avec une autre personne, alors que je n'ai jamais eu l'occasion de le faire avec lui.

Le soldat ralentit son pas, jusqu'à cesser de pivoter sur lui-même. Le couple se retrouva immobile parmi tous les autres, toujours en mouvement.

— Je peux vous reconduire à votre table.

— Non, je suis heureuse de danser avec vous… Êtes-vous de Québec ?

Ils se laissaient de nouveau entraîner par la musique.

— Non, de Rimouski.

— Nous sommes presque voisins, alors. Je suis de Rivière-du-Loup.

Tout d'un coup, le garçon se sentit moins intimidé. Les jeunes filles de la ville lui paraissaient tellement distantes et prétentieuses, comparées à celles de la campagne. Il s'enhardit au point de demander :

— Êtes-vous venue travailler dans une usine de munitions ?

— Non, je suis vendeuse.

— C'est pour cela que vous êtes si élégante.

Françoise préféra ne pas se présenter comme la fille d'un député, tellement ce garçon paraissait peu assuré. Dans quelques semaines, toutefois, il trouverait l'audace de tirer sur ses semblables et d'avancer vers les lignes ennemies sous la mitraille.

Finalement, les deux heures de congé s'écoulèrent tout doucement, au gré d'une conversation plaisante, au-dessus d'une tasse de thé devenue tiède.

Les ateliers de la Pointe-aux-Lièvres fermaient leurs portes à six heures, les samedis comme les autres jours de la semaine. Fulgence Létourneau regarda les centaines de femmes et les quelques hommes, la plupart de ces derniers étant préposés à l'entretien des machines, quitter les baraques de brique. Avec les commandes militaires, l'effectif atteignait des sommets inégalés : les besoins en uniformes des nouveaux conscrits permettaient de recruter toutes les jeunes paysannes désireuses de tenter l'aventure de la grande ville, pour en faire des couturières.

Le petit homme verrouilla derrière la dernière d'entre elles, lança un «À lundi» à la ronde, pour marcher ensuite d'un pas rapide vers le pont Drouin, jeté sur la rivière Saint-Charles, qui permettait d'accéder au quartier Limoilou. Il passa sans s'arrêter devant sa petite maison du vieux chemin Anderson, devenu depuis quelques années la 3e Rue, afin de rejoindre un peu plus loin un terrain vague.

— Bonsoir, prononça-t-il à l'intention de son épouse, une grosse femme blonde penchée sur un sillon tracé sur le sol meuble.

Thérèse se releva, replaça une mèche de cheveux échappée de son chignon. L'homme ajouta, en réponse à un reproche muet:

— Je suis désolé d'être en retard. Je dois attendre que tout le monde soit sorti, avant de fermer.

Sans un mot, elle recommença à donner des coups de bêche dans le sol mouillé. Autour d'eux, des dizaines de personnes, des hommes et des femmes parfois accompagnés d'enfants, s'activaient pour tracer des allées bien droites. Les citadins paraissaient pris d'un enthousiasme agricole irrépressible. En se dirigeant vers une clôture, Fulgence salua de nombreux voisins. Il déboutonna sa veste pour l'accrocher à un piquet. Au même moment, un jeune garçon arriva avec une bouteille d'eau.

— Papa, tous tes employés ont quitté leur travail? demanda-t-il en souriant.

— Depuis quelques minutes, oui. Toi, as-tu passé une bonne journée à l'école?

Jacques lui adressa un grand geste affirmatif de la tête. Le garçon avait fêté son neuvième anniversaire quelques semaines plus tôt. Les frères des Écoles chrétiennes lui permettaient de suivre le cours d'études primaires sous une direction ferme et attentive. Le directeur des ateliers Picard ôta sa cravate pour la glisser dans l'une de ses poches, puis il détacha les premiers boutons de sa chemise.

— C'est amusant, faire un jardin, commenta le garçon. Nous en ferons un autre l'an prochain ?

— Je ne sais pas. Si la guerre sévit encore, nous n'aurons sans doute pas le choix.

Les aliments devenaient très chers sur tous les marchés de la ville. Il fallait approvisionner non seulement le corps expéditionnaire canadien, maintenant fort de plus d'un demi-million d'hommes, mais encore le Royaume-Uni et la France, qui dépendaient également des importations venues d'Amérique pour satisfaire leurs besoins de première nécessité. Afin de permettre aux citadins d'obtenir à bon compte des légumes frais, les autorités civiles distribuaient des semences et transformaient tous les terrains vagues des villes en autant de potagers communautaires.

— Qu'allons-nous semer aujourd'hui ? questionna le gamin.

— Des patates, des carottes, des navets…

— Je n'aime pas les navets…

— Des concombres, aussi.

Fulgence se dirigeait vers sa femme en retroussant ses manches, un râteau à la main. Son fils tendit la bouteille d'eau à sa mère, tout en demandant :

— Je vais pouvoir mettre les petites graines dans les trous ?

— Bien sûr, mon chéri, déclara-t-elle dans un sourire, son premier depuis longtemps.

— Demain, nous pourrons voir si elles ont poussé ?

— Nous viendrons pour arroser notre section. Il faudra plusieurs jours avant de voir de petites pousses vertes. Viens, nous allons commencer tout de suite. Papa va nous suivre, pour recouvrir les semences.

Quelques minutes plus tard, Jacques vivait ses premiers émois agricoles. Son père, songeur, marchait derrière lui afin de recouvrir de terre les graines délicatement déposées dans les trous.

~

— Il dort comme un ange, annonça Élisabeth en revenant dans la salle à manger.

La grande dame blonde reprit sa place au bout de la table. Édouard, assis à sa gauche, remarqua, un peu moqueur:

— Bien sûr, mémère, il dort. Il ne fait que cela depuis six semaines: dormir, téter, péter...

— S'il te plaît, épargne-nous la liste des fonctions biologiques de ton précieux fils, nous sommes à table.

Eugénie présentait sa mine maussade habituelle, et un ventre de nouveau gonflé. Son troisième – et son dernier enfant, aimait-elle à répéter – naîtrait au mois d'août prochain. L'obligation de rompre ce soir-là avec son habitude des dîners dominicaux bihebdomadaires agissait sur son humeur, tout comme chacun des autres accrocs à sa routine habituelle, si minuscules fussent-ils. Sa présence dans la grande maison de la rue Scott, un samedi soir, tenait à la célébration de la fin des relevailles d'Évelyne. Six semaines après la naissance de son premier enfant, prénommé Thomas, elle présentait maintenant une silhouette de nouveau souple et fine, des joues roses et une mine satisfaite.

— Alors, je n'énumérerai pas la liste des activités journalières de Junior, consentit le jeune homme en adressant un clin d'œil à son père.

Le chef de la maisonnée, assis au bout de la table, affichait encore son plaisir de voir son petit-fils arborer son prénom. Au fil des mois, la présence de cette belle-fille timide, facilement rougissante, s'était révélée plutôt agréable. Elle ne lui adressait la parole que pour répondre à ses questions, toujours soucieuse d'offrir la bonne réponse.

Thomas l'aîné montrait depuis peu de nombreux cheveux gris aux tempes, comme si la cinquantaine, en embuscade depuis deux ans, lui tombait dessus tout d'un coup. Pendant l'absence de sa femme, partie contempler une nouvelle fois son petit-fils, il avait allongé le bras afin de prendre le numéro du matin de *La Patrie*, laissé sur une desserte. Fernand Dupire, assis à sa droite, commenta en jetant un regard oblique sur un grand titre :

— Les combats semblent redoubler de violence, depuis quelques semaines.

— Les Américains promettent d'aligner bientôt trois millions de soldats. Les Allemands tentent une dernière grande offensive avant de les trouver en face d'eux, dans l'espoir de marquer quelques points sur les champs de bataille. En même temps, ils cherchent maintenant à entamer des pourparlers de paix, tellement leur situation paraît désespérée.

Ces tentatives de signer une paix avantageuse avant de subir les affres d'une défaite se heurtaient à des refus têtus de la part des Alliés. Ceux-ci souhaitaient une reddition sans condition.

— Tout de même, ces listes de tués publiées dans tous les journaux, tous les jours, deviennent déprimantes, conclut le visiteur.

Le gros notaire secoua la tête de dépit, tout en regardant une domestique poser une énorme soupière au centre de la table. Le fumet, agréable à ses narines, le rasséréna un peu.

— Maintenant que les nôtres sont conscrits par milliers, intervint Édouard, ce n'est plus la peine de dissimuler la vérité. Avez-vous vu le grand nombre de personnes asphyxiées ?

— Ce sont les gaz, expliqua Thomas. Avant chaque attaque, ils commencent par arroser nos lignes d'obus chargés à l'ypérite.

Un silence navré régnait à l'autre bout de la table. Élisabeth engloba les hommes dans son regard, avant de murmurer :

— Eugénie, j'espère que cette grossesse se déroule très bien.

La jeune femme remercia la bonne qui versait la soupe dans son assiette, puis répondit :

— Tout semble bien aller. Je fréquente le docteur Hamelin avec une belle assiduité.

— En fait, je pense qu'il voit ma femme plus souvent que moi, grommela Fernand.

La remarque jeta un froid parmi les convives. Le « Bon appétit » du maître de la maison permit à chacun de trouver une diversion dans le premier service. Inspiré par le contenu de sa cuillère, Édouard demanda bientôt :

— Très chère sœur, apporteras-tu ton appui à l'effort de guerre ?

Elle le toisa du regard, sans comprendre le sens de la question.

— À deux pas d'ici, les plaines d'Abraham seront transformées en jardin communautaire. Le conseil municipal te confiera certainement une petite parcelle afin de cultiver un potager.

Comme elle ne répondait rien, le jeune homme insista :

— La nourriture coûte de plus en plus cher, tout le monde parle de pénurie. Tous les efforts seront les bienvenus. Tu feras certainement ta part. Pour donner l'exemple, même le roi George doit s'intéresser aux topinambours. Une impératrice comme toi ne peut se soustraire à son devoir.

Eugénie regarda son assiette un instant, agacée par cette insistance, puis elle rétorqua :

— Tes retournements politiques ne devraient plus me surprendre, tellement ils ont été nombreux. Pourtant, je m'étonne de te voir maintenant préoccupé d'appuyer l'effort de guerre. Je te croyais surtout soucieux d'établir des liens entre la Haute et la Basse-Ville.

La cuillère de Thomas heurta violemment la porcelaine de son assiette. À l'autre bout de la table, le visage d'Évelyne vira au cramoisi. Près d'elle, Élisabeth esquissa le geste de lui prendre la main, mais n'osa pas.

~

Après un petit déjeuner copieux, Thomas se sentait habituellement d'attaque pour entreprendre une semaine de dur labeur au magasin. Ce lundi, les œufs et le bacon lui parurent présenter un goût curieux. Il demeura un moment avec sa tasse de thé suspendue à quelques pouces de sa bouche, incertain de savoir si une gorgée ferait descendre ou à remonter le repas. À la fin, il reposa la tasse en disant :

— Je vais aller m'étendre un moment. Édouard, occupe-toi d'ouvrir le commerce. Je te rejoindrai plus tard au cours de la journée.

Élisabeth leva des yeux inquiets sur son époux, remarqua son teint un peu pâle. Surtout, au cours des derniers mois, sa taille s'était épaissie, ses rides se creusaient. Au cours des vingt dernières années, le temps écoulé n'avait pas paru éroder son enthousiasme, son désir de réussite. Puis, tout d'un coup, l'âge pesait sur ses épaules.

— Tu ne vas pas bien ? demanda-t-elle, la voix chargée de sollicitude.

Il fit un geste de la main pour signifier « comme ci, comme ça » et commenta :

— La digestion est un peu difficile, c'est tout.

— Je vais appeler le docteur Caron, déclara son épouse en portant sa serviette à ses lèvres.

— Ce n'est pas nécessaire, je t'assure. Je ne vais pas déranger le médecin pour avoir avalé des œufs pas très frais.

Sa femme préféra taire son opinion : les aliments pénétrant dans la cuisine de la demeure bourgeoise présentaient toujours la même irréprochable qualité. Elle reviendrait à la charge un peu plus tard.

— Puis ces réunions du Parti libéral, avec du thé pour unique boisson, deviennent malsaines. La prohibition aura raison de la santé de tout le monde, à la longue.

Thomas se leva en appuyant ses mains sur le bord de la table, quitta la salle à manger en grommelant « Je te rejoindrai après le lunch » à l'intention de son fils.

— J'espère que ce n'est rien de grave, remarqua la maîtresse de maison après son départ. Il a changé, ces derniers temps.

— Je soupçonne qu'il ne coule pas tellement de thé, lors de leurs réunions. Des gens comme Gouin ou Taschereau doivent avoir des cabinets d'alcool abondamment approvisionnés, répondit Édouard d'un ton léger. Un peu trop de cognac, hier soir, je parie.

Sa mère ne se sentit guère rassurée par la pointe d'humour. Un moment plus tard, le jeune homme se leva de table en s'essuyant la bouche, puis posa les lèvres sur sa joue en lui souhaitant une bonne journée. Évelyne l'accompagna dans le hall afin de profiter d'un peu d'intimité.

Élisabeth se leva elle aussi, monta à l'étage pour passer la tête dans la porte de la chambre à coucher, demeurée entrouverte. Son époux se trouvait étendu en travers du lit, ses pieds dépassant au-dessus du vide, afin de ne pas souiller les couvertures avec ses chaussures. Elle s'approcha pour les lui enlever délicatement.

— Tu sais que je demeure aussi fou de toi qu'au moment où tu jouais à la préceptrice avec les enfants, murmura-t-il.

— Je ne jouais pas. Je pense même que je faisais un bon travail.

Elle ramena les pieds dans le lit, se pencha sur son homme pour insister :

— Je suis sérieuse, tu devrais voir le médecin.

— Pour un estomac un peu embarrassé, ce n'est pas la peine. Cela passera tout seul.

— Tu es imprudent. Cela arrive un peu trop souvent, ces derniers temps.

— Je vais tenter de manger un peu moins. Si les choses ne rentrent pas dans l'ordre toutes seules, j'irai rencontrer Caron. Ne te fais pas de souci inutilement.

L'épouse tira une couverture sur ses jambes, demeura un moment immobile près du lit. Thomas gardait les yeux fermés. Après un moment, sa respiration se fit plus régulière. Elle le soupçonna de feindre le sommeil juste pour mettre fin à la conversation. Un peu plus tard, elle quitta la pièce en soupirant.

Le fils de la maison embrassa sa femme sur la bouche, murmura un « Bonne journée » un peu préoccupé. Au moment où il s'apprêtait à sortir, Évelyne demanda :

— Ce soir, reviendras-tu directement à la maison ?

— Comme d'habitude, tu le sais bien.

Elle mordit sa lèvre inférieure, osa prononcer :

— Quand j'étais enceinte, tu t'es absenté si souvent. Tu me trouvais bien laide, sans doute.

— ... Mais non, répondit Édouard en se retournant vers elle. Où vas-tu chercher des idées pareilles ? J'étais occupé avec la ligue opposée à la conscription. Maintenant, les Anglais vont ramasser la chair à canon à la sortie des collèges. Cela ne vaut plus la peine de poursuivre nos activités.

Après les émeutes de Pâques, les rencontres du quarteron de conspirateurs dirigé par Lavergne avaient perdu toute leur pertinence. Les grands rassemblements de protestation devenaient carrément dangereux.

— Surtout, à présent, je suis de nouveau désirable.

Elle s'accrochait à son idée, une explication simple aux absences répétées de son mari : il ne devait pas aimer les tours de taille trop arrondis.

— Le recrutement obligatoire te ramène ton mari, en quelque sorte, conclut-il en embrassant encore sa femme, pour la rassurer.

Lui aussi tenait à sa version des faits. Sa façon de formuler les choses semblait un peu curieuse, comme s'il se trouvait conscrit par la vie conjugale.

Peu après, plié en deux, il actionnait la manivelle de la Buick. Les pistons s'agitèrent paresseusement mais les bougies négligèrent leur devoir : aucune explosion ne survint. Après cinq nouveaux essais, le moteur noyé, il se releva en jurant. Le magasin devait ouvrir à huit heures, retourner dans la maison pour appeler un taxi le mettrait en retard. Mieux valait marcher d'un pas rapide vers l'hôtel du Parlement et profiter de l'une des voitures qui se trouveraient nécessairement là.

La prévision se montra exacte, Édouard monta bientôt dans une Chevrolet de couleur sombre après qu'un député en fut descendu, et il indiqua au chauffeur de se rendre au magasin Picard

Au moment où le véhicule gagnait l'avenue Dufferin, ce dernier commenta :

— Enfin, la neige a disparu des pelouses.

— Cela arrive tous les printemps, remarqua le passager.

L'autre se tourna à demi, surpris de voir quelqu'un se refuser à commenter le climat. Pourtant, les conversations de ce genre prenaient des allures d'incantation depuis plus de trois siècles, à chaque changement de saison. Il allait se réfugier dans le silence quand Édouard enchaîna, soudainement plus amène :

— Passez par la nouvelle côte, celle qui donne sur le boulevard Langelier.

— ... C'est plus long.

— Cela ne fait rien. Prenez ce chemin, je dois m'arrêter quelque part.

Quelques minutes plus tard, le taxi négociait la pente abrupte, tout en courbe, pour rejoindre la plus élégante artère de la Basse-Ville. Le passager se tourna pour contempler le lieu des événements du 1er avril, son ventre se noua au souvenir d'Ovide Melançon, étendu sur le dos, les tripes bien visibles à cause de la chair et du vêtement déchirés.

Quand l'École technique se profila sur sa gauche, il demanda :

— Tournez dans la rue de la Reine.

Puis, il précisa encore :

— Arrêtez-vous ici, j'en ai juste pour une minute et je reviens.

L'autre voulut protester, il se retint de justesse. Les clients devaient payer le prix de la course sur-le-champ, avant de quitter le véhicule. Les attendre se révélait désastreux pour les affaires. Mais l'héritier Picard méritait ce genre de petites attentions.

Édouard grimpa l'escalier du petit édifice situé au coin de la rue Saint-Anselme, deux marches à la fois, frappa à la porte de l'appartement, tout en cherchant la clé dans sa poche. Le salon demeurait dans l'état où il l'avait trouvé, trois semaines plus tôt. La petite table, alignée devant une causeuse, portait une pile de magazines disposés bien régulièrement. Dans la cuisine minuscule, l'armoire à provision ne contenait qu'un peu de thé, du sucre et un pot de confiture presque vide. Dans la glacière, plus rien. Elle avait tout rangé avant de disparaître.

Il passa dans la chambre, ouvrit la porte de la penderie. Il restait quelques vêtements, ceux qu'elle ne portait plus.

— Jésus-Christ ! Où est-elle passée ?

Une fin d'après-midi, à la fin avril, il avait découvert les lieux ainsi. Une première explication lui était venue naturellement : elle devait se trouver chez ses parents, à Saint-Michel-de-Bellechasse, pour un événement imprévu, des funérailles sans doute. Après quelques jours à attendre de ses nouvelles, préoccupé, il s'était rendu à la Quebec Light, Water and Power, pour apprendre que Clémentine LeBlanc avait remis sa démission.

— C'est un coup de tête, dit-il encore à mi-voix. Elle va revenir.

Le ton ne présentait cependant aucune conviction. La jolie blonde avait disparu sans laisser son adresse à son patron ou à ses compagnes de travail. Ou, plus vraisemblablement, elle avait formellement interdit à ces personnes qu'on lui transmette l'information. Son insistance n'avait servi à rien.

Au moment où Édouard regagna le trottoir, le chauffeur se tenait à l'arrière du véhicule, la main sur la poignée du coffre.

— Monsieur, venez voir, chuchota-t-il sur le ton de la conspiration.

Édouard s'approcha pour contempler un assortiment de bouteilles placées les unes contre les autres.

— Si vous voulez faire des provisions, je peux trouver n'importe quoi pour vous.

— D'après ce que je vois, vous devez chercher des clients sans bagages. Vous ne pourriez même pas ajouter un petit porte-documents dans ce coffre.

Le chauffeur lui jeta un regard soupçonneux, craignant d'être tombé sur un « sec », l'un de ces farouches partisans de l'abstinence. L'un ou l'autre de ces zélotes était susceptible de le dénoncer aux autorités. Les mots suivants le rassurèrent à ce propos :

— Combien vous dois-je ? Faire le reste du chemin à pied me permettra de prendre l'air.

À son arrivée au commerce, les chefs des rayons se trouvaient déjà au travail. Dernier à regagner son poste, il n'impressionnerait personne par sa ponctualité.

Depuis la réception de la lettre d'admission de l'Université McGill, Thalia Picard et quelques-unes de ses camarades devenaient une source d'admiration au sein du Quebec High School. Tout à côté du panneau dédié à « Nos héros », un autre était apparu, coiffé des mots « Les nôtres à l'université », avec les noms des heureuses élues. Chaque fois qu'elle passait à proximité de celui-ci, la jeune fille s'abandonnait à un péché d'orgueil pour lequel elle ne quémanderait aucune absolution d'un confesseur.

Pendant qu'elle descendait les marches de l'escalier de l'institution, une camarade accorda son pas au sien en demandant :

— Dis-moi, l'examen était-il aussi difficile qu'on le dit ?

Répondre non paraîtrait terriblement prétentieux, en plus d'inciter peut-être certaines élèves moins zélées à la procrastination.

— La directrice nous prépare très bien, alors nous ne risquons pas de connaître de mauvaises surprises. Toutefois, nous devons redoubler nos efforts pour tout maîtriser.

Deirdre, une grande jeune fille efflanquée présentant un sourire un peu chevalin, enregistra l'information, se promit de ne pas ménager ses heures d'étude, l'année suivante, afin de connaître un sort aussi heureux. Alors que toutes les deux s'engageaient dans la Grande Allée, elle demanda encore :

— Sur le tableau, ils ont écrit que tu désirais devenir médecin. C'est vrai ?

— Oui, si tout se déroule bien. Cela aussi risque d'être un peu ardu.

— Surtout que parfois, les garçons endurent mal de voir des filles parmi eux. Tu risques d'être la seule dans une classe toute masculine.

Au ton de sa voix, chargée d'émotion, Thalie jugea que Deirdre devait trouver dans sa propre famille des hommes réfractaires à l'idée de la voir poursuivre des études supérieures.

— Ils ont tellement peur de découvrir que nous ne sommes ni faibles, ni sottes, ni désintéressées des questions importantes, ricana-t-elle en secouant la tête.

Le mouvement fit voler la lourde tresse de ses cheveux.

— … Ne doutes-tu pas, parfois ?

En tournant la tête pour regarder le visage de sa compagne, Thalie prit son bras.

— Comme tout le monde, je doute au moins dix fois par jour. Cependant, j'essaie de ne rien laisser paraître. Tous ceux que la présence des femmes dérange vont fixer sur nous un regard inquisiteur, chercher le plus petit signe de faiblesse. Il ne faut pas leur donner ce plaisir-là.

— Je ne sais pas si je vais y arriver… Je veux dire : ne rien laisser voir.

— Concentre-toi sur leurs déficiences à eux. Tu sais, si tellement d'hommes protestent si fort contre la présence des femmes à l'université ou dans les professions, c'est parce qu'ils sont terrorisés à l'idée de nous voir comme des égales. Ceux qui hurlent le plus sont sans doute les plus limités, les plus complexés. Nous leur faisons perdre tous leurs moyens.

Elle montra son petit doigt plié en deux à sa compagne. La remarque, l'allusion sous-entendue, et surtout le geste, provoquèrent un rire bref chez la jeune anglophone. Les mots de l'un de ces complexés lui revenaient en mémoire avec une grande précision.

— J'aimerais avoir la même assurance que toi.

— Commence par faire semblant de l'avoir. Elle viendra ensuite.

Thalie se remémora les textes outranciers publiés dans *Le Devoir* par Henri Bourassa, à propos du vote des femmes. La cause de la conscription perdue, le directeur du quotidien de la rue Saint-Jacques, à Montréal, enfourchait un nouveau cheval de bataille, convaincu que la collectivité canadienne-française irait à sa perte si les femmes quittaient leur cuisine.

— Toi, tu fais semblant ?

— Souvent. Mais en réalité, j'ai eu de la chance. Les deux hommes de ma famille, mon père et mon frère, ont tout fait pour m'encourager.

L'autre laissa échapper un long soupir chargé d'envie. Le duo dépassa bientôt la masse imposante du Château Frontenac, s'engagea sur la place d'Armes, accompagné par les sifflets de quelques soldats en mal de distraction.

— Quels idiots, commenta Deirdre.

— Ils ont peur de mourir. C'est leur façon à eux de faire semblant, d'afficher leur courage viril. Puis, en plus, ils ont bien raison de s'exciter, nous ne sommes pas si mal.

La remarque amusa la grande jeune fille. Après un moment de silence, elle risqua :

— Ton frère se porte-t-il toujours bien ?

— En autant que nous le sachions, oui. Les nouvelles nous parviennent bien irrégulièrement.

— Où se trouve-t-il ?

— Tout près d'Ypres.

Sa compagne jeta pudiquement les yeux sur une vitrine afin de dissimuler ses réflexions. Selon les journaux, les parages de cette ville de Belgique étaient toujours le théâtre de violents combats où le 22e bataillon demeurait lourdement mis à contribution.

Au moment de déboucher sur la place située en face de l'hôtel de ville, elles découvrirent un lourd char d'assaut, l'une de ces machines de guerre baptisée « tank » dans le langage populaire. Un homme moustachu, à la calvitie naissante, se tenait debout sur la tourelle, sanglé dans un uniforme kaki.

— N'allez pas vous enterrer dans les tranchées. Le Tank Corps désire des volontaires instruits, capables d'apprendre à manier ces engins. Voyez comme vous serez bien protégés, là-dedans.

Du pied, il frappa l'épaisse pellicule d'acier. Elle résonna un peu comme une cloche. Le message demeurait limpide : quant à se trouver conscrit pour le service outre-mer, mieux valait avancer vers l'ennemi dans l'un de ces mastodontes de métal plutôt que la poitrine offerte sans protection aux balles. Tout autour, des jeunes gens, certains vêtus du « suisse » du Petit Séminaire, les autres en costume de ville, accueillaient ces mots avec un certain scepticisme.

— Je vous assure, insistait l'officier recruteur, vous y serez mieux que dans l'infanterie.

Élevée à Québec, fille d'un commerçant dont une bonne partie de la clientèle parlait français, Deirdre suivait sans mal le sens de ces paroles.

— Cet homme me paraît familier, observa-t-elle.

— Il s'agit du fils du premier ministre Lomer Gouin. Son prénom est Paul.

— Attire-t-il vraiment des volontaires ?

— Comme ses efforts sont destinés aux étudiants de dernière année du Séminaire et à ceux de l'Université Laval, qui sont les personnes de la catégorie d'âge visée par le dernier décret d'enrôlement, je suppose que plusieurs d'entre eux se laisseront séduire. Après tout, ces horribles machines sont les héritières de la cavalerie.

Elles entendirent le militaire évoquer le courage des ancêtres de la Nouvelle-France et le devoir des contemporains de se montrer dignes d'eux dans la grande entreprise guerrière de ce début de siècle. À la fin, la plus jeune des étudiantes conclut:

— À leur place, je préférerais aussi aller à la guerre dans ces grosses machines. À demain, Thalia.

— À demain.

Elle s'éloigna à grands pas, pressée de rejoindre le commerce familial, rue Saint-Jean. Sa compagne écouta encore un moment les exhortations à la bravoure, puis regagna la boutique ALFRED.

~

Dans la liste des choses à la fois délicieuses et interdites, les bouts de nuit volés à la morale figuraient au premier rang. Avec une rassurante régularité, Paul Dubuc venait souper au dernier étage de l'immeuble commercial de la rue de la Fabrique. Chaque fois, il constatait combien sa fille se plaisait dans son nouvel univers. Le repas se déroulait au gré des conversations tour à tour plaisantes et sérieuses. Puis, les grandes jeunes filles affichaient une complicité bienveillante en regagnant leur chambre un peu tôt. Après une brève attente pour sacrifier aux convenances, le couple se retrouvait dans la chambre de la maîtresse de maison.

Ils incitaient, de concert avec tous les bien-pensants, leur progéniture à s'accrocher à la chasteté. D'un autre côté, ils se livraient avec un entrain silencieux au péché de la chair. Ensuite, nus, ventre contre ventre, yeux dans les yeux, ils discutaient encore de tout et de rien, une autre façon de se dire leur amour.

— Les choses ne seront plus jamais pareilles, souffla Marie à mi-voix.

L'affirmation cadrait si mal, s'il fallait la relier à leurs ébats des dernières minutes, que son compagnon prononça un « Pardon ? » intrigué.

— Le droit de vote.

Le sujet avait occupé presque tous les échanges, au moment du souper. Il acquiesça d'un signe de tête.

— Après cela, continua-t-elle, tous les autres droits suivront. On ne peut pas permettre aux femmes de participer au choix des membres du Parlement et les voir se contenter de cela pour toujours. Dans les provinces de l'Ouest, on trouve déjà une ou deux femmes ministres, membres des cabinets provinciaux.

La veille, le 24 mai 1918, le gouvernement conservateur avait annoncé que toutes les femmes âgées de vingt et un ans et plus participeraient désormais aux élections fédérales. Plusieurs provinces leur conféraient déjà ce droit.

— Au Québec, les choses ne seront pas si simples, commenta le politicien. Tous les porteurs de soutane et un bon nombre de laïcs, dont le tonitruant Henri Bourassa, sont déjà en campagne pour empêcher que le gouvernement provincial ne fasse la même chose.

— Ils ne pourront pas arrêter la marche du progrès…

Marie avait un peu élevé la voix. Elle continua, un ton plus bas :

— Nous ne pouvons pas prendre une direction contraire au reste de l'Amérique du Nord.

— À long terme, je suppose que non. Toutefois, Bourassa et ses amis font la même analyse que toi.

Une nouvelle fois, Paul mesurait combien les conversations politiques tuaient son désir bien plus efficacement que tous les interdits religieux. Couché sur le flanc, la main gauche sur la hanche de sa compagne, son souffle mêlé au sien, il se passionnait maintenant pour la question du scrutin.

— Mais non, le contredit Marie. Bourassa a une position totalement opposée à la mienne.

— Son motif d'opposition est exactement identique à celui que tu formulais tout à l'heure. Lui aussi croit que les choses changeront pour toujours. Alors, il va multiplier ses efforts, comme tous les prêtres du haut de leur chaire, dans tous les collèges et séminaires, là où se trouvent les élites de demain, dans des journaux comme *L'Action catholique* et *Le Devoir*, pour empêcher la province d'élargir aux femmes le droit de suffrage.

— Tu penses que ces gens réussiront?

La main passa de la hanche à la cuisse, remonta doucement pour exercer une pression sur la fesse.

— Ils retarderont certainement les choses, précisa l'homme. Déjà, ils présentent le vote des femmes comme une mesure des anglo-protestants destinée à faire disparaître la nation canadienne-française.

— Comme la conscription, un projet destiné à annihiler notre communauté sur les champs de bataille…

— Et les gens associent les deux mesures, insista l'homme.

— C'est stupide, cela n'a rien en commun.

Le député remonta sa main sur la hanche. Le pli au milieu du front de sa compagne signifiait une suspension *sine die* de leurs ébats. Il avança plutôt:

— Je veux bien te croire. Mais ne penses-tu pas que les femmes politiciennes, les femmes médecins, comme Thalie entend le devenir, les avocates et même les marchandes comme toi, ne voudront pas avoir plus d'un enfant ou deux? Ce sera une entrave à la revanche des berceaux.

Les autorités religieuses et les milieux politiques les plus conservateurs, s'ils s'opposaient vivement à la conscription pour le service militaire, enrôlaient les utérus des Canadiennes françaises avec entrain. Ils espéraient qu'un taux de natalité élevé allait maintenir le poids démographique relatif de la nation au Canada.

— Les femmes qui feront le choix d'une carrière demeureront une toute petite minorité. Les autres continueront de livrer les bébés à la douzaine, s'exposant à ruiner leur santé ou à mourir en couches.

Marie gardait maintenant un condom en intestin de mouton dans le tiroir de sa table de chevet. Si l'obligation de le laver après chaque usage lui pesait, cela lui semblait infiniment préférable au risque d'une naissance non désirée. À son âge, la chose demeurait possible. Sans vergogne, elle commettait ce péché mortel avec une grande constance. Chaque fois qu'un prêtre abordait devant elle l'horreur de chercher à se dérober à la volonté de Dieu au regard de la procréation, elle songeait: « Fais-en quelques-uns d'abord, nous en reparlerons ensuite. » Son passé de victime lui rendait insupportable ce genre d'hypocrisie.

— Tu sais, commenta Paul en la serrant contre lui, je crois que cette petite minorité fera envie aux autres. Nos grands penseurs et nos pasteurs uniront leurs efforts pour condamner les femmes désireuses de sortir du rang. Ils ont déjà commencé à les accuser de tous les péchés. Tu te souviens de leurs réactions à la visite des joueuses de baseball américaines… Imagine-les en train de commenter l'existence de femmes médecins, de femmes avocates!

L'homme eut une pensée pour Thalie. Celle-là, volontiers fantasque, susciterait tous les soupçons et, à la moindre incartade, recevrait des condamnations sans nuances.

— La prochaine fois, oriente notre conversation sur les associations de fermiers, conseilla la femme en pouffant de rire. Le sort des femmes me laisse toute déprimée, bien peu disposée à l'amour.

— Comme nous ne voulons pas que je croise les filles au déjeuner, il convient que je parte tout de suite. Nous nous reprendrons.

Tous les deux tenaient à cette façade d'honorabilité. Ni Françoise ni Thalie ne devaient le voir en ces lieux au petit matin. Quelques minutes plus tard, l'homme utilisait l'escalier situé derrière la bâtisse afin de rejoindre une ruelle sombre et malodorante pour regagner sa pension de la rue d'Auteuil.

Chapitre 2

Fernand Dupire trouvait une saveur nouvelle à son verre de whisky. Depuis la mise en application de la prohibition en vertu de la loi Scott, des citoyens jusque-là irréprochables devenaient des criminels dans la discrétion de leur foyer. Les journaux alignaient depuis peu la liste des personnes coupables de fournir le produit honni à leurs clients. Les amendes se révélaient salées et les peines de prison, plutôt lourdes. Le fruit défendu devenait un peu plus enivrant.

— Ainsi, tes deux frères cadets ont décidé de se présenter à la Citadelle pour l'examen médical, conclut le gros notaire.

— Avec les curés qui les encouragent à faire leur devoir pour Dieu et pour le roi, souffla Jeanne, deux pauvres gars sachant à peine lire et écrire ne peuvent résister bien longtemps. Ils doivent choisir entre l'enfer des tranchées et les flammes éternelles, semble-t-il.

— Tu avais évoqué une fuite dans les bois.

— Eux aussi, pendant des semaines. Ils ont changé d'idée. Je suppose que la perspective de se nourrir de lièvres amaigris ce printemps, puis d'endurer les mouches pendant l'été, ne leur plaisait pas du tout.

L'annulation des exemptions consenties par les tribunaux d'exception touchait les deux parents de la bonne. Elle ricana au moment d'évoquer encore :

— L'automne dernier, vous avez perdu votre journée pour rien quand vous les avez accompagnés devant les juges.

— Pas du tout. Ils ont gagné plus de six mois. Avec un peu de chance, les combats se termineront avant la fin de leur entraînement.

Ces paroles destinées à rassurer la jeune femme tenaient du vœu pieux. Les journaux estimaient encore à un an la durée des hostilités avant que l'Allemagne ne soit réduite à merci. Au lieu de témoigner de son épuisement, les dernières offensives ennemies forçaient une certaine admiration pour la résilience de ce pays. Après une pause, l'homme continua :

— Entends-tu toujours te joindre à eux demain ?

— Oui, pour la messe. Enfin, eux seront avec leur régiment, et moi quelque part dans les environs... Vous êtes toujours certain que je peux m'absenter jusqu'en après-midi ?

— Je t'ai déjà accordé ce congé, ne revenons pas là-dessus. Ma femme saura certainement s'occuper de ses enfants pendant ces quelques heures.

Le ton trahissait son agacement. Eugénie accordait une attention distante à sa progéniture, comme si les soins quotidiens à lui prodiguer étaient indignes d'elle. Jeanne, de son côté, s'investissait dans ces tâches avec un entrain joyeux.

— Vous savez, ses grossesses ne sont pas faciles, tempéra la domestique.

À tout le moins, sa maîtresse entendait mettre tout le monde au courant des désagréments, petits et grands, liés à son état. Fernand reconnaissait d'emblée être un mauvais juge de la situation. Mais toutes les femmes donnaient naissance à des enfants et la plupart d'entre elles élevaient une nombreuse famille sans aide. Son épouse, placée dans des conditions idéales, paraissait trouver ce rôle plus lourd que la quasi totalité de ses semblables.

Il avala les dernières gouttes de sa boisson avant de dire encore :

— Mais je suis là à te retenir, alors que demain tu devras te lever très tôt. La messe aura lieu à l'aurore.

— Je ne me lèverai pas vraiment plus tôt que d'habitude. Tout de même, vous avez raison, je ferais mieux de monter tout de suite.

Elle quitta le canapé, tendit la main en enchaînant :

— Donnez-moi votre verre, je vais m'en occuper.

Leurs doigts se frôlèrent brièvement. Au début, ce contact les faisait se raidir de timidité, ils retiraient leur main bien vite. Maintenant, le bref instant était attendu, ils le prolongeaient même un peu.

~

Au moment où le jour commençait tout juste à blanchir le ciel, Jeanne Girard arriva devant le Manège militaire, une grande bâtisse de pierres grises, coiffée de tôles de cuivre devenues vertes au fil des ans. Depuis plusieurs décennies, des milliers de miliciens avaient appris à marcher au pas en ces lieux. Le déclenchement de la Grande Guerre, en 1914, avait au moins centuplé le nombre de ces jeunes hommes.

Depuis la veille, les nouveaux soldats bénéficiaient d'un congé afin de se présenter devant des confesseurs pour se mettre en règle avec leur Créateur. Quatre prêtres, dont l'abbé Émile Buteau, curé de la paroisse Saint-Roch, s'étaient tenus à leur disposition pour les confesser. Dès cinq heures trente, les conscrits, au nombre de plusieurs centaines, formaient les rangs, se tenaient au garde-à-vous sur les pelouses devant l'édifice.

La domestique, comme des centaines de spectateurs venus accompagner des proches pour cette cérémonie, reconnut les membres de sa famille, Arthur et Henri, des colosses que l'uniforme avantageait. Elle les trouva plus beaux que dans leurs habits du dimanche de mauvaise coupe.

Devant la porte centrale du Manège militaire, des ouvriers avaient érigé un autel fort convenable. Des banderoles blanches et jaunes rappelaient le Vatican et les Carillon-Sacré-Cœur, la nation canadienne-française. Les *Union Jack*, très nombreux, paraissaient tout de même fort incongrus pour une messe catholique. Les tricolores de la France républicaine le demeuraient tout autant.

À six heures trente, un jésuite, le révérend père Hudon, commença la célébration de la messe à l'intention de ces nouveaux militaires, pour la plupart enrôlés de force. Ils étaient près d'un millier d'hommes aux visages fermés, incrédules parfois à l'égard de leur sort, que les meules de l'Histoire, sur lesquelles ils ne possédaient aucune maîtrise, risquaient de broyer. Dans ces circonstances, trouver les mots justes au moment du sermon relevait du défi. Le célébrant s'y essaya pourtant :

— Presque tous, vous vous êtes présentés devant le tribunal de la confession. En tant que soldats, c'est avec une âme pure, lavée de vos péchés, comme des chrétiens pénétrés de leurs devoirs envers Dieu et envers votre roi, que vous commencerez votre nouvelle carrière.

Jeanne perçut une certaine raideur dans l'attitude de ses frères et de tous leurs camarades autour d'eux, comme si ces paroles les blessaient au cœur.

— C'est en purifiant vos âmes et en vous agenouillant devant Dieu que vous vous préparez le mieux à servir votre roi. Et Sa Majesté George V, pour le bonheur duquel tout l'empire fait des vœux aujourd'hui, n'aura jamais de soldats plus fidèles, plus patients aux heures d'épreuve, et plus ardents aux heures de danger, que les chrétiens que vous êtes, soucieux de mettre d'abord Dieu dans vos cœurs.

Jeanne aimait se considérer comme une aussi bonne chrétienne que la majorité de ses semblables. Pourtant, la mobilisation, non seulement de ce prêcheur, mais de Dieu lui-même, dans la grande entreprise guerrière, souleva sa colère. Plusieurs conscrits partageaient sans doute avec elle ce doute coupable sur la sagesse du jésuite, car quelques minutes plus tard, un grand nombre parmi eux choisirent de ne pas communier, malgré une confession toute récente.

Comme l'atmosphère paraissait différente aujourd'hui, comparée aux mouvements de révolte de la Semaine sainte ! La colère ne prenait plus la forme de grandes manifestations. La soumission prévalait souvent, ou alors la résistance se faisait discrète, individuelle.

À huit heures, ces hommes rompirent les rangs. La moitié d'entre eux, ceux habitant Québec, devaient participer à une seconde messe, dans leur paroisse d'origine. La plupart des autres se rassemblerait au Chez-nous du soldat.

Les efforts conjugués de la société charitable Saint-Vincent-de-Paul et des autorités religieuses et politiques avaient donné naissance au Chez-nous du soldat. Cette paternité multiple signifiait des finalités diverses et complémentaires. Des centaines de jeunes gens venus de tous les coins de l'est de la province se trouvaient loin des leurs, souvent pour la première fois de leur vie. Ce lieu de rencontre brisait leur isolement, leur permettait de fraterniser dans une ambiance plus détendue que celle de la caserne.

Surtout, ils y trouvaient des loisirs sains dans une ville vouée à l'abstinence, en vertu de la loi Scott. L'œuvre logeait dans la salle Loyola, propriété des jésuites. Les dignes religieux pouvaient bannir de ces lieux toutes les paroles, toutes les activités susceptibles de mettre en péril le salut de l'âme des volontaires et des conscrits.

— Nous avons de quoi lire, commenta Arthur Girard à l'intention de sa sœur.

Jeanne contemplait une collection complète des numéros de *L'Action catholique* et de la *Semaine religieuse* publiés au cours du dernier mois. L'affirmation du colosse lui semblait un peu présomptueuse : il déchiffrait à peine les lettres. Les conscrits les plus scolarisés devaient parcourir ces publications à haute voix au profit de leurs camarades moins habiles. Quelques biographies de saints et des ouvrages d'histoire ressassant les hauts faits des aïeux de la Nouvelle-France retinrent aussi l'attention de la jeune femme. La jaquette d'un opuscule montrait des Iroquois lancés à l'assaut d'une palissade de rondins. La silhouette de Dollard des Ormeaux, les bras levés, un baril de poudre dans les mains, laissait deviner l'imminence d'un dénouement malheureux.

— Nous passons surtout notre temps à jaser, à jouer aux cartes ou aux dames entre deux confessions, compléta Henri. Nous serons prêts à mourir, si nous ne sommes pas prêts à nous battre.

L'ironie marquait la voix du militaire. La grande pièce accueillait en permanence plus que sa part de porteurs de soutane. Ils n'arrivaient toutefois pas à donner à ces jeunes gens l'allure de croisés ardents. Le doute dominait toutes les âmes.

— Au cours des prochaines semaines, quelles seront vos activités ? questionna Jeanne pour meubler un silence un peu trop morose.

— Des tentes ont été montées dans le camp de Valcartier. Nous devons nous y rendre demain, commença Arthur.

— Jusqu'au milieu de l'été, nous allons apprendre à marcher au pas et à tirer du canon, termina son frère.

— À quel moment devez-vous vous embarquer ?

Son plus jeune frère fixa son regard sur le grand crucifix accroché au mur avant de répondre à voix basse :

— Au plus tard au mois d'août, pour l'Angleterre, ensuite nous passerons en France. Je suppose que dès octobre, je commencerai à tirer sur des gens.

L'homme évoquait ces pays avec l'assurance d'un maître d'école, alors que peu de temps auparavant, leur existence lui paraissait mythique. La domestique se remémora les mots de son patron : avec de la chance, l'Allemagne s'effondrerait avant l'arrivée de ses cadets sur les champs de bataille.

~

La Fête-Dieu amenait une abondance de fidèles dans la basilique Notre-Dame de Québec. La famille de Thomas Picard, à cause de l'addition d'Évelyne et la promesse de quelques enfants à venir, se répartissait maintenant dans deux bancs voisins donnant sur l'allée centrale.

Édouard se retournait parfois pour contempler la section de la nef derrière lui. Les jeunes hommes en uniforme, déjà nombreux, le seraient plus encore dans un mois. La plupart d'entre eux affichaient six ou sept ans de moins que lui. Peut-être son impression était-elle fausse, mais leurs regards lui semblaient chargés d'une ironie amusée. Tous les paroissiens connaissaient bien la vie de leurs voisins. Ces braves, fussent-ils conscrits, paraissaient enclins à mépriser les planqués, ceux qui échappaient à l'enrôlement grâce à un mariage vite conclu. Ce sentiment s'alimentait aux articles des journaux, empressés d'auréoler de gloire les hommes faisant « leur devoir ». Leur silence sur les autres équivalait à une condamnation.

Le jeune commerçant posa brièvement les yeux sur son épouse, debout à ses côtés. La femme gardait les yeux sur son missel, la mine absorbée. Personne ne pouvait deviner si cela tenait au recueillement ou à une inquiétude sourde.

« Cela en valait-il la peine ? »

Marié depuis peu, bien vite père de famille, Édouard se posait fréquemment la question. Le port de l'uniforme et surtout la participation à un conflit lointain lui avaient paru assez effrayants pour le précipiter vers la vie conjugale. Cette existence pesait déjà sur ses épaules.

Son attention revint vers l'office religieux. Le cardinal Bégin, vieillard affligé d'une santé fragile, abandonnait parfois à d'autres la célébration des fêtes religieuses, physiquement trop exigeantes. Monseigneur Marois le remplaçait de belle façon, entouré des élèves du Grand Séminaire faisant office de servants de messe. Le chœur s'encombrait en plus d'une vingtaine de prêtres. Ces soldats du Christ aimaient afficher la richesse de leurs effectifs, les jours de fête. Le temple s'ornait de longues banderoles blanches et or et de drapeaux aux mêmes couleurs.

Bientôt, tout ce beau monde traversa l'allée centrale dans un ordre parfait, pour sortir par les grandes portes. Le célébrant se parait d'un châle or lui couvrant les mains. De cette façon, sa peau n'entrerait pas en contact direct avec l'ostensoir. Il tenait la pièce d'orfèvrerie rutilante à la hauteur de sa poitrine. Sur le parvis, le prélat se trouva sous un dais porté par quatre personnes. Les ecclésiastiques viendraient tout de suite après lui dans la procession, flanqués de gamins revêtus d'une aube, munis d'un encensoir ou alors d'une petite lanterne fichée au bout d'un bâton.

La longue procession se forma derrière eux, suivant un ordre soigneusement planifié pour l'édification des fidèles et le respect de la hiérarchie. Dans ce grand contingent, quelques personnes recevaient une attention particulière : les membres des congrégations religieuses, hommes ou femmes, méritaient presque autant d'égards que les prêtres. D'autres participants devaient toucher les sensibilités, comme les orphelins et les orphelines de la ville, dans les plus beaux atours dénichés par des dames patronnesses, ou encore les élèves des collèges et couvents, dans leur uniforme habituel.

Les hommes et les jeunes gens en habits de ville devaient marcher ensemble, les femmes un peu plus loin derrière.

— Nous ressemblons à des soldats, grommela Édouard à son père en rejoignant les rangs, sur la place devant la basilique. Il ne nous manque que les uniformes kaki.

Il parlait à voix basse. Exprimer le moindre désagrément devant les fastes et les pompes de la sainte Église pouvait se révéler désastreux pour les affaires.

— Comme aujourd'hui, tu ne risques rien de plus qu'une insolation, supporte courageusement notre petite promenade, répondit Thomas sur le même ton.

Fernand Dupire et son vieux père se trouvaient immédiatement derrière eux. Après un échange de salutations et de poignées de main, le vieux notaire, maintenant tout à fait chauve, s'inquiéta à haute voix :

— J'espère qu'ils n'ont pas prévu un itinéraire interminable. Je n'ai plus l'âge de faire mes dévotions aux quatre coins de la ville.

Son embonpoint pesait lourd sur ses genoux, et la cité présentait des côtes trop nombreuses pour une personne dans sa condition.

— Si j'ai bien compris, voulut le rassurer Thomas, nous nous arrêterons devant la maison de Cyrille Duquet, dans la Grande Allée, puis au couvent des sœurs de la Charité.

À chaque endroit, la foule entendrait des cantiques chantés par les voix angéliques de jeunes filles et se recueillerait dans des prières ferventes.

— C'est loin, et ensuite il faudra revenir à l'église.

Le vieil homme se tourna vers son fils avant de continuer :

— Je vais te fausser compagnie chez Duquet et retrouver ta mère à la maison. Le bon Dieu ne m'en voudra certainement pas d'économiser un peu mes petites jambes.

— Madame Dupire ne participe pas à la procession ? s'enquit poliment Édouard.

— La marche dans nos rues lui sourit encore moins qu'à moi. Ce matin, elle a préféré demeurer dans sa chambre, en prière.

La dernière précision se révélait inutile, personne ne doutait de la religiosité frileuse de la vieille dame. Le gros homme ajouta, en faisant un clin d'œil à son jeune interlocuteur :

— Je pense que nous ne participerons plus à ces processions, à moins que nous puissions le faire en automobile !

— Ce serait une bonne idée et comme vous êtes plus près que moi de Son Éminence le cardinal, vous devriez lui en glisser un mot à l'oreille, rétorqua le jeune homme sur le même ton.

Après une pause, Édouard continua, cette fois en regardant Fernand :

— Ma sœur devra donc parader toute seule.

— Eugénie a préféré garder le lit ce matin, commenta l'autre d'un ton lassé. Dans son état…

Il se tut, jugeant inutile de justifier plus avant la future mère. La grossesse de son épouse, plutôt sédentaire en temps normal, la rendait réfractaire à la plupart des déplacements.

Derrière le contingent des hommes venaient des chrétiens d'élite, les membres de la Ligue du Sacré-Cœur, regroupés derrière leur bannière sanglante, une écharpe ou un large ruban de même couleur en travers de la poitrine. Ensuite, les Enfants de Marie, des jeunes femmes toutes vêtues de bleu, formaient des rangs serrés en prenant des allures de vestales. Les Dames de la Sainte-Famille suivaient. Après les couventines, les collégiens formaient une arrière-garde d'adolescents vêtus du « suisse ».

La longue procession se mit finalement en branle, au son d'un cantique :

Loué soit à tout moment Jésus au saint sacrement !
Loué soit à tout moment Jésus au saint sacrement !

...

Jésus veut, par un miracle,
Près de nous, la nuit, le jour,
Habiter au tabernacle,
Prisonnier de son amour.

La colonne de paroissiens descendit la rue de la Fabrique. Sur son passage, les maisons s'ornaient de drapeaux et de fanions aux couleurs pontificales, sans compter les innombrables Carillon-Sacré-Cœur. La combinaison des symboles nationaux et religieux sur ce dernier permettait de l'arborer en toute occasion.

Le contingent bifurqua dans la rue Saint-Jean et progressa jusqu'à D'Auteuil. La salle Loyola se trouvait sur la gauche, tout près de l'intersection. Plusieurs dizaines de soldats se pressaient sur le trottoir devant le Chez-nous, au garde-à-vous, un air à la fois martial et recueilli sur le visage.

Un reposoir magnifique, lourdement décoré lui aussi, permit à Mgr Marois de poser son ostensoir un moment. Il s'agenouilla, pria pour un prompt retour de tous ces militaires dans leur foyer, alors que les enfants de chœur enthousiastes agitaient leurs encensoirs à la volée. Le nuage de fumée odorante força certains ecclésiastiques à se racler la gorge.

Édouard remarqua un sourire peu compatible avec ce moment de recueillement sur le visage de Fernand Dupire. Curieux, il suivit la direction de son regard, fixé sur l'entrée de la salle Loyola. Une jeune femme assez jolie se tenait là, immobile. Le gros jeune homme esquissa même un signe de la tête.

— Sacré chenapan, songea le jeune commerçant. Les charmes de Jeanne ne te laissent pas indifférent, même le jour de la Fête-Dieu!

Les bras reposés, le prélat reprit sa pièce d'orfèvrerie sacrée contenant le très saint sacrement, progressa sous le dais en direction du sud pour rejoindre le chemin Saint-Louis. La pente de la rue fit gémir le vieux notaire. Heureusement, sa demeure ne se trouvait plus très loin.

~

— Tu vois, nous sommes ici en territoire occupé!

Armand Lavergne désignait la salle à manger du Château Frontenac. Début juin, les touristes demeuraient encore peu nombreux à Québec. Les hôtels et les restaurants continuaient tout de même de réaliser de bonnes affaires grâce à une imposante présence militaire. À une table sur deux se trouvait au moins un homme en uniforme. Ces gens-là avaient le geste ample, la voix tonitruante. L'image utilisée par le politicien n'était pas fausse: d'une certaine façon, ils occupaient les lieux.

— Je n'en vois jamais autour de la maison. Pourquoi t'entêtes-tu à vivre dans un cadre aussi artificiel? Cela doit te revenir encore plus cher qu'une demeure dans Grande Allée.

— Sans doute un amour du luxe contracté dès l'enfance. Le meilleur souvenir qui me reste de tout mon passé, c'est celui d'un voyage en Europe avec ma famille. D'une certaine façon, je tente de recréer encore et encore l'atmosphère de ce moment.

— Si tu peux te le permettre…

Justement, Lavergne le pouvait de moins en moins. L'abandon de son siège de député de Montmagny, lors des dernières élections, pesait lourdement sur ses ressources. Le maître d'hôtel vint bientôt vers eux pour demander :

— Voulez-vous votre table habituelle ?

— Ah ! Pourquoi ne pas innover un peu ? Là, juste à côté…

Du doigt, il montrait une table pour deux, placée à proximité d'une autre, plus grande, où un général richement décoré, flanqué de deux officiers, entretenait une demi-douzaine de civils.

— Je vois. Les plaisirs de l'ouïe devront remplacer ceux de la vue.

L'ironie teintait la voix de l'employé. Il conduisit les deux clients à leur place, remit à chacun d'eux un menu avant de s'éloigner.

— C'est vrai, remarqua Édouard, d'habitude nous nous retrouvons près d'une fenêtre, à contempler les jolies dames sur la terrasse Dufferin.

— Cette fois, je préfère entendre ce que le ministre de la milice raconte à ces journalistes.

Il parlait du général Newburn, assis tout près. L'homme entretenait ses auditeurs en anglais :

— Je vous assure, le recrutement va très bien dans la ville de Québec. Les émeutes tenaient à quelques agitateurs aux intentions criminelles. Maintenant que nous les avons maîtrisés, les jeunes gens de la ville s'enrôlent à un rythme très satisfaisant.

— Parce qu'ils y sont forcés. Autrement, ce serait la prison, rétorqua le journaliste du *Soleil* avec un lourd accent français.

La levée de toutes les exemptions du service militaire accordées aux appelés âgés entre vingt et vingt-trois ans ne leur laissait aucun choix.

— Leur réticence tient aux encouragements des curés catholiques, proposa en guise d'explication le représentant du *Chronicle*. Ces gens sont peu instruits, leurs confesseurs peuvent leur mettre les idées les plus saugrenues dans la tête.

— Ce gars devient bien audacieux, glissa Lavergne entre ses dents à l'intention de son ami, depuis que la populace ne défonce plus les fenêtres de son torchon deux fois par semaine.

Le souvenir des manifestations bruyantes de l'hiver et du printemps dernier lui valait de petits élans de nostalgie. Pendant ces quelques semaines d'agitation, il s'était imaginé détenteur d'un grand pouvoir politique. Au moins, en soulevant la foule, il arrivait à influencer un peu le contenu des journaux conservateurs.

— J'ai passé une partie de la matinée avec le cardinal Bégin, continua le ministre. Je vous assure que celui-ci montre les meilleures dispositions pour notre cause.

D'un côté, le digne prélat savait certainement adopter le ton susceptible de convaincre un représentant du gouvernement de sa meilleure volonté. De l'autre, le clergé savait mesurer tout le danger de ces grandes manifestations de masse pour tous les pouvoirs établis, le sien comme celui des institutions politiques. Depuis l'automne de 1917, la révolution bolchevique et les révoltes socialistes en Allemagne suscitaient partout la méfiance à l'égard des foules en colère.

— Il n'empêche, tous les prêtres, dans le secret du confessionnal, prêchent l'insoumission, insista encore le représentant du quotidien anglophone.

— Qu'en penses-tu ? questionna Édouard à voix basse. Les curés demeurent-ils foncièrement des insoumis ?

— *Le Devoir* entre dans tous les presbytères de la province, répondit Lavergne sur le même ton de conspiration. Aucun des lecteurs assidus d'Henri Bourassa ne peut afficher de sympathie pour l'enrôlement obligatoire. C'est un crime contre notre nationalité.

À la table voisine, le général Newburn préféra abandonner le sujet délicat de la collaboration du clergé catholique canadien-français à la grande croisade des Alliés en faveur de la civilisation. Il enchaîna en disant :

— J'ai aussi eu une discussion très satisfaisante avec le maire Henri Lavigueur. L'état-major se réjouit encore de son intervention pour pacifier les émeutiers, le printemps dernier. Il est seulement dommage que ses efforts ne soient pas venus à bout de tous ces excités. Cela a malheureusement coûté la vie à des passants, innocents pour la plupart.

— Tous des innocents, protesta encore Lavergne, cette fois assez fort pour attirer l'attention des occupants de la table voisine.

Le ministre se retourna à demi pour regarder l'impoli, sans le reconnaître. Le général Landry, assis à ses côtés, se révéla plus perspicace :

— Monsieur Lavergne, souhaitez-vous intervenir dans notre conversation ? Les événements malheureux que nous venons d'évoquer vous sont familiers, je pense. Vous pourriez nous instruire de vos lumières.

Ce militaire dirigeait le district de Québec. Quelques semaines plus tôt, il avait mené la répression d'une main de fer. L'ancien député de Montmagny croyait être l'objet d'une surveillance de tous les instants, depuis les échauffourées.

— Non, je vous assure, protesta-t-il, je préfère la conversation de mon ami.

Le général Landry se pencha afin de murmurer à l'oreille de son supérieur le nom de l'importun. Newburn dévisagea le fauteur de trouble un long moment, songeur, avant de reprendre :

— Le maire Lavigueur m'assure de la collaboration entière des autorités municipales pour faire respecter les mesures de recrutement.

Édouard, craignant que la situation ne dégénère si son compagnon continuait de s'immiscer dans la conversation voisine, accueillit avec un réel soulagement l'arrivée d'un serveur. Il commanda son repas, grimaça en se souvenant qu'aucun alcool ne viendrait l'accompagner, toujours à cause de la foutue loi sur la prohibition. La table voisine se vida bientôt. Lavergne attendit prudemment que les militaires se trouvent hors de sa portée avant de rager :

— As-tu entendu ce criminel ? Tous les tués, lors des désordres de Pâques, étaient des passants innocents !

— C'est vrai, les gens qui tiraient des coups de revolver depuis les toits s'en sont tirés sans mal. Selon ma belle-mère, c'est là l'habileté des agitateurs. Ils trouvent toujours le moyen de convaincre des pauvres gens d'aller mourir pour leurs idées. J'étais encore élève au Séminaire quand elle a commencé à me servir ses leçons de sagesse politique. Il a fallu le premier ministre Borden pour permettre à cette politicienne avertie, à quarante ans révolus, de participer aux élections fédérales pour la première fois.

Le souvenir amusait Édouard : dix ans plus tôt, il gaspillait déjà ses heures de loisir avec ce même mentor, tout disposé alors à l'initier aux objectifs du mouvement nationaliste.

De son côté, Lavergne accusa mal le sous-entendu. S'enfoncer dans sa logique lui parut la meilleure réponse :

— Le docteur Jolicœur a révélé, lors de l'enquête du coroner, qu'ils ont employé des balles explosives. Des munitions jugées trop cruelles pour les champs de bataille ont été utilisées contre des civils canadiens-français.

— Y crois-tu ?

L'autre fit un geste de la main, comme pour chasser le doute inopportun, puis enchaîna :

— Aucun de ces militaires n'a été condamné pour ces meurtres, les familles des victimes n'ont reçu aucun dédommagement, pas mêmes des excuses.

— Je sais. L'un de mes employés, j'ai presque envie de dire un ami, figurait parmi les victimes. Il laisse un petit garçon.

Édouard soupira à la pensée de Melançon. Tout cela lui laissait un souvenir amer dans la bouche. Il glissa :

— Tu crois vraiment que cela en valait la peine ?

Armand Lavergne, plutôt que de répondre, s'attaqua à son repas.

~

Comme la ville de Québec demeurait un lieu de transit des militaires en partance pour l'Europe, de nombreux désordres publics envenimaient sa quiétude habituelle. Au début du conflit, il s'agissait essentiellement de jeunes gens surexcités à l'idée de se couvrir des lauriers de la gloire. Un peu trop d'alcool les amenait à renverser les équipements publics, à défoncer des vitrines ou à chercher noise aux passants.

Quand la clameur venue du Canada anglais, sur l'obligation pour tous les citoyens de «payer le prix du sang», avait troublé les esprits, les batailles dans les tavernes ou les bordels prirent des allures de croisades justicières: il fallait punir les Canadiens français pour leur couardise ou, pire, leur trahison de la cause alliée. Les émeutes survenues pendant les semaines précédentes donnaient une justification supplémentaire aux zélotes du recrutement.

Même certains porteurs d'uniforme pouvaient mériter leurs foudres. Édouard marchait dans la rue de la Couronne quand un cri retentit derrière lui, en anglais:

— C'est une jolie guerre, se promener dans les rues de Québec.

Il se retourna pour voir une demi-douzaine de membres des Royal Dragoons se gausser des militaires se tenant sur le trottoir opposé.

— Vous reluquez les filles, hurla un autre, alors que nous devrons aller gagner la guerre à votre place.

La scène amena un sourire sur le visage du témoin: les civils ne seraient peut-être plus les victimes exclusives des railleries de ce genre. Pour préserver la paix, une patrouille composée de soldats recrutés dans la région parcourait inlassablement les rues, une pièce de tissu portant les lettres «MP», pour *Military Police*, au bras. Il leur arrivait très souvent de mettre sous les verrous leurs collègues les plus turbulents. Les policiers municipaux, des hommes ventripotents souvent affligés de pieds plats, ne se risquaient pas à tenter de maîtriser des délinquants rompus aux combats.

— Vous ne valez pas mieux que les autres *Frenchies*, intervint un troisième. Des peureux cachés à l'arrière.

Cette fois, Édouard ressentit un pincement au cœur. Devant l'insulte toujours répétée, voilà qu'il devenait solidaire de ses compatriotes en uniforme.

Les hommes de la patrouille traversèrent la rue de la Couronne en diagonale en empoignant leur matraque. La bataille ne promettait pas d'être aussi épique que celles menées dans les tranchées des Flandres, mais un membre cassé pourrait couronner une collection de bleus et de bosses.

— Nous n'en aurons jamais fini avec cette collection d'idiots, grommela-t-il en accélérant le pas.

Ce genre d'incident finissait par le rendre beaucoup plus sensible aux arguments d'Armand Lavergne. Il alternait sans cesse entre le plus profond scepticisme, l'animosité même, et un sentiment de révolte, partagé avec l'ancien député.

Il secoua la tête pour chasser ces réflexions lugubres. Mieux valait presser le pas vers son rendez-vous secret. Le samedi, très tôt dans la journée, il risquait tout de même d'être le dixième client de la maison.

~

Thomas effectuait sa troisième tournée des divers rayons de son établissement de la journée. Si les employés imaginaient voir dans ces visites répétées l'expression d'une passion mercantile envahissante, la vérité se révélait bien différente. Le propriétaire se demandait où son fils pouvait bien se trouver, au milieu d'un après-midi particulièrement achalandé. Les habitants des campagnes environnantes semblaient converger tous ensemble chez Picard afin de renouveler leur garde-robe ou meubler tout de neuf une ou deux pièces de leur maison.

— Il a presque trente ans, pourtant me voilà obligé de lui faire encore la chasse, maugréa-t-il dans sa moustache. Quand abandonnera-t-il ses habitudes de collégien ?

L'entrepreneur en arrivait parfois à regretter la présence de Clémentine LeBlanc. Comme cette jeune femme occupait un emploi régulier, elle ne pouvait détourner son amant de ses devoirs pendant les heures ouvrables.

— Dire qu'il a une épouse plutôt ravissante et un enfant qui l'attendent à la maison. Que lui faut-il, à la fin ?

Un atavisme ancien l'amena à s'arrêter devant un présentoir d'articles pour fumeurs afin de ranger les paquets de tabac à chiquer dans un ordre parfait.

— Quel imbécile, pesta-t-il encore à mi-voix. Il semble déterminé à ruiner sa vie.

Tout d'un coup, il eut la sensation que le poids des ans pesait très lourd sur ses épaules. D'abord, parler seul pendant dix minutes et pester contre la jeune génération convenaient bien aux vieillards gâteux, pas aux capitaines d'entreprise. Surtout, une douleur sourde lui vrillait la base de la nuque et son pas devenait un peu moins assuré.

«Je devrais manger plus légèrement, prendre l'air plus souvent.»

Au moins, songea-t-il avec un demi-sourire, ses lèvres n'avaient pas bougé cette fois. L'ascenseur se trouvait tout de suite à sa gauche, mais la vue du liftier, un garçon en uniforme écarlate, faisant monter une innombrable famille de Beaucerons le convainquit d'emprunter les escaliers.

Le premier étage lui parut un peu plus haut que d'habitude, il ralentit son pas pour se rendre au second. Grimper jusque-là se transforma en une véritable épreuve. Ce fut en s'appuyant de la main sur la rampe qu'il atteignit le palier. Au moment d'entrer dans l'antichambre de son bureau, il demanda à son secrétaire, Augustin Couture :

— Vous n'avez pas vu mon fils ?

— Pas depuis la matinée. Cela n'a rien de surprenant…

L'homme s'interrompit, comme effrayé d'en avoir trop dit. Thomas s'arrêta, la main sur la poignée de la porte de son bureau, pour demander:

— Je vous demande pardon?

— Oh! Une remarque tout à fait déplacée. Je m'en excuse.

Comme son patron demeura un bon moment immobile, les yeux sur lui, l'employé finit par ajouter:

— Ce n'est pas un secret, votre fils a l'habitude de s'absenter pendant les heures d'ouverture. Des obligations à l'extérieur, sans doute…

Le secrétaire s'interrompit encore, sentant une présence à ses côtés. Édouard se tenait à quelques pas, une expression de colère sur le visage.

Thomas n'entendit pas les derniers mots, ne remarqua pas le nouveau venu. La douleur irradia dans sa nuque, un brouillard sembla réduire sa vision. Il sentit ses jambes ployer sous son poids, réussit à se retenir à la poignée de porte avec assez de vigueur pour ne pas choir comme un sac. Tout de même, quand le mot «Papa!» retentit, il se trouvait sur ses genoux.

~

Trois employés furent nécessaires pour le conduire jusqu'à la Buick stationnée près du service de livraison. Heureusement, un monte-charge permit un départ assez discret. Alarmer les employés ou susciter les ragots des clients ne servirait en rien le bien de l'entreprise.

Une fois installé sur la banquette arrière de la voiture, l'homme avait retrouvé peu à peu ses esprits, la douleur dans son crâne s'estompait. Une fois à la maison, il avait assez récupéré pour descendre du véhicule avec la seule aide de son fils et marcher jusqu'à la porte en s'appuyant sur son bras.

Il aurait voulu donner le change, évoquer encore un malaise digestif. L'acuité du regard d'Élisabeth ne négligeait rien.

— Mon Dieu ! Dans quel état es-tu ! s'écria-t-elle en arrivant dans l'entrée, attirée par le bruit inhabituel à cette heure.

— Ce n'est rien ! Un petit étourdissement. Maintenant, tout est rentré dans l'ordre.

Plutôt que de lui arracher des bribes d'information, la femme préféra s'adresser à une autre source. Des yeux, elle interrogea Édouard. Jamais le garçon n'avait pu sciemment lui mentir. En cette circonstance, il n'avait aucun motif de le faire :

— Papa s'est effondré devant la porte de son bureau.

— Je n'ai même pas vraiment perdu conscience, protesta-t-il. Un petit étourdissement, mes genoux ont cédé.

Elle posa ses yeux bleus dans les siens. Un peu comme un gamin pris en faute, il baissa la tête et admit :

— Bon, peut-être une seconde d'inconscience, pas plus.

Saisissant son bras, Élisabeth dit, la sollicitude se mêlant au reproche :

— Et tu restes debout devant la porte. Viens t'asseoir.

Elle le guida vers la bibliothèque aux murs lambrissés de noyer noir. Deux fauteuils se trouvaient de part et d'autre d'un foyer, heureusement éteint en cette saison. La pièce fournissait un endroit idéal pour le travail, où le maître des lieux allongeait indûment ses journées depuis plus de vingt ans.

— Édouard, appelle immédiatement le docteur Caron. Insiste au nom de notre vieille amitié, il doit venir tout de suite.

— Un petit cognac et je serai totalement remis.

Le regard de sa compagne convainquit Thomas d'abandonner l'idée d'un médicament de ce genre.

Le docteur Caron arriva environ trente minutes plus tard, moins au nom d'une vieille amitié qu'en raison du temps, superbe en ce 8 juin. La maladie paraissait sévir plus souvent quand il devenait maussade, pour se retirer les jours de grand soleil. En conséquence, son cabinet se vidait.

Thomas se trouvait toujours affalé dans un fauteuil couvert de cuir, les yeux mi-clos. Sa femme ne savait trop si gravir l'escalier, pour regagner son lit, présentait un danger pour lui. Elle avait préféré le laisser là. Le praticien commença par demander :

— Alors, voisin, vous avez décidé de ruiner mon samedi en tournant de l'œil ?

— Mais non, ce n'est rien. Cependant, ma femme insiste.

— Je me disais aussi qu'il se trouvait au moins une personne raisonnable dans cette maison.

Le ton badin dissimulait une efficacité discrète. Il souleva les paupières du malade pour lui regarder le blanc des yeux, posa le bout de ses doigts sous les oreilles pour tâter le pouls une première fois, confirma son impression première en saisissant l'intérieur de son poignet gauche.

— Maintenant, madame Picard, comme votre mari doit me montrer sa poitrine, je vais vous demander de quitter la pièce.

— Voyons, c'est mon mari.

— Mais peut-être s'agit-il de préserver ma pudeur, pas la sienne ou la vôtre. Surtout, les spectateurs ruinent ma concentration.

Édouard s'était déjà retiré de l'autre côté du couloir, dans le salon. Elle se résigna à le rejoindre après un moment d'hésitation. Dès que la porte fut refermée, Caron demanda en prenant son stéthoscope dans son sac de cuir :

— Détachez votre chemise, je tiens à entendre votre cœur.

Thomas détacha les boutons lentement, révélant sans le vouloir ses ongles un peu bleutés. Pendant un long moment, le praticien promena l'extrémité circulaire et froide de son instrument sur la poitrine. À la fin, il le rangea dans son sac et s'assit dans le second fauteuil.

— Votre pouls n'est pas très fort et un peu trop rapide à mon goût. Votre cœur bat à un rythme un peu irrégulier.

— Est-ce grave, cela ?

— Pas nécessairement. Mais vous n'êtes pas en bonne santé. Vous me paraissez épuisé.

Le malade secoua la tête, admit avec une certaine gêne :

— Un commerce comme le mien, avec en plus la production de guerre dans les ateliers... Cela finit par peser sur les épaules. Je me sens fatigué, mais il faut bien continuer.

— Votre fils ne peut pas prendre un peu plus de place ?

Édouard avait suffisamment fréquenté le domicile de Caron pour que le médecin se fasse une idée assez juste du personnage. Dix ans plus tôt, il lui aurait même conféré le titre de gendre passable, si une demande en mariage avait suivi un petit moment de fréquentations avec Élise. Bien que son jugement à cet égard fût maintenant un peu plus sévère, cela ne réduisait en rien son potentiel en tant que commerçant de détail.

— Je suppose que oui, admit Thomas après un silence. Mais il est si jeune...

La réticence de son patient incita le praticien à changer à la fois de sujet et de ton :

— Les gens ne perdent pas conscience pour rien. Dans le quartier Saint-Louis, tout le monde sait combien vous êtes occupé, moi autant que les autres. Alors peut-être s'agit-il d'un simple épuisement. Dans ce cas, le meilleur remède serait de prendre deux semaines de repos complet, de manger légèrement et de prendre l'air.

— Mais cela peut être plus grave ?

— Oui. Je vous conseille de vous présenter, dès lundi matin, au bureau de mon gendre, Charles Hamelin, pour un examen plus complet. Non seulement je lui dirai de vous réserver du temps, mais je ferai savoir en sortant à Élisabeth que vous devez vous y présenter. Je la connais assez pour savoir que vous serez là, même si vous aimeriez mieux vous défiler, sans doute.

Thomas en convint sans hésiter :

— Elle serait sans doute disposée à m'assommer pour m'y emmener de force.

— Ce qui en fait une femme sensée.

Le visiteur s'apprêtait à quitter la pièce, son sac à la main.

— Pourquoi me faites-vous voir Hamelin ? Vous êtes mon médecin depuis des années.

— Je ne suis pas plus jeune que vous. Je préfère m'appuyer sur lui et éviter de m'épuiser au point de perdre conscience. Suivez mon exemple. On ne s'en porte pas plus mal.

Élisabeth mit donc tout en œuvre pour que son époux se présente à son examen médical et, de surcroît, elle l'accompagna. Aucune protestation n'aurait pu la convaincre de rester à la maison, aussi il céda bien vite. Au fond, la présence féminine l'aidait à surmonter la profonde inquiétude que lui inspirait sa condition.

Le cabinet se trouvait tout près, dans la rue Claire-Fontaine. Après le mariage de sa fille, le docteur Caron avait trouvé sa maison très grande. D'un autre côté, il désirait aider son gendre à bâtir sa clientèle dans ce quartier bourgeois. Son bureau de consultation occupait déjà une partie du rez-de-chaussée. En supprimant une cloison et en exilant le boudoir à l'étage, un second cabinet jouxtait maintenant le premier. À neuf heures pile, Charles Hamelin en ouvrit la porte pour appeler :

— Monsieur Picard ? Si vous voulez venir avec moi.

Élisabeth se cramponnait au coude de son époux. Le médecin lui adressa un sourire chargé de sympathie, mais précisa :

— Pour un examen, si le patient est un adulte, je préfère le voir seul à seul.

— C'est mon mari… protesta-t-elle, une nouvelle fois.

— Donc, c'est bien un adulte.

La déception sur le visage de la jolie femme l'amena à un compromis :

— Restez dans la salle d'attente pendant l'examen. Si monsieur Picard le permet, je vous ferai entrer au moment de poser mon diagnostic.

Le malade échangea un regard avec sa compagne, puis celle-ci donna son assentiment d'un signe de la tête. Quelques minutes plus tard, Thomas se tenait en caleçon, debout dans le cabinet, un stéthoscope lui parcourant la poitrine. Jusque-là, l'absence de témoin ne lui paraissait pas essentielle. Il changea un peu d'avis quand ses testicules se trouvèrent prises dans une main rugueuse, puis totalement, au moment où deux doigts s'enfoncèrent dans son anus. Son « ouch » méritait la plus grande intimité. Un regard féminin, dans ce moment d'abandon, l'aurait fait rougir comme une pivoine.

Un moment plus tard, quand le pantalon fut remonté, les bretelles sur les épaules, il s'attendit à voir le médecin faire entrer sa femme. Ce dernier lui désigna plutôt un tabouret.

— Mon beau-père m'a dit que vous avez perdu conscience dans votre magasin.

— Je ne pense pas... enfin, si j'ai perdu connaissance, ce fut un temps très court.

Hamelin demeurait silencieux, les yeux fixés sur lui. Il ajouta encore :

— Mes genoux se sont dérobés sous moi.

— Qu'avez-vous ressenti auparavant ?

— Un fort mal de tête, puis ici aussi, comme avec la grippe.

Du geste, il désignait son épaule et son bras gauche.

— Autre chose ?

— Depuis le matin, je me sentais d'une humeur massacrante... Contre mon fils, si vous devez tout savoir.

L'autre afficha une mine amusée, puis précisa :

— Pas tout, mais presque. Avec votre femme, comment les choses évoluent-elles ?

— Je ne comprends pas…

— Nous ne sommes pas des enfants, nous pouvons aborder ces sujets sans gêne.

Le patient serra les fesses en pensant aux doigts inquisiteurs. Des confidences, même intimes, se révéleraient moins intimidantes que cet épisode.

— Bien sûr, ma fougue n'est plus la même, mais d'un autre côté, vous l'avez vue. Couché à côté d'elle, je ne reste pas longtemps de bois.

— Et mourir à la besogne avec elle ne vous semblerait pas un si grand sacrifice.

— Précisément.

— Demeurez-vous aussi comblé qu'il y a dix ans?

Le souvenir du bal tenu au moment du tricentenaire lui revint en mémoire.

— En 1908, Élisabeth retenait l'attention du prince de Galles. Je suis peut-être moins… frénétique aujourd'hui. Les choses sont un peu différentes entre nous, mais certainement pas moins agréables. Il ne se passe jamais plus de trois jours sans…

L'aveu fit monter un peu de rouge à ses joues.

— Vous voilà donc avec une excellente raison de faire attention à vous. Ce serait dommage de ne pas profiter de sa présence pendant encore un long moment.

La perspective d'un nouvel ascétisme devenait certainement moins rebutante avec cet objectif en tête. Car le commerçant se doutait bien de la suite de la conversation: il devrait faire le deuil de ses principaux petits plaisirs. Il fut un peu surpris quand le médecin demanda encore:

— À quel âge votre père est-il décédé et de quoi est-il mort?

La question lui fit l'effet d'un coup de masse en plein front. Après une longue hésitation, il confessa dans un souffle:

— Il venait d'avoir cinquante-huit ans… Cinq de plus que moi aujourd'hui.

L'homme chercha dans la pièce aux murs immaculés quelque chose pour accrocher son regard. Les lieux paraissaient aseptisés, sans personnalité. Puis à la fin, il réussit à trouver assez de contenance pour dire :

— Il a eu une attaque. Il s'est effondré dans la rue, en revenant du magasin.

Hamelin laissa encore un moment à son patient. Établir à haute voix le lien entre sa récente mésaventure et le sort de son père le laissait songeur. Puis le médecin se leva afin de quitter la section de son cabinet réservé aux examens. Tout en se lavant soigneusement les mains, il déclara :

— Vous pouvez aller vous asseoir dans mon bureau. Dans un instant, je ferai entrer votre femme et je vous ferai mes recommandations. Votre destin est entre les mains de Dieu, mais avec un peu de bonne volonté, je crois que vous aurez de belles années devant vous. De très nombreuses années même. Mais désormais, vous devrez prendre aussi bien soin de vous que vous prenez soin d'elle.

Le commerçant passa de l'autre côté du cabinet de consultation, coupé de la salle d'examen par un rideau, en mettant sa veste. Deux chaises se trouvaient devant un élégant bureau de couleur miel. La présence d'un conjoint ne devait pas être si rare, après tout.

Au moment de venir le rejoindre, sur l'invitation du médecin, Élisabeth posa de grands yeux inquiets sur son époux. Son sourire peu confiant ne la rassura qu'à demi.

— Monsieur Picard, commença Hamelin en regagnant son fauteuil derrière le bureau, vous êtes fatigué, très fatigué même. Vous devrez d'abord vous arrêter tout à fait pendant deux bonnes semaines. Juste cela vous fera le plus grand bien.

— Édouard te remplacera au magasin, déclara Élisabeth. Nous irons à la campagne.

— Voilà une bonne suggestion. Regardez l'herbe pousser, marchez un peu, sans jamais vous épuiser, cependant.

Thomas songea combien ce programme serait ennuyeux.

— Au-delà de la fatigue, je m'inquiète aussi de la santé de votre cœur. Votre pouls est plus rassurant que samedi dernier, l'arythmie peut être sans gravité. Mais la douleur ici, au moment de votre étourdissement...

Le médecin toucha le haut de son épaule gauche en disant cela.

— ... et toute douleur dans la poitrine doit retenir votre attention. Donc, voici mes vraies recommandations : perdez du poids, quittez toujours la table en restant sur votre appétit, évitez toute fatigue excessive, évitez les émotions trop intenses, réduisez votre temps de travail.

Le visage préoccupé du médecin et le ton sévère augmentaient la portée des mots.

— Est-ce grave ? demanda Élisabeth, d'une voix blanche.

La femme rapprochait instinctivement son épaule de celle de son époux, comme pour le protéger.

— Nous parlons peut-être d'une angine légère. Dans ce cas, les choses rentreront dans l'ordre. Mais cela peut aussi être sérieux. Si, en prenant bien soin de lui, votre mari peut éloigner ces symptômes, ce sera la preuve de la bénignité de sa condition.

Thomas était entré dans cette pièce en bonne santé, il en sortirait bientôt inquiet, diminué. Prendre soin de soi, cela signifiait abandonner tout nouveau projet et se faire à la nécessité d'un nouveau mode de vie. Accepter l'idée de n'être plus jeune lui paraissait déjà difficile, il lui restait encore à se résoudre à celle de devenir vieux. Il eut envie de hurler : « Mais je n'ai que cinquante-trois ans ! »

L'homme s'enquit plutôt d'une voix résignée :

— Si je fais attention, les choses reviendront-elles à la normale ?

— Vous pourrez sans doute mener une vie de quinquagénaire... pas celle d'un jeune homme capable de tout entreprendre, de tout réussir.

Le médecin marqua une pause, puis il conclut en se levant pour lui donner congé :

— Si vous vous occupez de vous aussi bien que vous prenez soin de vos affaires…

Devant Élisabeth, le praticien préférait changer sa référence.

— … vous aurez des chances raisonnables d'être le dernier patient que je verrai au moment de prendre ma retraite. Si tout se passe bien pour moi, ce sera en 1948. Cela devrait devenir votre premier projet.

Le couple se laissa raccompagner jusqu'à la porte. En tendant la main à l'un et à l'autre, Hamelin ajouta:

— Je compte vous revoir dans deux semaines. Je vous pèserai alors de nouveau, prendrai votre pouls, écouterai votre cœur. Nous mesurerons alors votre résolution…

— Nous serons là, répondit Élisabeth, du ton de celle qui se montrerait déterminée pour deux.

Chapitre 3

Un peu plus tard, pendant le dîner, Thomas demeurait silencieux. De sa voix douce, Évelyne voulut s'informer avec son habituelle sollicitude :

— Vous êtes allé voir le docteur Hamelin aujourd'hui. J'espère que vous vous portez bien.

— Merveilleusement bien. J'ai appris que j'étais vieux. Si vieux que je devrai me contenter désormais de regarder l'herbe pousser.

— Thomas exagère un peu. Il devra seulement faire un peu attention à lui et prendre des vacances à la campagne.

Cette perspective ne parut pas tellement catastrophique à la jeune femme. Son propre père, désespérant de se voir nommer juge par un gouvernement conservateur, apprenait à se passionner pour la culture des roses. Lors du dîner de la veille, la supériorité du fumier de mouton sur les autres avait mobilisé toute la conversation.

— Je le trouve très gentil, reprit-elle en évoquant le médecin, réellement affable, capable d'un grand tact. Vous savez, pendant une grossesse, certains moments sont un peu… gênants.

— De mon côté, je considère que ses doigts sont vraiment trop gros. En conséquence, je demeure moins sensible à son affabilité.

L'étrangeté de la réponse la laissa sans voix. Un peu plus tard, Évelyne prit prétexte d'un vagissement de Thomas Junior pour quitter la table avant le dessert. Élisabeth fronça les sourcils pendant tout le reste du repas, puis décréta au moment de se verser une dernière tasse de thé :

— Nous allons dans la bibliothèque.

Son mari lui emboîta le pas. Un moment, il s'arrêta devant une petite armoire et confessa:

— J'aurais besoin d'un cognac bien tassé.

— Je te l'interdis absolument!

Le ton impératif ne tolérait aucune réplique: il vint s'asseoir dans l'un des fauteuils placés près de la cheminée. Élisabeth demanda, après un moment de silence:

— Pour faire une tête pareille, je suppose que le médecin a dû t'apprendre quelque chose en secret, avant de venir me chercher dans la salle d'attente.

— Mais non. Tu as tout entendu. Mon étourdissement, c'est un problème cardiaque. Je dois me coller à cette cheminée, placer une couverture sur mes jambes et boire de la tisane. Il manque juste un chat pour me tenir compagnie.

— C'est une façon de voir les choses. Moi, je me souviens surtout de conseils bien raisonnables: cesser de brûler la chandelle par les deux bouts, te reposer, prendre soin de toi.

— Tout ce que je fais, c'est pourvoir aux besoins de ma famille.

— En plus de te mêler à toutes les magouilles politiques. Quand je t'ai connu, tu te passionnais pour les élections fédérales. Puis tu as pris une part active dans l'ascension de Lomer Gouin au poste de premier ministre de la province. Plus récemment, le souvenir d'avoir défié les émeutiers avec Lavigueur semble te faire rêver d'accéder à la mairie. Tu occupes deux emplois depuis des années.

Cette description des faits correspondait à la réalité, Thomas devait en convenir.

— En te limitant au commerce, tu réduirais la durée de ta semaine de travail de moitié. Pourtant, tu demeurerais encore plus actif que la plupart de tes voisins.

— Ou bien, si je ne conservais que la politique?... Si Édouard s'occupait du commerce, ce serait possible.

Élisabeth lui adressa un sourire au-dessus de sa tasse de thé.

— Aimerais-tu te faire élire ?

— Non, je ne suis pas assez bon comédien. Mais Wilfrid aurait dû me nommer au sénat. Remarque, je ne le lui ai pas demandé... mais il ne me l'a pas offert non plus. Cela m'aurait permis de continuer à tirer les ficelles, en profitant d'une sinécure. Maintenant, cela n'arrivera plus. Borden se trouvera au pouvoir au moins jusqu'en 1921.

— Tu es encore jeune...

La grimace de son époux l'arrêta. Soucieuse, elle insista :

— Qu'est-ce que le médecin t'a dit ?

— Rien de plus qu'à toi.

Devant la mine sévère de sa femme, il crut bon d'insister :

— Je t'assure, je dis la vérité. Toutefois, il m'a demandé à quel âge mon père est mort. Cette question aurait été inutile, sauf s'il croit à une maladie héréditaire.

— ... Plus simplement, il a voulu te rappeler ce qui arrive quand une personne s'épuise à la tâche, en dépit du bon sens. Ton père prenait-il soin de se reposer ?

— Il a bâti le commerce !

L'entrepreneur marqua une pause, puis ricana.

— Puis Euphrosine ne lui en laissait pas trop le loisir. Il n'avait aucun moment de répit. Tu te souviens du dragon femelle, comme l'appelait Alfred.

— Très bien. Je pourrai être aussi déterminée qu'elle, pour te ralentir. Que feras-tu ?

Thomas réfléchissait à la question depuis son retour du cabinet du médecin.

— Édouard me semble trop distrait pour assumer de nouvelles responsabilités. Malgré le gâchis des émeutes, il rencontre Armand Lavergne plusieurs fois par semaine et aussi des jeunes excités du Parti libéral, comme Wilfrid Lacroix ou Oscar Drouin. Résultat : il est souvent absent, du commerce et de la maison. Je mange plus souvent que lui avec sa femme.

— Peut-être devrais-tu examiner le problème dans l'autre sens.

— Plaît-il ?

Ses sourcils en accent circonflexe soulignaient son incompréhension.

— Si Édouard assumait de plus grandes responsabilités au magasin, Lavergne et les nationalistes prendraient moins de place dans sa vie. Opérer un rayon dans le commerce de son père ne suffit certainement pas à combler une personne aussi imbue d'elle-même.

— … Tu as peut-être raison. De toute façon, me voilà condamné par le médecin à vérifier ton hypothèse.

La femme dissimula son triomphe de son mieux, au moment de demander :

— Alors, quels sont tes projets ?

— Faire de lui le responsable de l'administration quotidienne du commerce et me réserver les décisions les plus délicates, les grandes orientations.

— Ce serait certainement le plus sage, pour toi, mais aussi pour lui, je crois. Et la politique ?

— C'est ma seule véritable occasion de me détendre ! Tu ne vas pas m'en priver.

L'homme affichait tellement de bonne volonté qu'elle ne songea pas à le dissuader. Fréquenter le Parti libéral valait assurément aussi bien que les rosiers du père d'Évelyne. Cette pensée l'incita à demander, cette fois un peu intriguée :

— Que voulais-tu dire, au sujet de la grosseur des doigts du médecin ?

— Pour vérifier l'état de ma prostate, il a mis deux doigts.

Il lui présenta son index et son majeur liés. Devant les sourcils froncés, il les fit tourner dans un mouvement de vrille.

— … Oh ! Pauvre chou.

~

Lors du souper de la veille, Édouard avait tenté de connaître les résultats de la consultation médicale. Son père, fatigué par les émotions de la journée et désireux de réfléchir encore, préféra ajourner la conversation au lendemain, à la première heure, au commerce.

Même si la curiosité le tenaillait – Évelyne lui avait relaté la conversation étrange, survenue au moment du dîner –, le jeune homme se disciplina au point de ne pas aborder le sujet pendant le petit déjeuner, ni même dans l'automobile durant tout le trajet. Il fit descendre son père devant l'entrée principale, rue Saint-Joseph, avant d'aller stationner la voiture à l'arrière, près du service de livraison. Quelques minutes plus tard, au moment où il revenait aux bureaux administratifs, Augustin Couture leva les yeux sur lui, grommela entre ses dents :

— Ah ! Le jeune patron.

Il continua, cette fois à haute voix, en le regardant dans les yeux.

— Monsieur Édouard, je ne suis pas habitué à vous voir ici aussi tôt.

— Ni au milieu de la journée, si je me rappelle bien ce que vous disiez à mon père, samedi dernier, juste avant son... malaise.

— Il s'agissait d'une simple évocation de la réalité, pas d'un jugement. Vous êtes si occupé, tant à l'intérieur qu'à l'extérieur de ce commerce, cela ne me regarde pas.

Tout, dans la physionomie du secrétaire, contredisait les mots prononcés. Le jeune homme répondit d'un sourire mauvais. Il gardait en mémoire l'impertinence de l'employé, au moment de ses aventures avec Clémentine. Toutefois, devinait-il, l'heure de la revanche viendrait bientôt.

Peu après, il trouva son père assis derrière son bureau, perdu dans ses pensées, occupé à examiner les lieux comme s'il les voyait pour la première fois, ou au contraire leur faisait un adieu silencieux.

— Alors, me répéteras-tu ce que le médecin avait à dire ?

— Comme je sais que tu en meurs d'impatience...

Le commerçant s'arrêta un moment pour réfléchir à l'à-propos de ce terme, puis poursuivit :

— D'abord, il paraît que je suis fatigué, au point de m'affaler à la porte de mon bureau. Hamelin a recommandé un séjour à la campagne, mais j'iraï passer un moment à New York avec Élisabeth. Nous partirons demain.

Sa femme avait à peine résisté à cet accroc à la prescription du médecin. Après tout, on pouvait aussi ne rien faire au milieu d'une grande ville.

— ... Je te remplacerai ici, sois sans crainte, l'assura Édouard.

— Oh ! Mais ce n'est que le début des bonnes nouvelles pour toi. Pour reprendre les mots de ma femme, je "brûlerais la chandelle par les deux bouts". Alors, tu auras une promotion. Comme tu as pu faire le tour de tous les rayons, au cours des dernières années, je présume que tu es prêt.

— J'ai dirigé certains d'entre eux plus d'une fois, rappela le jeune homme.

Ce lent apprentissage, commencé à la fin de ses études classiques près de dix ans plus tôt, lui pesait comme une interminable peine de prison à purger.

— Te voilà donc directeur du magasin, conclut le père. Tu recevras les rapports des chefs des rayons, tu embaucheras et renverras le personnel au besoin, tu assumeras l'essentiel des relations avec les fournisseurs...

— Tu... tu prends ta retraite ?

— Non !

La véhémence de la protestation surprit le fils. Thomas précisa, après une pause :

— Enfin, pas tout de suite. À titre de président des entreprises Picard, je continuerai de décider des grandes orientations de nos affaires. C'est un peu comme dans un gouvernement. Tu seras responsable de l'exécutif.

— ... Et toi du législatif.

Une certaine déception marquait la voix d'Édouard. Thomas se sentit de nouveau poussé vers la porte, ou vers la tombe. Il maîtrisa sa frustration et précisa :

— Je t'assure que tu en auras plein les mains. Et le jour où je te sentirai capable d'assumer de plus grandes responsabilités, je ne t'en priverai pas.

Édouard changea l'expression de son visage. Sérieux, il prétendit en esquissant un sourire :

— Je sais bien, je n'ai pas ton expérience. Je ferai tout pour me rendre digne de ta confiance, je te l'assure.

— Surtout, n'oublie pas que l'expérience ne s'achète pas. Elle viendra en temps et lieu.

Le naturel revint tout de suite au jeune homme :

— Mais toi, tu t'occupais de toute l'affaire à mon âge, et même bien plus jeune.

Cet avantage, Thomas l'avait dû au décès précoce de Théodule. Ce genre d'accident demeurait le meilleur moyen de faire de la place à la nouvelle génération. À cet instant, l'homme acquit la ferme détermination de retarder le plus possible le moment de passer l'arme à gauche, juste pour embêter le prétentieux. Capable lui aussi de jouer un rôle, il répondit :

— Ce qui a eu pour effet de me mettre un poids insupportable sur les épaules. Va savoir, mes ennuis de santé, aujourd'hui, tiennent peut-être simplement à la surcharge de travail et de responsabilité d'alors.

Le scepticisme, sur le visage de son fils, l'incita à dire encore :

— Puis, le monde des affaires, à cette époque, était infiniment plus simple qu'aujourd'hui. Je t'assure que je t'abandonnerai autant de responsabilités que tu seras capable d'en prendre. Ne piaffe pas d'impatience trop tôt.

Édouard choisit de présenter sa meilleure figure. Avec un enthousiasme de marchand flairant la bonne affaire, il s'exclama :

— Je me montrerai digne de ta confiance. Tu pourras jouir enfin de la vie, avec Élisabeth.

— Je n'en doute pas, enchaîna Thomas sur le même ton.

Cette perspective arrivait presque à le réconcilier avec sa future existence.

— Prends le reste de la journée pour mettre de l'ordre dans ton département, je ferai de même ici. Nous réglerons les problèmes pratiques à mon retour… et nous discuterons alors de ta nouvelle rémunération.

— Je craignais de ne jamais te voir aborder le sujet, répondit-il, en riant.

Le jeune homme se leva en même temps que son père, se laissa accompagner vers la porte. Au moment où il sortait, Thomas lui tendit la main en disant:

— Tu prendras le gouvernail demain matin.

— Ne crains rien, le navire sera entre bonnes mains.

Le propriétaire s'enferma dans son bureau, soucieux de s'isoler un peu afin de donner libre cours à sa morosité. Dans l'antichambre, le secrétaire leva les yeux de son dactylographe pour demander:

— Monsieur Picard va s'absenter, je crois? Pour des vacances, je suppose.

— Oui, pendant deux semaines. Mais il vient de me donner la direction du magasin. Après tout, mieux vaut se retirer avec encore de nombreuses années devant lui pour jouir de l'existence.

Sur ces mots, le jeune homme montra toutes ses dents dans un sourire de carnassier, puis il quitta les lieux.

— … Je vous félicite, monsieur Picard.

La voix, devenue empressée, du secrétaire s'adressait au dos qui s'éloignait.

Le «monsieur Édouard» disparaissait. L'homme venait de perdre sa zone de confort.

~

Françoise n'hésitait plus à s'avancer vers les clientes en demandant, son meilleur sourire aux lèvres:

— Puis-je vous aider?

Une légère timidité marquait sa voix. Cela lui valait toujours, quelle que soit la réponse exprimée, la plus grande gentillesse.

En ce moment, les pensées de la jeune femme allaient vers sa sœur cadette. Tard en juin, tous les élèves de la province s'angoissaient à l'idée d'affronter les examens de fin d'année. Au moins, ils pouvaient se consoler, les classes prendraient fin dès le lendemain pour les grandes vacances.

— Amélie frémit d'impatience : sa scolarité touche à sa fin. Tu imagines, elle a vécu ses années de pensionnat comme une longue peine de prison.

Marie rendit la monnaie à une cliente avant de répondre :

— Je la soupçonne d'avoir joué à la pauvre recluse pour attirer notre attention, tout en passant son temps chez les ursulines à cultiver des amitiés pour la vie et à se moquer gentiment des religieuses.

— ... Cela se peut bien. Sa mine dépitée amenait papa à effectuer avec une rigoureuse exactitude sa visite hebdomadaire au monastère.

Découvrir en sa petite sœur une habile manipulatrice ne heurtait pas la sensibilité de Françoise outre mesure. Elle accueillait cette compétence bien féminine avec un sourire complice.

— Elle t'incitait aussi à la visiter avec la même fidélité, souligna Marie avec amusement.

Tout en discutant, toutes les deux surveillaient les consommatrices allant et venant entre les présentoirs. La belle saison entraînait une nouvelle affluence. Les élégantes trouvaient chez ALFRED des robes légères, de cotonnade et de crêpe, dans des teintes pastel, des gants de dentelle, des chapeaux de paille, certains avec de larges bords afin de protéger le visage d'un hâle inopportun et d'autres en forme de cloche. Françoise alla aider une cliente, commentant, en revenant vers la caisse :

— Nous allons rester avec ce lot d'ombrelles sur les bras. Ce n'est plus la mode.

— Alors, nous annoncerons une réduction dans notre prochaine publicité dans *Le Soleil*, avec l'espoir que des élégantes d'hier, pleines de nostalgie, viennent nous en débarrasser.

Les changements de la mode vestimentaire suivaient ceux de la société. Employées en nombre croissant dans les bureaux, les usines et les manufactures, les femmes négligeaient les corsets, les jupes tombant si bas qu'elles risquaient de s'accrocher partout, les fourreaux forçant à marcher à petits pas, pour adopter des vêtements plus pratiques.

Marie trouvait cela fort judicieux, elle aurait aimé débarrasser le commerce de toutes les choses d'un autre âge l'encombrant encore. Toutefois, une pareille initiative risquait de dégarnir des étagères pour les laisser vides. Trop d'ateliers de confection se convertissaient à la production de guerre, les fournisseurs lui faisaient souvent défaut. Depuis bientôt quatre ans, la soie couvrait plus souvent les ailes des avions que le corps des belles.

— Chaque année, les robes sont plus courtes d'un pouce ou deux, maugréait une cliente s'approchant du comptoir en compagnie de Thalie. En 1925, elles découvriront les genoux.

— La guerre se terminera bientôt, nous aurons un peu plus de tissu pour nous couvrir.

— Dieu vous entende. À votre âge, même les genoux sont jolis, alors qu'au mien…

La quadragénaire préféra ne pas commenter plus avant sa déchéance physique. Elle paya sa robe et quitta les lieux.

— C'est tout de même curieux, le High School vous donne un congé d'examen le jeudi… commenta Françoise, surprise de cette attention.

— Pour nous en asséner un samedi matin, rétorqua Thalie. D'algèbre en plus ! Mais cela nous donnera la chance de nous enregistrer tout à l'heure… si maman accepte de nous libérer.

Elle plaidait sa cause avec ses grands yeux d'un bleu très sombre.

— Vous pouvez y aller maintenant.

— Toutes ces clientes... commença Françoise.

— Ferons un peu plus longuement la file devant la caisse, si je suis la seule à pouvoir la faire fonctionner. Mais revenez ici tout de suite après, car je tiens à y aller moi aussi. Pas de café dans le restaurant d'à côté ou de promenade dans le parc Montmorency.

C'était là les formes de délinquance les plus fréquentes chez les deux jeunes femmes. Thalie ignora le sous-entendu pour commenter:

— Tu as été séduite par l'exemple du cardinal Bégin, tu ne veux pas tarder à faire ton devoir.

Le prélat avait été le premier Québécois à s'enregistrer, afin de donner l'exemple. De nombreux Canadiens anglais accusaient le clergé catholique de miner l'effort de guerre; sa bonne volonté devait les rassurer.

— Bien au contraire, notre cher cardinal serait en complet désaccord avec ma motivation: je ne risquerai certainement pas de sacrifier mon droit de vote en négligeant de me plier à cette formalité.

En plus d'une amende et d'un emprisonnement, les personnes omettant de se conformer à cette exigence seraient privées de leur participation au suffrage. Le privilège longuement attendu demeurait si récent qu'elle ne voulait pas le perdre.

— Allez, cessez de babiller, et surtout, revenez très vite.

Les deux jeunes femmes récupérèrent leur chapeau et leurs gants de dentelle dans la salle de repos située au fond du commerce et, rieuses, saluèrent la propriétaire des lieux d'un geste des doigts en sortant. Sur le trottoir de la rue de la Fabrique, Françoise observa:

— Les journaux parlent de conscription du travail. Serons-nous obligées d'aller dans les usines de guerre?

— Nous deux ? Nous sommes des vendeuses de rubans, nous serions déjà une nuisance dans un atelier de couture ou une usine de chaussures. Alors, imagine-nous en train de fabriquer des fusils Ross sur les plaines d'Abraham.

— Ce modèle n'est plus utilisé par l'armée.

Françoise demeurait bien informée de tous les petits et les grands drames de la guerre. Des soldats canadiens étaient morts dans les tranchées à cause de ces carabines sujettes à s'enrayer. Après un scandale politique à l'odeur sulfureuse, ils utilisaient maintenant des armes Lee-Enfield. Elle continua :

— Alors, à quoi sert toute cette nouvelle agitation ? Même Amélie à peine sortie du couvent devra remplir sa fiche.

— Je suppose que des travailleurs présentant des qualifications particulières pourront être retirés d'un emploi peu utile et orientés vers une occupation ayant une valeur stratégique. Bien sûr, si la guerre s'éternisait, nous pourrions être affectées à la production militaire, cela arrive en Europe, Mais une pareille éventualité est peu probable au Canada.

— ... Je souhaite que tu aies raison, murmura Françoise.

Au front depuis presque un an, Mathieu occupait les pensées de ses proches à chaque instant. Son absence elle-même le rendait terriblement présent dans leur vie.

— Alors, nous nous livrons à un exercice inutile, conclut Thalie. Le gouvernement n'a pas de véritable motif de vouloir faire l'inventaire complet de la force de travail du Canada. Imagine la perte de temps : toutes les personnes, hommes et femmes de plus de seize ans, doivent se présenter à un bureau d'enregistrement afin de remplir une petite fiche.

Les deux jeunes femmes, bras dessus, bras dessous, s'engagèrent prudemment dans la rue de la Fabrique, laissèrent passer un tramway et plusieurs voitures avant d'atteindre les abords de l'hôtel de ville. Une file de personnes peu satisfaites de se soumettre à cette exigence s'allongeait jusque dans l'escalier conduisant à l'entrée principale de l'édifice. Autour d'eux, les gens discutaient de la contrainte en des termes fort dramatiques, comme d'une mesure complémentaire de la conscription pour le service outre-mer.

— Tu crois que c'est vrai ? questionna Françoise en parlant à l'oreille de sa compagne. Cela ne servirait-il qu'à obtenir le nom des hommes à appeler lors d'une prochaine étape ?

— Ils ont déjà les noms de ces hommes. C'est le tien et le mien qu'ils obtiennent aujourd'hui.

Trente minutes plus tard, côte à côte devant le registraire, elles remplirent une fiche en y mettant leur nom, leur adresse, leurs qualifications et leur occupation.

— Tu vois, en exigeant cela de nous, commenta Thalie, le gouvernement nous considère pour la première fois comme des citoyennes. Il nous prête une autre utilité qu'entretenir une maison et torcher des bébés.

— … Tu mets quoi, comme occupation ?

— Étudiante.

— Bien sûr, où ai-je la tête ? Pour toi, c'est facile. Ce qui me vient tout de suite à l'esprit, c'est : "fille du député de Rivière-du-Loup".

Sa compagne songea que la plupart des femmes les plus jeunes devaient se représenter comme la fille de leur père, et les plus âgées comme les épouses de leur mari. Cette réflexion la troubla profondément. Elle répondit, après un moment de réflexion :

— Mais maintenant, tu es d'abord une vendeuse au service de ma mère. Ce n'est sans doute pas plus noble, mais c'est plus exact.

Quand elles revinrent au magasin, Marie enfila ses gants pour aller accomplir son devoir civique. Thalie ressentit une certaine fierté à l'idée que sa mère écrirait « commerçante » sans la moindre hésitation.

~

Le lendemain marquait le début officiel de l'été. En fin d'après-midi, Thomas Picard descendit sur le quai de la gare de Québec, tendit la main afin d'aider sa femme à le suivre. Édouard, venu les chercher avec la voiture, remarqua que son père semblait avoir perdu quelques livres. Il portait fort bien un costume de lin très pâle tout neuf, un chapeau de paille incliné sur l'œil. Élisabeth, de son côté, incarnait parfaitement la femme élégante, séduisante, sûre d'elle-même. L'approche de la quarantaine ajoutait un peu de rondeur à son corps et à son visage, sans rien lui enlever de sa beauté.

— Vous paraissez tous les deux dans une forme splendide, déclara le jeune homme en prenant leur valise.

— Tu veux dire splendide pour un préretraité, grommela son père.

— Dans ton cas, peut-être. Mais maman éclipse encore toutes les femmes de son âge, de même que les plus âgées et les plus jeunes aussi.

Élisabeth frappa du bout des doigts la poitrine de son fils en disant:

— J'espère que tu ne répètes pas ce genre de sottise devant Évelyne, cela la blesserait.

— Inutile de le lui dire, elle est à même de le constater tous les jours.

Le jeune homme les précéda jusqu'à la Buick. Il choisit d'emprunter le boulevard Saint-Joseph. Au moment de passer sous les fenêtres du grand magasin Picard, il remarqua:

— Comme tu vois, l'entreprise tient encore debout.

Thomas se pencha, sortit à demi la tête par la fenêtre de la voiture pour le constater lui-même. Sa présence ne se révélait pas essentielle. Cette pensée le rendit un peu morose. Son fils sentit le léger changement d'atmosphère, ce qui l'incita à demander:

— Comment a été le voyage?

— ... Ton père aura du mal à l'admettre, intervint Élisabeth, mais nous avons eu du bon temps.

— Je suis à demi mort de faim, bougonna l'homme.

— Mais tu n'as ressenti aucun malaise après les repas, comme il t'arrivait si souvent ces derniers mois.

Elle affichait un sourire amusé, comme une préceptrice en face d'un élève plutôt gentil, quoiqu'un peu récalcitrant. Exactement le calque d'Édouard, vingt ans plus tôt. Les pères ressemblaient-ils tous à leur fils, en vieillissant?

— Bon, bon, j'en conviens, abdiqua l'homme, ce petit séjour aux États-Unis m'a fait le plus grand bien. Le seul moment difficile fut de passer sur le pont.

— Le pont de Québec?

— Tu te souviens, je l'ai vu tomber à deux reprises. On dit bien "jamais deux sans trois".

L'achèvement de ce grand ouvrage épargnait désormais aux voyageurs l'obligation d'emprunter le traversier afin de prendre le train à la gare de Lévis.

— Tu as raison, poursuivit le fils. Je pense que moi aussi, je ressentirai un petit pincement au moment de traverser...

Après un silence, il demanda encore:

— Viendras-tu au magasin demain, afin de voir toi-même si tout est en ordre?

— La bâtisse tient encore debout, cela me suffira jusqu'à lundi. Demain, j'irai montrer au docteur Hamelin le résultat de la sous-alimentation sur ma santé.

— Comme cela ne te prendra pas toute la journée, tu pourras aller t'enregistrer ensuite. L'opération doit se dérouler demain, le 22 juin, mais les bureaux sont ouverts depuis hier.

— Tu as raison. J'irai régler cette formalité.

Cette corvée ne le remplissait pas d'enthousiasme. Le garçon précisa encore:

— Maman aussi doit le faire. Si le Canada entend enrôler de force les jolies femmes, ce sera la première à porter l'uniforme.

Parfois, le garçon mettait un peu trop d'insistance dans son effort de plaire, cela devenait suspect. Il confessa sa motivation dans les secondes suivantes.

— Je ne pensais pas aller au magasin, demain. Comme je savais que tu revenais, je me suis engagé. Mais je peux toujours décommander...

— Bah! Ce ne sera pas la première fois que nous laisserons les chefs des rayons sans surveillance pendant une journée. Tu ne pouvais pas savoir que ma femme tiendrait à me ramener au cabinet de mon tortionnaire si vite après mon retour. Elle a pris le rendez-vous avant de partir de New York.

— Je vais surveiller ce cœur pour nous deux, si tu entends le négliger! intervint-elle en souriant.

Quelques minutes plus tard, le couple descendit devant la demeure de la rue Scott. Édouard s'empressa d'aller finir sa journée au magasin.

~

À l'été 1918, les routes de la province de Québec demeuraient à peine carrossables. Parcourir quarante milles en voiture pouvait prendre l'allure d'une véritable expédition. Effectuer le double de cette distance en une journée paraissait bien téméraire.

— Tu l'admettras, je ne suis plus un jeune collégien susceptible de m'emballer pour un orateur habile, souligna Édouard au moment où il sortait du village de Saint-Michel-de-Bellechasse.

Le jeune homme relançait la conversation afin de chasser le souvenir de son pique-nique avec Clémentine LeBlanc. Leur baignade dans une rivière discrète demeurait bien présente dans son esprit. Sa maîtresse était toujours introuvable. Il se faisait lentement à l'idée de ne jamais la revoir.

— Je veux bien admettre que tu ne fréquentes plus le Petit Séminaire.

La repartie d'Armand Lavergne, par sa brièveté, se révélait un peu insultante. Son compagnon choisit de ne pas la relever.

— Comment diable arrives-tu à me convaincre de t'accompagner? Bien pire, je te sers de chauffeur. Pour mieux incarner mon nouveau rôle, il me reste à trouver une casquette et à te demander de t'asseoir derrière.

— Tu veux voir s'écrire l'Histoire.

— L'Histoire ? Il s'agit d'une manifestation de cultivateurs et de bûcherons dans un trou perdu.

Le politicien lui jeta un regard en biais avant de répondre :

— C'est un charmant village, situé dans le comté que j'ai eu longtemps l'honneur de représenter, d'abord à la Chambre des communes, puis à l'Assemblée législative.

— Le train ne s'y rend même pas ! Sinon, je ne conduirais pas sur ces mauvais chemins.

Lavergne ignora la remarque, pour continuer plutôt :

— Puis, cette manifestation sera suivie par plusieurs autres. Nous allons...

Édouard leva la main pour l'arrêter, puis prononça d'un ton sans réplique :

— Si tu me dis que tu veux reprendre le scénario des manifestations contre la conscription, je te fais descendre ici et je rentre à Québec tout de suite. J'ai perdu un employé dans ces émeutes. Cela a donné de magnifiques résultats : toute une classe d'âge a été ramassée après l'annulation des exemptions. Es-tu fier de toi, à ce sujet ?

Plutôt que de répondre à la rebuffade, le passager se renfrogna jusqu'à Montmagny, comme un enfant boudeur.

Quand Édouard s'arrêta juste devant l'hôtel de ville du village pour décrasser un peu le pare-brise couvert de poussière et de cadavres d'insectes, il aperçut des dizaines de jeunes gens en colère allant et venant sur une petite place, formant de petits groupes pour se disperser ensuite, puis se rejoindre encore.

Quelqu'un regarda dans leur direction, reconnut le passager et cria :

— Lavergne, le député Lavergne !

Il se produisit un attroupement autour de la Buick. Peu désireux d'entamer une discussion avec ces gens, Édouard regagna sa place derrière le volant. Le moteur tournait encore, il voulut engager la première vitesse. Des hommes se pressaient au milieu de la chaussée, ils refusèrent de s'écarter pour le laisser passer.

— Vous êtes venu faire un discours ? demanda quelqu'un.

— Je ne suis plus votre député, répondit Lavergne, la vitre de la voiture baissée. Ce rôle revient à mon successeur.

Son compagnon laissa échapper un ricanement amusé. L'homme devait vraiment craindre de se voir forcé de rentrer à pied, pour se priver ainsi du plaisir d'agiter les foules.

— Voyez-vous ces moutons aller s'enregistrer ? commenta l'un des manifestants. On dirait qu'ils veulent absolument se retrouver dans les tranchées européennes.

De nombreuses femmes attendaient leur tour d'entrer dans l'hôtel de ville. Celles-là risquaient peu de connaître ce sort. Des hommes se trouvaient là aussi. « S'ils montrent tant de bonne volonté, songea Édouard, ils ne craignent sans doute pas de se voir forcés à s'enrôler. » La plupart d'entre eux devaient être mariés ou alors d'un âge trop éloigné de celui des appelés. En ce moment, toutefois, les garçons de dix-huit et dix-neuf ans, comme ceux de vingt-quatre ou vingt-cinq ans, devaient crever d'inquiétude dans une cave ou un grenier.

— Ils n'ont pas d'autre choix que de respecter la loi, déclara Lavergne d'une voix peu convaincue.

Son interlocuteur demeura surpris. Que les députés libéraux et conservateurs, ou même les curés, conseillent de s'enregistrer n'étonnait personne. La soumission cadrait bien avec leurs fonctions. De la part de l'un des militants nationalistes les plus tonitruants, cette attitude laissait bouche bée.

— Moi, je ne le ferai jamais ! protesta un autre.

— Si vous avez besoin d'un avocat, mon bureau se trouve de l'autre côté de la rue.

De la main, Lavergne désigna les bureaux de l'hebdomadaire local, dont il assumait la rédaction. L'atelier lui servait aussi de cabinet.

Sur la place, quelqu'un entonna le *Ô Canada*. Les badauds se regroupèrent autour du chanteur, afin de mêler leur voix à la sienne. La rue se dégagea aussitôt, Édouard put relâcher le frein et se mettre en route. Après quelques minutes, il trouva un chemin conduisant vers le sud-est.

— Je sais pourquoi tu m'accompagnes toujours, déclara bientôt Lavergne, reprenant le fil de la conversation là où il l'avait abandonné. Tu es curieux, exactement comme ton père.

— Qu'est-ce que le patron des entreprises Picard vient faire là-dedans?

— Tu es comme lui, désireux de savoir ce qui se passe. Lui colle les libéraux, toi les nationalistes. Vous êtes tous les deux des spectateurs, mais vous désirez savoir ce qui se passe.

Pendant tout le trajet jusqu'à Saint-Paul-de-Montmagny, le conducteur rumina cette explication. Le village se révéla bien charmant et, surtout, en proie à une grande agitation.

— Il y a de nombreux insoumis dans ce coin, commenta le politicien. Les jeunes hommes connaissent bien les forêts des environs, personne ne songe à les dénoncer. La police militaire n'arrive pas à leur mettre la main dessus.

Le mot «insoumis» désignait les jeunes gens qui, bien que conscrits, ne se présentaient pas aux autorités militaires. S'ils étaient rares dans les villes, à cause de l'action des «spotteurs», à la campagne les endroits où se cacher ne manquaient pas.

— Tous ceux-là se dérobent à l'enrôlement?

— Non. Il serait trop dangereux pour eux de se montrer en plein jour. Ces jeunes ne veulent pas s'enregistrer, de peur d'être conscrits bientôt.

— Tu viens les encourager à remplir cette obligation ou leur offrir tes services légaux s'ils s'y refusent, comme tu l'as fait sans vergogne, il y a quelques minutes?

L'ironie marquait la voix de son compagnon. Lavergne rétorqua sur le ton de la conspiration:

— L'armée m'a à l'œil.

Machinalement, Édouard tourna la tête afin de voir si son véhicule avait été suivi.

— Je ne ferai rien pour leur donner un motif de m'arrêter, continua son compagnon. Moi aussi, je suis venu ici en curieux. Je veux voir ce qui va se passer. Tôt ou tard, je me présenterai de nouveau dans ce comté.

L'affirmation semblait peu crédible, mais Édouard n'insista pas. Pour faire l'inventaire de sa force de travail, le gouvernement du Canada devait recruter des « registraires », des personnes chargées d'enregistrer la population. Il s'agissait souvent d'avocats ou de notaires proches du Parti conservateur, désireux de profiter de ce petit patronage. Les moins prudents tenaient cette opération dans leur domicile ou leur cabinet. Les autres préféraient un territoire neutre, comme les locaux de l'hôtel de ville ou une école. À Saint-Paul-de-Montmagny, l'édifice municipal servait à l'enregistrement de toutes les personnes âgées de plus de seize ans.

Dans ce village aussi, quelqu'un veillait à organiser les protestataires, à donner une direction à leur colère. Dès qu'Édouard eut éteint le moteur, les premières mesures du *Ô Canada* parvinrent à leurs oreilles. Les drapeaux Carillon-Sacré-Cœur, tenus bien haut par des dizaines de personnes, claquaient au vent. La plate-forme arrière d'un camion procurait une estrade fort convenable à un orateur enflammé :

— Des milliers de Canadiens français ont déjà été recrutés de force, leurs cadavres pourriront bientôt dans les tranchées des Flandres. Dans quel but ? Feront-ils la différence à côté des trois millions de soldats promis par les États-Unis ?

— Non, non ! clamaient des dizaines de voix.

— Les Anglais n'ont qu'un seul objectif : affaiblir notre nation en faisant de la jeune génération de la chair à canon.

— Jamais, jamais !

Édouard fit mine de chercher autour de la voiture, puis il demanda :

— Où se cache le metteur en scène ?

— Essaies-tu d'imiter ton père, là ? demanda Lavergne, irrité.

— Cette pièce, écrite par la Ligue anticonscriptionniste de Québec, est jouée avec une trop grande efficacité. Ce ne sont pas des agriculteurs ou des bûcherons en train d'improviser. Les comédiens doivent sortir du Séminaire de Québec ou de l'Université Laval.

L'ancien député indépendant de Montmagny répondit par une grimace. Du haut du camion, l'homme d'une vingtaine d'années, au geste ample et à la prononciation affectée d'un étudiant en droit, continuait :

— Le gouvernement d'Ottawa nous convie à défendre le Royaume-Uni, le dernier renfort de la liberté et de la civilisation. Croyez-vous à cela ?

— Non, non ! répondirent les spectateurs d'une seule voix.

— Le Royaume-Uni arrache les patriotes irlandais à leur demeure pour les fusiller dans les rues. Ces crimes servent-ils la liberté ?

— Non, non !

Encore une fois, Édouard contempla son compagnon, le visage chargé d'ironie, avant de commenter :

— Tu lui as vraiment fait la leçon, c'est un parfait petit perroquet. Tous ces mots sont déjà sortis de ta bouche.

— Tout cela est évident, chacun connaît ces faits. Je n'ai pas besoin d'inspirer ces paroles.

— Ce ne sont pas vraiment des faits, mais des idées prêtes à penser. Je m'y connais, je vends des vêtements prêt-à-porter. Si la personne de l'armée supposée te surveiller t'aperçoit ici, tu risques de passer l'été à l'ombre. Dans une prison de Toronto, tu ne survivras pas un mois.

Lavergne se troubla un peu, plaida comme devant un juge invisible :

— Tout cela a été publié dans les journaux.

— Oui, souvent par toi. S'il dit "Mordu par un chien ou par une chienne, c'est pareil", tu es cuit.

L'ancien député commençait à regretter le choix de son chauffeur. L'orateur poursuivait, à l'intention des agriculteurs et des bûcherons rassemblés devant lui :

— Tous ces registres serviront à envoyer plusieurs d'entre vous sur les champs de bataille européens. Allez-vous les laisser faire ?

— Non, non !

— Alors, agissez !

La foule de jeunes gens semblait attendre ces mots. Quelques-uns se dirigèrent vers l'hôtel de ville, les autres leur emboîtèrent le pas. Finalement, ils furent plusieurs dizaines à pénétrer dans le petit édifice de planches. Les personnes attendant leur tour pour s'enregistrer n'osèrent protester d'abord, puis bien vite, elles préférèrent quitter les lieux. Des tables se trouvaient alignées dans le hall, quatre personnes assises sur des chaises de cuisine se tenaient derrière une petite muraille de fiches entassées les unes sur les autres.

— Ce que vous faites est criminel, protesta un petit notaire en se dressant à demi.

Un protestataire vociféra, pointant un doigt accusateur :

— Vous êtes le seul criminel présent ici. Coupable de livrer vos compatriotes aux Anglais, afin que ceux-ci en fassent de la chair à canon.

Le ton ne permettait pas de douter du verdict. Les coups suivraient bien vite les paroles accusatrices. Le registraire et ses aides reculèrent prudemment. Les manifestants s'emparèrent des fiches, quittèrent les lieux en chantant *Ô Canada*. Sous les grands arbres, devant l'hôtel de ville, ils mirent le feu à des centaines de petits bouts de carton.

— Avons-nous donc gaspillé un beau samedi d'été pour assister à ça ?

Édouard paraissait tout surpris de sa propre sottise.

— Dire que j'ai laissé une entreprise sans capitaine pour voir brûler des bouts de papier dans un village perdu.

Peut-être Élisabeth avait-elle raison : avec un travail sérieux à effectuer, le jeune homme ressentait moins le besoin de se trouver sur les lieux de grandes manifestations. Il conclut :

— Rentrons. Avec un peu de chance, je pourrai souper avec les miens. Mon père me racontera son beau voyage dans le détail.

~

Comme tous les dimanches, l'église de la paroisse Saint-Roch accueillait des centaines d'ouailles recueillies. Des familles nombreuses s'entassaient dans la plupart des bancs. À la faveur de la guerre, des travailleurs des deux sexes peuplaient les maisons de chambres du faubourg. Ceux-là ne participaient guère à l'encan annuel des bancs. Les plus chanceux payaient, dimanche après dimanche, le droit d'en occuper un, les autres se tenaient debout au fond du temple.

Augustin Couture faisait partie de ceux-là. Il arrivait à somnoler, planté sur ses deux jambes, pendant la majeure partie du service. Les chants et l'odeur de l'encens favorisaient les esprits vagabonds. Évidemment, certains moments mobilisaient l'attention des auditeurs. Le sermon comptait parmi ceux-là. L'abbé – la rumeur évoquait avec insistance une élévation prochaine à l'épiscopat – Émile Buteau gravit le petit escalier conduisant à la chaire, puis commença de sa voix forte :

— Mes très chers frères, mes très chères sœurs, les journaux ont évoqué cette semaine le fait que Sa Grandeur le cardinal Louis-Nazaire Bégin a été le premier citoyen de notre ville à participer à la vaste entreprise d'enregistrement. Notre prélat s'attend à ce que chaque personne, homme ou femme, remplisse cette formalité. Certains se sont attachés à relier cette exigence à la conscription.

Un murmure parcourut l'assistance. Clairement, plusieurs paroissiens faisaient la même chose. Le curé continua :

— Rien ne prouve que cela soit vrai. Les autorités politiques nous assurent qu'il s'agit seulement de faire l'inventaire des ressources humaines de notre grand pays.

Le murmure irrité s'amplifia un peu. Le prêtre s'arrêta, attendit que le silence revienne.

— Sa Grandeur s'inquiète de l'effet délétère des folles rumeurs qui courent parfois dans la populace. Les habitants de la Basse-Ville ont expérimenté de façon bien cruelle les dangers inhérents à ces discours imprudents.

Augustin Couture se souvenait encore du bruit sourd, soutenu, des mitrailleuses. L'allusion voilée aux cadavres dans la neige imposa le silence. Cela permit à l'abbé Buteau d'adopter un ton moins sévère, presque joyeux, pour la suite de son sermon :

— Demain sera la fête de Saint-Jean-Baptiste, que Sa Sainteté a bien voulu nous donner comme saint patron. Ce sera pour nous l'occasion de célébrer, dans des jeux et des manifestations honnêtes, notre nationalité. Ce sera en particulier le moment de nous souvenir avec émotion et reconnaissance de nos ancêtres qui, par leurs luttes courageuses, nous ont conservés catholiques et français.

Le bon curé avait commencé par obéir à son supérieur en invitant les paroissiens à s'enregistrer. Pendant les trente minutes suivantes, il célébra la grandeur du peuple canadien-français.

Pourtant, Augustin Couture n'entendit rien de tout cela. Les sombres perspectives de sa carrière ne cessaient de le hanter.

~

Thomas n'avait rien fait de ce genre depuis des années : un pique-nique près de la rivière Montmorency, un peu en aval de la chute. De grandes pierres plates lui permettaient de s'étendre sur le dos et de profiter de la caresse du soleil.

— Quatre livres ! Tu as perdu quatre livres, s'exclamait encore Élisabeth, plus de vingt-quatre heures après avoir quitté le cabinet du docteur Hamelin.

— Je meurs de faim.

L'homme, après avoir dévoré les fruits et le fromage contenus dans le panier d'osier, se languissait d'un véritable repas.

— Tu vivras vieux, cela vaut bien une fringale. Le médecin constate déjà une amélioration de ta condition générale.

Thomas aimait faire allusion à l'état de famine auquel il était réduit, mais il constatait combien il se sentait mieux. Son épouse n'entendait pas s'arrêter tout de suite dans l'énumération des heureux changements des dernières semaines.

— Édouard paraît très bien se tirer d'affaire. En plus, il est revenu de son expédition avec Lavergne en jurant qu'on ne l'y reprendrait plus.

— Une promesse d'ivrogne après une mauvaise cuite. Je te parie qu'il succombera encore.

Tout de même, le commerçant perdait un peu de sa propension à voir la vie en noir. Sa condition s'améliorait, il se permettait de passer de longues journées avec la plus jolie femme de la ville. L'avenir paraissait de nouveau souriant.

— Viens ici, au lieu de jouer à la maman avec moi.

Il écarta son bras droit de son corps. Élisabeth regarda tout autour, ne constata la présence d'aucun espion. Elle s'étendit finalement contre lui sur la couverture, posa la tête au creux de son épaule, la main sur sa poitrine.

— Tu vois, juste pour continuer de vivre cela, je suis prêt à maigrir au point d'avoir la peau du ventre collé à celle du dos.

— Mais tu as encore beaucoup de chemin à faire.

En même temps, elle lui pinça le flanc. Tout de même, elle reçut ces mots comme une fort jolie déclaration d'amour.

Chapitre 4

Évelyne avait accueilli avec plaisir la nouvelle de l'expédition à la campagne de ses beaux-parents. Sans tarder, elle avait téléphoné à sa belle-sœur Eugénie afin de décommander le dîner dominical qui les réunissait deux fois par mois, plaidant des « obligations familiales ».

Pourtant, au retour de la messe, la morosité de son époux gâcha un peu son bonheur. Seuls dans la salle à manger, de part et d'autre de la grande table, elle mesura combien ils avaient peu à se dire. Pendant tout le premier service, la conversation se limita à des monosyllabes. À l'arrivée du second, elle demanda :

— Hier, tu as mis toute la journée pour aller à Saint-Paul-de-Montmagny et en revenir ?

— En automobile, cela représente une jolie performance. Heureusement, je n'ai subi qu'une seule crevaison, au retour.

— Les gens ont-ils vraiment envahi l'édifice municipal pour voler les fiches ?

— Et les brûler ensuite dans un petit parc. Tu le sais bien, tu étais là quand j'ai tout raconté à papa.

Cela faisait partie de son malheur : Édouard s'adressait à ses parents, jamais à son épouse. Bavard pendant les repas ou installé dans le salon avec eux, un verre à la main, son compagnon devenait silencieux, ou du moins bien discret, au moment de monter dans la chambre avec elle. Après un silence, elle prit sur elle d'essayer de relancer la conversation :

— Tu parais satisfait de la façon dont les choses évoluent au magasin.

— Il y a encore de la place pour l'amélioration. Les chefs des rayons n'ont pas encore compris que mon père entend se décharger sur moi de certaines de ses responsabilités. Certains ont osé me répondre, au moment où je demandais des comptes : "Je verrai cela au retour de monsieur Picard." Pour eux, le vieux a pris ses vacances annuelles un peu plus tôt que d'habitude. Ils entendent reprendre bien vite leur vieille routine.

— Ils comprendront, maintenant.

Pendant deux semaines, le jeune homme avait craint une volte-face de son père, au moment de son retour. Heureusement, Élisabeth paraissait très déterminée à le garder loin du magasin. Une fois encore, sa jolie belle-mère devenait sa principale alliée.

— Mais ce sera long, nuança-t-il. Pour eux, il y a monsieur Picard, et monsieur Édouard. Aussi longtemps que le premier ne sera pas un peu oublié, je continuerai d'être désigné par mon prénom.

Elle exprima sa compréhension d'un signe de la tête. Son frère, avocat comme son père, vivait exactement la même situation. L'un comme l'autre s'exposerait encore, le jour de ses soixante ans, à voir son nom être précédé des mots « le jeune ».

— Enfin, papa doit me parler demain de ma nouvelle rémunération. Je mesurerai alors la véritable étendue de son sérieux.

— Nous n'avons besoin de rien, ici…

Évelyne désigna la vaste maison d'un geste de la main.

— Sauf d'une maison bien à nous, grommela Édouard.

Une bouffée de bonheur envahit la jeune femme. Vivre chez elle, seule avec son mari et son fils ! Elle n'aspirait à rien d'autre.

— Bien sûr, à court terme, ce serait ridicule, continua l'homme. Les prix sont tellement exagérés. Mais au moins, si la rémunération est raisonnable, je pourrai avoir ma propre voiture.

La vague de joie se retira pour la laisser un peu désemparée. Elle arriva à garder sa contenance en faisant remarquer :

— Ce serait une dépense vraiment inutile, si nous demeurons dans cette demeure. Deux autos pour une seule maisonnée, personne n'a jamais vu cela.

— Inutile ? s'énerva Édouard. Me voilà prisonnier parce que, passé cinquante ans, mon père se découvre de l'intérêt pour les pique-niques !

Elle posa sa fourchette dans son assiette en prenant bien garde de ne pas trahir sa colère en frappant trop fort la porcelaine. Elle prit sa serviette sur ses genoux pour s'essuyer la bouche, puis prononça d'une voix blanche :

— Je regrette que pour toi, la perspective de passer un dimanche avec ta femme et ton fils puisse être assimilée à une peine de cachot.

Évelyne réussit à conserver sa dignité aussi longtemps que le regard de son mari se posait sur elle. Un sanglot étouffé parvint à Édouard quand elle s'engagea dans l'escalier.

~

— Pourquoi prendre mes mots au pied de la lettre ? C'est juste une façon de parler. Tu sais combien j'aime me promener en voiture, jouir de ma liberté.

Ces premiers mots de réconciliation n'eurent pas l'effet escompté.

— Oui, je le sais, tu aimes ta liberté. Tu n'es jamais là ! Tu aurais dû épouser Armand Lavergne… ou quelqu'un d'autre. Tu avais le choix, je présume.

Le sous-entendu laissa Édouard perplexe. Que savait-elle exactement de ses frasques ? Évelyne avait trouvé refuge dans la chambre conjugale avec Thomas Junior. Le bébé, le menton couvert de bave, gazouillait dans ses bras. C'était son arme favorite, elle brandissait « la chair de sa chair » à la moindre frustration, pour le faire fléchir. D'un autre côté, la vie de la jeune femme se déroulait entre une belle-mère trop attentive, une domestique condamnée par sa condition à offrir la meilleure volonté possible et un être incapable de comprendre ses sentiments ou d'exprimer les siens autrement que par des sons dénués de sens. Elle se trouvait bien seule.

— Ton père, tout comme le mien, passe la majorité de son temps, une fois le travail terminé, à s'occuper des affaires du Parti libéral, plaida Édouard. En quoi la chose est-elle différente pour moi ? Mes sympathies nationales te paraissent-elles insupportables ?

En l'amenant sur ce terrain, il espérait effacer le « quelqu'un d'autre » de son esprit. Son épouse fit mine de dire quelque chose, pour revenir finalement sur un terrain moins dangereux :

— Je me fous des nationalistes et des impérialistes. Je dois toutefois me contenter d'un époux que je ne vois jamais. Je suis seule dans une maison peuplée d'étrangers...

— Après un an, ce ne sont plus des étrangers.

Édouard avait su repousser les explications délicates pour la ramener à des récriminations sans conséquence.

— Tout de même, vivre avec la belle-famille...

— Cela ne durera pas éternellement. Dès la fin de cette damnée guerre, les choses se clarifieront. Fais preuve d'un peu de patience.

Elle pouvait continuer de faire grise mine ou d'attribuer les absences de son mari à la maladie commune à la plupart des hommes de la Haute-Ville : la politique. L'homme désamorça tout à fait la crise domestique en proposant :

— Comme nous sommes condamnés à la marche à pied, nous devons demeurer près de la maison. Que dirais-tu de promener Junior dans les allées ombragées des plaines d'Abraham ?

Se montrer au bras de son époux, pousser un landau devant elle, cela permettrait d'établir la normalité de sa situation aux yeux du voisinage. Ils rencontreraient sans doute la moitié des habitants du quartier Saint-Louis. Évelyne céda en disant :

— Je vais mettre ma nouvelle robe. Autant profiter de cette petite occasion pour l'étrenner.

Édouard se promit de trouver une occasion pour lui permettre de montrer cette robe à un auditoire un peu plus large. Les promeneurs du dimanche ne suffiraient plus, dorénavant.

~

Quelques heures plus tard, le souper se déroula dans une atmosphère fort agréable. D'un côté, Évelyne semblait déterminée à considérer une promenade sous les arbres comme un nouveau départ de sa vie conjugale. De l'autre, Thomas et Élisabeth affichaient des airs de nouveaux mariés. Au moment du dessert, Thomas se crut autorisé à demander:

— Patron, comme j'ai été un convalescent très sage, pourrais-je aller au bureau demain?

Ses yeux ne se portaient pas sur le directeur du grand magasin, mais sur son épouse.

— Crois-tu que ce soit vraiment nécessaire? demanda la femme, hésitante.

— Tout de même, je dois voir ce qui se passe dans cette entreprise. Je continue d'en être le propriétaire. Puis ce garçon-là meurt sans doute d'envie de connaître sa nouvelle rémunération.

Du doigt, il désignait son fils. Celui-ci acquiesça de la tête.

— C'est vrai, j'aimerais cela. J'espère qu'elle sera généreuse et rétroactive pour les deux dernières semaines.

— Considère plutôt cela comme ta période d'essai. Un apprentissage...

— Un autre apprentissage? Cela ne finira jamais!

Thomas gardait les yeux sur son épouse. Celle-ci accepta finalement:

— Tu pourras y aller demain et, si tu es très sage, tu iras de nouveau une autre journée, plus tard cette semaine.

— Merci patron, conclut-il avec un clin d'œil.

Après le souper, la soirée s'écoula lentement. Une tasse de thé tiède à portée de la main, Thomas loucha plusieurs fois en direction de l'armoire à boisson. Si les choses ne changeaient pas bientôt pour lui, la réserve de cognac amassée pour faire face à la prohibition durerait pendant des années. Afin de se donner de meilleures chances de réaliser un autre projet, il préféra se tenir coi.

~

Peu avant dix heures, au moment où les rideaux s'assombrissaient tout à fait dans la chambre à coucher, il se trouvait étendu dans le lit conjugal. Élisabeth revint de la salle d'eau, fort séduisante dans sa chemise de nuit toute blanche, largement soulignée de dentelle, confectionnée de lin fin. Quand elle prit place près de lui, il murmura :

— Tu sais, je pense que tu es plus belle que le jour de notre première rencontre, il y a un peu plus de vingt-deux ans.

Elle jeta un regard amusé sur son compagnon, bien certaine de l'orientation prochaine de la conversation :

— Nous irons voir un opticien, ta vue baisse, si tu trouves une femme de quarante ans plus belle qu'à ses dix-huit ans.

— J'apporterai une ancienne photographie de toi : il me donnera raison sans hésiter.

La main de l'homme caressa la lourde chevelure d'un blond foncé, aux teintes vieil or dès que le soleil la touchait. Un examen attentif permettait de repérer quelques fils argentés, tout au plus. Au moment où sa bouche trouvait l'autre bouche, les doigts s'aventurèrent sur la poitrine, soupesèrent un sein rond, bien dessiné par le tissu de la chemise de nuit.

— Je ne sais pas si c'est une bonne idée, dit-elle à voix basse.

— Je ne mange presque plus, je n'ai pas bu une goutte de cognac depuis deux semaines. Le médecin a confirmé que tout va bien…

— Le docteur Hamelin a dit que tu te portais mieux. Toutefois, il a aussi souligné l'importance de prendre soin de toi, d'éviter de trop grandes fatigues et des émotions fortes.

De sa main, elle saisit les doigts vagabonds, les porta à ses lèvres pour les embrasser. La caresse de la bouche sur sa peau ne réduisit en rien les appétits de son époux.

— Voyons, "cela" ne se compare pas à une longue journée au magasin, ou à une interminable campagne électorale.

— Tu sais combien j'aimerais aussi. Mais je ne prendrai pas le risque de nuire à ta santé. Auparavant, il faudra avoir la permission du médecin.

— La permission ? Il faut maintenant recevoir l'autorisation du docteur, après celle du curé ? Nous sommes mariés depuis plus de vingt ans.

Thomas élevait un peu la voix, au point où sa femme posa sa paume sur sa bouche.

— Chut ! Nous ne sommes pas seuls. Nous demanderons au docteur Hamelin, lors de notre prochaine visite. S'il ne voit pas d'inconvénient…

— Dans ce cas, nous irons demain…

Une envie de rire plissa le coin des yeux d'Élisabeth, la rendant plus séduisante encore.

— Ne fais pas l'enfant.

— Justement, je ne suis plus un enfant.

— Demain, tu dois aller au magasin.

— Alors, nous irons après-demain, pas plus tard !

Sur ces mots, l'homme se tourna vers le mur. Quelques minutes plus tard, une plainte étouffée lui parvint de l'autre chambre conjugale située à l'étage. Savoir que son fils ne se trouvait pas soumis aux mêmes privations que lui ne calma pas vraiment Thomas.

~

Quand le propriétaire des lieux se présenta au grand magasin Picard, tous les employés présents sur son passage le saluèrent avec une certaine affection. Les plus anciens se souvenaient encore du gamin accompagnant Théodule, le fondateur de l'entreprise, trente ans plus tôt. Les autres appréciaient sa direction ferme mais attentive, un brin paternaliste. Leur sympathie pour le patron se doublait bien sûr d'une petite inquiétude: le fils serait-il à la hauteur du père?

Au moment où il arrivait aux bureaux administratifs, Thomas fut accueilli par Augustin Couture, attentionné comme toujours:

— Monsieur, j'espère que vos vacances vous ont permis de vous refaire une santé.

— À tout le moins, je ne me porte pas plus mal. C'est déjà cela.

— Vous paraissez tout à fait disposé à reprendre les choses en main, comme auparavant. J'en suis heureux.

— Oh! Vous savez, les choses ne seront plus jamais comme avant. Je me suis trouvé beaucoup moins occupé et j'ai aimé cela.

Une ombre passa sur le visage du secrétaire. Les mots suivants de son patron ne lui rendirent pas sa contenance:

— Dès que mon fils reviendra, faites-le entrer dans mon bureau. Je vais admirer son bilan des deux dernières semaines et décider de son salaire. Il semble qu'un directeur doit gagner plus qu'un chef de rayon!

Il paraissait amusé. Sa nouvelle situation ne le rebutait plus vraiment.

— ... Vous voulez dire que ce sont des arrangements définitifs?

— Il semble bien que oui.

— Mais vous êtes encore tout jeune.

— Je le crois aussi. Cependant, le médecin et ma femme n'en paraissent pas convaincus.

Sur ces mots, le commerçant gagna son bureau. Toute la journée, il demeura «en conférence» avec Édouard, ne prenant que les appels les plus importants. À quatre heures, le jeune homme sortit de l'antre du patron en disant:

— Désolé, papa, mais je me suis entendu avec Lavigueur depuis quelques jours. Je dois le rejoindre.

— Ça va... De toute façon, nous avons discuté plus longuement aujourd'hui que pendant toute la dernière année.

Le fils s'esquiva bien vite, laissant la porte entrouverte derrière lui. Augustin Couture saisit l'occasion, passa la tête dans l'embrasure pour demander:

— Je peux vous parler un moment, monsieur Picard?

— Si vous voulez. Mais je dois rentrer bientôt à la maison.

De la main, il désignait la chaise en face de son bureau. Le secrétaire n'affichait pas son assurance habituelle. Il commença, après un moment d'hésitation:

— Vous savez, je travaille pour vous depuis plusieurs années déjà.

Thomas esquissa un geste d'assentiment, attendit la suite. Cette entrée en matière précédait toujours une demande d'augmentation.

— Je pense de plus en plus à relever de nouveaux défis.

— ... Vous ne songez pas aller travailler ailleurs? Si c'est une question d'argent...

Le propriétaire regretta immédiatement ses mots. Céder si vite ne se faisait pas. Il devait vraiment se faire vieux.

— Non, je ne songe pas à quitter les entreprises Picard. Toutefois, le travail de secrétaire...

D'un geste de la main, il signifia son incertitude, sa lassitude.

— Il me semble que je pourrais devenir chef de rayon.

Thomas demeura un moment songeur. Cette fonction représentait certainement une promotion pour son interlocuteur. La rémunération, bien qu'un peu incertaine, était aussi plus généreuse.

— Vous savez que je nomme toujours des vendeurs à ce poste. Ces gens-là ont l'expérience requise...

— Pour se tenir derrière une caisse, certes, ils ont une avance sur moi. Mais pas pour entretenir des relations avec les fournisseurs, tenir une comptabilité… Dans ces domaines, aucun n'a mon expérience ou ma compétence.

Les chefs des rayons géraient leur petit domaine, s'occupaient de faire les commandes aux fournisseurs, administraient une équipe de vendeurs, tiraient leur rémunération des profits générés par leur département. Cela était sans aucun doute plus exigeant que le seul accueil des acheteurs et des acheteuses.

— Tout de même, avoir affaire à la clientèle ne s'improvise pas. Je choisis toujours des personnes sachant se distinguer à ce chapitre.

— Vous croyez que je ne saurais pas me débrouiller très bien ?

Un instant, Couture eut envie de préciser : « Je ferais aussi bien que votre fils. » Il se retint juste à temps.

Le propriétaire marqua une pause, se donnant le temps de peser la question.

— Honnêtement, je crois que vous pourriez faire ce travail sans difficulté, aussi bien que la plupart des personnes en poste. Toutefois…

Le secrétaire présenta un visage catastrophé.

— Toutefois ?

— Depuis deux semaines, Édouard assume la direction du magasin, ces nominations sont maintenant de son ressort. Je ne vais pas renier mes engagements auprès de lui. Je pourrai cependant recommander votre candidature, quand un poste de chef de rayon sera disponible.

Couture comprit que la place libérée deux semaines plus tôt par la promotion du fils du patron était déjà pourvue d'un nouveau titulaire.

— Je vous remercie. Je ne suis pas certain que ce sera nécessaire, cependant.

L'homme se leva pour regagner son bureau de travail. Après le départ du propriétaire, un peu plus tard, il parcourut lentement le grand magasin devenu désert.

~

Le jour de la Saint-Jean-Baptiste, fête nationale des Canadiens français, les employés du magasin Picard, tout comme ceux des ateliers, quittaient leur poste à quatre heures afin de profiter un peu des festivités. D'autres travailleurs, plus chanceux, avaient bénéficié de la journée entière pour assister à la messe solennelle, puis regarder la parade composée de membres des associations nationalistes et de quelques chars allégoriques.

Édouard avait quitté le grand magasin en même temps que les autres employés, attendant la sortie des derniers d'entre eux afin de verrouiller la porte qui donnait rue Saint-Joseph. Il pressa ensuite le pas en direction de l'ouest pour gagner un commerce d'instruments de musique, propriété d'Henri Lavigueur, le maire de Québec. Il découvrit le fils aîné, Louis, occupé à fermer les volets.

— Moi qui croyais te trouver à m'attendre assis sur le trottoir. Fermer le commerce m'a pris une éternité, ce soir.

— C'est à la fois le bonheur et le malheur des grands magasins. De mon côté, je ne suis pas rendu plus loin parce que, seul dans la bâtisse avec deux commis, je finis par tout faire moi-même.

Louis Lavigueur présentait une stature de colosse, comme son père. Le visage coupé par une épaisse moustache, la mine réjouie d'un homme à qui la vie sourit, il devenait impossible de prendre ses récriminations au sérieux.

— Allez, en marchant, tu me diras le pourcentage de profit réalisé sur chaque piano, chaque violon vendu. Cela doit bien frôler le cent pour cent.

Édouard garda la main posée sur son épaule pendant une partie du trajet. Ils se dirigeaient vers la boucle la plus occidentale des méandres de la rivière Saint-Charles. Depuis le début du siècle, les habitants de la Basse-Ville profitaient du parc Victoria, un espace vert de plus en plus accueillant. Des estrades de bois en forme de « V » flanquaient deux des côtés d'un grand losange gazonné. Les deux hommes prenaient place sur de rudimentaires banquettes de bois quand Édouard demanda :

— Souhaites-tu boire quelque chose ?

— Un Coca-Cola ou une limonade ? Non merci.

— Je nous imagine mal profiter d'une boisson plus… virile au milieu de la foule.

Autour d'eux, plusieurs centaines de personnes, des hommes ou des jeunes garçons, s'installaient aussi. À en juger par leur apparence, la plupart d'entre eux étaient des travailleurs manuels embauchés par les ateliers ou les manufactures des alentours.

— Cette épouvantable prohibition nous rendra tous fous, protesta Édouard.

— Mais tous ces gens autour de nous ont voté en sa faveur. Tu te souviens très bien des résultats : un vote quasi unanime, à de rares exceptions près.

— Avec les curés qui leur murmuraient à chaque visite au confessionnal comment voter lors du plébiscite. On appelle cela une "influence indue".

— Si tu veux aller devant les tribunaux avec des arguments de ce genre, bonne chance.

Pour tout commerçant, mettre en doute le rôle de l'Église catholique entraînait une ruine immédiate. Louis Lavigueur enchaîna, après un silence :

— Puis, toutes ces personnes ne sont pas si influençables. Elles obéissent aux directives qui leur conviennent, puis ignorent les autres.

— Crois-tu que ces gens sont tous heureux de se passer d'une bière ?

— Au moment du plébiscite, ils devaient penser pouvoir le faire sans mal. Quand ils seront sûrs du contraire, la prohibition sera levée.

Lavigueur parlait d'une voix posée, raisonnable. Édouard mesurait combien leur destinée respective se ressemblait : leurs pères se passionnaient pour les activités du Parti libéral et chacun d'eux hériterait éventuellement d'une maison de commerce prospère.

— Comment se déroulent les choses avec ton père ? demanda Édouard, changeant brutalement de sujet.

— ... Pardon ?

— Je veux dire en ce qui concerne les affaires. Travailler pour lui ne te paraît pas trop difficile ?

L'intrusion dans sa vie privée laissa le jeune homme un moment sans voix. Son compagnon tenta de se rendre plus explicite.

— Pendant des années, j'ai administré un rayon dans le magasin. Mon père m'a fait passer de l'un à l'autre, sous prétexte de me préparer à prendre sa succession. Je me sens un peu comme un chien tenu en laisse.

— Bien sûr, comme nous travaillons tous les deux dans l'entreprise familiale, nous demeurons en tutelle plus longtemps que nécessaire. Toutefois, c'est certainement mieux que de monter une affaire de toutes pièces. Notre situation présente de sérieux avantages.

Les deux hommes s'interrompirent au moment où les membres des Rock City, l'équipe de baseball locale, apparaissaient sur le terrain. Ce fut ensuite le tour des visiteurs, des joueurs venus de Burlington pour l'occasion.

— Bien sûr, mais cela risque de durer longtemps, évoqua Édouard. Au moment de mon mariage, papa m'a donné un peu plus de responsabilité. Cela demeurait toutefois bien insuffisant pour me contenter. Enfin, jusqu'à présent. Aujourd'hui, il a fait de moi le directeur du magasin.

Toute la longue entrée en matière ne visait qu'à lui donner l'occasion de se vanter de sa bonne fortune. Le jeune homme aurait voulu crier la nouvelle depuis le monticule du lanceur, au milieu du losange.

— Directeur ? Cela veut dire quoi, exactement ?

— Diriger les opérations courantes, un peu comme le fait Fulgence Létourneau pour les ateliers de confection.

— Mais il ne te laisse pas l'entière liberté d'action.

Maintenant, un peu de jalousie pointait dans la voix de Louis Lavigueur.

— Non, il demeure le président des entreprises Picard. La gestion quotidienne du magasin me revient toutefois.

Le lendemain, la nouvelle aurait fait le tour des commerces de la rue Saint-Joseph, soulevant l'envie de la génération des héritiers présomptifs.

— Au fond, rétorqua Lavigueur, cela ressemble fort à ma situation. J'ai les coudées à peu près franches dans le magasin de la Basse-Ville. Mon père n'y vient pas plus d'une fois par mois et il regarde les livres de comptes encore moins souvent.

« Mais ce magasin d'instruments de musique emploie deux commis-vendeurs, songea Édouard. Le plus petit rayon du grand magasin en compte plus. » Il aimait se comparer, mesurer l'ampleur de sa situation.

— Tu as raison, consentit-il à la fin, bon prince. Je suis bien heureux d'accéder aussi à une autonomie de ce genre.

Il s'interrompit un instant, puis demanda :

— Cela te dirait de venir manger au Château avec moi, dimanche prochain, pour fêter ma bonne fortune ?

— Ma famille…

— Bien sûr, je voulais dire avec nos femmes respectives. Nous trouverons certainement le moyen de ne pas nous encombrer des rejetons.

Le nouveau directeur sentait le besoin de cultiver ses relations avec les membres de la génération montante. Dans dix ans, les jeunes gens de son âge et lui seraient les maîtres des commerces de la rue Saint-Joseph.

Son compagnon voyait les choses de la même façon, aussi il déclara :

— Quelle bonne idée !

Édouard répondit par un sourire, puis poursuivit sur un tout autre sujet :

— Je t'ai déjà parlé du jour où j'ai vu les Rock City se faire battre par une équipe féminine venue des États-Unis ?

— Au moins dix fois.

— Alors ce sera la onzième.

~

Au même moment, Paul Dubuc se trouvait sur un traversier avec ses invités. Le navire doublait l'extrémité est de l'île d'Orléans.

— Quelle bonne idée, papa ! déclara Amélie d'une voix excitée. Nous sommes en croisière.

— Une croisière bien courte, car tu coucheras cette nuit chez Marie.

— Ne le répète pas, laisse-moi rêver toute la soirée.

La jeune fille étrennait une jolie robe de crêpe et un chapeau de paille. Elle incarnait avec un naturel parfait le rôle de la couventine à l'aube des grandes vacances.

— Où aimerais-tu être alors ? demanda Thalie, de l'autre côté de la table.

— Partout, sauf sur le Saint-Laurent. Dans la Méditerranée, au large de Nice, ou alors sur les côtes de l'Argentine… ou sur celles de l'Espagne.

Elle marqua une pause, puis ajouta :

— Il y a tellement d'endroits où j'aimerais mieux me trouver, à part ici.

— Ce n'est pas très gentil pour les personnes qui t'accompagnent, remarqua Françoise.

— Mais j'ai dit que je voulais me trouver ailleurs, pas avec d'autres personnes !

La sincérité de la jeune fille toucha tout le monde. Elle demanda bien vite :

— Papa, crois-tu que je verrai un jour les endroits dont je rêve ? Au moins l'un d'entre eux.

— Je ne sais pas. Cela dépendra de l'homme que tu épouseras. Voilà pourquoi tu devras choisir si soigneusement.

Amélie se troubla. Dépendre d'un autre pour assurer sa destinée ne la réjouissait pas du tout. Thalie se pencha à son oreille pour murmurer :

— Tu peux aussi décider seule de ce que tu feras de ta vie.

Cette petite phrase croîtrait peut-être dans le jeune esprit, pour donner naissance à des velléités de révolte contre les usages traditionnels. Paul Dubuc devina la nature de la remarque. Après un regard échangé avec Marie, il se résolut à changer de sujet :

— As-tu reçu des nouvelles de Mathieu, ces derniers jours ?

— Un mot sur un petit morceau de carton fourni par l'armée. Rien de vraiment personnel. Si je ne reconnaissais pas l'écriture, je pourrais penser à une note venue d'un étranger.

— J'aimerais tellement qu'il soit avec nous aujourd'hui, murmura Françoise.

Le ton laissait deviner des larmes prochaines. Thalie passa son bras autour des épaules de son amie, l'embrassa doucement sur la joue.

— Je suis sûre que lui aussi serait heureux d'être là, souffla Marie en fixant son regard sur la rive sud du fleuve, une ligne verdoyante parsemée des toits de tôle des bâtisses. C'est si joli, comme point de vue.

La marchande avait fermé sa boutique à midi pour permettre aux vendeuses de profiter des festivités de la Saint-Jean. Peu après, Paul et Amélie étaient venus la chercher, avec ses deux « assistantes », afin de rejoindre les quais. De nombreux navires offraient des sorties de quelques heures dans la région de Québec. Le député avait choisi un traversier proposant un « repas gastronomique » et la chance de danser sous les étoiles, une fois le soleil couché. Les tables couvertes de nappes blanches encombraient les deux ponts. Celle occupée par les Dubuc et les Picard se trouvait à la proue du plus élevé.

— Les désordres rapportés dans les journaux sont-ils aussi sérieux qu'on le dit ? questionna Thalie au moment où des serveurs apportaient le premier service.

La question, adressée à Paul Dubuc, laissa celui-ci songeur :

— Les désordres ?

— L'opposition à l'enregistrement a été vive dans les comtés de Montmagny et de Beauce, selon les journaux.

L'homme parut ramené à une réalité désagréable.

— Au gré de nos lectures, nous pouvons nous faire une opinion bien différente de la situation. Certains journaux en minimisent l'ampleur, d'autres en rajoutent. Ces désordres sont très sérieux, je vous l'assure.

Il marqua une pause, encore surpris d'aborder si souvent des sujets de cette nature avec cet aréopage de femmes bien jolies.

— Je ne comprends pas que les gens prêtent si volontiers l'oreille à des agitateurs, après les événements dramatiques de Pâques.

— ... Il n'y a pas eu de tués ? s'inquiéta Marie.

— Non, bien sûr que non. Mais à Saint-Paul et à Sainte-Lucie, dans Montmagny, des jeunes gens sont entrés de force dans les bureaux des registraires afin de voler les fiches et les brûler. En Beauce, à Saint-Ludger et à Saint-Gédéon, ce sont les domiciles de ceux-ci qui ont été envahis. Forcer les maisons privées est un crime sérieux.

Thalie fit un signe d'assentiment pour exprimer sa compréhension des enjeux.

— Personne n'a été blessé, heureusement, commenta Françoise.

— Tout de même, la maison du notaire Valère, à Saint-Joseph-de-Beauce, a été en partie détruite par une explosion de dynamite.

Aucun des membres de la famille de ce registraire n'avait été blessé.

— Le lien que des gens établissent entre l'enregistrement et de nouvelles étapes de la conscription te paraît-il sérieux ? interrogea Marie à son tour.

— Si la mesure fédérale dissimule une stratégie de ce genre, les députés provinciaux n'ont pas été mis au courant.

L'armée devrait déjà connaître les noms de tous les jeunes hommes. L'enregistrement ne donnera rien de plus.

— Des insoumis sont peut-être allés remplir leur fiche, glissa Amélie. Cela permettra de les débusquer.

Le député sourit à sa jeune fille avant d'expliquer :

— Tu sais, si un garçon ayant déjà la police militaire aux fesses est assez stupide pour sortir de sa cachette pour aller s'enregistrer, il mérite de se retrouver au front.

— Les gens paraissent en général disposés à se soumettre à cette formalité, commenta Françoise. Même ma petite sœur a rempli sa fiche.

Si le ton se voulait taquin, sa cadette répondit avec une certaine fierté dans la voix :

— À la question sur mon occupation, j'ai mis "étudiante" !

Le député Dubuc prenait visiblement la question très au sérieux :

— Officiellement, les choses se sont bien déroulées. Pour des motifs divergents, les journaux libéraux et conservateurs présentent un portrait positif de l'opération. En réalité, ce ne fut pas le cas partout. Prenez, par exemple, Lotbinière : dans la moitié des paroisses, aucune fiche n'a été remplie.

Rendues publiques, ces données accentueraient encore la colère contre les « planqués » de la province française. Dans le meilleur des cas, les journaux de langue anglaise parleraient de lâcheté ; dans le pire, de trahison.

Après un sujet aussi sérieux, chacun voulut se concentrer sur la douceur de la température, la beauté des rives, la qualité du repas. Un peu après huit heures, des employés débarrassèrent les tables avant de les faire disparaître dans les cales du navire. En alignant les chaises le long du bastingage, il devenait possible de dégager une grande surface pour faire une piste de danse sur le pont. Un orchestre serré contre le poste de timonerie se chargerait de la musique.

Dans ce genre de situation, quelques vieux couples héritaient du rôle de briser la glace en ouvrant le bal. Paul Dubuc faisait souvent office d'invité d'honneur dans de nombreuses réceptions offertes dans le comté de Rivière-du-Loup. Il se leva, tendit la main à Marie.

— Tu sais que je danse bien mal. La vie ne m'a pas fourni souvent l'occasion...

— Maintenant, elle te l'offre. Profites-en.

Elle se laissa entraîner dans une valse, suivit studieusement les pas de son cavalier. Elle se tirait assez bien d'affaire et les spectateurs pardonnaient sans hésiter les faux pas d'une jolie femme... sauf dans le domaine de la morale.

Après un moment à tourner sur elle-même, Marie demanda :

— Tu as évoqué les insoumis de Lotbinière, de Beauce et de Montmagny. Que se passe-t-il dans Rivière-du-Loup ?

— Un peu la même chose, mais dans une proportion moindre. De nombreux jeunes gens se sont réfugiés dans les bois pour éviter la conscription. La police militaire tente des incursions sans grand succès. Comme personne ne songerait à les dénoncer...

— Toi, y songerais-tu ?

— Ma position est délicate. Un député doit se situer du côté de la loi mais mes électeurs sont à peu près tous opposés à l'enrôlement obligatoire.

Sa compagne lui adressa un sourire amusé avant de commenter :

— Tu te trouves assis entre deux chaises. Comment t'en sors-tu ?

— Les gens comprennent. Personne ne me parle de la situation, sachant que je n'y peux rien. De mon côté, je m'en tiens au discours libéral : si les conservateurs menaient la guerre avec compétence, cette mesure ne serait pas nécessaire.

Cette dérobade, une idée de Wilfrid Laurier, permettait à chacun de clamer sa fidélité à la cause alliée et de trouver une excuse au comportement des Canadiens français. Dans les circonstances, il devenait superflu d'évoquer leur désintérêt à peu près total à l'égard du conflit étranger.

— De mon côté, j'aimerais bien que des renforts parviennent sur le front. Cela augmenterait les chances de survie de Mathieu.

— Des renforts américains ou canadiens-anglais doivent arriver tous les jours.

— Ces gens-là ne relèveront pas des membres du 22e bataillon. Je vais bientôt commencer une neuvaine pour que mon garçon subisse une jolie blessure bien propre. Juste assez grave pour le ramener ici, pas assez pour l'estropier.

Des centaines de milliers de parents, en Europe et en Amérique du Nord, devaient rêver au même sort pour leur progéniture. Les militaires aussi appelaient la « bonne blessure » et, souvent, se l'infligeaient eux-mêmes. L'armée française assimilait parfois une balle reçue dans la main à un acte de trahison et fusillait le malheureux.

Paul Dubuc ne sut quoi répondre, aussi ses bras se resserrèrent un peu plus sur Marie. Quand la musique s'arrêta, ils revinrent près du trio de jeunes filles pour reprendre leurs sièges. Deux pièces de musique plus tard, dépitée, Amélie demanda :

— Papa, est-ce que je suis laide ?

— En voilà une idée. Tu es bien jolie, comme ta mère l'était.

— Alors, pourquoi aucun garçon ne vient-il me demander de danser ?

— Est-ce que je peux proposer mes services ?

L'homme tendait la main, un sourire engageant sur les lèvres. Si la jeune fille accepta, sa moue exprimait sa conviction que l'auteur de ses jours représentait une solution de remplacement bien médiocre.

Sans doute suffisait-il d'un exemple. Deux jeunes hommes se présentèrent bientôt pour inviter Thalie et Françoise. La première accepta sans se faire prier, la seconde consulta Marie du regard. La scène frisait un peu le ridicule : elle devait autoriser la promise de son fils, absent depuis bientôt un an, à valser avec un autre homme. Finalement, elle acquiesça de la tête.

Paul revint bientôt seul, Amélie jugeant qu'elle améliorerait ses chances en errant du côté des tables où l'on offrait des rafraîchissements.

— Françoise a-t-elle déjà abordé le sujet de sa situation amoureuse avec toi ? demanda Marie.

— Pas vraiment. Enfin, elle évoque ses craintes, le fait qu'il lui manque… mais sans donner plus de détails. Pourquoi ?

Le regard de la femme demeurait fixé sur le couple tourbillonnant. La jeune fille afficha d'abord une certaine réserve, puis son cavalier trouva les mots pour la faire rire. Son visage s'anima soudainement, engageant et séduisant.

— Mathieu a décidé d'aller défendre l'empire et la civilisation, alors qu'ici un cœur commençait à battre pour lui. S'il y avait été forcé, ce serait plus facilement acceptable.

Cet enrôlement volontaire lui demeurait en travers de la gorge. Les conscrits subissait leur sort ; lui l'avait choisi.

— Des mois plus tard, Françoise ne peut demeurer à se morfondre dans son coin. Elle est jeune et jolie, désireuse de se le faire dire par des garçons de son âge. Je viens de lui signifier qu'elle pouvait accepter l'invitation de celui-là.

Paul examinait, lui aussi, les danseurs depuis un moment. Il commenta :

— Le temps d'une valse, cela ne compte pas.

— Mathieu s'est éloigné d'elle le temps d'une guerre. Les journaux évoquent encore une année de conflit. Elle ne doit pas jouer à la recluse, ce serait malsain, à son âge. Puis, personne ne sait s'il reviendra, ni dans quel état.

— Penses-tu qu'elle devrait rompre, chercher un autre… candidat au mariage ?

Marie tourna la tête pour regarder son compagnon, puis elle murmura :

— Je ne le lui conseillerai pas, bien sûr. Mais je ne l'inciterai certainement pas à refuser de vivre sa vie, de connaître d'autres jeunes gens. Je l'aime trop pour l'amener à mettre son bonheur en jeu.

— Imagines-tu comment ton fils prendrait la nouvelle de son mariage avec un autre ?

— Nous ne savons même pas comment ses sentiments à lui ont évolué.

— Il n'a certainement pas l'occasion de conter fleurette à des Françaises ou des Belges.

Le député disait cela sans trop de conviction. Tous ces jeunes gens mettaient leur vie en danger quotidiennement. Ils ne devaient avoir qu'une envie, lors de brefs séjours à l'arrière : trouver une femme qui consente à offrir ses charmes, même contre de l'argent. Des régiments entiers paradaient en chantant *Mademoiselle from Armentières*. Les couplets, sans cesse modifiés par des soldats à la créativité de plus en plus grivoise, commençaient ainsi :

Mademoiselle *from Armentières, Parley-voo* ?
Mademoiselle *from Armentières, Parley-voo* ?
Mademoiselle *from Armentières,*
She hasn't been kissed in forty years
Hinky, dinky, parley-voo.

L'un des derniers quatrains décrivait de façon réaliste l'état d'esprit de ces hommes désespérés :

You might forget the gas and shell, Parley-voo ?
You might forget the gas and shell, Parley-voo ?
You might forget the groans and yells,
But you'll never forget the mademoiselles.
Hinky, dinky, parley-voo.

Marie n'avait pas besoin de se référer à des chansons de ce genre pour savoir que les militaires trouvaient des exutoires à leur terreur. Les journaux, dans les pages militaires, et les curés, dans leurs sermons, évoquaient cela à mots couverts. Bien plus, ces derniers ajoutaient même le danger pesant sur les jeunes âmes canadiennes-françaises au nombre de leurs motifs pour s'opposer à la conscription.

Marie émergea de ses réflexions pour dire, une infinie tristesse dans la voix :

— Je respecte le choix de Mathieu d'aller là-bas, même si je ne le comprendrai jamais. Je me réjouirai de son retour ou alors je pleurerai sa mort à en devenir folle.

Elle marqua une pause, comme si formuler la suite lui faisait peur.

— Toutefois, Françoise ne doit pas se sentir prise en otage au nom d'une fidélité un peu romantique. Comme tous les hommes, il a choisi son destin. Elle n'a pas eu cette liberté. Si elle me pose la question, je lui dirai qu'elle est libre de regarder ailleurs. Si elle s'adresse à toi, dis-lui la même chose.

Sous leurs yeux, après une première danse, Françoise et Thalie se trouvaient de nouveau entraînées dans un tourbillon de robes de crêpe et de cotonnade. Même Amélie se trouvait à présent affublée d'un cavalier plutôt présentable.

— Un seul motif me retiendrait de faire ce que tu me conseilles, murmura son compagnon. Je ne voudrais pas qu'une brouille entre eux fasse ombrage à notre relation.

— Mais tu sais bien que cela n'a aucun rapport. Nous, c'est… nous.

En dépit de l'explication un peu laconique, la pression de la main de Marie sur la sienne rassura Paul. Deux heures plus tard, le traversier et tous les autres navires affrétés pour la Saint-Jean allaient se ranger à proximité du pont de Québec. Des nuages masquaient la lune et les étoiles, la silhouette de fonte traçait une ligne horizontale presque invisible entre les rives nord et sud.

— Papa, as-tu déjà traversé là-dessus ? demanda Amélie.

Les trois jeunes filles, les jambes un peu lourdes d'avoir trop dansé, occupaient des chaises près de Marie et lui. Les jeunes gens, soucieux de poursuivre la conversation avec elles, demeuraient à proximité.

— Je préfère encore utiliser un traversier et prendre le train à Lévis pour aller à Rivière-du-Loup.

— J'aimerais bien essayer.

L'homme retint qu'il n'échapperait plus longtemps à cette expérience. Une première explosion attira l'attention de tout le monde : une gerbe de lumière éclata dans le ciel sombre.

— Comme c'est beau ! s'exclama la cadette des Dubuc.

Personne ne la contredit. Pendant dix bonnes minutes, assourdis par les détonations, la tête rejetée vers l'arrière, les passagers contemplèrent le feu d'artifice. Au moment où le capitaine relança les machines, Marie murmura à son compagnon :

— Es-tu bien résolu à ne pas coucher à l'appartement, ce soir ?

— Comme Amélie sera là, je préfère aller chez moi.

Guère pudibonde, la couventine ne se serait certainement pas trop inquiétée de l'accroc à la morale. Toutefois, Paul s'inquiétait de sa réputation.

« Heureusement, se dit Marie, elle rentrera demain à Rivière-du-Loup. » Le politicien l'accompagnerait pour un séjour de deux mois, mais ses fréquentes visites à Québec, pendant la belle saison, le ramèneraient bien vite au dernier étage du commerce ALFRED.

Chapitre 5

En plein milieu de l'été, la chaleur accablait parfois les citadins dès les premières heures du jour. C'était le cas ce jour-là. Les esprits demeuraient agités, les gens s'enflammaient bien vite.

L'abondance des livraisons, en ce samedi 29 juin, incita Édouard à stationner dans la rue Dupont. Deux jours plus tôt, une longue estafilade sur une aile de sa Chevrolet toute neuve l'avait convaincu de se tenir un peu plus loin de la sortie des marchandises. À une époque de moins grande pénurie de main-d'œuvre, une mise à pied sans appel aurait lavé l'affront subi. En ces temps de guerre, l'arbitraire des patrons se trouvait un peu émoussé et l'esprit d'indépendance des employés, encouragé.

Au moment de descendre de voiture, le directeur du magasin Picard contempla son véhicule avec des yeux émus, comme si cet assemblage de métal, de caoutchouc et de cuir incarnait l'essence du génie humain. L'égratignure sur la peinture rouge lui soutira une grimace. Puis des cris au coin de la rue Saint-Joseph, à cent pieds à peine de l'endroit où il se tenait, le sortirent de sa rêverie admirative.

— *Papers!* hurla bientôt une voix un peu avinée.

Des militaires, au nombre d'une vingtaine au moins, prolongeaient leur permission obtenue la veille. Malgré la prohibition, ceux-là avaient trouvé une source abondante de boissons enivrantes. Des entrepreneurs bravaient le risque d'un emprisonnement prolongé dans l'espoir d'un profit rapide et ils transformaient des locaux de fortune, érigés dans des arrière-cours, en buvettes éphémères.

— Sortez vos papiers, exigea une autre voix agressive en anglais. Nous voulons voir toutes les exemptions.

Les militaires occupaient la largeur de la rue, fermant le passage tant aux piétons qu'aux véhicules. Les plus arrogants, ou les plus ivres, souvent les mêmes, criaient des invectives aux passants. Les autres entendaient se faire les auxiliaires des services de recrutement.

Édouard pensa un moment rejoindre le commerce par la rue Desfossés, pour éviter l'escarmouche, puis il lâcha entre ses dents :

— Ces ivrognes ne viendront pas faire la loi dans ma ville !

— Montre-moi tes papiers, *damn frog* ! insistait un soldat à l'intention d'un homme dans la jeune vingtaine, vêtu en bleu de travail.

Le travailleur n'entendait pas obtempérer. Des deux mains, il poussa le militaire. Celui-ci s'accrocha les pieds à la bordure du trottoir, s'affala sur le dos. Sa chute fit monter la tension d'un cran. Un *dragoon* entreprit de faire payer son crime au coupable de lèse-uniforme. Il lança un coup de point rageur, que l'autre évita de justesse. Il répliqua d'un crochet qui atteignit sa cible.

Au milieu de la chaussée, le conducteur d'un petit camion de livraison s'impatienta au point de passer en première vitesse pour avancer vers la barrière humaine. Le pare-chocs toucha les jambes d'un soldat, celui-ci se retrouva étendu par terre. Le véhicule s'arrêta tout juste avant que les roues ne passent sur son corps. Ses collègues se précipitèrent vers la portière en hurlant, attrapèrent le chauffeur par ses vêtements pour le tirer hors de l'habitacle par la fenêtre. L'autre s'accrochait au volant de toutes ses forces, certain de connaître un très mauvais sort entre leurs mains.

Le directeur du magasin Picard essaya de profiter de la pagaille pour s'engager dans la rue Saint-Joseph. Ce fut peine perdue.

— Tes papiers, *Frenchie*, commanda un caporal en se plaçant devant lui pour l'empêcher de passer.

— Vous n'avez aucun droit...

Dans des moments de tension comme celui-là, l'élocution en anglais d'Édouard devenait laborieuse au point d'être incompréhensible.

— Un homme de ton âge devrait se trouver au front.

L'haleine du militaire empestait le gin de mauvaise qualité.

— Montre-moi ton exemption, couard.

— Mais je suis marié.

Un peu tremblant, il lui montrait l'alliance à son doigt. Sur sa droite, le conducteur du camion réussit à engager de nouveau la première vitesse. S'il n'avançait pas pour prendre la fuite, les soldats finiraient par le sortir de son habitacle pour l'estropier. Heureusement, l'homme étendu sur les pavés un moment plus tôt s'était relevé pour se joindre aux assaillants.

Le caporal intéressé par l'exemption d'Édouard porta son attention sur le véhicule. Saisissant l'occasion, le commerçant se dégagea et s'enfuit au pas de course dans la rue Saint-Joseph. Derrière lui, les ouvriers excédés se résolurent à ouvrir leur chemin à coups de pied et de poing. Comme leur nombre dépassait maintenant largement celui des militaires, ils y arrivèrent sans trop de difficultés.

Depuis quelques jours, Thomas conduisait lui-même sa Buick pour se rendre au bureau. La situation lui paraissait ridicule. Lui et son fils quittaient la maison exactement au même moment, chacun dans son véhicule, pour se rendre au même endroit. Édouard jouissait de sa liberté, elle s'incarnait maintenant dans une jolie petite voiture à deux places de couleur rouge.

Après avoir parcouru le même trajet, son fils ne se trouvait jamais là en même temps que lui. Comment pouvait-on se perdre sur cette distance si courte et tellement familière ? Puis, tôt le matin, la ville n'offrait guère de divertissements susceptibles de retarder un homme jeune. Plutôt que de s'interroger sur ce mystère, le commerçant préféra absorber dans le relevé des ventes de la semaine écoulée.

Trente minutes plus tard, une exclamation rompit sa concentration.

— Les salauds !

La voix venait de l'antichambre de son bureau. Il quitta son siège pour se rendre dans la pièce voisine, afin de connaître le motif de cette commotion.

— Ils bloquaient toute la largeur de la rue Dupont, poursuivait le jeune homme d'une voix excédée. Personne ne pouvait passer. Et ils demandaient les papiers de tout le monde.

Édouard faisait le récit de sa mésaventure à un chef de rayon dans la force de l'âge. Peu séduit par la participation à la guerre, celui-ci offrait une oreille sympathique aux récriminations.

— Qui bloquait la rue ? demanda le propriétaire de l'entreprise.

— Des soldats, bien sûr. Ils se croient tout permis, comme si la province de Québec était un territoire occupé. Les Boches ne doivent pas se conduire différemment en Belgique. Une classe d'âge a été conscrite, mais cela ne leur suffit pas. Ils veulent nous expédier tous à la boucherie.

— Ne dis pas de sottises. Je suppose qu'il s'agissait seulement d'un petit groupe de permissionnaires en état d'ébriété. À cette heure, je présume que la patrouille s'est occupée de les conduire au cachot.

Le jeune homme se raidit un peu. Subir des remontrances de ce genre l'agaçait toujours. Devant un subalterne, cela heurtait son prestige de directeur. Un petit sourire ironique sur le visage du chef de rayon lui confirma son impression.

— Les autorités militaires les encouragent ! Ces gens-là ne devraient pas avoir le droit de quitter leur caserne. S'ils meurent d'envie d'aller se battre, le mieux serait de les expédier directement dans le port d'Halifax.

Thomas s'apprêtait à renvoyer tout le monde à son travail quand une silhouette kaki entra dans son champ de vision. Il lui fallut un instant avant de reconnaître son secrétaire particulier, Augustin Couture. L'homme s'était absenté de son poste pendant les deux jours précédents, sans donner la moindre explication. Il réapparaissait maintenant, affublé d'un uniforme de sous-officier.

— En voilà une surprise, murmura le grand patron, d'une voix étonnée.

— Monsieur Picard, je viens vous présenter ma démission. Comme vous pouvez le constater, je me suis déniché un nouvel emploi.

— Au service du roi d'Angleterre, railla Édouard.

Thomas jeta un regard en direction de son fils pour le faire taire, puis observa :

— Vous auriez dû venir discuter de vos projets avec moi. Après toutes ces années, je comprends votre besoin de changement de routine. Mais votre initiative me paraît un peu… excessive.

— Je suis venu discuter avec vous, sans aucun succès.

Un reproche teintait sa voix. La conversation sur sa promotion au poste de chef de rayon revint en mémoire du commerçant.

— Vous ne m'avez pas dit que ce besoin de changement était aussi… profond.

Le mot « désespéré » lui était d'abord venu à la bouche. Il paraissait un peu exagéré, dans ce contexte.

— Cela aurait-il changé quelque chose à votre décision ?

Son employeur demeura silencieux. Il avait tenu à laisser son fils nommer les futurs chefs des rayons, afin d'établir son autorité et cultiver des fidélités. Cette attitude avait heurté son plus proche collaborateur.

— À votre âge pourtant, vous ne risquiez pas la conscription, intervint Édouard. Il ne servait à rien de vous précipiter dans un bureau de recrutement. Votre classe ne sera pas appelée avant dix ans.

Le jeune homme offrait toujours un visage amusé, comme s'il considérait la décision de Couture comme franchement ridicule.

— Mais tous les habitants de Québec ne sont pas aussi lâches que vous, rétorqua l'ancien employé. Non seulement vous vous êtes marié pour vous dérober à votre devoir, mais au lieu de convoler avec votre jeune maîtresse de la Basse-Ville, vous avez cherché une petite sotte de la Grande Allée. Cela lui plaît-il, à la jeune madame Picard, de vous servir de sauf-conduit devant les services de recrutement ?

Édouard fit un pas en direction de l'ancien secrétaire.

— Je ne vous permets pas ! Sinon...

— Sinon quoi ? Allez-vous me faire taire ? Voyons, nous savons tous que vous n'en avez pas le courage. Dites-moi, après tous vos discours contre la guerre, cela ne vous gêne-t-il pas de partager les putains des bordels de la Basse-Ville avec les militaires ?

— Augustin, je vous prie de vous taire... intervint Thomas.

— Comme je ne suis plus votre employé, je me fous bien de vos ordres ou de vos désirs. Ne le saviez-vous pas ? Votre héritier quitte parfois le magasin en plein jour pour aller aux putes. Cela vous fait un bon directeur, j'en suis sûr. Votre commerce est promis à un bel avenir.

Maintenant un peu à l'écart, le chef de rayon écoutait religieusement. Au moment de la pause, il en aurait long à raconter à ses collègues.

— Quittez les lieux, ordonna le propriétaire.

— Allez-vous-en, sinon j'appelle la police, insista le fils.

Augustin Couture leva les yeux vers lui, un sourire ironique sur les lèvres.

— Vous avez besoin des policiers, maintenant ?

Il se tourna vers son ancien patron pour continuer :

— J'ai bien aimé travailler pour vous, monsieur Picard. Il est si dommage de penser que cette grande maison d'affaires passera entre les mains d'un incapable comme votre fils.

L'homme prit le temps d'adresser un salut militaire à ce dernier avant de s'esquiver. Le moment de stupeur passé, Édouard commenta :

— L'armée de l'empire doit se trouver en bien mauvaise posture, pour accepter des recrues "comme ça".

Les derniers mots, prononcés du bout des lèvres, faisaient écho aux rumeurs sur les préférences sexuelles de l'ancien secrétaire, un célibataire ayant franchi le cap de la trentaine. Ce statut, à un âge aussi tardif, rendait toujours suspect.

— Cela suffit, déclara Thomas d'une voix impatiente. Il est déjà tard, tu as certainement de quoi t'occuper.

Au moment où il réintégrait son bureau, le patron ajouta encore à l'intention du chef de rayon :

— Cela vaut pour vous aussi. Les clients se pressent certainement dans votre département.

~

Le lendemain, Édouard Picard se tenait dans la salle à manger du Château Frontenac avec sa femme et le couple des jeunes Lavigueur. L'épouse de ce dernier, une personne un peu effacée, parcourait les lieux du regard, visiblement impressionnée. En ce dimanche, à midi, toutes les tables se trouvaient occupées. L'hôte entretenait ses invités de ses émotions de la veille :

— Toute la rue Dupont était bloquée, ils demandaient les papiers des gens. Il y en a un qui a failli se faire passer sur le corps par un camion.

— Quelques excités en état d'ébriété, remarqua Louis Lavigueur. Selon mon père, on les a mis au cachot sans tarder. Ensuite, la patrouille a parcouru nos rues avec une carabine sur l'épaule, pour assurer la paix. Cela ne se reproduira pas.

— Mais ce n'est pas mieux, voir la police militaire les armes à la main dans notre ville. On se croirait en Belgique, ma parole… ou encore en Irlande. L'Angleterre continue de faire dans ce malheureux pays ce qu'elle reproche aux Boches.

Le directeur du magasin Picard restait marqué par le souvenir de sa fuite pitoyable, après avoir montré son alliance comme une preuve de son état matrimonial. Les accusations d'Augustin Couture, peu après, s'étaient révélées d'autant plus cinglantes qu'il se sentait honteux de son attitude.

— Heureusement, nous avons la loi sur la prohibition, remarqua l'épouse Lavigueur. Sinon, des désordres surviendraient dans toute la ville.

Menue et blonde, cette jeune femme endurait mal toutes les perturbations des dernières années. Imaginer des militaires avinés parcourant les rues l'empêchait de dormir.

— D'un autre côté, des gens aussi respectables que moi doivent se contenter de boire un Coca-Cola à midi, opposa son conjoint. Les innocents se trouvent punis avec les coupables, à cause de cette mesure. On a beau dire que cela favorise la digestion…

Dans les journaux, la publicité de la boisson brune venue d'Atlanta insistait sur ses vertus médicales, comme si un rot à la fin d'un repas représentait le signe le plus évident d'une bonne santé.

— La législation devrait être mieux adaptée, remarqua Édouard. De l'eau pour les soldats, du sherry pour les femmes, de la bière pour les ouvriers et du whisky pour Louis et moi. Tout le monde serait satisfait.

La jolie blonde, mère depuis très peu de temps, baissa les yeux, les joues un peu roses. Reprise successivement par les deux hommes présents, elle se donna congé de conversation pour un moment.

— Mais l'altercation avec ces soldats ne fut pas le seul sujet de conversation de la Basse-Ville, hier, remarqua en riant Louis Lavigueur. L'armée a un nouveau volontaire.

Très vite, le récit de la visite d'Augustin Couture dans les locaux administratifs avait fait le tour du magasin. Chacun des employés l'avait répété à une reprise au moins à une connaissance de passage au magasin. À la fermeture des commerces, l'événement avait été commenté dans tous les établissements de la rue Saint-Joseph.

— Tu imagines combien les forces de l'empire se trouvent augmentées, maintenant, ricana Édouard, avec un volontaire de ce genre.

Son amusement sonnait faux. Discrètement, son regard se porta sur Évelyne, cherchant sur son visage une trace de soupçon. Louis Lavigueur connaissait sans doute la teneur de tous les mots échangés : son air amusé ne tenait pas qu'à la nouvelle recrue de l'armée. Une solidarité bien masculine l'empêcherait sans doute de se faire plus explicite.

— Cet homme a travaillé longtemps pour ton père, commenta sa jeune épouse.

— ... Pendant plus de dix ans.

Elle ne devait se douter de rien, songea-t-il. Si elle savait, la meilleure attitude serait de n'en rien laisser paraître. Surtout, il convenait de ne pas se troubler, de présenter toujours le même visage affable.

— Tout de même, c'est curieux de le voir se porter volontaire.

— C'est un peu à cause de moi, je pense.

Elle ouvrit de grands yeux sur son mari, sans comprendre.

— Il devait craindre de perdre son emploi. Il dépendait maintenant de moi, en tant que directeur.

— Mais qu'avait-il à redouter ? N'effectuait-il pas son travail de façon satisfaisante ?

— Depuis des années, convaincu que mon père le protégerait, il a multiplié les impertinences à mon endroit. Son temps d'impunité venait de se terminer, il l'a compris.

Les changements de régime s'accompagnaient parfois de disgrâces soudaines, les jeunes dames Picard et Lavigueur le comprenaient bien. Toutefois, l'enrôlement paraissait à cette dernière une réponse démesurée à la menace d'une mise à pied. Elle exprima son doute :

— Il n'avait qu'à aller frapper à la porte des entreprises voisines. Depuis 1914, mon beau-père se plaint de ne pas dénicher de personnes compétentes. Lui-même se serait sans doute montré intéressé par ses services.

— Mais je pense que Couture cherchait un environnement masculin, exclusivement masculin, rétorqua Édouard en esquissant un mouvement de la main, comme pour chasser une mouche.

L'allusion échappa totalement à son interlocutrice. Louis Lavigueur préféra ramener l'attention sur un terrain plus sûr :

— Maintenant, tu devras trouver à le remplacer. Comme vient de le faire remarquer mon épouse, les emplois sont dorénavant plus nombreux que les candidats. Ce ne sera pas si simple.

— C'est pourquoi je ferai comme les contremaîtres des usines de munitions, je chercherai une candidate.

— Tu veux dire une femme ?

— Plus personne n'embauche des hommes à des postes de secrétaire. Les femmes font aussi bien, pour la moitié du salaire. De surcroît, elles sont plus dociles.

Une ombre passa sur le visage d'Évelyne. Depuis un moment, elle jouait dans son potage du bout de sa cuillère. Assise en face d'elle, l'épouse Lavigueur lui demanda, afin de la ramener dans la conversation :

— Le petit Thomas va toujours bien ?

— … Comme un charme. Après tout, la plupart du temps, il est le seul homme de la maison, avec quatre femmes pour s'occuper de lui… docilement, dirait Édouard.

— Je comprends, c'est un peu la même chose avec Louis. Le commerce lui laisse bien peu de temps, et après la fermeture, son père semble incapable de se passer de lui. Je demeure seule avec ma fille.

— Au moins, vous habitez votre propre maison !

La jeune épouse prenait prétexte de son nouvel auditoire pour évoquer ses griefs habituels. Elle ne rencontra pas le succès escompté.

— Remarquez, ce serait plus pratique si nous habitions avec les parents de Louis, dans les circonstances. Je le verrais plus souvent. Malheureusement, comme la grande demeure de la rue Saint-Jean abrite d'autres enfants, nous ne pouvions ajouter une nouvelle famille à la première.

— Je le répète depuis 1914, intervint Édouard. En se mariant, Eugénie a fait de moi un enfant unique. La maison paternelle se révèle confortable à souhait. Je lui en serai éternellement reconnaissant.

— Avec le résultat que nous avons une voiture, mais pas de maison, conclut l'épouse.

Cette dernière aimait se plaindre de se trouver recluse à cause des multiples et mystérieuses occupations de son mari. Cependant, ses récriminations devant des inconnus n'entraîneraient certes pas une multiplication des sorties de ce genre. Louis Lavigueur saisit l'occasion d'un silence pour amener la conversation sur un autre sujet :

— Comme la nouvelle voiture a été achetée deux jours après la conversation avec ton père au sujet de ta nouvelle rémunération, je suppose que le montant a satisfait tes attentes.

— Pas tout à fait mes attentes, mais le patron a été très clair : je serais mal venu de me plaindre, selon lui. Alors je m'en contente.

En vérité, Thomas l'avait mis au défi de trouver mieux dans n'importe quel commerce de la rue Saint-Joseph. Prise sous cet angle, sa situation financière se révélait certainement avantageuse. Mais il n'était le fils unique d'aucun autre entrepreneur de la Basse-Ville.

~

Après les événements désagréables du samedi précédent, lundi matin, Thomas contempla un moment la chaise vide de son secrétaire. Encore une fois, la vie privée de son garçon faisait les frais des conversations dans tout le commerce. Étrangement, cela ne paraissait pas nuire à sa réputation. Un sourire désarmant suffisait à séduire le personnel. Les vendeuses en particulier semblaient indifférentes à ses incartades, du moment qu'il s'amusait à leur conter fleurette avec une certaine régularité.

— Comme nous sommes dans la haute saison, nous devons remplacer cet idiot au plus tôt, déclara une voix derrière lui.

Le propriétaire se retourna pour voir son fils devant lui, élégant dans un costume de lin de bonne coupe, son canotier incliné sur l'œil droit.

— Je suis étonné. C'est bien la première fois que tu arrives au magasin avec seulement quelques minutes de retard sur moi.

— L'attrait de la nouveauté doit s'estomper. Déjà, j'ai eu moins envie de parcourir les rues pour le plaisir, ce matin.

Le jeune homme marqua une pause, le temps d'accrocher son chapeau près de la porte, puis il reprit en désignant le siège vide:

— Tu es certainement de mon avis, il convient de le remplacer bien vite.

— Cela te revient. En tant que président des entreprises Picard, je te donnerai cependant un conseil: embauche un homme.

— Plus personne n'utilise les services d'un homme pour ce genre de travail.

— Ce serait plus prudent. Tu fais jaser, je ne te l'apprends pas. Ne donne pas aux gens un nouveau motif de commenter ton comportement.

Édouard écarta les bras de son corps dans un geste d'impuissance, puis il ajouta, gouailleur:

— Je suis jeune, riche et beau. Cela passionne les autres.

Après une pause, il reprit, cette fois, plus sérieux :

— Est-ce un ordre du président ou un conseil paternel ?

— ... Un conseil.

— Dans ce cas, je vais embaucher une femme. Ce sera à la fois moins cher et plus agréable, sans compter que les candidats ne se bousculent plus pour ce genre de poste. Le magasin ne désemplit pas, j'ai besoin d'aide tout de suite, pas dans trois semaines.

Devant la mine réprobatrice de son interlocuteur, il ajouta encore :

— Tu sais, papa, si je penche vers l'adultère, la présence d'un homme sur cette chaise ne me retiendra pas. Et si je veux rester fidèle, celle d'une femme ne m'entraînera pas irrémédiablement vers le péché.

Thomas eut envie de s'engager dans un discours moralisateur, puis il y renonça :

— Viens, nous avons beaucoup à faire.

~

— Tu connais le patron, ici ?

La question venait d'une jeune femme rousse aux attributs généreux. Sa voisine, blonde, maigre et affligée d'une paire de lunettes à monture métallique posée au milieu du nez, répondit :

— Un bel homme, l'air sévère, la cinquantaine.

— Ça, c'est le père, indiqua une autre femme. Aujourd'hui, c'est le fils qui embauche.

Le visage de la blonde se ferma. Certaine de perdre son temps, elle se leva pour quitter les lieux. Elle avait travaillé assez longtemps à la Quebec, Light, Water and Power pour connaître la réputation de coureur de jupons du fils Picard. Non seulement le souvenir de la mine éplorée de Clémentine LeBlanc, quelques semaines plus tôt, la hantait encore, mais elle savait maintenant n'avoir aucune chance de décrocher l'emploi. Il irait à la plus jolie.

Après avoir apprécié un moment les charmes de sa voisine, la candidate songea à lui dire qu'elle non plus n'avait aucune chance, mais elle se retint. Un regard circulaire dans la pièce lui permit d'identifier celles qui pourraient satisfaire les attentes du don Juan de la rue Saint-Joseph : deux ou trois parmi les candidates se révélaient bien jolies. Le dépit peint sur le visage, elle décida finalement de partir.

La veille, une annonce publiée dans *Le Soleil* avait attiré l'attention des lecteurs : « Le directeur du magasin Picard cherche une secrétaire particulière. Les personnes intéressées voudront bien se présenter demain, le 3 juillet, aux locaux administratifs du commerce entre deux et quatre heures. » Préciser une adresse semblait inutile, tout le monde dans la ville y avait fait ses emplettes à de nombreuses reprises. À l'heure indiquée, sept femmes dans la vingtaine et un petit homme chenu, malingre et courbé par une malformation de la colonne vertébrale, occupaient les chaises alignées dans l'antichambre du bureau.

La rousse plutôt replète se réjouit brièvement de la désertion d'une concurrente, puis elle demanda à la ronde :

— Quelqu'un a l'heure ? Je ne peux pas rester ici tout l'après-midi.

Ce fut l'homme, parmi elles, qui répondit d'une voix aigrelette en regardant la montre à son poignet :

— Bientôt trois heures.

— Je me demande s'il accepterait que sa secrétaire arrive au travail avec autant de retard, remarqua une autre.

La porte du bureau s'ouvrit alors que toutes éclataient de rire. Édouard les regarda un moment sans comprendre, puis il vint au milieu de l'antichambre pour dire :

— Monsieur, je suis désolé, mais je cherche une femme.

— Je ne demanderai pas plus cher…

— Cela n'y change rien. Ne perdez plus votre temps.

Au lieu de s'engager dans une conversation larmoyante, Édouard lui tourna ostensiblement le dos pour demander à la ronde :

— Alors, Mesdames, qui est arrivée la première ?

— Moi, fit une jeune fille un peu boutonneuse.

— Alors, venez avec moi. Vous avez déjà vu une machine à écrire, j'espère.

— Bien sûr, répondit-elle en se levant.

Au moment où la porte du bureau se fermait dans le dos du patron et de la première candidate, l'homme sans âge quitta les lieux, la mine basse.

~

Le lendemain, comme d'habitude, Thomas arriva au magasin le premier. En s'approchant des locaux de l'administration, il entendit le cliquetis rapide de la machine à écrire. « Ce diable d'Augustin serait-il de retour ? » La pensée lui parut ridicule. En arrivant dans l'antichambre, il découvrit une brunette penchée sur son travail. Elle se leva vivement, vint vers lui en tendant la main :

— Monsieur Picard, je me nomme Flavie Poitras. Hier...

— Hier, mon fils vous a engagée, afin de lui servir de secrétaire, compléta l'homme.

La jeune fille ne sut comment enchaîner. Le commerçant lui adressa un sourire avant de poursuivre :

— Vous arrivez avant lui au bureau, ce qui n'a rien de bien remarquable. Mais avant moi, cela mérite d'être souligné. Je vous souhaite donc la bienvenue, mademoiselle Poitras, et de nombreuses années avec nous.

Il lui serra la main tout en l'examinant avec soin. Elle ne devait pas avoir plus de vingt ans. Ses cheveux bruns plutôt courts bouclaient sur son crâne. Ses yeux de même couleur, vifs et rieurs, laissaient deviner une grande intelligence. En contradiction avec son bon accueil, le patron lui trouvait deux défauts impardonnables : un fort joli minois et une silhouette à l'avenant. Fallait-il pour cela lui faire grise mine ? De nouveau avec le sourire, il conclut :

— Je vous laisse reprendre votre travail. Mon fils vous a-t-il déjà donné de quoi vous occuper ?

— Une pile de lettres destinées à des fournisseurs. J'ai les noms, les produits, les quantités, je fouille dans les classeurs pour trouver le ton juste.

— Vous connaissez déjà ce genre de travail ?

— Je faisais un peu la même chose au camp militaire de Valcartier. Vous ne pouvez deviner combien de nourriture, de vêtements, de munitions nous commandions chaque semaine. Pour être franche, les noms de plusieurs des directeurs des ateliers me sont déjà familiers.

L'emploi précédent signifiait que la demoiselle connaissait l'anglais et pouvait tolérer la pression. Les militaires ne passaient pas pour les patrons les plus patients.

— Pourquoi avez-vous abandonné ce travail ?

— La guerre ne durera pas toujours. Dans quelques mois, je me serais retrouvée au chômage. J'ai préféré devancer les événements.

— Vous avez jugé que ce magasin jouissait encore d'un petit avenir, remarqua l'homme.

— Sous votre direction, un avenir très long.

Les yeux pétillants d'amusement faisaient pardonner les paroles flagorneuses.

— Vous savez parler aux vieux commerçants, mademoiselle Poitras. Cette fois, c'est vrai, je vous laisse retourner à votre clavigraphe. Bonne journée.

— Bonne journée, monsieur.

Thomas s'enferma dans son bureau. Une demi-heure plus tard, il entendit le bruit d'une conversation dans l'antichambre, puis un rire féminin en cascade. Édouard pénétra enfin dans la pièce, ferma la porte derrière lui avant de demander à voix basse :

— Qu'en penses-tu ?

— Bien trop jolie. Tu devrais la renvoyer tout de suite.

Le jeune homme demeura interdit un moment. Il choisit de considérer ces mots comme une boutade. Il continua :

— Elle est très intelligente. En fin de journée hier, elle comprenait mieux que moi le système de classement de Couture.

— À ta place, je ne me vanterais pas trop de cela. Tu travailles ici depuis des années. Si tu n'as pas encore compris…

Sans se formaliser de la remarque, le directeur du magasin prit place sur la chaise des visiteurs, croisa les jambes et déclara finalement, sur un ton moqueur :

— Bon, entends-tu lui faire la guerre ? Ou me la faire à moi ?

— … Non, pas du tout. Mais cette charmante jeune personne, visiblement intelligente et compétente, me rappelle une gamine appelée Clémentine LeBlanc.

L'entrepreneur marqua une pause, puis reprit avec impatience :

— Jésus-Christ, cette histoire s'est terminée il y a quelques semaines à peine, et voilà que tu postes une jeune beauté à dix pas de ce fauteuil.

— Cela n'a rien à voir. C'est une employée. Selon toi, j'aurais dû prendre une personne moins compétente parce que celle-là est trop jolie. Elle déclassait nettement les autres.

Thomas demeura songeur. Flavie était possiblement plus efficace que les autres candidates. Son charme ne la rendait pas inapte à travailler dans un bureau. À la fin, il murmura :

— Tu as une femme et un enfant. Ne l'oublie pas.

— Comment le pourrais-je ?

La voix chargée de dépit de son fils déprima encore plus le propriétaire. À la fin, Édouard se leva en déclarant :

— Flavie représente un joli sujet de conversation, mais je dois faire le tour de tous les rayons. Je compte tenir à l'œil tous ces petits chefs.

Un peu plus, et il reprochait à son père de le détourner de son travail.

— Je me demande bien ce qu'ils font ! maugréa Édouard.

Depuis le début du petit déjeuner, il avait déjà consulté sa montre trois fois.

— Poses-tu la question sérieusement ? demanda Évelyne en ouvrant de grands yeux.

— … Que veux-tu dire ?

— Ton père et ta mère tardent à descendre de leur chambre à coucher, et tu ne sais pas ce qu'ils font ?

Elle eut envie de dire encore : « Sans doute ce qui ne semble plus t'intéresser depuis quelques semaines. À tout le moins, avec moi. » Elle se retint à temps, car son époux lui faisait déjà mauvaise figure depuis le dimanche précédent.

— Je vais monter… déclara-t-il, en s'essuyant la bouche avec sa serviette.

— Tu n'y penses pas ?

La démarche lui paraissait à la fois indélicate et ridicule.

— Je dois laisser la voiture au garage pour faire repeindre l'aile égratignée. Il pourrait me conduire.

— Au lieu de les embêter, appelle un taxi. Si tu ne te souviens pas comment faire, je vais m'en charger.

Un homme un peu plus subtil aurait perçu la pointe de jalousie dans la voix. Thomas montrait plus d'attention pour sa femme après vingt-deux ans de mariage que son fils après un seul. Il préféra la prendre au pied de la lettre en disant :

— Non, ce ne sera pas nécessaire, je vais m'en occuper.

Évelyne le regarda quitter la pièce, un peu lasse.

~

L'atmosphère se révélait plus détendu à l'étage. Élisabeth ramenait le drap sur son corps en riant :

— Tu as dû faire de curieux rêves pour te réveiller avec un pareil appétit.

En bonne institutrice, elle savait maintenir la motivation de son élève en lui réservant des moments de détente après une période d'efforts intenses. L'homme à ses côtés offrait une silhouette plus mince, un visage serein, reposé. Ces heureux résultats couronnaient des privations sérieuses. Le déposséder des « avantages légitimes du mariage » ne ferait que le décourager.

— Je rêve à toi. Ne le savais-tu pas ?

La déclaration accentua la satisfaction de son épouse. Le docteur Hamelin se montrait encourageant. Après une discussion à mots couverts avec le praticien, elle voulait bien admettre que cette « petite fatigue » ne se comparait en rien à une trop longue journée au magasin ou à une campagne électorale mouvementée. Aussi la lui accordait-elle maintenant avec une charmante régularité.

— Tu rêves de moi ? Après toutes ces années, dois-je te croire ?

Le ton d'Élisabeth ne trahissait pas le moindre doute. Elle se tourna sur le côté, son mouvement fit glisser la pièce de coton, découvrant un sein bien rond, coiffée d'une aréole d'un rose très pâle. Son époux en dessina la forme du bout de l'index, agaça la pointe afin de la rendre un peu turgide.

— Tu ne penses pas recommencer ?

— Pourquoi pas ?

— Crois-tu que c'est prudent ?

— Alors, pour changer, tu viendras sur moi. Bien étendu sur le dos, cela ne me fera pas de mal. Cela ne m'épuisera pas plus qu'un petit somme.

Il approcha sa bouche du mamelon, en parcourut la surface des lèvres, puis de la langue, avant de l'aspirer légèrement.

— Si tu ne te sens pas bien, tu vas me le dire ?

Elle aussi se sentait inspirée par le magnifique soleil de juillet, la brise parfumée de l'odeur de lilas qui entrait par la fenêtre grande ouverte.

— Si nous ne recommençons pas, je me sentirai bien vite très mal.

Thomas encercla son corps de son bras, se retourna en l'attirant sur lui. Elle sentit le sexe de nouveau durci contre le bas de son ventre, posa ses genoux de part et d'autre des cuisses de son mari afin de ne pas laisser tout son poids reposer sur lui. Elle s'immobilisa, songeuse, puis murmura :

— Ne devais-tu pas conduire Édouard au travail ?

— Qu'il marche.

— Voyons, tu lui as promis.

Thomas posa les deux mains sur les hanches de sa femme pour l'empêcher de se dérober, puis il déclara :

— Je suis sérieux, il peut marcher, appeler un taxi ou s'acheter une bicyclette. Il a été le seul utilisateur de ma voiture pendant quatre ans. Je ne me trouve pas en demi-repos pour me transformer en chauffeur de maître.

Il s'arrêta, soudainement préoccupé, puis enchaîna :

— Tu vois ce que cela donne, parler de lui au lit. Si cela se produit trop souvent, je le déshérite.

Le changement d'humeur tenait à la perte de son érection. Il poussa sur les épaules de sa femme afin de mettre son corps bien droit, regarda un moment avec admiration le torse dressé sur lui, la peau très blanche, le réseau de fines veines bleues sous la peau, les seins ronds, toujours très fermes. En levant les mains pour les empaumer, il ajouta :

— Sérieusement, crois-tu vraiment que j'aie envie de me rendre au magasin ce matin ?

La raideur contre le bas-ventre d'Élisabeth se manifesta encore.

— Non, je ne pense pas.

Passé dix heures, le couple se trouvait dans la salle à manger. La bonne avait fait de nouvelles rôties, vidé le thé devenu froid dans l'évier pour leur en servir du frais.

— Que comptes-tu faire du reste de la journée ? demanda Élisabeth.

— Nous pourrions prendre la voiture pour aller voir les chutes Montmorency. Il y a un restaurant juste à côté, une ancienne maison.

— Le commerce buissonnier… Tu me parais vraiment résolu à laisser Édouard prendre une place grandissante au magasin.

Thomas prit le temps de reposer sa tasse avant de demander :

— Est-ce un reproche ?

— Pas du tout. Seulement, tu paraissais si réticent, il y a quoi ? Trois, quatre semaines, tout au plus ?

L'homme mesurait l'ampleur des changements survenus dans son existence en si peu de temps. Sa perte de conscience lui paraissait si lointaine.

— Dans une certaine mesure, le gamin me surprend par sa compétence. Sa gestion est précise, efficace. Il ne le reconnaîtra jamais, mais son passage dans chacun des rayons le sert très bien aujourd'hui.

Son épouse marqua une pause avant de murmurer :

— Dans une certaine mesure seulement ?

— Tu le connais. Sa première motivation semble être de conter fleurette à un nombre maximum de jeunes filles dans un minimum de temps.

— Il était comme cela à cinq ans. Cela ne porte pas à conséquence.

Elle garda un nouveau silence, songeuse, puis un peu soucieuse, elle demanda :

— Tu ne veux pas dire… qu'il a recommencé avec une autre ?

Même si Édouard n'avait jamais abordé le dénouement de son aventure avec Clémentine auprès de son père, celui-ci savait tout. Des allusions nombreuses de ses employés ou de simples connaissances lui avaient permis d'en reconstituer le récit.

— Je ne pense pas.

Le craquement d'une planche dans le couloir se fit entendre. Il ne s'en préoccupa pas, car à ce moment la domestique se consacrait au ménage.

— Mais si tu voyais la secrétaire qu'il a embauchée cette semaine…

— Une beauté?

— Un très joli minois. Surtout, elle a un esprit vif, une personnalité engageante, en plus de faire très bien son travail.

— Tu me parais très enthousiaste. Peut-être est-ce moi qui devrais m'inquiéter et pas Évelyne.

Son mari la regarda un moment, puis affirma en tendant la main pour prendre la sienne:

— Je suis peut-être une exception de la gent masculine, mais depuis que tu es dans ma vie, je n'ai jamais souhaité une autre présence, même pour un bref moment.

Il marqua une pause, puis insista:

— Tu me crois?

Elle serra fortement les doigts masculins dans les siens, puis répondit:

— Oui, je te crois.

Puis, elle précisa, faussement sévère:

— Mais ne rêve pas de nous voir remonter dans la chambre dans un moment. Je suis sûre que, quand je lui raconterai, le docteur dira que deux fois d'affilée, c'est trop.

Thomas lui tira la langue, tout en songeant que jamais elle n'oserait être aussi explicite avec le praticien. Tout au plus, elle évoquerait les «joies du mariage» en rougissant.

Dans le corridor, le dos appuyé contre le mur, Évelyne aspirait de grandes quantités d'air, avec l'espoir de ralentir un peu son cœur emballé.

~

Un peu après midi, Édouard composa le numéro du commerce d'instruments de musique des Lavigueur situé dans la Basse-Ville. Quand le gérant prit l'appareil, il demanda:

— Louis, à quelle heure fermeras-tu boutique, ce soir?

— Quand je n'aurai plus de clients. Pourquoi?

— Peux-tu me ramener à la maison ? Je suis devenu piéton.

— Quoi ? Les Picard ont vendu leurs rutilantes machines ? Les affaires vont si mal pour vous ?

L'ironie agaça un peu le commerçant. Il se donna la peine d'expliquer :

— L'un de mes employés a éraflé de dix bons pouces la peinture d'une aile de ma voiture, avec un camion de livraison. J'ai dû la faire repeindre.

— Cela vaut la peine de mort, après des tortures asiatiques...

— En conséquence, la Chevrolet se trouve au garage, précisa le jeune homme.

L'autre continuait de s'esclaffer au bout du fil.

— Et papa Picard ne veut plus que tu montes dans son véhicule, alors te voilà condamné à la marche.

— Au téléphone, papa Picard m'a annoncé, à la fin de la matinée, qu'il désirait courir la prétentaine tout l'après-midi. Ne répands aucune rumeur : ce sera avec sa légitime épouse des vingt-deux dernières années.

Édouard attendit une remarque scabreuse. Elle ne vint pas.

— En conséquence, je te le disais, je me trouve à pied. Tu me reconduiras ou non ?

— Au nom de notre indéfectible amitié, je serai à ton service.

Au moment de raccrocher, le jeune homme réfléchit aux derniers mots. En réalité, même s'il s'entendait bien avec tous les commerçants de son âge et de nombreux professionnels, aucune de ces personnes ne comptait parmi ses véritables amis. Même Fernand, au moment où il le voyait tous les jours, n'avait pas mérité ce titre.

Plusieurs heures plus tard, un cognement sur la porte le tira de l'étude d'un gros registre. Louis Lavigueur se tenait dans l'embrasure, le visage trahissant le plus grand amusement.

— Puis-je entrer ou mon interruption va ruiner ce temple du commerce de détail ?

— Entre. Je terminais.

Il ferma le tome relié de toile verte. Son visiteur tira la porte derrière lui avant de murmurer :

— Cette séduisante jeune femme doit empêcher ta douce moitié de dormir.

Le ton narquois irrita le directeur du grand magasin.

— Pourquoi ? Tout le monde a une secrétaire.

— Pas moi. Ce n'est pas à cause de la susceptibilité de la mère de mon enfant, bien sûr, mais parce que je n'en ai pas besoin. Mais elle n'aimerait pas.

L'innovation troublait la vie des ménages. L'homme le plus vertueux pouvait-il cohabiter avec une jeune femme, tous les jours de la semaine, sans jamais pécher, au moins en pensée ? Les épouses en doutaient toutes, de même que les confesseurs, qui entendaient ramener tous les membres du sexe faible à leurs fourneaux.

— Nous y allons, ou souhaites-tu discuter de la gestion de personnel de mon magasin jusqu'à minuit ?

Édouard avait quitté son siège pour aller vers la porte. Au moment de passer dans l'antichambre, il prononça de sa voix la plus engageante :

— Je vous souhaite une bonne soirée, mademoiselle Poitras. Au moins, pour ce qu'il en reste.

— Bonne soirée à vous aussi, monsieur Picard.

Alors que le jeune homme prenait son canotier sur la patère, son compagnon s'approcha de la secrétaire, la main tendue :

— Comme votre patron paraît pressé de partir au point de négliger les bonnes manières, je me présente moi-même : Louis Lavigueur, le gérant du magasin d'instruments de musique, un peu plus à l'est dans la rue Saint-Joseph.

— Flavie Poitras.

— Picard est un véritable bourreau. Il vous retient au travail passé huit heures du soir.

Elle regarda en direction d'Édouard et répondit dans un battement de cils, amusée :

— Je ne travaillerai pas aussi tardivement tous les jours. Nous avons juste un peu de retard à rattraper, car je dois me familiariser avec toutes les opérations. Mais vous êtes très gentil de vous soucier de ma petite personne. Êtes-vous membre de l'une de ces associations catholiques désireuses de réduire la durée du labeur des classes populaires ?

Il demeura un moment interdit, lâcha finalement la petite main tiède et déclara :

— Je suis comme cela, toujours prêt à défendre la veuve, l'orpheline...

— Je ne suis ni l'une ni l'autre.

— Mais surtout, la secrétaire.

Debout près des fenêtres donnant sur l'église Saint-Roch, le directeur déclara, sur le ton de la réprimande :

— Si tu ne cesses pas de faire le joli cœur, tu seras responsable du surcroît de fatigue de cette demoiselle, pas moi.

Lavigueur se troubla, demanda encore :

— Je peux vous reconduire aussi, si vous voulez. Ma voiture est devant l'entrée.

— Non, je préfère marcher un peu. Il fait si doux, en cette saison.

Quelques minutes plus tard, les deux hommes descendaient l'escalier du magasin.

— Si elle a une petite sœur, dis-lui de venir me voir.

— Où sont passées tes inquiétudes sur la sérénité de ton épouse ?

— Cela n'a rien à voir. Elle vendrait des partitions de musique à des gens sourds comme des pots. Mon intérêt est purement commercial.

« Après tout, se disait Lavigueur à ce moment, que celui qui n'a jamais péché lance la première pierre à Picard. »

Chapitre 6

Même au cours de la belle saison, des événements dramatiques pouvaient troubler toute la population de la province. Fernand Dupire tenait une copie de *La Patrie* dans ses mains.

— C'est un horrible gâchis.

Au milieu de la soirée, Jeanne se tenait bien droite dans le salon, sa coiffe blanche amidonnée sur la tête. Le vieux notaire et sa femme avaient déjà regagné leur chambre respective à l'étage; Eugénie préférait la solitude de son petit salon à la compagnie de son époux. Tout de même, l'un ou l'autre des membres de la maisonnée pouvait surgir à l'improviste.

— J'ai eu les larmes aux yeux toute la journée. Un garçon de vingt ans à peine.

— Les conscrits n'ont jamais plus de vingt-trois ans.

La précision n'enlevait rien au drame. Un insoumis de Vaudreuil, serré de trop près par des agents de la police militaire, était mort en cherchant à leur échapper. La plupart des journaux évoquaient un suicide, ce qui lui vaudrait la damnation éternelle. Les autorités militaires parlaient plutôt d'un triste accident. Tous s'entendaient sur un fait: le garçon s'était jeté dans une rivière afin de distancer ses poursuivants. Emporté par le courant, l'infortuné avait coulé bien vite.

— Cela aurait pu arriver à l'un de mes frères, insistait la domestique.

— Tout au plus, le fuyard risquait quelques mois de prison. Je ne comprends pas son geste.

— Ils l'auraient envoyé au front.

Cette menace devait l'effrayer plus que le cachot, au point de le pousser au désespoir. Fernand imaginait mal comment il aurait réagi, à la place de ces jeunes gens. Marié, très vite père de famille, la perspective de l'enrôlement lui paraissait si peu concrète.

— Je ne pense pas que je fermerai l'œil, cette nuit, précisa la jeune femme.

— Moi non plus, mentit le gros homme. Venez me rejoindre. Nous chercherons des sujets de conversation moins déprimants.

La Chevrolet embaumait toujours son parfum très particulier, si capiteux pour tous les hommes: celui du «char» neuf. Il se composait d'effluves variés, dont celui de l'essence, de la graisse de machine et, peut-être, de la peinture fraîche.

— C'est le cuir, conclut Armand Lavergne.

— Pardon?

— L'odeur. Un nouveau canapé a la même. Cela vient du cuir.

Édouard voulut protester, clamer que sa Chevrolet sentait la modernité et la liberté caractéristiques du siècle nouveau. Cette poésie échappait à son compagnon.

Stationnés dans une allée ombragée des plaines d'Abraham, les deux hommes partageaient une petite bouteille de cognac. Plus tôt dans la journée, en revenant de dîner dans un restaurant de la rue de la Couronne, Édouard l'avait achetée à un chauffeur de taxi.

Un choc contre la carrosserie le fit sursauter. Il se retourna pour invectiver le malotru, reconnut un officier de police coiffé d'un casque colonial blanc. Il avait frappé légèrement sur le toit de l'automobile avec sa matraque pour avertir de sa présence.

— Vous ne songez pas à faire des cochonneries entre hommes, sur la voie publique?

Les plaines d'Abraham souffraient déjà d'une réputation sulfureuse à ce sujet. Le conducteur clama en montrant le sac de papier brun dont seul dépassait un goulot:

— Nous caressons plutôt ceci.

— ... C'est illégal, prononça l'agent de la paix penché à la fenêtre de la voiture.

Sa grosse moustache lui donnait l'air débonnaire d'un policier de caricature, comme ceux des hilarantes comédies américaines. Édouard s'enhardit au point d'offrir, en lui tendant la bouteille:

— En voulez-vous?

— Vous aggravez votre cas.

Il saisit tout de même l'offrande, avala une longue lampée.

— Allez commettre vos crimes un peu plus loin.

L'automobiliste attendit un moment, comprit que la bouteille ne lui reviendrait pas. Le démarreur électrique répéta encore sa magie, le moteur commença à ronronner avec des à-coups.

— Le salaud doit se monter une jolie réserve, commenta Lavergne un peu plus tard, et revendre ses surplus pour arrondir ses fins de mois.

— Nous ne l'aiderons pas, il en restait trois gouttes.

Il s'engagea dans la Grande Allée, prit la direction de la ville.

— Veux-tu vraiment te rendre là-bas? continua-t-il.

Il parlait de Vaudreuil. Le drame survenu la veille, dont tous les journaux faisaient leur première page, les préoccupait aussi.

— Si les parents veulent poursuivre l'armée, je plaiderai gratuitement.

— Tu as un joli sens de la publicité. Le gars s'est suicidé, il ne subsiste aucun motif de poursuite. Mais cela redorera ton auréole, après les émeutes.

Le rôle de l'avocat, lors des événements sanglants de Pâques, n'avait pas suscité que des éloges.

— Le gouvernement l'a poussé au désespoir avec sa politique inhumaine. C'est criminel.

Son compagnon ricana avant de déclarer :

— Je reconnais là ton sens de la formule, ce sera repris dans les journaux. Les pauvres types qui se cachent dans les bois recourront en grand nombre à tes services au lieu de se jeter à l'eau, si on leur met la main dessus. Leurs honoraires princiers te permettront de vivre comme un pacha au Château pendant quelques années encore. Les agriculteurs vendent maintenant le bacon à son pesant d'or, ils paieront pour tirer leur rejeton du pétrin.

Bien que rigoureusement exacte, vu la bonne publicité que lui ferait une intervention dans cette affaire, l'analyse irrita l'avocat. Il commenta :

— Ta promotion te rend cynique. Je te préférais chef de rayon.

La Chevrolet atteignit bientôt les parages du grand hôtel. Édouard s'arrêta devant la porte.

— Tu me feras signe au moment de ton retour de Vaudreuil. Nous verrons si nous pouvons encore vider une demi-pinte d'alcool dans un endroit discret sans attirer un policier opportuniste.

— Ce sera avec plaisir... si ton père daigne enfin sortir de ton corps. En vieillissant, tu deviens son double.

Cela ressemblait à un adieu, la fin d'un long compagnonnage. Le jeune homme ne s'en formalisa pas vraiment. Lavergne avait trop besoin d'un auditoire pour le bouder très longtemps.

~

Pendant presque tout un mois, Armand Lavergne demeura silencieux, tellement les railleries de son jeune ami avaient atteint leur cible. Puis, lors de la soirée du 5 août, la sonnerie du téléphone résonna dans le domicile des Picard, rue Scott. Thomas se trouvait dans son bureau avec sa femme. Cette pièce devenait leur refuge, afin de laisser un peu d'intimité au jeune couple habitant sous leur toit. Il prit l'appel, traversa le couloir afin de dire à son fils :

— L'excité de Montmagny veut te parler.

— Tu le sais bien, il n'est plus député de ce comté. Il a laissé son poste l'an dernier afin de favoriser l'élection des libéraux.

— Il craignait d'être battu. Et il demeure encore un excité. Utilise l'appareil de la cuisine, sinon je risque de me mêler à votre conversation.

Édouard quitta son fauteuil en murmurant à l'intention de son épouse :

— Excuse-moi, j'en ai pour un instant.

— Je ne bougerai pas d'ici, répondit Évelyne sans lever les yeux de son magazine.

L'ironie marquait son propos. À force de mines renfrognées et de remarques acides, elle avait obtenu que son époux passe de plus nombreuses soirées à la maison. Maintenant, elle se demandait si ce changement était vraiment bénéfique.

Quant le jeune homme dit « Allô » dans le cornet de bakélite, une voix enjouée lui parvint à l'autre bout du fil.

— Chanceux, je t'offre l'occasion d'assister à un grand moment historique. Les événements se précipitent de tous les côtés. As-tu entendu parler des émeutes, à Toronto ?

Un bruit sec interrompit leur conversation pendant un instant. Thomas venait de raccrocher l'appareil dans son bureau.

— Pas question que je me rende à Toronto, protesta Édouard.

— Je me fous de Toronto. Nous sommes en train d'écrire l'histoire ici, dans la province. À Montmagny, très précisément.

— Encore une fois ? Mille fois au moins, tu m'as offert d'assister à de grands événements et rien n'a changé pour les Canadiens français, si ce n'est pour le pire.

— Cela t'intéresse, ou pas ?

Édouard cherchait encore l'occasion de faire une longue balade avec sa nouvelle voiture. Passer de la Haute-Ville à la Basse-Ville, et vice versa, représentait un bien petit défi pour lui. À cause de ses nouvelles responsabilités au magasin, il ne prendrait aucunes vacances en 1918. Une journée d'évasion ne serait pas si désagréable.

— Tu as bien dit Montmagny?

— Nous pousserons jusqu'à Saint-Paul.

— Je le regretterai sans doute, mais je t'accompagnerai.

— Je serai sur le trottoir, en face du Château, à neuf heures du matin.

Quelques minutes plus tard, Édouard passait la tête dans l'embrasure de la porte pour demander:

— Papa, pourrais-tu me remplacer demain, au magasin?

— Où cet idiot veut-il t'entraîner?

— Montmagny.

Thomas secoua la tête. Une tasse de thé fumait sur le guéridon, près de lui. Pour lui rendre le deuil du verre de cognac quotidien moins difficile, Élisabeth consentait à se passer de son verre de sherry habituel.

— Tu n'as jamais songé à créer une compagnie de taxi? Juste avec Lavergne, tu pourrais faire un joli revenu. Tu lui fais payer l'essence, au moins?

— Cela veut dire oui?

La tension dans la voix du garçon amena Élisabeth à se mêler de la conversation:

— Ton père aime te taquiner, mais il comprend combien ces journées d'évasion te permettent de te reposer. Je suis certaine qu'il sera heureux de passer toute une journée au magasin.

Son époux lui adressa un sourire de connivence, puis il murmura:

— Tu as entendu, je serai heureux de me retrouver au travail, de sortir de ma retraite précoce. De ton côté, amuse-toi bien sur les routes poussiéreuses.

Le garçon laissa tomber un «Merci maman, merci papa» en tournant les talons. Son ton rappelait l'adolescent séduit par le mouvement nationaliste, dix ans plus tôt.

~

La Chevrolet se comportait très bien sur les routes de la campagne québécoise. Elle ne comptait que deux sièges. Pour Édouard, cet achat constituait une négation de sa réalité familiale. Si Évelyne acceptait de tenir Junior sur ses genoux, cela pouvait encore aller. Dès le prochain enfant, ce ne serait plus possible. Le véhicule ne servirait plus qu'à des escapades solitaires, ou alors à deux.

— Le petit notaire responsable de l'enregistrement, à Saint-Paul, a donné les noms des jeunes qui sont entrés dans l'hôtel de ville pour lui voler les fiches. D'autres ont fait de même dans diverses localités de la province. Maintenant, la police fédérale procède à des arrestations.

L'ancien député évoquait la Gendarmerie royale.

— Cela doit vouloir dire des dizaines de personnes, en différents endroits, commenta le chauffeur.

— Un type du gouvernement me donne des informations. Il parle d'une quarantaine d'individus dans le comté de Montmagny seulement. Il y en a certainement autant en Beauce et dans Lotbinière.

Ces quelques informateurs dispersés dans diverses officines de l'administration publique permettaient à l'avocat de connaître les nouvelles un peu plus tôt que les journaux. Le plus souvent, il s'agissait de camarades du collège ou de l'Université Laval, toujours sensibles aux idéaux du mouvement nationaliste.

La vitre baissée, le bras appuyé sur le bord de la fenêtre, Édouard offrait l'allure d'un vacancier. Des gamins, attirés par le bruit du moteur, venaient près de la route afin de le voir passer. Les voitures ne se trouvaient pas si abondantes, plusieurs jours pouvaient s'écouler sans en apercevoir une.

Les enfants les moins timides faisaient de grands signes de la main, le jeune homme les rendait de bon cœur.

Les jours de pluie, de profondes ornières rendaient les routes à peu près impraticables. Au début d'un mois d'août plutôt sec, la poussière devenait un problème. La Chevrolet soulevait derrière elle un nuage d'un brun jaune qui mettait plusieurs minutes à retomber sur le sol. Pire, une pellicule couvrait le pare-brise plat, les essuie-glaces arrivaient avec peine à dégager à peu près deux demi-cercles propres sur la vitre.

Bientôt, le conducteur dut courber le dos, chercher des espaces à peu près nets afin de continuer à voir devant lui. À la fin, il pesta :

— Je vais m'arrêter à la prochaine ferme pour débarbouiller cela.

— Nous serons bientôt à Montmagny.

— Si je me retrouve dans le fossé, nous ne serons jamais à Montmagny !

L'argument convainquit Lavergne. Un moment plus tard, le conducteur s'engagea dans l'allée longeant une maison construite de planches verticales rendues grises par les intempéries. Le son du moteur attira sur le perron une femme entre deux âges et une demi-douzaine d'enfants, le plus vieux âgé de neuf ans peut-être, le dernier à la mamelle. Les plus grands devaient avoir été recrutés pour les travaux des champs.

Édouard descendit du véhicule avant de demander :

— Pourrais-je avoir de l'eau pour décrasser le pare-brise ?

— Le puits se trouve là, montra la mère en tendant la main vers l'étable. Georges va vous donner un coup de main.

Le plus âgé des enfants se mit en route vers la margelle de planches, suivi du reste de la ribambelle. Édouard lui emboîta le pas en évitant les bouses de vache encombrant la cour. Le garçon laissa tomber le seau de bois attaché à une corde dans l'ouverture ronde. La chute se termina dans un « plouf » sonore. Un moment plus tard, il commença à tourner la manivelle.

— Je vais m'en occuper. Passe-moi l'autre seau, là-bas.

La corde s'enroulait sur une pièce de bois horizontale. Édouard attrapa le seau au moment où il atteignait le niveau de la margelle, en versa le contenu dans celui que tenait le garçon. Toujours suivis des plus jeunes, ils revinrent vers la voiture. Lavergne était descendu aussi. Il s'étirait afin de faire passer les courbatures causées par le long trajet.

— Il y a un torchon dans le coffre. Tu me le passes?

L'autre obtempéra, revint en tenant une pièce de tissu graisseuse entre le pouce et l'index, une mine de dégoût sur le visage. Édouard la lui prit des mains en disant:

— Fais une prière pour nous éviter une crevaison, car tu ferais la réparation.

— Tu n'es pas sérieux.

— Ce serait un bon moyen de payer ton passage. Papa a évoqué l'idée de te faire payer l'essence, mais il me semble qu'une contribution plus... personnelle serait de mise.

— Je paierai l'essence.

En souriant, le conducteur trempa la pièce de tissu dans l'eau, puis débarbouilla le rectangle de verre renforcé du pare-brise. Le garçon se pencha au-dessus de la portière pour examiner l'intérieur de la voiture.

— Tu ne dois pas voir souvent des véhicules de ce genre.

Georges releva la tête pour dire:

— Comme cela, rouge en plus, pas tellement souvent. Mais ce matin j'ai vu quatre machines, bien plus grosses que la vôtre, remplies de personnes en uniforme.

— As-tu entendu? demanda Édouard à l'intention de Lavergne.

— Oui... Sans doute des policiers. Ils peuvent se rendre à Montmagny en train, mais pour parcourir les rangs, cueillir leurs clients, il faut des automobiles. Le contingent doit venir de Québec.

Quand le pare-brise fut à peu près transparent, l'automobiliste donna une pièce de cinq cents au garçon, puis reprit le volant. Trente minutes plus tard, il trouvait le village de Montmagny en proie à une grande effervescence. Des personnes de tous les âges allaient et venaient dans les rues, formaient de petits groupes pour se disperser très vite ensuite. Comme lors de leur dernière visite en ces lieux, quelqu'un reconnut Lavergne, alerta ses connaissances. Un cultivateur marcha rapidement vers la voiture rouge stationnée près de l'hôtel de ville et se pencha, afin de dire par la glace baissée du passager :

— Maître, ils ont arrêté mon garçon. Vous allez le défendre, n'est-ce pas ?

— Je ne sais…

— J'ai de l'argent pour vous payer.

Ces mots agissaient comme un sésame sur tous les avocats. Le disciple de Thémis se fit immédiatement plus attentif.

— Quel est le motif de l'arrestation ?

— Il a brûlé les fiches, à Saint-Paul.

— Où se trouve-t-il, maintenant ?

— En prison.

Lavergne connaissait la série de cellules minuscules, au sous-sol du palais de justice situé de l'autre côté de la rue. Les geôliers ne feraient aucun ennui à des hommes coupables d'un crime aussi respectable.

— J'irai le voir avant de rentrer à Québec, cet après-midi. Peut-être pourrai-je le faire sortir avec une simple promesse de comparaître. Où se trouvent les policiers fédéraux ?

— Ils sont descendus à Saint-Paul en caravane.

— Alors, nous irons aussi.

— Je vais demeurer sur la place, en attendant votre retour. Vous me trouverez ici, sans faute.

Le paysan voulait dire : « Je m'attends à ce que vous y soyez, sans faute. » Édouard considéra la conclusion de la conversation comme un ordre de marche. Il engagea la première vitesse, chercha la route conduisant dans les hauteurs. Au moment de tourner vers la droite, il remarqua :

— Tu as vu toutes ces personnes à ne rien faire sur la place du village ? C'est étrange, pour un mardi. En plein été, ces gens devraient être aux champs, ou à l'atelier.

— Chacun de ces badauds doit craindre pour un proche. Les insoumis se révèlent nombreux dans les parages, puis il y a des dizaines de jeunes gens susceptibles de se faire accuser d'avoir résisté à l'enregistrement. Tous les habitants de la région doivent connaître quelqu'un en querelle avec la loi.

— En tout cas, je me rends bien compte de ton sens des affaires. Ton opportunisme vaut celui des péripatéticiennes les plus déterminées. Je comprends maintenant comment tu peux te payer une suite au Château.

— Que veux-tu dire ?

— Ne joue pas les innocents avec moi. Le 22 juin, je te soupçonnais d'encourager discrètement les manifestants qui ont brûlé les fiches. Aujourd'hui, tu accours afin d'offrir tes services aux personnes arrêtées. Je ne devrais pas te faire payer l'essence, mais plutôt réclamer la moitié de tes honoraires.

La remarque attira sur lui un regard assassin. Une heure plus tard, ils découvraient le village de Saint-Paul soumis, lui aussi, à une agitation fiévreuse. La cause de l'effervescence se trouvait bien visible en face de l'hôtel de ville : quatre grosses voitures de couleur kaki. Des dizaines de jeunes hommes tournaient autour, partagés entre la colère et la peur.

La tension monta encore quand des policiers sortirent du petit bâtiment municipal. Ils encadraient des hommes, des garçons plutôt, enchaînés deux par deux. Certains présentaient des visages ensanglantés, témoignant d'arrestations parfois brutales.

— Où les emmenez-vous ? cria quelqu'un.

Chacun des policiers portait un revolver à la taille, l'étui ouvert. La situation pouvait dégénérer très vite.

— Tu devrais jouer au héros et te placer courageusement entre tes anciens électeurs et les forces de l'ordre. Il serait dommage de voir un autre innocent se faire descendre. Si tu attrapes une balle perdue, je témoignerai de ton abnégation au journaliste du *Devoir* qui viendra m'interroger.

— Les gens du *Devoir* ne veulent plus rien avoir en commun avec moi.

Sur la place, les invectives devenaient de plus en plus insultantes. Certains manifestants cherchaient des cailloux à lancer, les officiers gardaient la main droite sur la crosse de leur revolver. La foule entourait maintenant les voitures, résolue à empêcher les prisonniers d'y monter.

— Auréolé du titre de martyr de la cause nationaliste, Henri Bourassa lui-même rédigera ton hagiographie.

Édouard fit une pause, les yeux fixés sur son compagnon, puis il lança avec impatience :

— Vas-tu y aller, à la fin, et jouer ton rôle de trublion dans l'histoire canadienne-française ?

Après une dernière hésitation, Lavergne quitta la voiture, s'engagea sur la place. Rendu à proximité des policiers, il clama de sa plus belle voix de plaideur :

— Où conduisez-vous ces hommes ?

L'assurance, le vêtement bien coupé, la familiarité même du visage, car la photographie du politicien avait souvent orné les journaux, attirèrent l'attention des policiers. Un officier demanda :

— Qui êtes-vous ?

— Armand Lavergne, avocat. Je vais représenter ces hommes. Où les emmenez-vous ?

La tension baissa d'un cran parmi la foule. Dans le murmure de ces gens, le nom « Lavergne » revenait sans cesse, comme une incantation. Plutôt que de s'engager dans une émeute, ils se réjouissaient de l'arrivée d'un sauveur.

— Nous les conduisons à Montmagny. Quand nous les aurons tous, nous organiserons un transport vers Québec.

Le nouveau venu hocha la tête d'un air entendu, puis s'adressa aux prisonniers :

— Je vais suivre ces voitures pour m'assurer que rien ne vous arrive en chemin. Je parlerai à chacun d'entre vous tout à l'heure.

Ces paroles parurent rassurer tout le monde. La foule s'ouvrit devant les voitures. Les prisonniers prirent place sur les banquettes arrière. En conséquence, de part et d'autre des véhicules, un officier de police ferait le trajet jusqu'à Montmagny, debout sur le marchepied, cramponné à la toiture.

Au moment où Lavergne revint vers la Chevrolet, Édouard, goguenard, frappa ses mains l'une contre l'autre, dans un applaudissement pseudo-admiratif. Quand l'homme s'installa sur le siège du passager, il déclara :

— N'en doute pas, toutes les feuilles nationalistes diront un bon mot sur toi. Même *L'Action catholique* te recommandera pour une médaille du Vatican.

— Cesse de dire des sottises et ramène-nous à Montmagny.

Le démarreur électrique fit une nouvelle fois des merveilles.

~

Un peu après le souper, Thalie proposa à Françoise :

— Allons prendre l'air sur la terrasse Dufferin. Je soupçonne ces deux-là de vouloir se parler les yeux dans les yeux.

Elle parlait de Marie et de Paul Dubuc, revenu de sa retraite de Rivière-du-Loup afin de discuter des derniers événements avec ses collègues du Parti libéral. La grande fille quitta son fauteuil en disant :

— Nous serons de retour à dix heures. Il y aura certainement des musiciens près du Château. Après cette chaude journée, tout le monde voudra en profiter.

— ... Je serai sans doute couchée à ce moment, répondit Marie. Nous travaillons demain matin et je me sens un peu fatiguée.

La même complicité liait le trio de femmes. Bien sûr, Marie serait couchée à dix heures, mais pas pour faire une réserve de sommeil pour les jours à venir. Son amant serait à ses côtés. Il s'esquiverait discrètement quand les jeunes filles se trouveraient dans leur chambre respective.

Après le départ des jeunes demoiselles, la marchande vint rejoindre son amoureux sur le canapé afin de se blottir contre lui. La fenêtre laissait entrer une brise agréable, après une journée trop chaude.

— Tu ne devais pas revenir aussi vite à Québec.

— Est-ce un reproche ?

La main de l'homme voyageait sur son corsage, certain de la réponse.

— Bien sûr que non. Mais tout de même, puis-je savoir ce qui me vaut ce plaisir ?

— Je vais te donner la primeur, car demain les journaux ne parleront que de cela. Le gouvernement fédéral a décidé de poursuivre les personnes qui ont entravé le processus d'enregistrement, à la fin de juin. Des policiers se répandent dans les campagnes.

— ... Cela ne concerne pas le gouvernement provincial.

Les députés du gouvernement local se montraient très prompts à dire « Cela ne relève pas de nous » à des électeurs en colère, quand les questions du recrutement et de l'effort de guerre venaient dans les discussions. Tous les Québécois se transformaient en spécialistes du droit constitutionnel.

— Le regain de tension nous préoccupe beaucoup. Ce sera à nous de faire face aux désordres. En réalité, nous tenons à nous préparer à ceux-ci. Ottawa ne fait qu'envenimer les choses en envoyant la troupe. Tu as vu ce qui arrive à Toronto.

Les journaux du matin avaient annoncé que la capitale de la province voisine passait sous la loi martiale. Ce développement couronnait une succession d'émeutes très violentes. Les Canadiens français ne réalisaient pas toujours combien la conscription paraissait odieuse à certains de leurs concitoyens d'une autre origine. Puis la hausse des prix des biens de consommation et les cadences infernales dans les usines pesaient sur la population civile. Les travailleurs payaient le prix fort de ce conflit, tandis que les entrepreneurs accumulaient les profits.

— Craignez-vous la répétition d'événements de ce genre, ici ?

— Effectuer des arrestations par dizaines ne calmera certainement pas les choses. Ils jettent de l'huile sur le feu.

Depuis quelques secondes, l'homme s'attaquait aux boutons de la blouse. Elle saisit les doigts dans les siens pour y poser les lèvres, puis demanda encore :

— Pour les arrestations, comment procèdent-ils ? Je veux dire : ces policiers n'étaient pas là pour identifier les contestataires.

— Mais les registraires habitaient le plus souvent la localité. Imagine, si j'avais fait ce travail à Rivière-du-Loup, je serais en mesure de nommer tous les participants aux désordres, leurs parents et même leurs fiancées.

— En les dénonçant, ces hommes ne se feront pas des amis.

— Peut-être croient-ils en la justice ?

De la part d'un avocat, la suggestion paraissait étrange. Marie se lassa de défendre ses seins des doigts curieux, alors qu'elle inclinait plutôt à rendre les caresses. Elle se leva en disant :

— Viens.

Dans la chambre, elle demanda en détachant le bouton tenant sa jupe en place :

— Crois-tu que des parents peuvent se trouver orphelins ?

— ... Je ne suis pas sûr de te suivre.

— Mathieu se trouve en Europe et, dans moins d'un mois, Thalie ira s'établir à Montréal pour de longues années. Je me sens exactement comme il y a vingt ans, après la mort de mes parents, au moment où je me trouvais seule dans la vie.

En sous-vêtements, un peu échevelée, elle paraissait particulièrement vulnérable. Il la prit dans ses bras, murmura à son oreille :

— Tu vois tes enfants grandir, tout comme moi. Mais tu n'es pas seule. Je suis toujours disposé à passer devant monsieur le curé pour le prouver à la face du monde.

Au lieu d'entendre un nouveau refus à sa demande en mariage, il choisit de la museler avec un baiser goulu.

~

Le soleil disparaissait tout juste derrière les édifices de la ville quand les jeunes filles arrivèrent sur la terrasse Dufferin. À l'ouest, le ciel prenait une teinte indigo, marquée de rose et d'orange à la ligne d'horizon. Elles marchaient bras dessus, bras dessous, comme deux sœurs plutôt dissemblables.

— L'air est encore doux malgré l'heure, remarqua Françoise.

— Heureusement, car nous ne sommes pas bien couvertes.

Les robes de cotonnade légère, les chapeaux de paille et les gants de dentelle suffisaient en cette belle soirée d'été. Elles se dirigèrent vers la haute balustrade de fonte longeant la surface de madriers, afin de contempler le fleuve, des centaines de pieds plus bas. Le port s'encombrait d'une multitude de navires marchands. Le vent venu du large plaquait les vêtements contre les jambes, découpait les silhouettes d'une façon un peu gênante. Elles pouffèrent de rire en se regardant, la main sur la tête pour retenir leur couvre-chef.

— Nous ferions mieux de nous approcher des musiciens, déclara Thalie.

— Nous attirerons un peu moins l'attention.

Un kiosque se dressait à peu de distance du Château Frontenac. Il abritait un petit restaurant et, à l'étage, huit musiciens drapés dans des uniformes chamarrés. Au moment où les jeunes femmes se postaient près d'un banc, ils entamèrent le *God Save the King* presque sans fausse note. Une fois ce tribut payé au maître de l'empire britannique, ils enchaînèrent avec les accords plus doux de Fauré.

— Mesdemoiselles, voulez-vous vous asseoir ?

La voix venait du banc. Deux hommes leur adressaient un sourire avenant, certains de leurs charmes. Comme les jeunes gens âgés de vingt à vingt-trois ans se trouvaient conscrits, ceux-là en avaient vingt-quatre, tout au plus vingt-cinq, jugea Thalie.

— Nous pouvons demeurer debout, répondit-elle.

— Sans doute, mais cette musique s'écoute tout aussi bien confortablement assis.

Elle examina plus soigneusement son interlocuteur. Son costume témoignait d'une petite aisance, celle d'un commis dans une banque ou une grande maison d'affaires. Il se leva pour lui désigner le siège abandonné.

— À qui dois-je une pareille générosité?

— Antoine.

Le compagnon du bavard impénitent laissa aussi sa place en prononçant à l'intention de Françoise:

— Je me nomme Gérard.

Dans une situation de ce genre, une loi non écrite voulait que le moins timide des deux garçons chante la pomme à la moins timide des deux jeunes femmes. Les moins assurés ne perdaient pas nécessairement au change. Le garçon continua:

— Travaillez-vous à Québec?

Fille de députée élevée au couvent, Françoise s'étonnait encore que les jeunes gens la prennent spontanément pour une employée. Elle ne s'en formalisait plus guère.

— Je suis vendeuse chez ALFRED, comme mon amie.

— Je suis employé de la Banque de Montréal... comme mon ami.

Elle lui adressa un sourire reconnaissant en s'asseyant. L'homme se déplaça derrière le banc, avec son compagnon. Au gré des pièces de musique, ils échangèrent de menus propos, ces phrases sans importance, vite oubliées, destinées simplement à exprimer une vérité toute simple: «Vous me plaisez, vous savez.» Aux premières notes d'une valse, le plus audacieux des deux demanda en tendant la main:

— Acceptez-vous de danser avec moi ?

— Ce n'est pas l'endroit, opposa Thalie.

Quelques couples lui prouvèrent le contraire tout de suite. Même si les prêtres pourfendaient souvent cette activité dangereuse, dans le contexte de la guerre, les jeunes gens prenaient de plus en plus de liberté avec la danse.

La surface d'épais madriers procurait une piste fort convenable. À la fin, la jeune fille accepta la main tendue, commença bientôt à tournoyer dans les bras de cet inconnu. Françoise jugea nécessaire de rougir un peu, d'hésiter un moment avant de faire la même chose.

Un peu après dix heures et demie, pendues au bras de leurs cavaliers improvisés, les deux jeunes filles revenaient vers le commerce de la rue de la Fabrique. Devant la porte, Thalie déclara :

— Merci de nous avoir raccompagnées.

— Puis-je espérer vous revoir ? commença Antoine.

— Ce ne sera pas possible, car j'emménagerai bientôt à Montréal.

— ... Oh ! Vous me manquez déjà.

Le sourire de son interlocutrice lui fit comprendre que la flagornerie ne lui rapporterait rien. À quelques pas, Gérard montrait à la fois un peu moins d'assurance, mais peut-être plus de sincérité. Il avait entendu les deux autres, aussi il commença :

— Devez-vous partir aussi ?

— Non. Je resterai bien sagement à Québec au moins jusqu'à la fin de la guerre, expliqua Françoise.

Le lien entre la sédentarité de son interlocutrice et le déroulement du conflit lui parut un peu mystérieux. Il espéra tirer cela au clair lors d'une prochaine rencontre.

— J'aimerais bien vous revoir... Croyez-vous cela possible ?

— Pourquoi pas... Je veux dire, cela me ferait plaisir.

— Puis-je venir vous inviter à marcher, un soir prochain ? Je suppose que je termine le travail avant vous.

L'horaire des vendeuses s'étirait souvent cruellement tard. Dès la fondation de son commerce, Alfred avait été très attentionné envers ses employées, à ce sujet,

— Nous terminons généralement à six heures, rarement plus tard.

À la lumière de l'éclairage des rues, elle remarqua le contentement sur le visage de son compagnon. Elle se surprenait de plaire. La sensation était si nouvelle pour la jeune fille sage. L'homme demanda encore :

— Vous travaillez et vous habitez là ?

— Ma patronne a un garçon à la guerre, elle me loue sa chambre.

Le détachement avec lequel elle prononça ces paroles la troubla profondément.

— Si elle ne demande pas trop cher et si elle ne vous accable pas de corvées domestiques, l'arrangement peut être agréable.

— Je n'ai aucun motif de me plaindre, bien au contraire.

Il tendit la main, prit celle de la jeune fille en murmurant :

— Bonne nuit, Françoise.

— Bonne nuit, Gérard.

Thalie avait déjà déverrouillé la porte du commerce et était entrée. Déçu de son peu de succès, son cavalier descendait la rue, un peu plus loin. La seconde jeune fille s'engouffra dans la bâtisse après un dernier salut de la tête.

— Nous pouvons monter sans crainte, affirma la fille de la maison en s'engageant dans l'escalier. Les tourtereaux se trouvent derrière une porte close ou alors ton père s'est déjà esquivé par l'escalier de service, comme dans une comédie française.

— J'ai honte, murmura Françoise.

Thalie revint sur ses pas. La pénombre régnait dans le commerce. Les mannequins prenaient une allure vaguement fantomatique. Les lumières dans la rue éclairaient toutefois un peu le visage désolé.

— Mais pourquoi, grands dieux?
— J'ai passé une bonne soirée.
— Moi aussi.
— J'aimerais le revoir. Il paraît gentil.
Sa compagne s'approcha, la prit par le bras pour l'entraîner vers la grande vitrine, afin de distinguer ses traits un peu mieux.
— Il semble moins prétentieux que le bel Antoine, ce qui le rend certainement un peu plus sympathique.
Elle marqua un temps d'arrêt, puis continua:
— Pourquoi te sentir coupable?
— Mathieu risque sa vie, et moi…
— Tu ne veux pas gaspiller la tienne à l'attendre. Cela me semble raisonnable.
La repartie laissa Françoise un moment désarmée, puis elle précisa:
— Il compte sur moi. Je me suis engagée avec lui.
— Ensuite, il est parti, sans demander de permission à quiconque. Au moment où vous vous êtes quittés, il a sans doute dit "Je t'aime"…
— Oui, il l'a dit.
— Pour te tourner le dos et monter dans son foutu navire en fer.
Des larmes coulaient maintenant sur les joues de la jeune femme. Thalie les essuya du bout de ses doigts gantés. Elle poursuivit:
— Comme tout être libre, il a fait un choix. Je respecte cela. Nous étions trois à le regarder partir en pleurant. Mais cela ne lui donne pas le droit de t'enchaîner. Les Pénélopes, cela fait un peu dépassé en 1918, ne trouves-tu pas?
— … Des fois, j'ai envie de le détester parce qu'il est parti.
— Moi, je le déteste souvent. Tout en l'aimant follement.
Un moment, Françoise demeura songeuse, réalisant que ce constat s'appliquait aussi à elle. À la fin, elle osa formuler l'indicible:

— Il risque de ne jamais revenir. Je l'attends peut-être pour rien.

— Je sais bien. C'est pour cela que tu ne dois pas cesser de vivre.

Françoise poussa un long soupir, effaça le reste de ses larmes d'un geste un peu rageur. Elle demanda, incertaine :

— Tu lui en veux aussi de s'être enrôlé ?

— Évidemment. D'un autre côté, avoir eu son âge, j'aurais fait exactement la même chose.

— Avec le corps d'infirmières ?

Elle acquiesça d'un signe de la tête, saisit le bras de son amie pour l'entraîner vers l'escalier. Sur le premier palier, elle demanda :

— Comptes-tu revoir le gentil Gérard ?

— S'il me le demande, oui.

— Alors je souhaite qu'il le fasse.

— ... Si je m'attache à lui ?

Thalie haussa les épaules, affirma d'un ton faussement léger :

— Qui va à la chasse risque de perdre sa place. Tu es si raisonnable, je suis certaine que tu prendras la bonne décision.

— Si cela arrivait, Mathieu serait sans doute très malheureux.

— Je serais là pour le consoler... C'est le rôle d'une petite sœur.

Thalie secoua la tête, faisant voler la lourde tresse de ses cheveux sombres. Si le grand escogriffe pouvait se payer le luxe d'une peine d'amour au moment de son retour d'Europe, ce serait tout de même une bien petite souffrance, en comparaison avec le sacrifice de nombreux soldats. Tous les jours, les journaux offraient la liste des morts au champ d'honneur.

~

Flavie Poitras incarnait toujours la même efficacité souriante. Ses doigts fins parcouraient le clavier de la machine comme s'ils jouissaient de leur intelligence propre. Après quelques semaines dans les lieux, elle savait où se trouvait chacune des lettres, chacune des commandes, chacun des ordres de paiement effectués depuis quelques années. Et en plus, elle était jolie !

Au moment d'arriver au bureau, le vendredi 16 août, l'excitation rougissait ses joues. Elle passa la tête dans la porte du bureau d'Édouard pour déclarer :

— Je suis tellement désolée de mon retard...

— Je vous pardonne...

— Mais j'ai eu du mal à traverser les cordons de police. C'est ridicule, ils m'ont demandé aussi mes papiers. Les femmes ne sont pas conscrites...

Édouard quitta son siège afin de s'approcher des grandes fenêtres donnant sur l'église Saint-Roch et se pencha pour voir la rue.

— Où sont-ils, ces policiers ?

— Vous ne pouvez pas les voir d'ici. Ils encerclaient le marché Jacques-Cartier.

Ce dernier se trouvait au coin des rues de la Couronne et Saint-Joseph. Lors de la fusillade meurtrière, quelques semaines plus tôt, l'armée en avait fait son camp retranché.

— Il ne s'agissait certainement pas des policiers de la Ville, ragea-t-il.

Ces derniers n'oseraient certainement pas persécuter la population de la sorte. Ils ne tenaient pas plus à la conscription que les simples citoyens.

— La police militaire.

Le jeune patron demeura un moment songeur, puis il décrocha son canotier de la patère en disant :

— Je vais aller jeter un coup d'œil. Je me demande bien ce qu'ils veulent encore.

Flavie se retint de déclarer combien les intentions des autorités lui paraissaient évidentes. La chasse aux insoumis ne faisait pas relâche.

Quelques minutes plus tard, l'homme déboucha place Jacques-Cartier. Les cultivateurs des environs avaient placé leurs charrettes les unes contre les autres. Entre elles, des plate-formes de bois permettaient aux ménagères de faire leurs achats sans que leurs bottines lacées s'enfoncent dans les trois pouces de crottin encombrant le sol.

La plus grande agitation régnait. Une centaine de policiers militaires lançaient des ordres, s'agitaient en tous sens. Certains empêchaient les paysans d'atteler leurs chevaux pour partir à la sauvette. Les autres allaient voir les plus jeunes pour leur demander leur nom et leurs papiers d'exemption. Ils pariaient que des insoumis commettaient l'imprudence de venir en ville. Se dissimuler dans les bois ou se terrer dans un caveau à patates lassait les garçons dans la jeune vingtaine. Une journée au marché fournissait l'occasion de visiter les tavernes voisines ou de dénicher les débits de boisson clandestins, afin de se désaltérer un peu.

— Vos papiers, demanda un homme d'une voix peu amène.

L'officier tendait la main. Édouard chercha dans sa poche, sortit une feuille pliée en quatre, manipulée si souvent qu'elle paraissait sur le point de se diviser en lambeaux. Son état matrimonial agissait comme un sésame.

— C'est bon, circulez.

— Que se passe-t-il ?

— ... Ce ne sont pas vos affaires.

Les militaires ne cultivaient guère l'habitude de rendre des comptes à la population civile. Sur la place du marché, des femmes, panier au bras, s'affolaient un peu. Autour d'elles, le ton montait. Des jeunes gens se trouvaient mis aux arrêts, pour la très grande majorité d'entre eux simplement parce qu'ils avaient laissé le précieux papier dans leur habit du dimanche, à la maison.

— Que va-t-il leur arriver ? insista Édouard en regardant une demi-douzaine de garçons penauds, des fers aux poignets.

Le militaire hésita un moment, jaugea du regard l'homme bien vêtu, un notable, puis expliqua :

— Je suppose qu'un parent ou un voisin viendra à la Citadelle afin de nous remettre l'exemption.

— Les autres ?

— Les conscrits en fuite seront bien vite mis sur un navire à destination de l'Europe.

Le commerçant secoua la tête, tourna les talons, un peu découragé par un pareil acharnement. Quand des soldats en goguette ne venaient pas importuner les civils, les autorités lançaient de telles opérations de grande envergure. Comme bien peu de membres de la classe d'âge visée par l'enrôlement obligatoire devaient être assez imprudents pour se montrer en ville, l'opération cherchait plus à prouver le sérieux des autorités dans ses efforts de faire respecter les lois qu'à expédier des insoumis sur les champs de bataille.

« Du simple harcèlement », conclut-il en retournant vers son commerce.

~

Trois jours plus tôt, le docteur Charles Hamelin était venu en pleine nuit afin de procéder à l'accouchement d'Eugénie. La mère demeurait encore un peu mal en point, l'enfant, de son côté, hurlait à tout rompre, résolu à faire connaître son existence à toute la maisonnée.

Le samedi 17 août, dans une robe d'un bleu soutenu, un chapeau cloche sur la tête, Évelyne marcha jusqu'aux fonts baptismaux avec le précieux fardeau dans les bras. Elle devenait la marraine du nouveau venu dans le clan Dupire. À ses côtés, Édouard incarnait un parrain fort passable. Si un malheur touchait les parents, ce couple s'engageait à prendre la relève pour prendre soin du nouveau-né et l'élever chrétiennement.

Deux heures plus tard, les Picard envahissaient la grande maison du vieux notaire, située près de la leur. Très vite,

Élisabeth, dans un fauteuil, prit le petit Charles dans les bras, un être au visage fripé, ses petites mains repliées devant lui dans un geste de défense.

— Fernand, fit remarquer Édouard d'une voix ironique, ce garçon ne devrait-il pas porter mon prénom ? Après tout, je viens de promettre de le protéger des entreprises du démon. Cela vaut bien un petit geste de reconnaissance.

— Tu le sais bien, nous ne faisons rien comme les autres. Le bébé porte le prénom du médecin accoucheur.

— Si vous établissez là une nouvelle tradition, plusieurs des garçons du quartier s'appelleront Charles. Pour les filles, je suppose que ce sera Élise, comme la femme du docteur.

Un mouvement du côté de la porte du salon attira l'attention. Eugénie apparut, pâle, visiblement fatiguée, lourdement appuyée au bras de Jeanne. Très vite, sa belle-mère quitta son fauteuil en disant :

— Viens t'asseoir ici. Je suis si contente de savoir que tout s'est bien passé.

— Dans l'état où je me trouve, l'accouchement ne me paraît pas avoir été si facile. Question de point de vue, sans doute.

— Je sais, même quand tout va bien, la douleur se révèle épouvantable.

— Bien sûr, tu as une grande expérience de ce genre de chose…

Le sous-entendu, adressé à une femme si désireuse depuis plus de vingt ans d'avoir un enfant, porta. Silencieusement, Élisabeth remit le bébé dans les bras de la jeune mère. Témoin de l'échange, Édouard déclara :

— Il faudrait adresser tes récriminations à Ève, adorable sœurette. Après tout, le “Tu enfanteras dans la douleur” tient à son appétit déraisonnable pour les pommes.

Le vieux notaire Dupire s'agita sur le canapé, un peu inquiet de la façon cavalière d'évoquer l'Ancien Testament. Son épouse, assise à ses côtés, arrivait plus facilement à faire abstraction des remarques de ce genre. Le jeune Charles saisit l'occasion pour faire entendre sa voix.

— Je crois qu'il a faim, remarqua Jeanne.

— Je viens tout juste de m'asseoir…

Eugénie affichait une lassitude résignée. Elle souleva un peu le bébé, la domestique le prit dans ses bras. Debout, à peu de distance, Élisabeth préféra ne pas apporter son aide, de crainte d'une nouvelle rebuffade. Fernand s'approcha, offrit son bras à son épouse. Un moment plus tard, la mère s'installait dans un coin de la cuisine et détachait son corsage pour en sortir un sein menu, tout rond de lait. D'instinct, l'enfant chercha la pointe, agitant les lèvres dans un mouvement de succion avant même de la toucher.

Fernand surveillait la scène, contemplant la pointe rose gorgée de sève. Le tableau aurait dû lui paraître touchant. Il le laissait troublé. Sa femme faisait tous les gestes de la maternité d'une façon un peu mécanique, tout en conservant sur le visage un masque d'indifférence un peu agacée.

— Pourras-tu te joindre à nous pour le dîner ?

— Comme tu ne t'en doutes pas, semble-t-il, j'ai un peu de mal à demeurer en position assise.

— Nous pouvons transporter le fauteuil dans la salle à dîner, ajouter un coussin sur le siège.

La jeune femme fixa sur lui des yeux impatients, irritée par son insistance.

— Tous ces gens sont venus pour te voir, précisa-t-il.

Il n'obtiendrait pas qu'elle formule son assentiment à haute voix. À la fin, il quitta la pièce en disant :

— Fais l'effort de rester quelques instants avec nous.

Elle accorda vingt longues minutes à la famille réunie, puis regagna sa chambre avec l'aide de Jeanne. Tout au long du repas, Élisabeth effectua un va-et-vient entre la salle à manger et la cuisine, où la domestique s'occupait de faire manger Antoine, maintenant âgé de deux ans et demi. Il ouvrait la bouche avec bonne volonté pour enfourner des cuillerées de légumes. Sur une chaise haute, Béatrice, une grande personne d'un an et quelques jours, manipulait des morceaux de nourriture, s'en enduisait les joues et finissait par en avaler un peu.

Lors d'une de ses visites, Élisabeth demanda à la jeune femme :

— Vous plaisez-vous ici ?

— ... C'est un bon emploi.

— Vous y êtes à cause de moi, je me souviens très bien de vous avoir demandé de venir ici, en 1914. J'espère que ce fut pour le mieux.

Jeanne gazouilla un moment en cœur avec le petit garçon, puis elle confia :

— Vous l'avez vue, son caractère ne s'améliore pas. Certaines femmes se cassent les reins pendant douze heures par jour dans une usine de munitions, moi, j'endure l'humeur massacrante de votre belle-fille.

Cette remarque, formulée tout doucement, contenait une révolte réprimée pendant des années.

— ... Je vous demande pardon.

La femme avait cru rendre service à la jeune mariée, lui permettre une transition plus facile dans sa nouvelle famille. Elle devinait toutefois que le contact étroit avec Eugénie, jour après jour, devait se révéler éprouvant.

— Vous savez, rétorqua Jeanne, un peu plus sereine, ma situation a des aspects plus réjouissants. Prenez ces deux-là...

Des yeux, elle désignait les enfants.

— Ce sont des bébés adorables... Ils tiennent de leur père.

La bonne donna cette précision avec un sourire ironique. Elle ajouta après une pause, heureuse d'avoir, pour la première fois, une oreille sympathique à sa confidence :

— Monsieur Fernand est très gentil avec moi.

Élisabeth préféra ne pas commenter. Malheureux en ménage, l'homme devait chercher une attention bienveillante. Ce genre de situation comportait toutefois sa part de complications inextricables. À la fin, Jeanne précisa :

— En toute honnêteté, ma situation n'est pas si difficile. Elle passe ses journées entières enfermée dans un petit salon, à l'étage.

Elle marqua une pause, posa ses yeux dans ceux de son ancienne patronne.

— Croyez-vous que c'est normal, s'enfermer comme cela ?

— ... Je ne sais pas.

Le souvenir de la mère de la jeune femme, recluse vingt-deux ans plus tôt dans une chambre empestant la sueur et la merde, lui revenait souvent en mémoire. Bien que son état de santé général se révélât bien meilleur, Eugénie reproduisait ce comportement étrange.

~

Plaidant son extrême fatigue à cause de l'accouchement et des quelques minutes exténuantes passées dans la salle à manger, Eugénie ne quitta guère sa chambre au moment du souper. Au début de la soirée, Fernand monta afin de s'enquérir de son état. Il la trouva étendue sur le flanc, le petit Charles pendu à son sein droit.

— Cela va un peu mieux, j'espère.

— J'ai le téton à vif tellement il s'acharne. Son appétit ressemble au tien.

L'homme accusa le coup, échangea un regard avec Jeanne, debout près du berceau placé dans un coin de la pièce. Il s'assit sur le bord du lit, regarda un moment la petite bouche goulue, les yeux clos, les petits poings encore fermés. Peut-être sentait-il la froideur de cette femme, sa mauvaise grâce à s'occuper de lui. Fernand se réjouit de le voir si bien disposé à lutter pour sa pitance.

— Peux-tu regarder ailleurs ?

Elle ne voulait pas des yeux de son époux sur sa poitrine. De nouveau, le notaire regarda en direction de la domestique, le rose aux joues.

— Tu sais bien que je suis pudique, ajouta son épouse pour réduire un peu la cruauté de sa remarque.

Elle ajouta après un long silence embarrassé :

— Tu l'as constaté, mes accouchements deviennent de plus en plus difficiles. Je ne pourrai pas avoir un autre enfant.

La femme marqua une nouvelle pause, posa son regard dans le sien, puis plaida :

— Le docteur Hamelin partage absolument mon avis à ce sujet. Comme tu le sais, ma mère est morte des suites de l'accouchement d'Édouard. Je ne semble pas plus résistante.

Un nouveau silence suivit la confidence. Elle confessa encore :

— Dans la famille, nous ne sommes pas d'une constitution bien robuste. Chaque fois, ma peau demeure toute déchirée, je perds beaucoup de sang. Il me faut des semaines pour me remettre. Comme je dois allaiter, je ne peux prendre le dessus...

À ce moment, Charles cessa le mouvement de ses lèvres, comme s'il n'osait plus téter après avoir entendu cette précision.

— Oui, bien sûr. Lors de notre prochaine visite chez le docteur Hamelin, nous lui demanderons s'il peut faire quelque chose pour toi. Bonne nuit.

Fernand quitta le lit, se dirigea vers la porte en adressant un dernier regard discret à la domestique, toujours debout dans son coin.

~

Comme la journée avait été très chaude, Fernand appréciait la brise fraîche entrant par les fenêtres du salon. Elle soulevait les rideaux, les amenait à envelopper son corps. Pour ses voisins, il devait présenter une curieuse silhouette, un peu fantomatique avec les voiles soulevés autour de lui.

Un bruit à l'entrée de la pièce le fit se retourner.

— Jeanne, veux-tu un double sherry pour oublier cette pénible journée ?

— Non merci. La ration habituelle me suffira. Vous semblez en avoir besoin plus que moi.

— Tu as raison. Je vais me gâter un peu, je pense.

L'homme versa d'abord le sherry et posa le verre sur la table basse, juste en face de la place habituelle de la jeune femme, sur le canapé. Sa portion de whisky lui promettait une nuit de sommeil hébété. En s'affalant dans son fauteuil, elle déclara pour le réconforter un peu :

— Cela arrive souvent, des femmes un peu déprimées après une naissance. Les choses rentreront bientôt dans l'ordre.... Quand les plaies seront cicatrisées.

— Tout à l'heure, elle réitérait une mise au point vieille de plusieurs semaines. Avec trois enfants, dont deux garçons, elle considère avoir accompli son devoir de femme, puisque ma succession est assurée. Désormais, je ne devrai plus m'approcher de son lit.

Adresser à une domestique, très probablement vierge, ce genre de confidence bousculait tous les usages. Toutefois, une fille de la campagne consciente des exigences de la nature risquait peu de s'en formaliser. Il continua :

— Je me sens bien jeune pour renouer avec le célibat.

— ... Les choses iront mieux, bientôt.

En les prononçant, Jeanne mesurait combien ses mots semblaient peu crédibles. Le couple faisait déjà chambre à part depuis des mois. Plutôt que de dire une autre sottise, elle se réfugia dans le silence, goûtant sa boisson à toutes petites gorgées.

— Nous avons eu un bel été, déclara l'homme en poussant un soupir lassé. Nous en avons pourtant bien peu profité. L'an prochain, il faudrait louer quelque chose à la campagne. Cela permettra à tout le monde de profiter un peu de l'air pur.

La domestique eut l'impression d'être incluse dans ce projet. Cette pensée la troubla fort. Comme le silence qui avait suivi était rapidement devenu trop lourd, elle murmura :

— Cela fera certainement du bien aux enfants. Courir un peu dans les champs, profiter du soleil, cela remplace les meilleures médecines.

Elle répétait là ses lectures dans les journaux. Les pages féminines regorgeaient de conseils de ce genre, sans que la compétence de ceux qui les donnaient ne soit jamais clairement établie.

Fernand avala la moitié de son verre d'une lampée, toussa sous la brûlure du liquide dans sa gorge. Il demanda ensuite :

— L'entraînement de tes frères se prolonge encore, je pense.

— On dirait que les officiers ont décidé de les rendre savants. Les voici maintenant rendus au camp de Saint-Jean. Dans leur dernière lettre, ils parlent de passer en Europe fin octobre.

Elle posa son verre sur la table, allongea ses jambes devant elle, se cala confortablement dans le canapé. Sa confidence à son ancienne patronne lui revint en mémoire. Malgré l'humeur acariâtre d'Eugénie, au fond, cette maison lui plaisait bien. Deux enfants, bientôt trois, lui étaient en quelque sorte abandonnés. Son employeur partageait avec elle ses moments de détente, il lui confiait ses pensées les plus intimes…

D'un autre côté, l'étrangeté de cette situation la plongeait dans un trouble inquiétant. Devrait-elle aborder le sujet avec son confesseur ?

Chapitre 7

Ce samedi, Thomas arriva au bureau en fin de matinée. Il tenait à conserver des relations d'affaires avec Fulgence Létourneau, afin de garder le contact avec lui. Le petit homme se présenta dans les bureaux administratifs à l'heure prévue en compagnie de son fils, Jacques. Le garçon de neuf ans, aux cheveux blonds au point de paraître blancs sous le soleil, aux yeux d'un bleu intense, regardait le monde et les gens avec une assurance tranquille.

Cette attitude étonnait ceux qui connaissaient son père, un être trop effacé. Tous attribuaient ces traits de caractère à la mère, la plantureuse Thérèse. Quant aux personnes informées de l'adoption survenue peu après sa naissance, elles s'interrogeaient sur son origine. Les hypothèses les plus saugrenues couraient au sujet des enfants nés neuf mois après les magnifiques festivités du tricentenaire.

— Quel beau jeune homme ! commença Flavie en lui adressant son regard le plus engageant.

Il la regardait dans les yeux, un peu amusé de voir une adulte s'adresser à lui de cette façon. La remarque ne méritait aucune réponse, il se contenta de sourire.

— As-tu hâte de retourner en classe ?

— Non, pas vraiment.

Pourtant, il réussissait bien sans fournir trop d'efforts. L'école lui paraissait surtout ennuyeuse et la discipline des frères des Écoles chrétiennes sottement tatillonne.

— Les cours doivent commencer bientôt, je crois, insista-t-elle.

— Dans une dizaine de jours.

La jeune femme posa son regard sur le père, mesura encore combien celui-ci paraissait moins séduisant que le fils. Elle lui dit néanmoins avec sa gentillesse habituelle:

— Je devine que vous désirez voir monsieur Picard.

— Il m'a fixé un rendez-vous.

— Avec deux patrons, mon travail se complique un peu. Je connais bien le programme de monsieur Édouard, mais monsieur Thomas me réserve des surprises.

Elle disait cela du ton d'une personne capable de pardonner cet accroc. Après avoir frappé de petits coups sur la porte, elle glissa la tête dans l'embrasure pour dire:

— Votre visiteur est arrivé, monsieur.

Avant d'entrer, Fulgence se tourna vers son rejeton en disant:

— Tu vas m'attendre ici. Sois bien sage.

Le garçon acquiesça d'un signe de tête, tout en allant occuper une chaise placée contre le mur. Flavie demanda, en se plaçant debout devant lui:

— Aimerais-tu que j'aille te chercher des bonbons?

De nouveau, il donna son assentiment en hochant la tête, accueillant ce genre d'attention comme un dû à sa petite personne. Dans le bureau, le gérant des ateliers Picard fermait la porte derrière lui.

— Bonjour, monsieur Picard.

— Comme je suis content de te voir, répondit Thomas en venant à sa rencontre la main tendue. Mais je te le répète, tu pourrais abandonner le "monsieur" avec moi.

— ... Je n'oserais jamais, vous êtes mon patron.

— Oh! De moins en moins. Je deviens un rentier, j'en ai peur. À ce sujet, comment se passent les choses avec mon fils?

La question recelait un piège, le petit homme prit bien son temps avant d'articuler:

— Je travaille avec vous depuis des décennies, j'y prends un réel plaisir et je souhaite continuer pendant longtemps encore. En conséquence, je suis très heureux que vous demeuriez dans l'entreprise. D'un autre côté, la collaboration avec votre fils promet d'être fructueuse.

En regagnant son fauteuil derrière le bureau, Thomas partit d'un grand rire:

— Tu devrais faire de la politique. Une réponse pareille tient de la haute diplomatie.

— Dieu m'en préserve.

Létourneau occupa la chaise destinée aux visiteurs. Sur la surface du bureau, un *Soleil* se trouvait étalé. Un grand titre évoquait l'amnistie offerte aux «insoumis» désireux de se rendre tout de suite aux autorités.

— Comme tu vois, je suis un vrai retraité. Tu me surprends à lire le journal dans mon bureau. Je mettrais à la porte tout employé faisant la même chose.

— Que pensez-vous de cette mesure?

Le visiteur évoquait la tolérance affichée par le gouvernement fédéral.

— C'est la carotte avant le bâton. On fermera les yeux sur la faute des jeunes gens disposés à se présenter au bureau de recrutement. Mais ceux qui ne se mettront pas en règle devront faire face à la justice.

Le commerçant ferma le journal, puis continua:

— Comme des centaines de policiers militaires se promènent dans les campagnes, l'abandon des poursuites nous vaudra peut-être la soumission de certains. Je soupçonne néanmoins que la plupart continueront leur jeu de cache-cache.

Thomas marqua une pause afin de revenir à sa vocation première, celle d'entrepreneur:

— Maintenant, voyons ce que nous offrirons à la clientèle cet hiver.

Il ouvrit un registre et passa l'heure suivante à donner les quantités de paletots, de manteaux de fourrure, de pantalons et de robes à produire dans les ateliers de la Pointe-aux-Lièvres. Quand le directeur se leva pour regagner la porte, son employeur l'accompagna en demandant:

— Je manque à tous mes devoirs de politesse. Comment se portent ta femme et ton garçon ? Ce dernier paraît un peu plus vieux que son âge.

— Thérèse va bien. De son côté, Jacques grandit comme une mauvaise herbe. Justement, il est avec moi. Si vous voulez le voir…

Thomas sortit de son bureau, reconnut sans hésiter le garçon blond car il l'apercevait trois ou quatre fois chaque année. Un petit sac de papier dans la main, il mastiquait l'offrande de Flavie avec application.

— Voilà un jeune homme bien robuste, dit Thomas en lui tendant la main.

Les doigts du garçon collaient un peu à cause des bonbons.

— Tu as voulu venir voir notre grand magasin ? demanda encore le commerçant.

Le père répondit à la place du fils, désireux de justifier une absence des ateliers un peu trop longue :

— Comme la rentrée scolaire aura lieu bientôt, j'ai voulu l'emmener pour acheter quelques pièces de vêtements. Cela ne prendra qu'une minute ou deux.

— Dis plutôt dix ou vingt, sinon trente. Prends tout le temps qu'il te faut.

L'homme se retourna vers Jacques pour commenter encore :

— À la vitesse où tu grandis, tes pantalons doivent toujours paraître trop courts.

Le commentaire ne méritait aucune réponse. Jacques soupira, un peu lassé de l'intérêt de cette grande personne. Après des salutations à la ronde, Létourneau quitta les lieux, la main droite sur l'épaule de son fils. Thomas les regarda s'éloigner, les yeux vagues.

— C'est un bel enfant, commenta Flavie avec un sourire. Vous paraissez l'aimer.

Un instant, Thomas la contempla fixement, inquiet de s'être trahi par sa trop grande candeur. La jeune femme continua :

— Édouard a dû avoir bien de la chance, petit. Vous deviez être très attentif à ses besoins.

Une conclusion de ce genre, bien inoffensive, le rassura tout à fait. Aussi l'homme lui adressa un regard reconnaissant en concluant :

— Je suppose que tous les garçons ont à se plaindre de leur père. Édouard de moi, Jacques de ce pauvre Fulgence.

— Monsieur Édouard affiche un grand respect pour vous.

La remarque venait avec un grand battement des cils. Un moment, son interlocuteur se demanda auquel des « messieurs » elle adressait son compliment.

— Eh bien, quand le fils admiratif de son paternel passera sous vos yeux, dites-lui de venir me voir.

Sur ces mots, il retourna s'enfermer dans son bureau.

~

Une préoccupation s'imposait dans de nombreuses demeures de la province, tenaillait des milliers de parents. Si jusque-là, les insoumis avaient pu, simplement en se présentant dans un bureau de recrutement, régulariser leur situation, depuis le 24 août, ils étaient traités comme des déserteurs et susceptibles de passer en cour martiale. Les journaux évoquaient à mots couverts les centaines de soldats français fusillés après une procédure de ce genre. Bien plus, une rumeur tenace laissait entendre que des membres du 22e bataillon subissaient le même sort pour avoir refusé de marcher au combat.

— Voilà que l'on projette d'exécuter des milliers de fils de cultivateurs canadiens-français ! clama Édouard.

Le jeune homme se trouvait attablé dans la salle à manger familiale, un exemplaire de *La Patrie* replié devant lui. Élisabeth posa sur lui un regard préoccupé, bien certaine qu'un emportement de ce genre écorchait les bonnes manières. Les soupers familiaux devaient demeurer empreints de sérénité, prétendait le petit manuel de civilité de la baronne de Staffe. Surtout, cela risquait d'entraîner une discussion acerbe.

— Je suppose qu'encore une fois, Armand Lavergne t'inspire ces paroles aussi insensées, rétorqua Thomas.

Le garçon se sentit d'autant plus blessé que son père avait raison : une conversation avec l'ancien député, à l'heure du dîner, alimentait ses sombres réflexions depuis quelques heures.

— Les tribunaux militaires ne connaissent qu'une seule sentence. Cela n'a rien de surprenant, les officiers envoient à la mort des milliers de jeunes gens pour alimenter leur appétit de gloire. Attacher un gars à un poteau pour le cribler de balles ne les trouble pas.

— Exprimer ce genre de colère contre des chefs incompétents ou inhumains convient mieux aux personnes qui ont accepté d'aller combattre, ne trouves-tu pas ? Pour les autres, parler des glorieux fantassins sacrifiés et des lâches officiers planqués à l'arrière sonne un peu faux.

Au moment où la fin du conflit se dessinait à l'horizon, un curieux phénomène se développait. Les personnes farouchement opposées depuis 1914 à l'idée de se rendre sur les champs de bataille entendaient désormais préserver leur honneur, s'inventer un passé. Cela pouvait commencer par se faire bien vague sur la date précise de son mariage, insister sur le fait que seules les brimades d'officiers de langue anglaise les avaient retenus de s'enrôler. Surtout, le discours s'alourdissait de précautions. Mine de rien, beaucoup de réfractaires au service militaire cherchaient désormais à s'inclure dans le « nous » de la victoire. Les gens de l'arrière tentaient de se draper dans un petit bout du manteau d'héroïsme des combattants.

Édouard avala la rebuffade paternelle un peu de travers, porta toute son attention sur la côtelette devant lui. La tension suffit à convaincre Évelyne que Junior, toujours relégué à la cuisine à l'heure des repas, la réclamait. Même Élisabeth, pourtant rompue à ce genre de situation, ne sut comment relancer la conversation.

À la fin, Thomas lui-même tenta sa chance en avançant :

— Je suppose que les rabais affichés pour la rentrée scolaire ont attiré de nombreuses ménagères au magasin.

— ... Elles viennent pour économiser un cent sur un cahier et repartent après avoir habillé de neuf deux ou trois enfants. Dommage que la scolarité ne dure pas plus longtemps.

Ces quelques mots devraient suffire, en guise de calumet de paix. Peu après le repas, Thomas déclara, en se levant de son fauteuil préféré, dans la bibliothèque :

— Je pense aller marcher... pour me détendre un peu.

— Je t'accompagne, répondit Élisabeth en posant son magazine sur un guéridon.

— ... Pour être franc, je pensais prendre la direction de l'hôtel de ville. Jusqu'au bureau du maire, pour tout dire.

— Oh... La politique en guise de passe-temps !

Le ton contenait une dose d'ironie tout juste suffisante pour forcer son époux à se justifier :

— Si, maintenant, des rumeurs se répandent au sujet des exécutions de masse de déserteurs, les émeutes du printemps dernier ressembleront à de gentils pique-niques, en comparaison de ce qui nous pend au bout du nez.

— Et penses-tu pouvoir agir sur le cours des choses ?

— Les semi-retraités comme moi sont plutôt impuissants. Mais au moins, je peux tenter de me mettre au courant des événements. Le simple fait de savoir ce qui s'en vient me rassure un peu.

La femme poussa un long soupir en reprenant sa lecture, mais elle accepta de bonne grâce une bise sur le front. La soirée, constata Thomas en marchant dans la Grande Allée, se révélait plaisamment chaude. Cela ne devrait plus durer, août tirait à sa fin. Devant le Manège militaire, il remarqua l'affluence habituelle d'hommes en uniforme. Leur présence agissait un peu comme un aimant, les pelouses devant le grand édifice de pierre devenaient la destination usuelle de jeunes filles désireuses de se dégourdir les jambes.

~

Comme le commerçant s'y attendait, malgré l'heure tardive, une certaine activité régnait encore dans le grand édifice municipal. En montant les marches de l'escalier donnant accès à l'entrée de la rue Desjardins, il croisa un homme à la silhouette vaguement familière. Il porta les doigts à son chapeau en guise de salutation, se souvint de l'identité du personnage au moment de passer la lourde porte de chêne : Paul Dubuc, le député de Rivière-du-Loup.

Le maire Henri Lavigueur se trouvait bien au travail malgré l'heure tardive. Les rôles de marchand, de député fédéral et de premier magistrat de la Ville lui imposaient un horaire infernal. Il accueillit son visiteur en se levant à demi de son siège, la main tendue.

— Picard, voilà une bonne surprise. Qu'est-ce qui me vaut votre visite ?

Thomas serra la main, se cala dans la chaise placée en face du bureau avant de répondre :

— L'inquiétude. Robert Borden est-il résolu à mettre le pays à feu et à sang ? Ses initiatives guerrières lui valent la loi martiale à Toronto et dans quelques autres villes canadiennes, et des dizaines d'arrestations dans nos campagnes. Maintenant, il menace les insoumis de la cour martiale. Le bonhomme tient-il à répéter les événements de Pâques dernier ?

Le maire laissa échapper un soupir de lassitude. Diriger une petite ville devenait bien complexe, en période de guerre.

— Ces troubles à Toronto, ou ailleurs dans l'Ouest, tiennent à l'action des bolcheviques. Depuis l'automne dernier, un peu partout, des lunatiques tentent de rééditer l'expérience de Moscou. Même en Allemagne, le pays est secoué de manifestations sanglantes.

L'affirmation troubla un peu le visiteur. La révolution russe faisait des émules un peu partout, les idées subversives devenaient contagieuses. Les journaux ne tarissaient pas sur le sujet.

— Y a-t-il des socialistes au Canada ?

— Évidemment, il y en a. Bien des immigrants d'Europe centrale ou de l'Est arrivent ici avec des idées dangereuses dans leur valise. Puis, il y a cette association venue des États-Unis, qui regroupe des travailleurs industriels. Il y a des milliers de membres dans l'Ouest, des *wobblies*. Ce sont de vrais socialistes.

— Ce gars fusillé dans l'Utah, il y aura bientôt trois ans, était un des leurs, je pense.

— Joe Hill. Oui, c'était un de ces fous dangereux. Vous souvenez-vous de tout le grabuge créé par son exécution ?

Picard acquiesça d'un signe de tête.

— Il a finalement été incinéré à Chicago et une partie de ses cendres a été envoyée dans chacun des locaux du syndicat aux États-Unis et au Canada, avec les mots "Assassiné par la classe capitaliste".

Le personnage, haut en couleur, ferait encore parler de lui pendant des décennies. Sans intérêt du temps de son vivant, une fois mort, il devenait une icône de la rébellion.

— J'ai vu un film sur ce type, lors de mon voyage à New York, au début de l'été, confia Thomas. Toutes les femmes du continent semblent en train de devenir folles de son fantôme. On lui attribue de nombreuses chansons, elles se vendent très bien, paraît-il.

Le maire hocha la tête, heureux de se trouver avec une personne familière de son sujet.

— Alors, dans une grande mesure, continua-t-il, je pense que les désordres dans les villes tiennent à des agitateurs de ce genre. Je n'en veux pas à Borden de leur faire la vie dure, même si cela signifie quelques pots cassés.

— La contagion viendra-t-elle jusqu'ici ?

Le commerçant gardait une profonde méfiance à l'égard des idéologies opposées à la liberté d'entreprendre.

— Des socialistes à Québec ? ricana Lavigueur. Dieu merci, nos bons curés montent la garde, ils nous protègent très efficacement. Monseigneur Bégin m'assure que le syndicalisme catholique nous évitera cette gangrène. Il me casse les oreilles avec son slogan : "Un rempart contre les idées subversives."

— Je sais. L'abbé Maxime Fortin prêche la bonne parole à de nombreux employés du magasin. Il recrute les meilleurs dans le cercle Léon XIII. Il est même venu me proposer de créer moi-même une union dans mon entreprise. Quel petit prétentieux !

Après un bref silence, le commerçant revint à sa première préoccupation :

— Depuis quelques jours, les insoumis s'exposent à être traduits devant une cour martiale. Les agitateurs s'emparent déjà de la nouvelle. Nous n'en avons pas fini avec les manifestations.

— Vous avez bien raison. Quelle mesure à la fois imprudente et inutile. Tous les élus libéraux, à l'Assemblée législative du Québec comme à la Chambre des communes d'Ottawa, protestent discrètement contre cette initiative, destinée à faire plaisir à quelques impérialistes de l'Ontario. À ce sujet, nous faisons beaucoup de peine au bon cardinal : nous disons que les insoumis sont mal conseillés par des prêtres irresponsables.

— Mais c'est vrai. Toutes les soutanes se délectent des pages du *Devoir*.

— N'empêche, notre digne prélat n'aime pas que nous l'écrivions à notre premier ministre.

La position du clergé canadien-français pouvait se révéler périlleuse : attaché d'un côté à la loi et l'ordre, méfiant à l'égard des mouvements de foule, de l'autre, il se délectait des discours nationalistes et vouait un véritable culte aux héros de la Nouvelle-France.

— Borden cédera-t-il sur ce point ? insista Thomas.

— Non. Les fuyards qui seront capturés seront conduits devant un tribunal militaire. Sinon, tous les conscrits prendront la chance de ne pas se présenter aux bureaux de recrutement. Puis le bonhomme commence à se soucier de sa réélection. Le Québec ne votera plus jamais conservateur. Il doit séduire le Canada anglais.

Le visiteur comprenait bien cette situation. En coupant le pays en deux sur la question de la conscription, Borden se condamnait à satisfaire les milieux impérialistes ou à perdre le prochain scrutin fédéral.

— Les tribunaux militaires ne lésinent pas, nous l'avons vu avec les exécutions de masse au sein de l'armée française. Si les militaires se mettent à fusiller ces jeunes idiots…

— Voyons, le premier ministre n'est pas fou. Jamais nous ne verrons ici des scènes de ce genre. Ils feront un peu de prison, c'est tout.

Les cachots de l'armée, même lugubres, susciteraient des réactions moins extrêmes que des brochettes de martyrs. Thomas n'entendait pas se laisser rassurer si vite :

— Il y a aussi toutes les arrestations des personnes qui ont détruit des fiches au moment de l'enregistrement…

— Nous verrons bien quelles seront les sentences. Je doute que ce soit très méchant. D'un autre côté, les registraires étaient les mandataires du gouvernement. Celui-ci ne peut pas les laisser à la merci de la populace.

Voir un député libéral se porter à la défense d'un premier ministre conservateur déroutait un peu le visiteur. À la fin, il convint avec lassitude :

— Je ne suis pas partisan du désordre, on ne peut pas laisser impunis les gens qui s'attaquent aux officiers publics. Mais si les événements du printemps se répètent encore…

Henri Lavigueur avait payé de sa personne pour calmer les émeutiers, il ne souhaitait certainement pas renouer avec ce genre d'émotion.

— Nous n'en arriverons plus à ces extrémités. Les gens ont compris… des deux côtés.

Thomas en vint à l'autre rumeur, celle qui risquait de soulever encore plus la population contre le service militaire :

— Selon mon fils…

— Ou plutôt, selon Armand Lavergne.

— Vrai. À son âge, je ne peux malheureusement plus exercer un quelconque droit de regard sur ses relations. Selon l'un et l'autre, des Canadiens français stationnés en Europe ont été fusillés pour avoir refusé d'aller au combat.

Le maire afficha une mine contrite, demeura si longuement silencieux que le visiteur conclut :

— Donc, c'est vrai.

— Je ne suis pas membre du gouvernement, je n'ai pas accès à des informations de première main. Ce sont des secrets d'État.

— Mais la rumeur est fondée, insista encore Thomas.

Son interlocuteur changea de position sur sa chaise, regarda vers la porte comme s'il craignait la présence d'oreilles indiscrètes.

— C'est ce que tout le monde répète à voix basse sur la colline Parlementaire.

— Des Canadiens français ?

— Quelques-uns parmi eux auraient été fusillés.

— Du 22e bataillon ?

L'autre hocha la tête en signe d'assentiment.

— Si cela se sait, vous imaginez les discours qui ameuteront les foules, remarqua Thomas.

— C'est pour cela que nous faisons de notre mieux pour nier la chose chaque fois que nous le pouvons.

Le visiteur signifia d'un geste sa résolution de se taire lui aussi. Un peu plus tard, songeur, il regagna son domicile.

~

Le 3 septembre 1918, en fin de matinée, Thalie Picard arriva à la gare Windsor. Un porteur noir descendit du train sa lourde malle toute neuve et poussa la gentillesse jusqu'à la jucher sur le toit d'un taxi.

Le campus de l'Université McGill s'étendait au pied du mont Royal, un ensemble d'édifices imposants, certains construits de briques rouges, la plupart en pierres grises. Après quelques minutes à parcourir les rues de Montréal, la voiture s'arrêta rue Milton, au coin de Durocher, devant une grande maison au style vieillot, assez mal entretenue à en juger par les volets de guingois et les herbes un peu trop longues du parterre.

La nouvelle étudiante, membre d'un nouveau segment de l'espèce humaine dont les journaux de langue française se moquaient en les surnommant les «carabinettes», se tint un moment debout sur le trottoir, perdue dans la contemplation de son nouveau domicile. Pendant ce temps, le chauffeur s'esquintait le dos pour descendre son bagage.

— Ce sera vingt-cinq cents, fit-il bientôt en se dressant devant elle.

— Vous allez la porter dans la maison.

Elle contemplait la malle posée sur le trottoir.

— ... Je suis seul, déclara l'homme d'une voix bourrue.

— Si vous m'abandonnez là, je serai seule aussi. Vous avez sans doute plus de chances que moi d'y arriver.

Soucieuse de repousser les interdits dressés devant les personnes de son sexe, elle n'hésitait toutefois pas à battre des cils et à adopter une petite voix timide pour mobiliser des muscles masculins à son service. L'autre tenta encore de se dérober:

— Quelqu'un à l'intérieur pourra certainement venir vous aider.

— Mais ni vous ni moi ne pouvons en être certain. Puis, vous êtes là...

Le chauffeur laissa passer un juron entre ses dents, mais il accrocha ses deux mains à la poignée de cuir placée à une extrémité de la malle, la souleva un peu pour la traîner dans l'allée conduisant à la porte de la pension Milton. Les trois marches donnant accès à l'entrée lui arrachèrent encore quelques gros mots murmurés. À la fin, il abandonna le bagage devant un comptoir étroit faisant office de réception, puis précisa, le souffle un peu court:

— C'est trente cents, maintenant.

Thalie sourit devant la hausse soudaine du prix de la course, déposa trente-cinq sous dans sa paume en lui disant:

— Je vous remercie, vous êtes très gentil.

Une pointe d'ironie perçait dans le ton, mais son sourire demeurait sincère.

— Je risque de m'être abîmé le dos, plaida-t-il. Ce n'est pas un travail pour un homme seul.

— Si vous souffrez encore dans quatre ou cinq ans, venez me voir à mon cabinet de médecin. La consultation sera gratuite.

L'autre demeura silencieux. Il quitta les lieux en secouant la tête devant autant de prétention. Une dame d'une cinquantaine d'années suivait l'échange derrière le comptoir sans y comprendre un mot. Thalie lui dit son nom et continua en anglais:

— Je vous ai écrit en juillet pour réserver une chambre pour l'année universitaire. Vous avez encaissé mes arrhes.

Comme l'autre marquait un moment d'hésitation, elle continua:

— La directrice du Quebec High School m'a recommandé votre établissement.

En conséquence, confiante, l'étudiante avait négligé de venir examiner les lieux. Le décor vieillot d'un petit salon, visible par une porte laissée ouverte, la confirma dans sa première impression. Cette grande maison bourgeoise transformée en maison de chambres devait procurer un revenu décent à sa propriétaire et un logis un peu suranné aux clients.

— Oui, oui, bien sûr, déclara cette dernière. Je m'attendais à quelqu'un de plus âgé.

— Votre impression tient à ma petite taille, sans doute. Je suis plus vieille que j'en ai l'air.

— Un jour, vous répéterez des paroles de ce genre en craignant très fort que ce ne soit la vérité.

Un lourd silence régnait dans l'édifice. Les lieux, un peu austères, se révélaient propices à l'étude. La propriétaire se tourna pour prendre une longue clé pendue à un crochet tout en enchaînant:

— Je vous souhaite la bienvenue, mademoiselle Picard. Chaque année, nous recevons une ou deux jeunes filles de Québec. Aussi, vous trouverez quelques visages connus en ces murs. Vous avez la chambre 302.

Elle tapa du bout des doigts sur une petite clochette posée sur le comptoir puis continua:

— Montez tout de suite vous rafraîchir. Dans trente minutes, vous pourrez partager notre repas. La salle à manger se trouve au rez-de-chaussée, au fond de la maison.

Un homme malingre, noir de poil, apparut au même moment.

— Sylvio, portez cette malle au numéro 302... À tout à l'heure, ajouta-t-elle à l'intention de sa nouvelle locataire.

Un chariot se trouvait rangé contre un mur, sans doute en prévision de l'arrivée des pensionnaires ce jour-là. L'employé mit la malle debout, en posa le bord sur la lame d'acier de l'appareil et bascula celui-ci vers l'arrière afin de le faire rouler. Thalie le suivit jusqu'à l'ascenseur, pour constater que la cage minuscule ne recevrait pas deux personnes en plus de l'imposant bagage.

— Je vous retrouve en haut, précisa-t-elle en s'engageant dans l'escalier situé tout à côté.

Une bande de tapis assourdit un peu le bruit de ses talons ferrés frappant les marches. Au troisième, sous les combles, elle déboucha dans un corridor. Elle ouvrit la porte des toilettes qu'elle partagerait avec quatre ou cinq autres jeunes femmes et, juste à côté, celle d'une pièce minuscule où se trouvait un bain. Sur la porte, une feuille cartonnée permettait aux utilisatrices d'indiquer le moment de la semaine et l'heure où elles procéderaient à leurs ablutions. Si le règlement épinglé juste au-dessus ne limitait pas la fréquence de celles-ci, il précisait la nécessité d'utiliser l'eau chaude avec parcimonie et limitait à une demi-heure la durée de la trempette.

— Désormais, impossible de me prélasser toute une soirée.

De toute façon, même à la maison, un tel comportement lui valait des remarques agacées…

La porte de l'ascenseur s'ouvrit dans un fracas métallique. Elle poussa la porte de la chambre 302 afin de permettre à l'employé de déposer la malle sur le plancher, au milieu de la pièce.

— Je vous remercie, dit-elle, ne sachant trop si elle devait donner un pourboire.

L'autre inclina la tête et s'esquiva, mettant fin à son dilemme. Thalie tourna sur elle-même afin de prendre contact avec son nouveau domaine. La chambre devait mesurer dix pieds de largeur et douze de profondeur. Une fenêtre donnait sur la cour arrière et, au-delà, sur des toitures. Un lit étroit, placé contre le mur, paraissait un peu creusé en son centre. Une commode, une table de travail et une chaise complétaient l'ameublement. Une étagère accrochée au mur porterait bientôt ses quelques livres. Une garde-robe minuscule pouvait recevoir tout au plus un paletot et quelques autres vêtements.

— J'avais un peu plus grand à la maison, déclara-t-elle, à mi-voix.

L'héritage de son père lui aurait sans doute permis de se loger un peu mieux. Elle préférait toutefois jouer de prudence, car les prix avaient monté très vite depuis 1914, et ses études s'étaleraient sur de nombreuses années. Elle chercha une petite clé dans sa poche pour ouvrir les serrures de la malle, souleva le couvercle et commença à en ranger le contenu. Elle affrontait sa nouvelle existence avec un mélange d'excitation et de crainte Heureusement, le premier sentiment l'emportait nettement sur le second.

~

Comme elle possédait peu de choses, tout placer fut l'affaire de quelques minutes. Thalie achevait tout juste quand de petits coups résonnèrent contre la porte. Intriguée, elle ouvrit pour découvrir une personne à peu près de son âge, un sourire à la fois réservé et engageant sur les lèvres.

— J'habite à côté, commença l'inconnue. Chambre 305. Je me nomme Catherine Baker.

Elle tendit la main.

— Thalie… Thalia Picard. Je suis enchantée de vous connaître.

Elles se toisaient du regard, essayant de deviner ce que serait leur voisinage. Catherine, grande et mince, présentait une masse de cheveux bruns tirant sur le roux, coupés court, « à la garçonne » disait-on pour décrire ce style décontracté. Ses lèvres ornées d'un soupçon de rouge découvraient des dents parfaites. Elle continua :

— Ce nouvel environnement vous plaît-il ?

— Cela ira, répondit son interlocutrice en jetant un nouveau regard circulaire sur la pièce, si seulement je peux me débarrasser de cette malle.

La grande boîte rectangulaire occupait presque tout l'espace laissé libre par les meubles.

— Demandez à la patronne d'envoyer tout à l'heure son fidèle Sylvio. Il y a de la place dans le sous-sol pour entreposer cela. Au moment des grandes vacances, en mai prochain, vous la récupérerez couverte de fils d'araignées.

L'attention de la visiteuse se porta sur la commode, où se trouvaient deux cadres. Le premier contenait la photographie des parents de la nouvelle locataire, prise au début de 1914, le second celle de Mathieu, dans son uniforme du 22e bataillon.

— C'est votre fiancé ? interrogea-t-elle, la voix changée.

— Mon frère. Il est en Belgique.

— J'aurais dû voir la ressemblance avec le monsieur de l'autre photo… J'ai aussi un frère en Europe.

La confidence fut soulignée d'un léger reniflement. Elle enchaîna après une pause:

— Venez-vous manger?

Thalie acquiesça, contourna son bagage afin de sortir de la pièce, ferma derrière elle.

— Prenons l'escalier, cela ira beaucoup plus vite que l'ascenseur.

— J'ai pu le constater tout à l'heure.

Catherine portait une robe allant à mi-mollet, des souliers plats. Une ceinture très large soulignait sa taille mince. L'ensemble ne devait pas laisser les garçons indifférents. Un peu plus tard, toutes les deux prenaient place l'une en face de l'autre à l'extrémité d'une longue table où, quand toutes les pensionnaires seraient là, se trouveraient une vingtaine de convives.

— Vos protégées tardent à arriver, madame Anderson, déclara Catherine quand la maîtresse des lieux posa une soupière devant elles.

— À la fin de l'après-midi, une douzaine de demoiselles prendront possession de leur chambre. Demain, nous serons au complet.

Elle fit le service elle-même en précisant:

— Je ne vous tiendrai pas compagnie. Je me trouve toute seule, Annet a dû se rendre dans sa famille.

Elle retourna vers la cuisine sans attendre.

— Le personnel est-il nombreux? demanda Thalie après avoir goûté au potage.

— Pas vraiment. N'imaginez pas être traitée en princesse ici. Une femme de peine vient tous les jours faire le ménage des espaces communs, mais elle suffit tout juste à la tâche. Mieux vaut ne rien laisser traîner, sinon la patronne perd son sourire. Puis, nous nous occupons toutes de nos chambres nous-mêmes.

— Les domestiques?

— À part Annet, une nièce de la propriétaire qui joue à la fois le rôle de cuisinière et de bonne à tout faire, personne.

Avec le nombre élevé de pensionnaires, cela signifiait un travail éreintant. Thalie pensa combien Gertrude protesterait, devant pareil défi.

— Et Sylvio ?

Son interlocutrice regarda en direction de la porte de la grande pièce, puis souffla à voix basse :

— C'est l'homme à tout faire. Selon la rumeur, il fait vraiment tout, dans cette maison.

Elle étouffa un fou rire, puis ajouta :

— C'est un Italien.

À ses yeux, cela semblait justifier le sous-entendu précédent. Elle continua :

— Il semble bien comprendre ce qu'on lui dit, mais seules des monosyllabes sortent de sa bouche.

Un bruit dans le couloir la ramena à un sujet plus anodin :

— Étudierez-vous aussi à McGill ?

— Oui, en médecine, répondit Thalie, alors que la propriétaire des lieux apportait le second service.

— Les femmes viennent tout juste d'être admises dans cette Faculté. Vous serez parmi les premières.

Elle exprima son assentiment d'un signe de tête, tandis que madame Anderson la débarrassait de son assiette vide.

— Il faut vous attendre à beaucoup d'hostilité de la part des professeurs et des étudiants.

La prévision rendit Thalie un peu morose.

— Je comprends à vos paroles que vous êtes aussi à McGill.

— Je commencerai ma seconde année de droit jeudi.

— On vous y mène la vie dure ?

— Un peu. C'est d'ailleurs ridicule, puisque la profession se pratique vêtu d'une robe. Ils devraient donc être habitués à notre tenue. Mais en médecine, ce sera vraisemblablement un peu plus difficile.

De nouveau, elle revenait sur le sujet.

— Pourquoi ?

— Vous verrez des hommes nus. Normalement, une femme ne doit voir que son mari dans son état naturel, et encore, je soupçonne que la plupart des épouses sont privées de cet indicible privilège.

L'étudiante regarda la propriétaire du coin de l'œil, constata son agacement. Les conversations devaient respecter les règles de la bienséance, encore plus à table qu'ailleurs dans la maison. L'allusion à la nudité, même dans une compagnie exclusivement féminine, heurtait les convenances.

— D'où venez-vous ? enchaîna Catherine, soucieuse de sa réputation.

— De Québec. Mon père possédait un commerce de vêtements, ma mère a prix la relève depuis son décès, en 1914... Et vous ?

— De Sherbrooke, où mon père est gérant d'une succursale bancaire. Ici, presque toutes les pensionnaires viennent de la campagne ou des villes de la province. Oh ! Il y en a bien une ou deux de l'Ontario, et toujours une de Montréal. Dans ce dernier cas, il s'agit de quelqu'un qui a de bonnes raisons de fuir le foyer familial.

Thalie arqua ses sourcils pour signifier son incompréhension. Sa compagne expliqua en riant :

— Imaginez un veuf ou une veuve qui vient de se remarier. Pour sa fille, l'idée de se trouver tous les jours devant une belle-mère ou un beau-père, peut avoir raison des meilleures dispositions. La pension Milton devient alors le havre de paix de ces infortunées.

Pendant une heure encore, tout en avalant un repas fort décent, Catherine Baker entretint la nouvelle venue de la vie dans cette grande résidence et des mystères de l'Université McGill. Au moment où elles regagnaient le troisième étage, Thalie s'informa encore :

— Comment se fait-il que madame Anderson tienne un commerce de ce genre ?

— Le même motif que pour votre mère et pour la plupart des femmes gagnant leur vie : le décès de son mari. Dans le cas de presque toutes les maisons de chambres, c'est la même histoire. Une dame d'un certain âge se retrouve seule avec, pour tout capital, une grande résidence. Accueillir et nourrir des locataires demeure encore l'activité professionnelle la plus facile pour une femme. Après tout, nous ressemblons à une immense famille canadienne-française.

Le ton se voulait sans méchanceté, Thalie choisit de répondre d'une voix amusée :

— Tout de même, une vingtaine d'enfants dans une maisonnée, même parmi nous, cela demeure rarissime.

— Surtout une maisonnée avec des enfants sensiblement tous du même âge !

De retour dans la chambre 302, la nouvelle venue constata la disparition de sa malle. Sylvio se révélait d'une efficacité silencieuse. Après avoir vérifié que toutes ses affaires se trouvaient à leur place définitive, l'étudiante décida de se livrer tout de suite à l'achat de ses quelques livres de classe. Elle avait reçu une liste un peu plus tôt pendant l'été, de même que l'adresse d'une librairie proche du campus.

~

Le jeudi 5 septembre, à huit heures trente, les locataires de la pension Milton formèrent un petit contingent sur le trottoir. Les plus âgées se regroupèrent selon les connivences apparues entre elles au gré des années précédentes. Les nouvelles venues cherchaient les visages les plus amènes afin de ne pas affronter seules cette première rentrée universitaire.

Thalie continuait de bénéficier de la sympathie de Catherine Baker. Par un mystérieux phénomène de cooptation, les amies de cette dernière devenaient les siennes. Au cours des prochaines semaines, elle joindrait sans doute une petite constellation de personnes ayant des affinités communes avec elle. Sans nul doute, cette première camarade, à la franchise un peu irrévérencieuse, demeurerait l'une de ses proches.

Sur le campus, sa compagne lui désigna le pavillon de médecine et continua son chemin vers celui de droit. Un long moment, debout sur le trottoir, Thalie regarda le grand édifice flanqué de colonnes décoratives. Il se dégageait des lieux une impression de sévérité, de rigueur. Du haut des quelques marches conduisant aux portes massives, plusieurs jeunes hommes la contemplaient, un masque réprobateur sur le visage.

— Voilà un mauvais comité d'accueil, constata-t-elle. Ou tu retournes à Québec afin de te dénicher un mari au plus vite ou tu entres !

Ce résumé de l'alternative s'offrant à elle suffit à la rasséréner. D'un pas vif, elle gravit les marches, salua d'une inclination de la tête ceux qui seraient ses compagnons d'étude, poussa une lourde porte de chêne. L'huis se ferma dans son dos avec un bruit sourd.

L'emplacement des principaux locaux d'enseignement était indiqué par de petites affichettes. Elle partit à la recherche de l'amphithéâtre C pour le découvrir bien vite au bout d'un couloir, au rez-de-chaussée. Derrière la porte, elle contempla les cinq rangées de fauteuils placés en arc de cercle. Le plan fortement incliné permettait à chacun d'avoir une vue parfaite sur une petite estrade. Quelques étudiants de première année, tous âgés d'environ vingt ans, occupaient une place. Leur jeunesse ne paraissait pas les rendre plus réceptifs à sa présence.

Une seule autre jeune femme occupait un siège exactement au milieu de la salle. Thalie descendit quelques marches, alla occuper la place voisine. Sans se presser, en affectant une assurance factice, elle posa son sac sur la petite table vissée au plancher lui faisant face, le temps de prendre quelques feuilles de papier, une bouteille d'encre et un porte-plume. Au moment de s'asseoir, elle annonça :

— Bonjour. Je m'appelle Thalia Picard.

L'autre prit la main tendue, déclina son nom, puis fixa de nouveau ses yeux sur l'estrade. Dans le bref regard échangé, chacune avait eu le temps de voir chez l'autre la même inquiétude et la même résolution.

Vingt minutes plus tard, un vieil homme descendit les marches jusqu'à l'estrade, posa son porte-documents sur le bureau avant de se tourner vers la quarantaine d'étudiants face à lui.

— Messieurs, bienvenue au cours de biologie humaine. Comme vous le constatez, notre prestigieuse université a jugé bon de sacrifier à la nouvelle mode et de changer ses critères d'admission. Tâchons de ne pas nous laisser distraire par cette fantaisie. Un lourd travail nous attend.

Tous les yeux se braquèrent sur les deux seules femmes, dont la présence irritait visiblement le professeur. Personne n'était venu occuper les sièges voisins des leurs, comme si elles présentaient un danger de contagion. Certains étudiants paraissaient carrément outrés de cette dangereuse innovation. D'autres esquissaient des sourires narquois qu'ils croyaient séducteurs. Sans doute espéraient-ils que des personnes suffisamment intrépides pour entreprendre des études universitaires seraient de surcroît habitées de pulsions libidineuses irrépressibles. Beaucoup de publications faisaient allusion à mots couverts à l'immoralité de ces « féministes » soucieuses d'échapper au rôle auquel Dieu et leur nature les confinaient.

— Retournez à vos chaudrons ! risqua quelqu'un.

Thalie constata que sa voisine serrait les mâchoires, crispait ses doigts sur son porte-plume.

— Et toi dans ta porcherie, rétorqua-t-elle assez fort pour être entendue de tous.

— Mademoiselle, je n'accepterai pas ce langage ordurier, clama le professeur depuis son estrade.

— Je vous remercie de constater ma présence et de reconnaître que je suis une femme. Tout à l'heure, j'ai craint d'être devenue invisible.

Ils échangèrent un bref regard hostile. Puis, l'homme se tourna vers le tableau afin de prendre une craie, tout en commençant :

— Messieurs, maintenant nous allons examiner l'appareil reproducteur de la femme. Ensuite, nous verrons celui de l'homme.

La petite Canadienne française prit de quoi écrire, déplaça les quelques cheveux détachés de sa lourde tresse susceptibles de lui obstruer la vue. Elle constata toutefois que plusieurs jeunes hommes jetaient vers elle un regard amusé et sympathique tout à la fois. Déjà, ils se rendaient compte qu'une jolie fille à la langue acérée pouvait égayer une longue année universitaire.

Deux heures plus tard, en quittant la classe, un étudiant sur deux la salua d'un mouvement de tête, sans doute étonné et soulagé qu'elle puisse entendre les mots «vagin» et «pénis» sans tomber en convulsion.

Dans le grand hall, Thalie s'arrêta devant un large panneau portant les noms de tous les étudiants de la Faculté de médecine actuellement sous les drapeaux. Les plus jeunes se trouvaient souvent sur la ligne de feu. Les plus âgés œuvraient dans les hôpitaux militaires.

Un poème piqué au mur retint son attention, *In Flanders Fields*. Elle murmura la seconde strophe:

We are the dead. Short days ago,
We lived, felt dawn, saw sunset glow,
Loved and were loved and now we lie
In Flanders Fields.

— L'auteur est John McCrae, un médecin militaire, déclara quelqu'un à ses côtés.

Thalie se retourna, reconnut l'un des étudiants sortis de l'amphithéâtre C, lui aussi, un peu plus tôt. Il continua:

— Il a été écrit en 1915 à Boezinge. McCrae est mort en janvier dernier.

— Je sais tout cela. Mon frère se trouve en Belgique, pas très loin de Boezinge, justement.

Les mots du poème lui glaçaient l'âme. La dernière lettre de Mathieu, trop brève, datait du début du mois précédent.

Sur un champ de bataille, tout avait pu survenir depuis un laps de temps aussi long. Au moins mille Canadiens étaient morts. Ils échangèrent encore un regard, puis chacun suivit son chemin.

Au moment de s'asseoir dans la salle à manger, à son retour à la pension Milton, Catherine lui demanda, une certaine sollicitude dans la voix :

— La première prise de contact s'est-elle bien déroulée ?

— Comme je l'anticipais. Un vieil imbécile, des jeunes idiots et une petite majorité de gens normaux.

Un murmure d'assentiment parcourut la grande tablée. Toutes partageaient le même constat.

Chapitre 8

Très vite, le récit de l'outrecuidance de la petite Canadienne française fit le tour du campus de l'Université McGill, au point de devenir le sujet de conversation principal au Cercle des professeurs, un magnifique immeuble un peu vieillot, dont les fenêtres se composaient d'une multitude de pièces de verre taillées en losange, retenues ensemble par des baguettes de plomb. Dans une atmosphère feutrée et poussiéreuse, le docteur McTeer répétait avec colère : « Une petite garce. Elle nous regarde dans les yeux avec un air de défi. » Cela lui paraissait être un crime impardonnable.

Même si le vieil enseignant scandalisé rencontrait un succès mitigé – avant de devenir un vieil imbécile, il avait longtemps été un jeune imbécile, au point de se bâtir une réputation –, sa campagne entraînerait une réaction des autorités. Le lendemain, alors qu'elle prenait place dans l'amphithéâtre C pour le cours de la matinée, un laborantin marcha vers Thalie et lui demanda :

— Êtes-vous mademoiselle Picard ?

Il avait une chance sur deux d'avoir raison, car une seule autre jeune femme avait été admise à la Faculté de médecine.

— Oui, c'est moi.

— J'ai un message pour vous.

Il lui tendit une petite enveloppe, puis quitta la salle. La jeune fille fit sauter le rabat avec son pouce, parcourut des yeux les deux lignes écrites d'une main assurée. Sa mine devait paraître fort ennuyée, puisque sa voisine affligée d'un visage ingrat, la même que la veille, demanda :

— Une mauvaise nouvelle ?

— Je suppose… Le doyen de la Faculté exprime le désir de me voir dans son bureau, tout à l'heure. Je doute que ce soit pour me féliciter de mes résultats obtenus au Quebec High School.

— Cela doit être à propos d'hier… Pourrait-il vous exclure pour cela ?

— Je vous remercie de me rassurer de cette façon…

L'autre demeura un moment interdite, puis elle porta les yeux vers le contenu de son porte-documents. Thalie sortit du sien le matériel nécessaire à la prise de notes, bien résolue à ne pas laisser son inquiétude affecter sa concentration au cours des prochaines heures.

Elle attendit ensuite le début du cours la tête bien droite, parcourant la salle semi-circulaire de ses yeux sombres. Les autres étudiants arrivaient lentement, un peu à regret. Plusieurs lui adressèrent un salut discret, comme il convenait pour une vague connaissance, puis ils cherchèrent leur cahier et leur porte-plume. Encore une semaine ou deux, et ceux-là se feraient à sa présence.

D'autres fixaient des regards furieux sur elle.

Le cours de pathologie se déroula sans incident fâcheux. Un peu avant midi, elle chercha le décanat de la Faculté, découvrit une suite de pièces plutôt somptueuses au-dessus du hall d'entrée, au premier étage. Quand elle se présenta à une grande dame à l'air revêche, elle fut accueillie par un sourire un peu désolé, plein de sollicitude.

La secrétaire se dirigea vers une porte de chêne, frappa doucement avant d'ouvrir pour annoncer :

— Monsieur le doyen, mademoiselle Picard vient d'arriver.

Elle se retourna bientôt pour dire :

— Le docteur Mann vous recevra tout de suite.

L'employée ouvrit la porte toute grande, s'effaça à demi pour la laisser passer. Thalie pénétra dans un grand bureau un peu trop encombré de tables, de chaises et de fougères en pot, éclairé par de grandes fenêtres donnant sur les pelouses devant l'édifice. Un homme d'une cinquantaine d'années quitta sa place pour venir vers elle, la main tendue, une attitude plutôt cordiale sur le visage, quoiqu'un peu ennuyée.

— Mademoiselle, je vous remercie d'être venue me voir sans tarder.

— Le ton de votre message ne m'a pas semblé me laisser le choix, à cet égard. Je suis toutefois très heureuse de vous rencontrer. Depuis hier, je me demandais si j'oserais vous demander un rendez-vous. Votre invitation a mis fin à mon dilemme.

L'autre marqua un temps d'arrêt, surpris de cette réplique, puis il lui désigna un fauteuil près de la croisée, s'installa en face d'elle. En choisissant de ne pas regagner sa place derrière son bureau, il entendait donner un caractère moins officiel à la conversation. Elle lui en fut reconnaissante.

— Monsieur McTeer s'est plaint de votre attitude, commença-t-il après une pause. Il réclame votre expulsion de notre Faculté.

Thalie garda ses yeux sur le visage du doyen, impassible, malgré son cœur qui battait la chamade. Son interlocuteur enchaîna bientôt:

— Il vous reproche d'avoir utilisé un langage ordurier dans sa salle de classe.

— Je ne comprends pas.

— Vous avez traité l'un de vos camarades de... cochon.

Pour la première fois depuis le matin, elle esquissa un léger sourire.

— Je pense qu'à chaque fois que quelqu'un me criera de retourner à mes chaudrons, je verrai un groin et de grandes oreilles en pointe sur son visage. Toutefois, je n'ai jamais utilisé ce mot. Si celui-là trouvait que ma place est dans une cuisine, je lui ai simplement rétorqué que la sienne était dans une porcherie.

Le doyen imaginait la scène, faisait un effort pour ne pas s'en amuser ouvertement.

— Ce professeur vous accuse aussi d'adopter une attitude insolente à son endroit.

— Moi, je lui reproche son manque de savoir-vivre. Alors que deux femmes se trouvent dans sa classe, il a feint avec ostentation de nous ignorer, tout en formulant à haute voix son désaccord face à la nouvelle politique de l'Université McGill en regard du recrutement des étudiants en médecine.

— … Tous n'acceptent pas le changement de bonne grâce. Le docteur McTeer est libre de ses opinions.

— Et moi, des miennes.

Mann n'arrivait pas à déceler de l'insolence dans la voix de sa visiteuse, seulement l'assurance d'être dans son droit. Au fond, elle lui paraissait bien sympathique.

— Si tout le monde retient un peu ses mouvements d'humeur, je ne doute pas que l'année se déroulera sans nouvel incident.

Thalie se demanda un moment si le professeur irascible s'était vu adresser la même recommandation. Elle attendit de longues secondes avant de répondre :

— Je ne crois pas me distinguer par ma douceur, aussi je veux bien faire attention.

— Dans ce cas, ne parlons plus de cet incident… conclut le doyen en faisant mine de se lever.

— Mais avant de vous quitter, j'aimerais à mon tour formuler… un grief.

L'homme se cala de nouveau dans son fauteuil, déçu de ne pas clore le sujet tout de suite.

— Hier, le professeur McTeer a donné une leçon inaugurale un peu étrange. Voyez-vous, pendant une partie de l'été, j'ai potassé les manuels d'anatomie humaine utilisés en première année de médecine dans quelques grandes universités américaines…

Le doyen enregistra l'information d'un signe de la tête. Cette jeune femme ne laissait rien au hasard.

— Aucun de ceux-ci ne suggère de commencer une année académique par un exposé de deux heures sur l'appareil reproducteur féminin ou masculin.

— … Mais il n'existe pas de véritable règle, chaque professeur organise la matière à sa guise.

— Tout de même, quand le professeur commence par le chapitre douze du manuel dont il a lui-même recommandé l'achat, cela pousse à la réflexion.

Son interlocuteur se reprocha un moment de ne pas s'être mieux informé du déroulement de cette fameuse leçon. Il détestait apprendre le fil des événements de la bouche même de l'accusée.

— Je veux bien admettre que le savant professeur McTeer, convaincu qu'aucune femme ne devrait apprendre la médecine, a voulu prouver que nous ne pouvions entendre certains mots sans perdre conscience. Des mots comme pénis, testicules, scrotum, érection, éjaculation…

Thalie s'arrêta pour fixer son vis-à-vis dans les yeux.

— Vous voyez, non seulement je peux les entendre, mais aussi les prononcer sans m'effondrer. Tout le monde à la Faculté peut être rassuré à ce sujet. Une femme peut devenir médecin. D'ailleurs, n'est-ce pas déjà le cas dans de nombreux pays ?

Son sourire interrogateur avait quelque chose de désarmant. Elle continua :

— Une pensée me trouble cependant. Peut-être le professeur McTeer ressentait-il un émoi coupable à utiliser ces mots devant deux jeunes femmes inexpérimentées, ignorantes des choses de la vie. En tout cas, moi, je le suis.

— … Mademoiselle Picard !

— Oh ! Je ne fais que formuler une hypothèse, vous jugerez mieux que moi de la situation. Je vous fais entièrement confiance, à ce sujet. Je ne vous ferai pas perdre votre temps plus longuement. Je vous remercie d'avoir bien voulu m'écouter.

Thalie se leva sur ces mots. Le doyen Mann fit de même, afin de la raccompagner. Avant d'ouvrir la porte, il lui tendit la main en disant :

— Je vous souhaite bonne chance pour la poursuite de vos études.

Elle lui montra toutes ses dents dans un sourire resplendissant qui lui mit des fossettes aux joues, puis elle ajouta :

— Je suis terriblement présomptueuse, docteur. Aussi longtemps que le succès scolaire tiendra à l'intelligence, au travail et à la détermination, je regarderai l'avenir avec confiance, sans me fier à la chance.

— Nous serons tous les deux attentifs à ce que ces règles ne changent pas.

Quand la porte du bureau se ferma dans son dos, les yeux clos, la jeune fille laissa échapper un soupir de soulagement. Au moment de quitter les lieux, elle adressa un salut de la tête à la secrétaire.

— Alors, je ne vous souhaite pas bonne chance, mademoiselle Picard.

L'employée jeta les yeux en direction de la porte du bureau de son employeur. Au-dessus de celle-ci, le panneau vitré était grand ouvert, afin de laisser circuler l'air. L'entretien ne s'était pas déroulé à huis clos.

— Mais j'ai eu la chance de tomber sur un homme comme lui. C'est déjà très bien. Je vous souhaite une très bonne journée.

Son avenir universitaire lui paraissait plus prometteur que la veille.

~

Le début du mois de septembre s'accompagnait d'un ralentissement des affaires. Les ventes de la rentrée passées, il fallait attendre l'approche des fêtes de fin d'année pour revoir les clients se presser près de la caisse enregistreuse. Marie avait tout le temps de contempler la rue devant la vitrine. Juchées sur des tabourets, ses employées rêvassaient après avoir mis de l'ordre dans les divers étals.

Un peu avant six heures, un jeune homme poussa la porte, regarda autour de lui, un peu intimidé par cet environnement de jupons et de dentelles. Il enleva son chapeau de feutre et, en s'approchant du comptoir, il demanda :

— Madame, pourrais-je parler à Françoise ?

La marchande hésita juste un moment avant de répondre :

— Bien sûr. Elle se trouve à l'étage.

— ... N'ayez crainte, je ne la retarderai pas plus d'une minute.

Elle reçut cette promesse de ne pas détourner son employée de son travail avec un sourire contraint. Au moment où il s'engageait dans l'escalier, elle le jaugea d'un regard discret : grand, mince, un visage aux traits réguliers, il paraissait plutôt bien.

— ... Pas autant que Mathieu, tout de même.

La remarque, formulée à voix basse, attira l'attention d'une vendeuse. Aussi poursuivit-elle le cours de sa pensée, cette fois sans remuer les lèvres. « Mais lui ne joue pas à la guerre en Europe. Cela fait toute la différence. »

En arrivant sur le palier, Gérard reconnut sans mal la jolie personne ayant partagé quelques heures avec lui sur la terrasse Dufferin.

— Mademoiselle, dit-il, faisant tourner nerveusement son chapeau entre ses doigts, j'espère que vous allez bien.

— ... Je vais bien. Je n'attendais plus de vos nouvelles.

Le ton contenait un soupçon de reproche.

— J'aurais voulu venir plus tôt, mais le travail...

Dans ce délai, les obligations professionnelles avaient pesé moins lourd que sa timidité. Un silence un peu embarrassé s'installa entre eux. À la fin, le jeune homme s'enhardit suffisamment pour oser demander :

— Il sera bientôt six heures. Accepteriez-vous de venir marcher un peu avec moi ?

Il ajouta après une hésitation :

— La température est très douce, nous pourrions aller sur la terrasse Dufferin.

La jeune fille demeura songeuse, puis elle murmura :

— Ce soir, j'ai bien peur que ce ne soit pas possible. J'ai à faire, tout à l'heure.

Instinctivement, elle désirait ne pas paraître condamnée à l'attente du bon parti. Elle préférait laisser entendre que l'on se disputait ses faveurs. Comme elle demeurait silencieuse, le pauvre Gérard afficha une mine bien déçue.

Il en était à regretter sa démarche et à mettre en cause son pouvoir de séduction quand elle ajouta enfin :

— Mais si votre offre tient encore demain…

Cette fois, Françoise trahissait sa propre hésitation à accepter, qui tenait à la fois à sa propre timidité, au moins aussi grande que celle de son vis-à-vis, et à un lourd sentiment de culpabilité. Les deux jeunes gens demeuraient l'un en face de l'autre, empotés, incertains de la suite à donner à l'échange.

— À la même heure ? bredouilla enfin le jeune homme. Je veux dire, à six heures ?

— Oui. Je vous attendrai devant le commerce.

Il lui adressa le sourire d'un enfant tout d'un coup rassuré, bafouilla :

— Je vous remercie, mademoiselle Françoise. À demain. Je vous quitte, je ne veux pas vous empêcher de travailler.

Il descendit bien vite l'escalier, adressa un « Bonsoir, madame » fort courtois à Marie avant de passer la porte en remettant son chapeau.

Moins de deux minutes plus tard, les vendeuses descendaient au rez-de-chaussée afin de récupérer leurs gants et leur chapeau dans la pièce de repos située au fond du commerce. Quand elles sortirent, l'« invitée » de la maison se manifesta à son tour. Elle annonça à l'intention de son hôtesse, fort hésitante :

— Je lui ai dit oui.

À ce moment, Marie lui tournait le dos, occupée à verrouiller la porte. Quand elle se retourna, elle contempla Françoise un moment. Son silence fut si long que la jeune fille indiqua, de plus en plus mal à l'aise :

— Il est venu me demander de marcher avec lui… demain. J'ai dit oui.

La précision demeura sans réponse. Au bord des larmes, l'autre continua :

— … Je suis mauvaise.

Son interlocutrice ouvrit les bras en lui adressant un regard empreint de tristesse et de sollicitude. Françoise se précipita dans un bruissement de tissu. La femme la pressa contre elle en disant :

— Ne dis pas une chose pareille. Ne le pense même pas, car ce n'est pas vrai, bien au contraire.

— … Mais Mathieu compte sur moi. Je me suis engagée…

Marie se recula pour regarder les grands yeux gris, elle posa ses doigts sur la bouche afin de la faire taire, puis elle murmura :

— Tu ne fais rien de mal, je t'assure. Mon fils est parti depuis treize mois. Tu ne peux pas l'attendre toute l'éternité. Ne refuse pas de vivre.

— S'il revient…

Le conditionnel blessa la mère, lui donna envie de crier : « Ne doute pas, je te l'interdis ! Il reviendra ! » À la place, elle déclara à voix basse :

— Tu verras au moment de son arrivée. À ce moment, tu prendras la meilleure décision, j'en suis certaine. Si tu écoutes ton cœur, tu ne pourras pas te tromper.

Des larmes coulaient sur les joues de la jeune fille. Elle renifla tout en hochant la tête.

Le lendemain, Catherine Baker se trouvait à demi étendue sur son lit. Thalie, assise sur la chaise placée près de la table de travail, achevait de raconter sa rencontre avec le doyen de la Faculté de médecine. Sa compagne fixait sur elle de grands yeux incrédules.

— Tu as osé dire cela ?

— Dans deux mois, nous ferons des dissections. Je ne voulais pas attendre que ce vieil imbécile me lance des bouts d'intestin, ou plus probablement des testicules, au visage avant de signaler son comportement. En me demandant de le rencontrer, le doyen m'a fourni une occasion de le faire.

La grande jeune fille la regardait avec des yeux un peu étonnés.

— Tu parais pourtant bien timide.

— Je ne le suis pas vraiment. Réservée, oui, mais pas timide. Tu sais, à sept ou huit ans, je recevais les clientes dans le commerce de papa. Alors parler aux gens ne me trouble pas.

— Tu as de la chance. Moi, je serai une avocate timide.

— Pas tant que cela.

Elles pouffèrent de rire. Catherine faisait un effort pour marcher vers les inconnus, tendre la main et se présenter. Toutes les nouvelles venues à la pension Milton la connaissaient déjà, deux jours après le début de la session universitaire.

— Comme tu es familière avec les vêtements, veux-tu m'accompagner en ville ? Je cherche une robe.

— Cela me fera plaisir.

— Je vais à côté et je te rejoins en bas.

Si la chambre de cette pensionnaire était un peu plus grande que les autres situées sous les combles, elle se trouvait dans la pièce contiguë aux toilettes. Elle se serait bien passée de la proximité immédiate de cet « à côté ».

Quelques minutes plus tard, bras dessus, bras dessous, elles marchaient en direction sud, vers la rue Sainte-Catherine. Avec une certaine tristesse, Thalie découvrait que le monde de ses origines lui serait bientôt étranger. Déjà, le souvenir de ses longues conversations avec Françoise prenait de la fadeur. À la pension, toutes les filles connaissaient les classiques de la littérature anglaise, les derniers événements politiques, elles frémissaient toutes d'espoir et d'inquiétude devant leur avenir professionnel. Catherine passait sans hésiter de George Elliot à une notion du droit civil atrocement ingrate pour les femmes, avant de poser une question pertinente sur les mystères de l'anatomie masculine.

Toutes ces étudiantes lui ressemblaient, elles seraient ses sœurs, désormais. Ensemble, elles rêvaient de repousser les murs dressés par des hommes aussi obtus que le docteur McTeer, pour les empêcher de s'épanouir. Thalie devenait membre d'une coterie, d'un club même, voué à sa propre émancipation. Bientôt, et cela l'attristait, elle regarderait sa mère et même Françoise avec condescendance.

— Tu es certainement déjà allée dans les grands magasins de Montréal ? demanda Catherine.

— Deux fois, quand mon père vivait. Depuis, ma mère est seule à la tête du commerce, cela lui laisse moins de temps. Surtout, personne ne peut prendre le relais si elle s'absente. Mais nous avons aussi des grands magasins à Québec.

— À Sherbrooke aussi… pouffa l'autre. Tout de même, ma mère m'emmenait ici deux fois par an, au moment de renouveler la garde-robe familiale.

Elle avait dit « ici » en faisant un grand geste de la main pour montrer la rue Sainte-Catherine, dans laquelle elles venaient de s'engager.

— Nous pouvons aller chez Morgan, juste ici. Ogilvy's se trouve plus loin vers l'ouest. Les vêtements y sont très beaux et très chers.

La jeune fille hésita, posa les yeux sur une vitrine montrant des aspirateurs électriques Hoover, puis baissa la voix d'un ton pour admettre :

— Mes moyens ne sont pas illimités. Mon père n'est pas convaincu de l'utilité de payer des études universitaires à une fille. Il aurait préféré acheter une grosse voiture, je crois. En vérité, je pense qu'il paierait aussi une voiture au premier garçon prêt à m'épouser.

Après une nouvelle hésitation, elle poussa plus loin sa confidence :

— Je serai toujours reconnaissante à ma mère, car elle plaide ma cause de façon redoutable… Elle a menacé de le priver du lit conjugal s'il ne me permettait pas de m'inscrire en droit.

De nouveau, un rire nerveux souligna sa confession. Thalie lui serra l'avant-bras de la main pour la rassurer. L'autre n'entendait pas demeurer la seule à se livrer :

— Alors, je vis dans une pension assez défraîchie et je compte les sous au moment de m'acheter une robe. De ton côté... es-tu riche ?

— Je vis dans la même pension que toi et je compte tellement mes sous que tous mes vêtements viennent du magasin de maman. Je m'habille au prix du gros.

Cette façon de se dérober ne suffirait pas à alimenter une amitié naissante. Après une pause, elle se fit plus explicite :

— Dans son testament, papa m'a laissé le fruit de ses assurances-vie. Il est mort à bord de l'*Empress of Ireland*...

Sa compagne s'arrêta net, porta la main à sa bouche en laissant échapper un « Oh ! » désolé. Avant de l'entendre présenter des condoléances tardives et de s'étendre sur le sujet de la grande catastrophe maritime, Thalie s'empressa de suggérer :

— Allons d'abord regarder chez Ogilvy's. À ce moment de l'année, ils ont certainement des robes en solde. Aucun commerçant n'aime entreposer sa marchandise tout un hiver. Si tu ne trouves rien, nous ferons les magasins en revenant sur nos pas.

La grande jeune fille se laissa guider par sa compagne. Après un moment, elle demanda :

— Ton père ?...

— Il m'a laissé ses assurances-vie. Mon frère a reçu des actions dans un commerce, celui de mon oncle, en fait, et ma mère, le magasin. Il a écrit dans son testament que l'argent devait me permettre de réaliser mes rêves. La somme suffit à mes besoins : je loge à la pension Milton, j'étude à McGill et je compte mes sous.

— Mais tu ne rends de compte à personne. C'est un avantage.

— Sauf à mon père…

Comme l'autre posait sur elle un regard soupçonneux, elle ajouta :

— Il me visite dans mes rêves.

Paraître un peu étrange ne la rendait pas moins attachante. Catherine posa sa main sur l'avant-bras solidement tenu contre son flanc et la laissa là pendant tout le trajet.

Le magasin Ogilvy's fournissait des marchandises luxueuses à une clientèle de langue anglaise essentiellement. Depuis une dizaine d'années, il occupait un magnifique édifice de pierres grises de style roman. Sur la façade et les côtés, les fenêtres coiffées d'arches se prolongeaient jusqu'au troisième étage. En conséquence, tout l'intérieur se trouvait noyé de lumière naturelle.

À cause de la guerre, les étals se révélaient assez dégarnis. Des affiches de recrutement militaire devaient réconcilier les clientes avec d'aussi modestes approvisionnements. Après tout, les couturières des chics ateliers londoniens devaient confectionner des uniformes depuis l'automne de 1914.

Tout de même, les deux jeunes filles dénichèrent des robes dans les recoins les plus improbables. Thalie trouva une tenue d'un bleu profond, inspirée du costume matelot.

— Tu devrais essayer cela.

— … C'est trop cher, souffla l'autre, rougissante.

— Pour essayer, ils ne demandent rien.

Elle se laissa fléchir, se dirigea vers une cabine avec son amie, escortée d'une vendeuse sceptique. Elle en sortit un instant plus tard, intimidée, en disant :

— C'est un peu court.

— Maintenant, tu ne peux plus nier, tu as des jambes.

L'autre éclata de rire. Le bas de la robe descendait tout au plus à quatre pouces sous les genoux.

— À voir certaines grosses femmes dans la rue, on pourrait penser qu'elles sont montées sur des roulettes. Désormais, tous sauront la vérité. Allez, tourne-toi.

Sur ces mots, l'étudiante quitta son siège pour s'approcher, replaça le grand col de matelot dans son dos, tira un peu sur le tissu à la hauteur des hanches.

— Elle tombe très bien. Cela te fait une belle silhouette.

— Mais je ne peux pas me la permettre, murmura Catherine.

— Madame, commença Thalie à l'intention de la vendeuse, c'est votre meilleur prix?

La vieille femme déplaisante hocha la tête, lasse de ces deux étudiantes sans le sou qui n'achèteraient rien.

— Au lieu de recevoir un bon prix aujourd'hui, vous la sacrifierez au printemps, après des mois dans un sous-sol poussiéreux. Êtes-vous certaine de ne pouvoir faire mieux?

Après un silence, en regardant son amie avec un air complice, elle continua:

— Dans ce cas, allons voir si les employées de monsieur Morgan ont mieux appris leur leçon, au sujet de la gestion des stocks.

Quand la plus grande sortit de la cabine un instant plus tard, la vendeuse récupéra la robe bleue d'un geste rageur. En mettant le pied sur le trottoir, Catherine s'esclaffa en disant:

— Vraiment, tu n'es pas timide... Moi, cela me gêne d'essayer un vêtement que je ne peux pas payer. Puis, tu as vu ses yeux sévères!

— Elle ne se rend pas compte que tu seras un jour une avocate célèbre. Un peu de gentillesse aujourd'hui, et elle avait une cliente fidèle pour les cinquante prochaines années.

Le chemin du retour, jusque chez Morgan, leur prit plus d'une heure, tellement de nombreuses vitrines retinrent leur attention. Puis elles entrèrent dans un grand immeuble de pierres rougeâtres, lui aussi de style roman. Il recelait de la marchandise américaine consentie à des prix raisonnables. En sortant, un grand sac de papier brun à la main, Catherine remarqua:

— Tu ferais une meilleure vendeuse que ces filles.

— J'ai dix ans d'expérience.

— Dire que tu veux gâcher ce talent en devenant médecin.

— Je vendrai des cures miracles, comme le docteur Kellogg.

Elles pouffèrent de rire encore une fois. Catherine crut bon de rectifier :

— W. K. Kellogg n'a jamais été médecin.

— Si tu ne le répètes pas, personne ne le saura. En dix ans, il a pu mettre ses fameuses boîtes de céréales sur toutes les tables d'Amérique du Nord, au petit déjeuner. Grâce à lui, la constipation a été vaincue !

Pendant tout le trajet, elles prouvèrent que les carabinettes valaient les carabins, question d'humour de potache.

~

Debout sur le trottoir, en face du commerce ALFRED, Françoise Dubuc paraissait avoir été mise en pénitence. Elle faisait les cent pas sur le trottoir. Bientôt, elle aperçut Gérard venant à sa rencontre, lui adressa un sourire hésitant tout en songeant que son patronyme lui était toujours inconnu. Intimidés tous les deux, un peu gauches, ils se serrèrent la main. Ils demandèrent tous les deux simultanément :

— Comment allez-vous ?

La situation les fit éclater de rire, ce qui leur permit de se détendre un peu.

— Je ne vous ai pas fait attendre trop longtemps, j'espère ? questionna l'homme.

— Pas du tout. Se donner rendez-vous "après le travail" demeure un peu imprécis.

— Surtout dans un commerce. Les employeurs exagèrent souvent.

Un grand débat faisait actuellement rage dans toute la province. Des associations catholiques réclamaient que les propriétaires ferment « à bonne heure ». Dans quelques mois, des associations de marchands s'entendraient pour cesser de recevoir des clients après sept heures, sauf le vendredi, où ils ouvriraient jusqu'à onze heures. Les horaires de travail interminables continueraient donc de prévaloir.

— Dans ce commerce-ci, précisa Françoise, la patronne se comporte comme une bonne mère de famille. Toutes les employées peuvent souper en famille… à condition que ce soit après six heures. Selon elle, aucune femme n'a de bons motifs pour chercher une robe en soirée.

— Il s'agit de la dame aux cheveux très foncés que j'ai vue hier ?

Gérard dit cela en tendant le bras. Sa compagne posa la main sur le pli de son coude après une hésitation à peine perceptible. Au moment où ils se mettaient en marche vers la cathédrale, elle répondit :

— Oui, c'est elle. Elle s'occupe seule du commerce depuis la mort de son mari.

— Je me souviens, il est mort dans un naufrage juste avant la guerre.

Personne dans la ville n'avait pu ignorer la catastrophe. Peut-être ce jeune homme faisait-il partie de la multitude de curieux présents aux funérailles.

— Êtes-vous apparentées ? questionna-t-il encore. Je veux dire, ce ne sont pas tous les employeurs qui fournissent le gîte, et aussi le couvert sans doute, à leur personnel.

— Je suis même blanchie. Nous ne sommes pas vraiment apparentées…

Françoise se sentit un peu rougir. Son père serait bientôt attablé auprès de sa maîtresse, pour un repas en tête-à-tête, avant de passer avec elle une soirée intime. Quand elle reviendrait un peu plus tard, sans doute seraient-ils enfermés dans la chambre à coucher. Comment qualifier une relation de ce genre, lors d'une première rencontre avec un jeune homme ? S'il apprenait la véritable nature de la situation, Gérard prendrait sans doute la fuite bien vite, peu désireux de fréquenter une jeune fille exposée à un comportement tellement immoral.

— Non, il n'existe pas de lien de parenté, reconnut-elle après une longue hésitation. Cette dame est veuve, mon père est veuf aussi. Disons qu'elle est devenue une amie de la famille.

Elle s'attendait à ce que son compagnon pousse un peu plus loin son inquisition. Ce ne fut pas le cas. Il l'entraîna jusqu'à la place d'Armes. L'endroit se trouvait déjà envahi de soldats bénéficiant d'un droit de sortie pour la soirée.

— Vous n'avez pas été touché par la conscription ? demanda la jeune femme, heureuse de trouver un sujet de conversation moins compromettant que sa propre situation.

— Non, je suis âgé de plus de vingt-trois ans. Bien sûr, si le conflit se prolonge, je serai probablement appelé. Je compte parmi la prochaine classe.

— Il est peu probable qu'on en vienne là. Les journaux évoquent des pourparlers de paix depuis plusieurs semaines.

— Je souhaite que vous ayez raison. Mais le président des États-Unis pose de nombreuses conditions, dont la capitulation inconditionnelle de l'Allemagne. Le kaiser semble très soucieux de gagner sur les champs de bataille le droit à une paix plus honorable qu'une reddition complète.

Ils arrivaient aux pieds de la statue de Champlain. Françoise leva les yeux vers le monument de bronze, s'émut au souvenir de son séjour à Québec lors des grandes festivités de 1908. Petite fille alors, il lui semblait avoir passé toute la durée de son séjour dans la capitale pendue au bras de sa mère.

— Et le kaiser ne paraît pas s'émouvoir des milliers de morts que coûtera son ambition, renchérit-elle bientôt.

— Vous intéressez-vous à la politique ?

— Depuis 1914, tout le monde s'intéresse à la politique, ne croyez-vous pas ?

Elle se surprenait à vouloir lui plaire. Cela signifiait parfois feindre l'ignorance de certains sujets peu compatibles avec la « nature féminine ». De nombreux hommes se seraient inquiétés d'avoir à leur bras une personne « du sexe » trop intelligente ou trop bien informée. Elle ne connaissait pas assez son compagnon pour avoir une idée de ses préférences à ce sujet.

— Vous avez raison, en effet. Je me surprends à connaître le nom de politiciens autrichiens, ou même russes, depuis octobre 1917.

— Et même ceux d'endroits étranges, comme Boezinge en Belgique.

Le dernier petit carton reçu de Mathieu lui était revenu en mémoire, tout d'un coup. Au fond, par son absence même, le militaire demeurait étrangement présent dans sa vie. Elle avait la vague impression de le sentir derrière elle, l'oreille tendue, les yeux aiguisés, afin de la prendre en défaut.

Ils cherchèrent un banc libre à proximité du kiosque. Il était trop tôt pour profiter de la musique. Toutefois, la beauté de l'endroit suffisait à les combler. Le soleil, bas sur l'horizon, allongeait les ombres, jetait des flaques d'or sur le côté escarpé de l'autre côté du fleuve. Les traversiers et les navires de commerce se livraient à un étrange ballet. La première gêne dissipée, les jeunes gens se sentaient bien l'un avec l'autre, au point de partager de longs silences sans ressentir le besoin de les combler par un babillage empesé.

Après une heure à contempler le panorama splendide, Gérard osa proposer :

— Tout comme moi, vous n'avez sans doute pas soupé. Que diriez-vous de m'accompagner dans un restaurant des environs ?

— ... Ce n'est pas nécessaire.

— Tôt ou tard, s'alimenter devient une nécessité. Je veux bien admettre que tous les deux nous pourrions attendre encore un peu avant d'en arriver là. Mais nous pourrions aussi partager un repas pour le plaisir. Je serais heureux de vous inviter. Je vous laisse désigner l'endroit.

La jeune femme sourit à son compagnon, puis proposa après une brève réflexion :

— Il y a un petit restaurant près de la boutique...

— Je connais. Allons-y.

Il se leva, lui offrit de nouveau son bras. Elle avait choisi un établissement plutôt modeste, certainement à la portée de la bourse d'un employé de banque. Surtout, il se trouvait à deux pas du magasin. Malgré l'étrangeté de la situation, la proximité de Marie se révélait rassurante. Le repas se passa tout doucement, la conversation porta sur des sujets parfois graves, comme l'actualité militaire, parfois plus légers, comme les derniers films à l'affiche ou encore la douceur du temps.

À la fin, ce fut presque à neuf heures que Françoise exprima le désir de rentrer à la maison. Son compagnon régla l'addition, parcourut en la tenant par le bras les quelques pas les séparant de la porte de chez ALFRED. Au moment où elle cherchait sa clé dans son petit sac, il articula, de nouveau mal à l'aise :

— Mademoiselle, j'ai beaucoup apprécié ces moments passés avec vous. M'autorisez-vous à vous inviter une autre fois ?

— Ce fut très agréable et je vous en remercie. Toutefois, avant de vous répondre, je dois préciser quelque chose.

Dans le halo jaunâtre d'un réverbère, elle constata la mine soucieuse de son compagnon. D'une voix hésitante, elle continua :

— Il y a un an, un homme auquel j'étais terriblement attachée s'est enrôlé. Il se trouve en Belgique depuis tout ce temps.

— ... Vous êtes fiancée ?

Françoise se posait la même question depuis des semaines. Elle s'était entichée de Mathieu au sortir du couvent. En des temps plus propices, leur relation se serait vraisemblablement soldée par un mariage, au terme des études de droit du garçon. Des fiançailles bien officielles auraient sans doute marqué 1918.

Mais son compagnon en avait décidé autrement. L'homme qu'il était devenu lui aurait sans doute paru étranger aujourd'hui. Une année passée sur le front ne devait avoir rien laissé du garçon trop sage rompu à la vente de vêtements féminins.

De son côté, apprécierait-il son attitude un peu plus délurée, résultat des derniers mois passés dans le commerce ?

Elle rompit finalement le long silence en disant :

— Je ne sais pas si ma réponse vous paraîtra bien nette, mais je ne peux faire mieux. Nous ne sommes pas vraiment fiancés, mais au moment de nous quitter, nous pensions certainement l'être.

Un lourd silence prévalut entre eux.

— Et aujourd'hui, comment définissez-vous votre situation ? insista Gérard.

— J'ai l'impression de traîner un fantôme dans ma vie. Je ne suis plus certaine de rien.

— Et lui, de son côté ?

Cette question hantait la jeune femme. Étaient-ils deux, de part et d'autre de l'Atlantique, à s'interroger sur le lien qui les unissait ? L'expression « loin des yeux, loin du cœur » se révélait limpide. D'un autre côté, signifiait-elle qu'au moment de se revoir, les sentiments qui étaient les leurs pendant l'été de 1917 s'imposeraient encore à eux dans toute leur force ?

— En vérité, je ne le sais pas du tout. Je reçois toutes les six semaines environ un carton où il est écrit quelque chose comme : "Je vis dans la boue. On a dû amputer la moitié du pied d'un de mes hommes à cause du mal des tranchées." Des mots de ce genre donnent une idée bien vague de l'évolution des sentiments de quelqu'un.

Elle simplifiait terriblement la teneur de la correspondance échangée. Parfois, Mathieu lui écrivait : « Ne m'attends pas, ne gaspille pas ta vie. Je ne sais pas si je sortirai d'ici vivant ou dans quel état. » D'autres fois, le message pouvait se limiter à : « Je pense à toi à chaque seconde, c'est cela seulement qui m'empêche de devenir fou. » Ne connaissant ni le moment précis ni le contexte de la rédaction de ces messages, Françoise ne savait trop comment les interpréter.

Plus expérimentée, sans doute aurait-elle su les relier aux longs moments d'attente épuisants, entrecoupés de l'immense frayeur des jours où se produisaient des actions militaires.

— Je crois plus honnête de vous le dire. De nombreuses jeunes filles de Québec offrent sans doute une situation personnelle plus… claire que la mienne.

Son compagnon demeura encore hésitant un moment, avant de lui dire avec un sourire contraint :

— Pour cela, vous avez raison. Avec tous les hommes absents, ceux qui restent gagnent en popularité…

Cette façon de présenter les choses, peut-être indélicate, demeurait vraie. Les garçons célibataires devenant rares, leur succès augmentait. Il tempéra la remarque en ajoutant :

— Mais bien peu de ces jeunes personnes me semblent aussi séduisantes que vous. Accepterez-vous de sortir encore avec moi ?

— … Ce sera avec plaisir, soyez-en assuré.

Elle tendit la main, il la prit dans la sienne.

— Dans ce cas, je reviendrai vous distraire de votre travail, comme je l'ai fait hier, pour vous proposer un rendez-vous.

Il allait s'en aller quand un souvenir lui revint à l'esprit :

— Vous occupez la chambre du fils de votre patronne. C'est lui ?

— … Oui.

— Elle ne me recevra pas plutôt froidement ?

Il imaginait une scène du plus mauvais goût, lors de sa prochaine visite.

— Non. Vous n'avez rien à craindre. Elle comprend très bien ma situation.

— Alors, à bientôt.

Le jeune homme tourna les talons pour descendre la pente assez accentuée de la rue de la Fabrique. Françoise le regarda s'éloigner pendant un moment, puis elle poussa la porte en soupirant.

Certains jours où il se rendait à l'Hôtel-Dieu, Charles Hamelin préférait emprunter le chemin Sainte-Foy, puis la rue Saint-Jean. Les vitrines des magasins attiraient son regard distrait. Le temps de bifurquer sur la côte du Palais et la grande masse grise de l'hôpital s'imposait à lui. À l'intérieur, une odeur particulière prenait aux narines, semblable à celle de tous les établissements de ce genre.

« L'odeur de la misère et de la peur », se répétait-il peut-être pour la cent millième fois. Un nez plus fin que le sien aurait reconnu l'encaustique, l'alcool et la sueur, dans ce bouquet prenant.

Depuis quelques jours, plusieurs de ses patients présentaient une toux tenace. Il allait d'une salle à l'autre, son stéthoscope autour du cou, multipliant les bons mots et les médicaments à l'efficacité douteuse. Au moment où il allait entrer dans la dernière d'entre elles, il aperçut une religieuse augustine marchant vers lui d'un pas vif.

— Bonjour, ma mère, commença-t-il avec un sourire témoignant d'une connivence de quelques années déjà. Comment s'est passée la fin de semaine ?

— Bonjour, docteur. Les admissions se font de plus en plus nombreuses, alors ces derniers jours ont été fort occupés.

— Toujours cette mauvaise grippe ?

— ... La plupart du temps, oui.

Le praticien laissa échapper un soupir de lassitude. Tous les ans, cette infection revenait inlassablement, toujours dangereuse pour les plus âgés.

— Tout de même, c'est curieux, l'été ne se terminera que dans une semaine. D'habitude, cela survient au plus fort de l'hiver.

— La chose n'est pas inédite, pourtant, commenta la religieuse. J'espère seulement que nous ne revivrons pas la réédition de l'épidémie de 1885.

— Vous deviez être une toute jeune fille, alors. Vous en souvenez-vous vraiment ?

Un bref moment, le visage de la femme s'éclaira au souvenir de ces années. La lourde coiffe blanche et l'habit de grosse toile, ample au point de gommer sa silhouette, ne suffisaient pas à faire oublier tout à fait la personne qui, en son temps, avait fait se retourner des têtes.

— Cessez vos flatteries, je m'en souviens même plutôt bien. Les corbillards paraissaient toujours en mouvement dans les rues, les cloches des églises sonnaient le glas avec une affreuse régularité.

— Quant à moi, je ne me rappelle de rien, mais les professeurs de la Faculté de médecine nous en ont beaucoup parlé. Avec un peu de chance, nous éviterons la répétition de ces événements. Puis, nous sommes mieux armés qu'à l'époque pour y faire face.

Elle préféra taire son scepticisme devant les avancées de la science moderne. Le médecin marqua une pause, puis continua :

— Voulez-vous me parler d'un cas en particulier ?

La directrice ne passait tout de même pas ses journées à rechercher les rencontres avec lui, même pour le plaisir d'une allusion à sa jeunesse.

— L'une des personnes dont vous avez demandé l'admission a connu une très mauvaise nuit.

La religieuse passa la porte de la salle la plus proche. Une douzaine de lits s'alignaient de part et d'autre d'une allée centrale. Tout de suite, le docteur Hamelin perçut la respiration sifflante d'un commis de vingt-deux ou vingt-trois ans. En s'approchant de sa couche, il distingua la pâleur du patient, ses lèvres, et même la peau de son visage, un peu bleuies.

— Docteur, plaida une voix à peine audible, je suis très malade.

L'affirmation se révélait cruellement exacte. Le médecin posa les bouts de son stéthoscope dans ses oreilles, déplaça le disque de métal sur la poitrine maigre, couverte de sueur, du jeune homme. Un chuintement malsain venait des poumons, alors que le rythme cardiaque s'affolait un peu. Le mucus devait s'accumuler dans les alvéoles, privant d'oxygène tout l'organisme.

— Votre vilaine grippe se transforme en pneumonie, j'en ai bien peur, expliqua-t-il en prenant la main droite de son patient dans la sienne.

Les doigts étaient très froids, les ongles d'un vilain violet. L'autre ferma les yeux, puis les ouvrit bientôt pour exprimer sa terreur nue.

— C'est grave ?

— Oui.

— Je vais mourir ?

Respirant avec une extrême difficulté, un pareil dénouement hantait l'esprit du malade depuis des heures. Hamelin chercha à se faire rassurant :

— Nous allons nous attaquer à cette complication. Vous êtes jeune, robuste…

Le ton sonnait un peu faux, aussi il préféra s'arrêter. Il échangea un regard avec la directrice de l'institution et jugea bon d'ajouter :

— Tout de même, comme nous vous soignons, mais que Dieu seul peut guérir, vous devriez parler un peu avec l'aumônier. Cela ne nuira pas à votre santé, bien au contraire.

Ce serait à ce dernier d'évoquer la confession et, sans doute aussi, l'extrême-onction. Le malade ferma les yeux, trop faible déjà pour se révolter contre le sort. Hamelin se déplaça au pied du lit, actionna la manivelle d'un mouvement énergique tout en expliquant à la jeune religieuse responsable de la salle :

— Gardez-le toujours en position assise, cela facilitera sa respiration.

— Dans son état de faiblesse…

— Placez des oreillers sous ses bras pour aider à le soutenir. Demeurer à plat sur le dos augmente beaucoup son inconfort.

Elle fit un signe d'assentiment. Le docteur continua :

— Allez me chercher une seringue de camphre.

Elle s'esquiva en direction de la pharmacie de l'hôpital. Le docteur revint vers le chevet du malade pour demander :

— Respirez-vous un peu mieux, maintenant ?

— ... Oui, un peu, je crois.

Le patient adoptait le ton du bon élève, désireux de plaire au maître. Hamelin demeurait toutefois convaincu que dans quelques minutes, ce jeune homme se sentirait légèrement mieux, sans que cela ne change vraiment la suite des choses. L'hypothèse se confirma quand celui-ci murmura :

— Quand pourrai-je sortir d'ici ? Si je ne reviens pas très vite au travail, mon employeur va me remplacer.

Se préoccuper de ce genre de chose, c'était une autre façon de nier la gravité du mal.

— Ne pensez pas à cela, songez seulement à vous reposer. Le seul avantage de la guerre, c'est que les emplois sont devenus plus nombreux que les travailleurs. Personne ne vous volera le vôtre.

— Avec tous les gars qui ont été conscrits...

L'autre s'interrompit dans une quinte de toux. Son vain retour à ses préoccupations habituelles s'arrêterait là. Son visage bleuit encore un peu plus sous l'effort. Quand il remit sa tête sur l'oreiller, les yeux posés sur le médecin rappelaient ceux d'une bête aux abois, traquée par un ennemi implacable.

Heureusement, la religieuse arriva à ce moment avec une seringue à la main.

— Ceci va vous faire le plus grand bien, déclara le docteur en enfonçant l'aiguille dans le bras.

Le malade se désespérait de le croire. Un rictus sur ses lèvres pouvait passer pour un sourire. Avant de se lever, le praticien toucha encore la main froide et moite, échangea un regard avec lui.

Au moment où il tendit la seringue vide à la jeune augustine, celle-ci fut prise à son tour d'une quinte de toux. Quand elle retrouva sa contenance, il prit son menton entre le pouce et l'index pour contempler le petit visage, puis lui dit :

— Vous paraissez fatiguée.

— Ce n'est rien. Avec l'affluence des derniers jours, nous devons toutes redoubler nos efforts.

— Je comprends. Essayez tout de même de vous reposer.

Au moment où il sortait de la salle, la directrice lui demanda à voix basse :

— Que pensez-vous de l'état de cet homme ?

— L'injection va agir comme un coup de fouet. Mais ses poumons sont pleins de mucus. Il peut à peine respirer…

— Il ne passera pas la nuit.

Placée tous les jours en présence de patients depuis trente ans, cette femme savait établir ce genre de pronostic mieux que la plupart des médecins.

— … Vous avez probablement raison.

Il se déplaça vers la sortie de l'édifice, la directrice toujours à côté de lui.

— Cette jeune religieuse aussi a mauvaise mine.

— Nous sommes vraiment surchargées. Chacune de nos sœurs travaille plus de quatorze heures par jour.

— Vous l'avez comme moi entendue tousser. Laissez-la se reposer, tout comme ses consœurs, avant qu'il ne soit trop tard. Le moment serait mal choisi pour fermer vos portes, faute de personnel.

Son interlocutrice le dévisagea un moment, puis elle conclut :

— Je vous souhaite une bonne journée, docteur Hamelin.

— La même chose pour vous.

La femme s'en alla silencieusement dans le grand couloir au plancher poli par des millions de pas, la tête basse, la mine défaite.

~

Les journées se suivaient, éreintantes. Que sa carrière se trouvât maintenant bien en selle n'aidait guère Charles Hamelin à cet égard, bien au contraire. Sa notoriété croissante faisait en sorte que la salle d'attente de son cabinet ne désemplissait pas depuis un ou deux ans. La situation se révélait pire encore depuis la dernière semaine. Le médecin rentra à son domicile de la rue Dorion largement passé huit heures du soir. Élise l'accueillit à la porte, l'embrassa avant de demander :

— Les choses ne s'améliorent pas ?

— En vérité, elles semblent empirer. Mes journées se passent dans un concert de raclements de gorge et de toux déchirantes.

Elle posa les deux mains bien à plat sur la poitrine de son mari, esquissa une caresse pour le rasséréner un peu.

— J'ai gardé ton assiette dans le réchaud.

— Les enfants...

— Je les ai couchés il y a une demi-heure. Tu iras les embrasser avant d'aller au lit.

Pour ces repas tardifs, le médecin préférait l'ambiance familiale de la cuisine à celle, plus austère, de la salle à manger. Elle posa la pièce de viande sur la table, puis entreprit de faire chauffer de l'eau sur la cuisinière à charbon. Comme son époux tardait à saisir sa fourchette, elle questionna :

— Quelque chose ne va pas ?

— Je t'ai déjà parlé de l'un de mes patients, un jeune commis à la Banque de Montréal. J'ai dû le faire hospitaliser samedi dernier.

Elle hocha de la tête en signe d'assentiment. Ces événements continuaient aussi de hanter son esprit.

— Il est mort aux premières heures du jour, à l'Hôtel-Dieu.

Elle s'approcha pour poser une main consolatrice sur son épaule, attira sa tête contre ses seins pour une brève caresse.

— Ce n'est pas la première fois...

— Il avait vingt-trois ans, la vie devant lui. Te rends-tu compte ?

— Les gens ne devraient pas mourir à cet âge-là !

Enfin, les accidents et la tuberculose raflaient un certain nombre de vies tous les ans, il fallait accepter la fragilité de l'existence. Mais la grippe exerçait habituellement ses ravages sur les vieillards, parfois sur les jeunes enfants. Passé vingt ans, une personne jouissait de bonnes chances de vieillir.

— Essaie tout de même de manger un peu. Avec tes journées de travail interminables, tu dois reprendre des forces.

Il entama son repas sans enthousiasme. Au moment où sa femme entreprenait de laver la vaisselle du souper dans l'évier, il tendit la main pour prendre la copie du jour de *La Patrie*. Dès la première page, un titre le laissa interloqué.

— As-tu vu cet article ? On signale une épidémie d'influenza dans la région de Boston.

Un moment, elle regretta de ne pas avoir fait disparaître le journal, pour ne pas ajouter à ses préoccupations. Puis sa propre attitude lui parut puérile : cet homme se trouvait en première ligne quand il s'agissait de maladies. Toutes les informations l'aideraient à mieux intervenir.

— Oui, reconnut-elle à la fin. Il semble que l'infection soit particulièrement virulente dans les camps militaires.

— Tu as raison. Comme on y trouve une forte concentration de population vivant dans un espace restreint, cela se comprend.

Cet automne, les États-Unis comptaient aligner trois millions de soldats sur les champs de bataille européens. Les cantonnements de l'armée poussaient partout sur le territoire.

— Cette conjoncture aggravera considérablement la situation, reprit Charles après un silence.

— Comment cela ?

— Les recrues viennent de partout sur le continent. L'influenza va se déplacer avec elles en très peu de temps. Imagine un soldat enrôlé à Los Angeles que l'on affecte à New York ou Boston. Chemin faisant, tout le long du trajet en train, il est susceptible de contaminer des centaines de personnes, qui en contamineront d'autres ensuite.

Il parcourait l'article des yeux, sa fourchette suspendue entre le plat et sa bouche. À la fin, il la posa pour dire encore :

— L'auteur indique aussi que la population civile de la ville est durement touchée.

— Là comme ici, les militaires fréquentent assurément les tavernes, les cinémas, affirma Élise.

La notion de contagion et la dispersion des germes dans une population ne faisaient plus mystère pour elle.

— Et même en confinant ceux-ci dans de très respectables Chez-nous du soldat, le danger demeure. Des dames patronnesses vont distribuer des bas à leurs protégés, et sans le savoir, elles reviennent à la maison infectées à leur tour.

Les femmes de toute la Haute-Ville s'enthousiasmaient pour cette nouvelle œuvre sociale. Elles se transformaient en marraines de guerre, heureuses de tricoter ou de coudre pour ces jeunes hommes, mais aussi de les sortir en ville. Les plus motivées pousseraient le patriotisme jusqu'à entretenir une correspondance avec eux quand ils seraient sur le continent européen.

— Tous les hivers, nous subissons une épidémie de grippe, tenta Élise pour le rassurer. À part son caractère hâtif, peut-être que celle-ci ne se distinguera pas des autres.

— Le journal insiste sur le côté virulent de l'épidémie.

Face à sa mine inquiète, elle demanda :

— Crois-tu que la même maladie se répande présentement à Québec ?

— Impossible de le savoir avec certitude, mais des trains vont et viennent tous les jours entre le Canada et Boston.

Elle délaissa la vaisselle pour lui verser du thé, se servit elle-même une tasse avant de s'asseoir de l'autre côté de la table. En repliant *La Patrie*, elle demanda :

— Tu veux continuer de parler de cette grippe ou tu préfères entendre le récit détaillé de la journée de tes rejetons à l'école ?

Âgée de huit ans, Estelle avait entrepris sa troisième année chez les ursulines moins de deux semaines plus tôt. Les choses se passaient sans trop de heurts. Quant à Pierre, il mettait la patience des frères des Écoles chrétiennes à rude épreuve depuis un peu plus d'un an.

— Je présume que l'un et l'autre affichent une soif inextinguible de nouvelles connaissances.

— Entre autres choses, oui, ils montrent cela.

Ses yeux rieurs témoignaient de prédispositions moins rassurantes, mais du caractère somme toute bénin de leur délinquance.

— Comment se fait-il que deux personnes aussi sages et raisonnables que nous ayons pu donner naissance à deux petites personnes si résolues à n'en faire qu'à leur tête ?

— De nous deux, tu es le médecin. Cherche toi-même l'explication à ce mystère.

Elle s'engagea dans la narration en évoquant une journée d'école entamée avec une grenouille dans la poche du pantalon de son fils. Le dénouement impliquait la rencontre entre le batracien et un frère enseignant au sens de l'humour assez décevant, enclin à utiliser une courroie de cuir pour obtenir la docilité de ses élèves.

~

En plus d'occuper le poste de directeur de l'Académie commerciale de Québec, le frère Dosité s'occupait de la classe terminale du cours primaire supérieur. Devant lui, une vingtaine d'adolescents, âgés de seize et dix-sept ans, s'épuisaient sur un problème où il était question d'un prêt à intérêt composé pour l'achat d'un lot de chaussures.

— Ce genre de prêt, c'est de l'arnaque, marmonna un élève assis au dernier rang. Cela devrait être interdit par la loi.

« Sans compter qu'avec une pareille législation, les frères cesseraient peut-être de nous faire chier avec des questions aussi idiotes », continua-t-il en pensée.

— Saint-Pierre, si j'entends de nouveau votre voix, votre copie portera un gros zéro... de même que celles de vos camarades susceptibles d'avoir entendu vos murmures.

— Mais je n'ai pas donné la réponse !

— Cela suffit, continua le religieux, en faisant mine de se lever.

Son geste fut interrompu par la quinte de toux d'un garçon occupant un pupitre situé au premier rang. Le bruit agit comme un signal, en quelque sorte. Bientôt, cinq ou six autres se firent entendre. Le frère enseignant se laissa tomber sur sa chaise, plaça sa main devant sa bouche avec l'espoir d'empêcher les germes d'y pénétrer. Depuis le matin, un adolescent sur trois paraissait couver un vilain rhume.

Chapitre 9

Le vendredi matin, 20 septembre, le docteur Hamelin se trouvait de nouveau à l'Hôtel-Dieu, la sœur directrice à ses côtés. Une demi-douzaine de ses patients avaient été admis la veille. Il espérait les sauver tous, sans trop se bercer d'illusion, toutefois. Depuis le corridor, il entendait les quintes de toux se succéder, l'une se déclenchant avant même que la précédente ne se soit arrêtée.

— Les symptômes sont toujours les mêmes, résuma-t-il. Une immense fatigue, des douleurs musculaires, une bonne fièvre, puis la toux. La plupart du temps, les gens prennent du mieux très vite. Je dirais en un maximum de cinq jours. Parfois, les choses ne reviennent pas à la normale. Ces malades viennent alors me consulter à mon bureau.

— Et certains parmi eux connaissent de véritables complications, continua la religieuse.

— Les plus gravement atteints font une pneumonie.

— Dont un sur deux, à la fin, ne se remet pas, conclut la directrice.

Hamelin n'aurait pas su établir un constat de ce genre, limité à l'échantillon restreint de sa propre clientèle. Devant son regard interrogateur, son interlocutrice précisa :

— Je ne suis pas certaine de ce chiffre, mais notre morgue ne suffit plus à recevoir tous les corps, en attendant que les familles les récupèrent.

Ils avaient terminé de faire le tour des salles et le médecin pouvait déjà deviner que deux ou trois personnes iraient encombrer le petit local réfrigéré du sous-sol dans les vingt-quatre prochaines heures.

— Le plus étrange, c'est l'âge des victimes, murmura-t-il.

— De jeunes adultes. Ceux qui, habituellement, se remettent sans trop de difficulté d'une infection de ce genre.

Il acquiesça. Selon son expérience, à quelques exceptions près, seules les personnes âgées mouraient lors des épidémies de ce type. Dans le cas présent, les plus forts paraissaient plus exposés que les plus faibles.

— J'aimerais que vous examiniez l'une de mes sœurs, enchaîna la directrice. Vous l'avez aperçue il y a quelques jours.

Il lui emboîta le pas, gravit derrière elle un escalier conduisant sous les combles. Elle frappa à une porte, entra après une courte pause. Les religieuses augustines occupaient de petites chambres très modestement meublées. En plus du lit et d'une petite commode, on y trouvait un prie-Dieu placé devant une croix noire pendue au mur.

Une jeune femme se trouvait étendue de tout son long sous le drap, un corps mince, gracile même. Le visage, encadré de tissus, paraissait bien pâle, couvert de sueur. Hamelin remarqua la teinte bleutée des lèvres.

— Je vous reconnais, déclara-t-il, en prenant place sur le bord du lit étroit. Nous nous sommes rencontrés lundi dernier.

Quarante-huit heures auparavant, alerté par une toux creuse et des yeux cernés, il lui avait recommandé de faire attention à elle. Elle lui répondit d'un sourire fugace.

— Je vais vous examiner.

La jeune fille de Dieu se raidit un bref instant alors qu'il posait les extrémités de son stéthoscope dans ses oreilles. La directrice murmura :

— Attendez que je vous aide.

Elle préférait écarter elle-même les bords de la chemise, et les maintenir de façon à ce qu'il puisse passer le disque de son appareil sur la poitrine, sans jamais apercevoir les pointes des seins. Si la jeune vierge exprima d'un mouvement des yeux combien sa pudeur souffrait de la situation, le rose ne lui monta même pas aux joues.

« Son cœur ne bat plus avec assez de force pour cela », songea le médecin. Il enchaîna à haute voix :

— Soulevez-la un peu, j'aimerais écouter dans son dos.

La directrice passa doucement son bras autour des épaules de la sœur, l'aida à se mettre en position assise. Hamelin jugea inutile de relever la chemise de lin afin de poser son instrument sur la peau nue. Un moment plus tard, il aidait à la recoucher en disant à la malade :

— Il est préférable de vous descendre à l'infirmerie. Vous serez infiniment mieux dans un lit capable de vous maintenir en position assise, dans une pièce plus aérée que celle-ci.

L'homme prit une serviette dans une cuvette placée sur une table de chevet, essuya un peu le front luisant de sueur. Elle avait entendu la même recommandation deux jours plus tôt, pour voir le souffle du patient s'éteindre peu après.

— Je vais aller rejoindre Jésus.

La voix rappelait étrangement celle d'une toute petite fille. Charles pensa à Estelle, qui avait tenu sa main jusqu'à l'école des ursulines, un peu plus tôt ce matin-là.

— Vous le rejoindrez certainement un jour. Mais nous allons tous les deux faire notre possible pour que ce soit dans cinquante, ou même soixante ans, n'est-ce pas ?

Elle acquiesça d'un petit signe de tête en fermant les yeux. Le médecin prit sa main dans les siennes, remarqua les ongles violacés. Le sang ne circulait plus très bien dans son corps. Un moment plus tard, dans le couloir, il indiqua à mi-voix :

— Ses poumons sont atteints. Descendez-la maintenant, laissez-la assise. Malgré sa maigreur, elle paraît de bonne constitution. Avec un peu de chance…

« Un médecin ne devrait jamais invoquer la chance, mais la qualité de son traitement », songea-t-il en secouant la tête. Les mots de la directrice lui revenaient en mémoire. Une fois dans cet état, le malade semblait aussi susceptible de reprendre du mieux que de sombrer dans la mort.

La religieuse se livrait sans doute à la même réflexion :

— Nous sommes tous entre les mains de Dieu. Que sa volonté soit faite.

Elle sembla secouer son pessimisme, reprit d'une voix mieux assurée :

— Nous suivrons vos indications, bien sûr. Merci, docteur.

Elle le laissa retrouver seul son chemin vers la sortie.

~

Le souvenir de la petite religieuse ne lui sortait pas de la tête. Vingt ans à peine ! Son trouble demeurait si profond qu'il ne trouva pas le courage de retourner à son cabinet. Abandonnant ses patients à son beau-père – une faute pour laquelle il lui présenterait de plates excuses en soirée –, il prit à droite dans la côte du Palais afin de regagner la Basse-Ville. Dans la rue Saint-Paul, il porta machinalement ses pas vers le port, désireux de savourer un peu l'air du large.

Assis sur une bitte d'amarrage, il profita longuement de la vue offerte sur le fleuve, entre deux coques rouillées de navires au mouillage. À quelques milles, l'île d'Orléans offrait ses côtes verdoyantes aux regards. Le soleil lui chauffait le dos à travers sa veste, un présent de l'été finissant. Le médecin arrivait tout juste à retrouver la contenance nécessaire pour regagner son cabinet quand un groupe de marins passa à sa portée. L'un d'eux fut pris d'une quinte de toux. L'homme reprenait à peine son souffle qu'un autre se plia en deux pour la même raison.

« Les germes ne voyagent pas qu'en train », maugréa Charles en quittant son siège improvisé.

Il marcha vers une guérite où un planton devait surveiller les allées et venues des matelots et des débardeurs. Les quais demeuraient un lieu propice à différents commerces illicites ; ce maigre effort de surveillance ne les ferait pas disparaître. Le gros homme de faction, affalé sur une chaise branlante, faisait entendre une respiration sifflante. Son état laissait présager que toutes les poursuites tourneraient à l'avantage des contrebandiers.

— Je viens d'entendre un homme tousser...

— Avertissez tous les journaux. La nouvelle intéressera sûrement les lecteurs limités aux rumeurs d'un armistice prochain depuis deux semaines.

Hamelin ne put réprimer un sourire devant le sens de la repartie du bonhomme. Il affecta néanmoins une certaine sévérité en continuant :

— Je suis médecin. Savez-vous qu'il existe une loi sur la quarantaine dans les ports ? Quand tout le monde tousse sur un navire, il convient de poser des questions et, si nécessaire, de prendre des mesures pour prévenir la contagion.

Les premiers mots de l'explication avaient suffi à amener l'employé à moins de désinvolture. Les « messieurs distingués » méritaient certains égards. Puis, le mot « contagion » ravivait le souvenir des grandes catastrophes du siècle précédent, quand des bateaux chargés d'immigrants apportaient le choléra sur les rives du Saint-Laurent.

— J'ai remarqué aussi que plusieurs marins toussaient. Certains ont même des mines de déterrés, ces derniers jours. Curieux tout de même, nous ne sommes pas dans la saison de la grippe.

L'anomalie sautait aux yeux d'un employé du port, mais elle semblait échapper au médecin hygiéniste de la Ville, constatait Hamelin. Le sens commun prévalait parfois sur les longues études. Il hocha la tête, puis s'enquit :

— Pas de décès ?

— Sur les navires ? Non, pas à ma connaissance, mais les capitaines se font discrets à ce sujet. Aucun d'entre eux ne veut passer des jours et des jours en rade. Le temps, c'est de l'argent...

L'homme marqua une hésitation, comme si une information lui revenait à l'esprit.

— Savez-vous quelque chose ?

— La semaine dernière, une douzaine de gars ont été hospitalisés.

— C'est beaucoup !

— Pas tant que cela. Avec la guerre, le port a été très occupé depuis la fonte des glaces. Cela veut dire que des milliers de matelots débarquent ici toutes les semaines, pour des escales plus ou moins longues.

Le conflit entrait dans une phase cruciale, les sous-marins allemands se faisaient moins menaçants. L'Atlantique devenait un chemin très fréquenté, tout ce qui pouvait flotter passait d'un continent à l'autre, chargé de marchandises diverses.

Le gros homme prit le temps de s'éponger le front, puis il poursuivit le fil de son idée :

— Dans ce cas-là, le plus bizarre, c'est que les marins malades venaient de deux navires seulement. D'habitude, il y a un malade ou un blessé ici, un autre là…

— D'où venaient ces bâtiments ?

— De la Nouvelle-Angleterre.

L'article de *La Patrie* lui revint en mémoire. La contagion devait toucher aussi le port de Boston. De là, elle essaimerait sans doute sur tous les océans. Hamelin inclina la tête en guise de remerciement, demanda encore :

— Avez-vous le téléphone ?

— Vous voulez rire ! C'est tout juste s'ils me permettent d'apporter cette chaise de chez moi.

~

Une fois revenu à la Haute-Ville, chercher un téléphone ne servait plus à rien. Hamelin se présenta à l'entrée principale de l'hôtel de ville, dans la rue Desjardins, sans s'être annoncé.

— Le docteur Paquin se trouve-t-il dans son bureau ? demanda-t-il au planton en uniforme, de faction près de la porte.

— Qui désire savoir cela ?

— Le docteur Charles Hamelin.

L'évocation de sa profession agit de nouveau pour réduire la nonchalance de son interlocuteur.

— Je l'ai vu entrer ce matin, je ne sais pas s'il se trouve encore dans la bâtisse. Vous savez où est son bureau ?

L'homme ne paraissait guère disposé à lui servir de guide dans le grand édifice municipal. Sur un hochement de tête affirmatif, le visiteur s'engagea dans un long couloir, gravit un escalier avant de se trouver devant une porte ouverte. Il frappa légèrement sur le cadre pour attirer l'attention de l'occupant des lieux, demanda ensuite :

— Docteur Paquin, puis-je prendre un peu de votre temps ?

— ... Il me semble vous connaître.

— Hamelin. J'ai été dans votre classe, il y a au moins dix ans. Surtout, j'ai participé à quelques réunions du Comité d'hygiène.

Homme au cœur sensible, ce praticien endurait mal le défilé des patients dans un cabinet de consultation. Aussi son temps se partageait entre son emploi de médecin hygiéniste au service de la Ville de Québec et celui de professeur à la Faculté de médecine de l'Université Laval, située tout au plus à quelques minutes de marche.

— Je vous replace maintenant.

De la main, il désignait la chaise devant son bureau.

— Qu'est-ce qui vous amène ?

— Une inquiétude me tenaille depuis quelques jours. Avez-vous remarqué le grand nombre de cas de grippe chez nos concitoyens ?

L'autre arqua les sourcils, intrigué.

— Cela a commencé il y a une semaine, tout au plus. Les gens viennent à mon bureau avec tous les symptômes de l'influenza. Chez certains, cela se complique très vite. J'ai vu quelques personnes succomber à une pneumonie, à l'Hôtel-Dieu.

— Cela arrive malheureusement avec une certaine régularité. Tous les hivers…

— Nous sommes en septembre.

L'interruption fit apparaître un masque sévère sur le visage de Paquin, un peu comme s'il était en classe devant un étudiant assez impoli pour perturber la leçon.

— Au gré de votre pratique médicale, s'impatienta-t-il, vous avez sûrement constaté que la grippe frappe en toute saison, même si elle survient plus souvent l'hiver.

Le visiteur tenta de changer de tactique :

— Avez-vous lu *La Patrie*, hier ?

— C'est une feuille de Montréal.

Ce simple motif incitait sans doute de nombreux habitants de la vieille capitale à ne pas y toucher.

— En première page, un article signalait une épidémie de grippe dans les camps militaires. La contagion touche les civils de la région de Boston.

— Toutes les épidémies de grippe prospèrent dans des environnements de ce genre, vous l'avez certainement appris.

L'homme ne chercha pas à dissimuler sa mauvaise humeur devant le changement de sujet apparent. Hamelin essaya de résumer sa pensée :

— La contagion, si j'en juge par cet article, paraît virulente, et les symptômes plus sévères qu'à l'accoutumée.

— Les journalistes exagèrent toujours…

— Je crains que cette épidémie n'ait gagné Québec. On m'a dit tout à l'heure que des marins de la Nouvelle-Angleterre ont été hospitalisés dans notre ville, il y a quelques jours.

Le médecin hygiéniste laissa échapper un soupir d'exaspération, mais ne dit pas un mot, soucieux de ne pas se faire interrompre une fois de plus.

— De mon côté, je reçois depuis un bon moment déjà des patients qui présentent les symptômes décrits dans le journal. Nous pouvons poser l'hypothèse qu'il s'agit de la même maladie, car les échanges avec cette région sont quotidiens.

L'autre attendit un moment, puis conclut enfin :

— En conséquence, vous êtes donc venu me signaler l'éclosion d'une épidémie d'influenza dans notre ville.

Le ton exprimait combien la démarche lui paraissait futile.

— Il faut prendre des mesures pour limiter la contagion.

— Nous ne parlons ni de la peste, ni du choléra.

— Le journal signalait de nombreux décès...

Avant de se faire donner une leçon sur les tendances des publicistes à amplifier le moindre événement pour vendre de la copie, Charles Hamelin ajouta bien vite :

— J'ai moi-même constaté ce fait à l'Hôtel-Dieu. Mardi, l'un de mes patients âgé de vingt-trois ans est décédé. Imaginez, mourir de la grippe à cet âge !

— ... C'est malheureux, mais nous perdons tous des patients, parfois très jeunes.

Dans ce bureau exigu et poussiéreux, pareille éventualité ne risquait pas d'arriver à Paquin.

— Nous n'y pouvons rien, continua-t-il encore. Essayez d'oublier. Vous mettre dans un état pareil à cause de ce triste dénouement risque de ruiner votre carrière.

Hamelin secoua la tête, agacé par la nouvelle tournure de la conversation.

— J'ai déjà perdu des patients, ce n'est pas la première fois. Je veux toutefois prévenir des décès inutiles avec des mesures toutes simples visant à limiter les occasions de rassemblement. Par exemple, il serait possible de fermer les cinémas, les tavernes...

L'autre leva les mains, comme pour se protéger d'une hérésie pareille.

— Vous n'y pensez pas ! Mettre la ville en quarantaine.

— Réduire les occasions de contagion, plutôt, et avertir ses habitants des mesures simples de protection.

— Admettons que nous pourrions faire cela dans le cas des lieux de loisir... Cela ne donnera absolument rien si les ateliers, les manufactures, les commerces demeurent ouverts...

— Cela sauverait quelques vies.

Hamelin inclinait à penser que la maladie se répandait terriblement vite, puisque Québec se trouvait déjà atteinte. Un examen attentif de tous les journaux disponibles lui donnait l'impression que Boston avait été la première localité frappée en Amérique. Les journalistes dressaient à peine le constat de la situation et, déjà, la contagion faisait des victimes à des centaines de kilomètres au nord.

Seules des mesures susceptibles de réduire les contacts entre la population pouvaient réduire les dégâts.

— Vous n'êtes pas sérieux, continua le fonctionnaire.

L'homme reprit après une pause, véhément:

— Paralyser l'économie est impossible. Nous en arrivons sans doute aux dernières semaines de la guerre. Il faut au contraire produire encore plus, pour tout envoyer en Europe.

Cette dimension du problème avait échappé au docteur Hamelin. Bien sûr, non seulement l'effort de guerre participait à la propagation des germes à cause des déplacements de personnes sur de longues distances, mais les mesures de quarantaine se heurteraient à une sévère résistance de la part des autorités politiques ou militaires.

— Si la maladie se répand partout, la production sera plus durement affectée encore. La prévention nuira un peu, la contagion, beaucoup.

Son interlocuteur secoua la tête et répondit sur un ton de remontrance:

— Je pense que le décès de votre patient vous affecte plus que de raison. Ce genre de réaction émotive est incompatible avec votre profession.

— La description de la situation à Boston fait frémir.

— Je ne veux pas vous chasser, mais je n'ai pas encore dîné, et je dois auparavant terminer ce rapport.

Le médecin hygiéniste tenait maintenant son porte-plume à la main, prêt à le tremper dans l'encrier posé au milieu de son bureau. L'attitude valait un congédiement. Hamelin tenta encore:

— Vous pourriez convoquer le Comité d'hygiène de la Ville. Je viendrai expliquer la situation à ses membres.

— Si je juge que la situation justifie une réunion du Comité, croyez-moi, je procéderai sans tarder. Merci de votre visite, cher collègue.

Le ton contredisait les paroles prononcées. Après une hésitation, le visiteur quitta son siège en murmurant un « Au revoir » sans conviction.

~

— Un peu plus et il me disait de changer de métier !

De nouveau, Charles Hamelin avalait un souper tardif dans la cuisine de son domicile de la rue Dorion. Il terminait le récit de sa conversation avec son collègue Paquin. Il continua :

— À ses yeux, je réagis exagérément à la mort de mon patient.

Élise lui adressa son meilleur sourire consolateur, songeant qu'au-delà de la menace d'épidémie, son époux se trouvait toujours profondément touché par le sort de ses patients les plus malheureux. Si cette sensibilité émouvait son amoureuse, elle représentait tout de même un handicap dans l'exercice de sa profession.

— Il ne prendra aucune mesure pour limiter la contagion ?

— Aucune. Le vieil imbécile a même évoqué l'effort de guerre pour justifier son inaction.

Il repoussa son assiette, saisit sa tasse de thé. Après une gorgée, il convint :

— En conséquence, j'ai gaspillé une partie de la matinée en pure perte. Ton père s'est retrouvé avec mes patients sur les bras, en plus des siens.

— Je suis certain qu'il a compris…

— Oh ! Il partage un peu mon inquiétude. Mais quand je suis arrivé au bureau au milieu de l'après-midi, son visage n'affichait pas sa bonhomie habituelle.

Dans le cas du bon docteur Caron, cela constituait un symptôme que quelque chose, ou quelqu'un, lui tombait lourdement sur les nerfs.

— Maintenant, vas-tu abandonner cette question ?

— Comment le pourrais-je ? Si j'ai tort, j'aurai simplement l'air d'un idiot. Cela ne me fera pas grand mal.

Il avala un peu de thé, demeura songeur un instant, puis continua :

— Imagine que j'aie raison. Il convient de faire quelque chose pour limiter la contagion. Nous n'avons aucun traitement médical raisonnablement efficace contre la pneumonie.

L'homme marqua encore une pause, puis il poursuivit, un ton plus bas :

— Toi aussi, tu dois te lasser de ma lubie. Au lieu de m'occuper de mon cabinet et même de ma famille, je me lance contre des moulins à vent…

Elle allongea la main pour la poser sur la sienne, avant de répondre :

— Tu n'as pas encore compris quel effet les don Quichottes font au cœur des femmes.

— Disons que le roman est bien décevant à ce sujet. Dulcinée ne répond guère à ses attentes.

— Cela prouve seulement qu'il ne s'agit pas d'une œuvre réaliste. Dans la vraie vie…

Tous les deux se levèrent à demi afin de s'embrasser au-dessus de la table. Elle demanda, en retrouvant sa chaise :

— Tu n'as pas pensé à discuter de la question avec un journaliste ?

Son époux la regarda un moment, sans comprendre.

— Si le Comité d'hygiène ne fait rien, au moins les habitants de la ville prendraient des précautions individuellement. Présentement, personne n'est au courant de la menace.

— Mais les gens ne pourront rien faire. Il faut mobiliser les pouvoirs publics.

— Si on leur rappelle comment s'opère la contagion, ils se passeront d'une soirée au théâtre ou d'un verre à la taverne à la sortie de l'atelier.

— J'aimerais mieux fermer les théâtres et les ateliers.

Élise tapota le dos de sa main avec la sienne. Les enfants tenaient certainement de leur père leur attitude un peu butée.

— Surtout, les autorités municipales seraient bien vite forcées à l'action, insista-t-elle. Tous ces échevins devront faire face à leurs électeurs dans un futur assez proche.

Il acquiesça, quitta sa chaise en lui tendant la main. La vaisselle attendrait jusqu'au matin. Tout à coup, il tenait à vérifier l'ampleur de son pouvoir de séduction sur sa dulcinée.

La façade du restaurant donnait sur la place d'Armes et, au-delà de celle-ci, sur la masse imposante du Château Frontenac. Au téléphone, le journaliste du *Soleil* avait d'abord exprimé son plus grand scepticisme. Seule la promesse d'un repas gratuit avait convaincu le pique-assiette d'écouter son histoire. Un peu après midi, Hamelin vit entrer un jeune homme de vingt ans à peine, au costume de tweed un peu élimé, coiffé d'une casquette du même tissu. Il se leva pour lui serrer la main, reprit sa place en disant :

— Je vous remercie d'être venu. Vos lecteurs vous en seront certainement reconnaissants.

— Docteur Hamelin, en réalité je ne sais pas vraiment pourquoi j'ai accepté.

Le gratte-papier reçut le menu tendu par un serveur, prit la peine de commander avant de tendre l'oreille.

— Vous devez certainement lire les journaux américains, affirma le médecin en le fixant dans les yeux.

— … Je ne m'occupe pas de politique internationale. Seulement du municipal.

Plus vraisemblablement, ce garçon devait avoir interrompu son cours classique pour pratiquer un métier mal payé. Il demeurait peu probable qu'il maîtrise assez bien l'anglais pour lire les journaux du pays voisin.

— Ils rapportent de nombreux foyers d'influenza. La maladie semble se distinguer des infections habituelles par son caractère très contagieux. Elle a d'abord touché les camps militaires, puis les civils des villes situées près de ceux-ci.

L'autre lui présenta des yeux vides, comme si le sujet lui semblait sans intérêt.

— L'épidémie a frappé aussi dans la ville de Québec. Ce sont sans doute des marins américains qui ont transporté les germes ici.

— ... Je n'en ai pas entendu parler.

— Justement, vous aurez la primeur !

Cette perspective ne parut pas soulever un enthousiasme particulier chez son interlocuteur. Le docteur Hamelin s'engagea dans le récit de la mort du jeune commis de banque. « Il avait votre âge », souligna-t-il.

Pendant une demi-heure, il multiplia les arguments, l'autre mastiqua en présentant un visage placide. Au moment où la note arriva sur la table, comme pour indiquer que le prix du repas ne serait pas dépensé en pure perte, il remarqua :

— Vous voulez dire que nous risquons de connaître quelque chose comme le choléra.

— ... Si vous voulez. Bien sûr, c'est une comparaison boiteuse. D'un côté, la contamination semble se faire très vite. De l'autre, seule une minorité des malades connaît des complications. Parmi ceux-là, certains doivent combattre une pneumonie...

— En meurent-ils ?

— ... Une fois sur deux.

Le journaliste hocha la tête, tendit la main en affirmant :

— Je dois rejoindre ma salle de rédaction. À bientôt, peut-être.

— Allez-vous publier quelque chose ?

— Je vais écrire quelque chose. Mon chef de pupitre décidera de publier ou non.

Repu, il s'esquiva, laissant derrière lui le docteur Hamelin fort perplexe.

~

Élisabeth devait en convenir, son époux tentait sérieusement de mener une vie plus sage. Ce vendredi soir, au lieu de revenir du magasin largement passé huit heures, sinon à neuf, il se trouvait à table avec elle et sa belle-fille dès sept heures.

— Malheureusement, nos deux hommes ne peuvent pas profiter du même bénéfice en même temps, remarqua-t-elle à l'intention d'Évelyne. L'un d'eux doit rester au travail.

Celle-ci hocha la tête en signe d'assentiment. Sa mine demeurait morose, tellement que le maître de maison crut bon d'ajouter :

— J'ai de la chance de pouvoir compter sur Édouard, maintenant que le docteur Hamelin me met une laisse bien courte autour du cou. Il s'occupe de la fermeture les jours de grande affluence, et souvent, le samedi, je ne me déplace même plus jusqu'à la rue Saint-Joseph.

— Souvent ! s'exclama son épouse. Tu es resté à la maison cinq fois, tout au plus !

— Tout de même, Édouard assume de plus grandes responsabilités. Il en rêvait depuis des années et maintenant que le médecin m'a déclaré vieux, il en profite.

Les jours de déprime, Thomas songeait longuement au sort de Théodule, mort subitement avant ses soixante ans. Les recommandations du praticien se résumaient à peu de chose : moins de tout. Moins de travail, moins de cognac, moins de nourriture, cela pouvait toujours aller. Accepter moins de rapprochements intimes avec son épouse lui apparaissait toutefois comme un sacrifice trop grand, cruel même.

— Le magasin ne ferme jamais beaucoup plus tard que huit heures, affirma Évelyne en jouant avec sa nourriture, du bout de sa fourchette.

Le commentaire arracha Thomas à ses propres inquiétudes. Il échangea un regard avec sa femme avant de répondre :

— Le vendredi, on parle plutôt de neuf heures.

— Nous ne le verrons pourtant pas revenir avant onze heures.

— Le temps de discuter avec quelques chefs de rayons…

La jeune femme soupira, songea à lui opposer : « Vous, vous êtes empressé de rejoindre votre épouse le plus vite possible et cela se voit. » Cela n'aurait servi à rien. La connivence entre le père et le fils, à ce sujet, demeurait parfaite. Face aux retards de son héritier, le marchand pouvait dresser une liste interminable des motifs légitimes et, surtout innocents en regard de la moralité.

Avec un premier enfant à la tétée, Évelyne prétendait encore au titre de jeune mariée. Pourtant, ses soirées s'écoulaient lentement, tristes et monotones. Dans une demi-heure, elle se retrouverait dans le salon, un magazine ou un roman dans les mains, à entendre la grande horloge égrener les minutes.

La sonnerie du téléphone interrompit sa rêverie.

— Je m'excuse, dit Thomas en s'essuyant la bouche avec sa serviette. Je vais prendre cet appel dans la bibliothèque.

Son départ autorisa Élisabeth à observer :

— Vous savez, Édouard est bien jeune et, depuis peu, il assume des responsabilités un peu lourdes pour ses épaules. Sans doute lui faut-il se détendre un peu.

— Il aura bientôt trente ans !

— Nous savons toutes les deux que les hommes ne vieillissent pas au même rythme que nous. La vie nous impose de devenir sérieuses sans tarder. La charge des enfants…

— Lui aussi a un enfant.

La discussion, souvent répétée, ne les conduirait nulle part. Édouard menait la même vie qu'avant son mariage, partant tôt, revenant tard. Élisabeth se demandait parfois si le fait de demeurer sous le toit paternel ne contribuait pas à préserver cette attitude. Il échappait à toutes les obligations domestiques. Cela l'autorisait à conserver des habitudes de célibataire.

«À ce compte, elle aussi se dérobe à ses engagements», se dit la femme en regardant la mine butée de sa bru. Au lieu de tenir sa maison, Évelyne consacrait tout son temps à s'inquiéter de l'absence de son époux. Même la responsabilité des soins prodigués à son enfant lui échappait en grande partie. Les domestiques en assumaient une large proportion et sa belle-mère chérissait chacun de ses moments passés avec le rejeton.

Thomas revint bientôt dans la salle à manger, un peu préoccupé.

—Je devrai sortir tout à l'heure. Le maire Lavigueur souhaite entendre mon avis sur une question curieuse. Une épidémie...

—Je pensais que tu fréquentais un peu moins tes amis libéraux.

—Je ne peux tout de même pas rompre avec toutes mes activités habituelles. La politique me procure des moments de détente. Puis, tu te souviens, le printemps dernier, j'ai fait face avec lui aux émeutiers de la Basse-Ville, lors de l'attaque du poste de police. Cela fait de nous deux fidèles compères. Du moins, il le voit ainsi.

— ... Tu n'as pas l'intention de te présenter aux prochaines élections municipales, j'espère.

Un homme d'affaires de son envergure pouvait prétendre à cet honneur. Lavigueur lui-même vendait des instruments de musique dans la rue Saint-Jean et à la Basse-Ville. Cela paraissait, aux yeux de ses concitoyens, en faire un maire et un député fort convenable.

— Dans le quartier Saint-Louis, la concurrence est trop vive. Une légion de descendants de grandes familles, élevés avec une cuillère d'argent dans la bouche, considèrent que les postes électifs leur reviennent de droit divin. Un peu comme des titres héréditaires.

— Et surtout…

— Surtout, je dois prendre garde à ma santé. Je sais.

Élisabeth lui adressa un sourire satisfait, comme si elle était encore préceptrice et lui, un élève un peu lent à comprendre. Elle demanda après un moment :

— As-tu bien dit "épidémie" ?

— Oui, mais le maire a refusé de me donner le moindre détail. Question de discrétion, le téléphone laisse beaucoup à désirer.

Jusqu'à la fin du repas, ni l'un ni l'autre n'évoqua ce rendez-vous tardif.

~

En soirée, dans l'hôtel de ville à peu près désert, Thomas trouva son chemin sans mal, car il hantait les lieux depuis plus de vingt ans. Son rôle d'organisateur politique dans le comté de Québec-Est, celui de Wilfrid Laurier, lui valait de discuter des questions importantes avec les élus de tous les niveaux de gouvernement. En réalité, le grand homme d'Arthabaska régnait sur son parti comme un potentat, arbitre en dernier recours des petites comme des grandes questions.

Il frappa légèrement à la porte du bureau du maire, entra au moment où on l'y invitait.

— Monsieur Picard, commença Henri-Edgar Lavigueur en se levant la main tendue, il ne manquait plus que vous.

— Je n'ai pas compris qu'il y avait urgence…

— Pour être franc, je ne sais pas trop s'il y a urgence. Vous connaissez le docteur Paquin ?

Le nouveau venu serra la main du médecin, fit de même avec les quatre échevins occupant les chaises disposées autour d'une petite table avant de prendre place à son tour.

— Nous avons reçu ceci, fit le maire en lui tendant trois feuilles de papier tapées à la machine.

— Qui est l'envoyeur ?

Thomas n'entendait pas se lancer dans cette lecture sans savoir d'abord si l'exercice en valait la peine.

— Le directeur du *Soleil* me l'a fait parvenir. L'un de ses journalistes a pondu cette horreur.

— Certainement pas le meilleur d'entre eux, commenta le commerçant en prenant connaissance des premières lignes.

Il regarda chacun des feuillets, porta son attention sur le dernier paragraphe, souligné au crayon rouge, puis lut à haute voix :

C'est une vision dantesque que laisse entrevoir le docteur Hamelin, celle de cadavres pourrissants dans les rues, avec les rares survivants de cette peste se déplaçant comme des spectres...

— Ce gars est en train de devenir fou, clama Paquin.

Le nouveau venu arqua les sourcils, intrigué, puis demanda :

— Nous parlons ici de la folie du docteur Charles Hamelin ou de celle de ce gratte-papier ?

— Hamelin.

— Le hasard veut qu'il s'occupe de ma petite santé depuis que Caron, son beau-père, aspire à un peu de repos. À part sa curieuse idée de me faire abandonner le cognac, cet homme me paraît aussi sain d'esprit que chacune des personnes présentes dans cette pièce.

La rebuffade amena le rouge aux joues du médecin hygiéniste. Il insista pourtant :

— Je l'ai vu cette semaine, tout excité par une supposée épidémie de grippe. J'ai essayé de le ramener à la raison. Vous voyez là le résultat de mes efforts.

— Quelqu'un peut-il me dire de quelle épidémie nous parlons ici ? L'un parle de la peste, l'autre de la grippe.

Des yeux, il interrogeait Lavigueur. Celui-ci résuma la situation :

— Il semble qu'une grippe assez sévère affecte de nombreuses villes des États-Unis...

— J'ai vu cela dans les journaux.

— L'infection commencerait à faire des victimes à Québec. Hamelin aurait observé une multiplication des cas dans son cabinet.

— La grippe sévit tous les ans, en n'importe quelle saison, intervint Paquin. De mon côté, je n'ai rien observé de bien différent des années passées.

Le regard du premier magistrat se porta sur le thérapeute pour le ramener au silence. Il continua bientôt:

— Dans certains cas, la maladie se complique. Dans les divers hôpitaux de la ville, quelques personnes ont été traitées pour des pneumonies.

— C'est une maladie sérieuse, ça, remarqua un échevin.

— Souvent mortelle, renchérit un autre.

— Bien sûr que c'est sérieux, clama Paquin. Mais il faut être complètement fou pour semer la panique au sein de la population en comparant cela à la peste.

À ce sujet, personne n'en viendrait à le contredire. Les livres d'histoire contenaient des descriptions apocalyptiques des ravages de cette contagion.

— Justement, le directeur du *Soleil* ne publiera pas ce texte, conclut le maire. Après tous les désordres des derniers mois, nous n'avons certes pas besoin de voir la populace envahir encore les rues, cette fois sous un prétexte de santé publique. Nos adversaires s'empresseraient de saisir ce nouveau motif pour alimenter l'agitation.

La crainte du politicien reposait sur l'expérience des dernières années. Le parti au pouvoir dans la province et dans la ville se voyait accusé du moindre événement malheureux par les conservateurs et les nationalistes. Heureusement, en exerçant une certaine emprise sur des journaux comme *Le Soleil*, les libéraux pouvaient faire taire en partie les prophètes de malheur et mousser les nouvelles les faisant bien paraître.

— Je comprends bien tout cela, résuma Thomas. Un journaliste propose un article alarmiste, nous ferons en sorte qu'il ne paraisse pas. Mais encore?

« Vous ne m'avez pas fait sortir de la quiétude de mon foyer pour cela ! » souhaitait-il plutôt exprimer. L'événement ne justifiait certes pas le déplacement. Lavigueur comprit le reproche implicite et enchaîna :

— Nous devons maintenant décider si nous faisons quelque chose à propos de cette grippe.

— Cette maladie nous touche tous les ans, remarqua Paquin avec humeur. Si elle survient aussi tôt qu'en septembre, tant mieux. Nous en serons débarrassés jusqu'à l'automne prochain.

— Elle ne présente pas de danger particulier ? s'enquit le commerçant.

— Bien sûr que non.

Dans la pièce, le médecin hygiéniste faisait figure d'expert. Son aplomb sur la question finirait par convaincre les autres. Toutefois, Lavigueur voulut se faire rassurer encore :

— Les mesures de quarantaine que le docteur Hamelin a évoquées ne vous semblent pas pertinentes ?

— Si nous parlions d'une infection sur un navire, elles seraient utiles. Mais dans une ville, il existe une seule façon de les mettre en œuvre : tout arrêter. Mon jeune collègue parle de fermer les lieux de loisir. Cela ne donnera rien si les commerces, les ateliers, les manufactures et les églises restent ouverts. Je vais utiliser un exemple : Québec est comme un pommeau de douche. Même si vous bouchez quelques trous avec vos doigts, l'eau passera par les autres et continuera de vous mouiller. Si nous fermons tous les lieux de rassemblement, nous pourrons influer sur le résultat final. Mais si nous nous limitons à quelques-uns, cela ne donnera rien.

— Vous évoquez la fermeture des commerces… murmura Thomas.

Lavigueur songeait aussi à son grand magasin d'instruments de musique, rue Saint-Jean, et à la succursale, rue Saint-Joseph.

— Un établissement comme le vôtre, monsieur Picard, est particulièrement propice à la contagion, expliqua le médecin.

Imaginez une personne infectée qui tousserait sur un étal de gants, ou encore pire, dans votre petit élévateur. N'importe où en ces lieux, l'effet serait le même. Les microbes se répandraient partout, se communiqueraient aux employés comme aux clients.

— Vous imaginez les pertes immenses, conclut le maire, si nous suspendons toutes les activités économiques.

— Sans compter l'effort de guerre, renchérit Paquin. La métropole, tout comme la France, a besoin de nous, maintenant plus que jamais depuis quatre ans.

Chacun pouvait draper ses intérêts immédiats dans les voiles du drapeau impérial. Cela donnait bonne conscience. Thomas remarqua pourtant :

— L'arrêt de toute production, de tout commerce, représenterait un inconvénient mineur si des centaines de vies peuvent être sauvées. Nous devons penser à cela.

Les regards se portèrent alors vers le médecin hygiéniste.

— À la lumière de ce que je peux observer, il s'agit d'une épidémie classique d'influenza. Elle nous arrive simplement très tôt cette année.

Chapitre 10

Presque une semaine s'était écoulée depuis sa conversation avec le journaliste. Le docteur Hamelin ferma *Le Soleil* en grognant, rageur :

— Toujours rien. Le rédacteur a sans doute décidé de garder le silence.

— Papa, tu es fâché ?

Pierre, du haut de ses sept ans, se montrait sensible au climat régnant dans la maison. Depuis plusieurs jours, l'humeur de son père devenait morose, assez pour agir sur le reste de la maisonnée.

— Non, je ne suis pas fâché. Juste très déçu, je cherche une nouvelle...

Pour un enfant sachant à peine lire, le concept de « nouvelle » paraissait bien abstrait. Toutefois, il afficha son sens commun en suggérant :

— Regarde dans un autre journal. Peut-être que celui-là n'est plus bon.

— ... Tu as parfaitement raison. Merci de ton conseil. Tout de suite après t'avoir accompagné à l'école, je vais chercher un meilleur journal.

Élise se plaça juste en face de lui, de l'autre côté de la table de la salle à manger, lui adressa son plus beau sourire pour le remercier de chasser ainsi la tension qui touchait les enfants, puis elle demanda :

— Crois-tu pouvoir rentrer un peu plus tôt, ce soir ?

— Je ferai mon possible, mais tu sais, le cabinet demeure très achalandé. Je ne peux pas faire défection, sinon ton père se retrouvera seul.

— Depuis deux semaines, tu travailles tous les soirs. Si tu t'épuises à la tâche, papa sera tout à fait privé de son collaborateur, tes patients de leur médecin, et nous, de toi. Te ménager un peu servira les intérêts de tout ce monde.

Il allongea la main pour la poser sur celle de son épouse avant de protester :

— Sois certaine que je ne m'attarde pas sans raison et que je rentre toujours le plus vite possible. Puis, vois le bon côté de la chose : cela nous permet de faire des économies. Dès la fin de la guerre, nous emménagerons dans une maison plus grande.

— Une grande demeure avec un mari toujours absent, ce n'est pas particulièrement réjouissant, tu sais.

Heureusement, un sourire tempéra le reproche. Quelques minutes plus tard, l'homme s'engagea sur le trottoir de la rue Dorion, flanqué de ses deux enfants. Le trajet jusqu'à l'école lui procurait un moment privilégié, une source de sérénité utile pour affronter la suite de sa journée.

Après son passage à l'Hôtel-Dieu, au lieu de marcher vers son cabinet, il bifurqua en direction de la côte de la Montagne pour s'arrêter devant un édifice à la façade étroite. Un panneau au-dessus de la porte s'ornait des mots *Quebec Chronicle*. Le journal avait fêté son soixante-dixième anniversaire en 1917. Résolument favorable au Parti conservateur, il procurait aussi des informations commerciales aux marchands de la ville.

Le médecin examina les vitres et les croisées toutes neuves. Pendant les mois précédents, les manifestants étaient venus les défoncer avec une navrante régularité. Maintenant, ces excès paraissaient chose du passé. Les désordres agitaient toutefois encore les campagnes, où les agriculteurs demeuraient farouchement opposés au recrutement obligatoire. À la ville, une soumission morose paraissait dominer.

Il entra enfin, demanda à rencontrer le rédacteur. Dans un bureau minuscule encombré de vieux numéros de divers périodiques, sous une gravure représentant le prince de Galles dans ses habits d'apparat, tirée d'une photographie prise lors des festivités de 1908, il commença :

— Avez-vous lu les articles relatifs à l'épidémie de grippe, à Boston ?

— Il y a bien une dizaine de jour...

— Mon attention a été attirée le 16 dernier par un texte dans *La Patrie*.

On était le 25 septembre. Depuis, d'autres articles avaient été publiés dans de nombreux journaux.

— Cette maladie touche aussi Québec. Les malades se bousculent dans mon bureau.

— La même infection ?

— Je le pense. Les symptômes sont identiques. Surtout, un employé du port m'a signalé l'hospitalisation d'une douzaine de marins venus de la Nouvelle-Angleterre.

Le rédacteur hocha la tête. Se spécialiser dans les nouvelles commerciales donnait une bonne idée de la façon dont les personnes, les marchandises et les microbes se déplaçaient d'une contrée ou d'une ville à l'autre.

— Les Américains parlent de décès. Y en a-t-il eu ici ?

— Quelques-uns.

— La grippe entraîne toujours un certain nombre de victimes.

— Celle-là paraît bien virulente. Cependant, c'est une impression. Pour bien mesurer sa dangerosité, il faudrait forcer les médecins à déclarer tous les cas, avec un suivi du dénouement.

Son interlocuteur lui adressa un autre signe d'assentiment. Hamelin crut prudent de préciser :

— J'ai vu la maladie évoluer en pneumonie chez quelques-uns de mes patients. C'est une complication très grave. Je pense que des mesures de quarantaine s'imposent.

— Vos patients sont...

— Un cas de pneumonie sur deux se solde par un décès.

La conversation porta ensuite sur les mesures de quarantaine susceptibles de limiter la contagion.

~

En avalant son petit déjeuner, le docteur Caron avait parcouru attentivement un article très sobre sur la menace d'une épidémie de grippe « précoce, particulièrement contagieuse et, parfois, très dangereuse pour la santé ». L'inquiétude du docteur Hamelin, présenté comme « un praticien talentueux, prudent dans son analyse et particulièrement préoccupé du sort des habitants de Québec », recevait un traitement sympathique.

— Voilà qui nous amènera une nouvelle clientèle de langue anglaise, maugréa-t-il à l'intention de son épouse, assise en face de lui. Espérons simplement que nous ne perdrons pas celle que nous avons déjà.

— Que veux-tu dire ? Pourquoi cet article changerait-il quoi que ce soit à la fréquentation de votre cabinet ?

— Charles a essayé d'alerter les autorités municipales, il a ensuite parlé à un journaliste du *Soleil*, sans succès. Maintenant, un journal conservateur, le *Quebec Chronicle*, s'interroge sur les lenteurs du conseil municipal, dominé par les libéraux, à agir.

— Tout le monde sait que ton gendre se moque de la politique.

En effet, ce jeune homme se contentait d'aller voter. Si on le pressait d'exprimer ses convictions, à la fin, il déclarait : « J'ai vu des libéraux et des conservateurs nus dans mon cabinet. Comme les premiers ne se distinguaient pas des seconds, pourquoi devrais-je choisir ? » La boutade pouvait cependant le rendre suspect aux yeux des membres des deux groupes.

— Rares sont nos concitoyens à penser comme lui. Pour le moment, il semble donner des munitions aux adversaires des gens au pouvoir.

— Cela ne changera rien à sa vie, ni à la tienne.

Le téléphone interrompit la vieille dame. Le docteur Caron alla répondre dans la pièce du rez-de-chaussée lui servant de cabinet de consultation. Les patients s'entassaient déjà dans la salle d'attente. Il entendit, à travers la porte fermée, un concert de toux parfois déchirantes.

Un moment plus tard, il revint dans la salle à manger en disant :

— Je dois aller à l'Académie commerciale de Québec. Une urgence, semble-t-il.

— Un élève a eu un accident ?

— La grippe a frappé chez les frères. Tu veux bien aller m'excuser de mon retard auprès des personnes qui attendent à côté ? Je reviendrai aussi vite que possible.

Au moment où il quittait la pièce de nouveau, sa femme l'entendit murmurer :

— Je souhaite juste qu'il se présente à l'heure, aujourd'hui, sinon ce sera infernal.

Il parlait de son gendre.

~

L'Académie commerciale présentait un long mur de brique dans la rue Saint-André. Un religieux de faction près de la porte d'entrée attendait le docteur Caron. La grande bâtisse paraissait étrangement silencieuse. Le frère enseignant précisa à l'intention du visiteur :

— Un élève sur cinq semble malade, la même proportion reste à la maison de crainte de la contagion, puis la moitié de nos confrères sont trop grippés pour travailler. En conséquence, les lieux sont à peu près vides. Et les rares enfants à se présenter le matin sont sages comme des images.

« Ils doivent prier afin d'échapper à la contagion, sans compter les mères qui accrochent des scapulaires et des images pieuses dans leurs vêtements avec des épingles de nourrice », songea Caron. Tout comme au siècle précédent, la religion et son cortège d'incantations et de pratiques magiques compensait les limites de la science médicale. Cette dernière demeurait encore moins puissante que les locataires du paradis.

Le médecin déboucha sur un long couloir, au dernier étage de la grande école. Sur sa droite, une dizaine de portes donnaient sur autant de chambres. La première était ouverte. Il découvrit un homme plutôt grand, étendu sous une mince couverture, la peau du visage bleuie, violacée même, et la respiration sifflante, oppressée. L'asphyxie faisait son œuvre, l'entraînant vers la mort.

— Le frère Dosité, notre directeur, a passé une bien mauvaise nuit, expliqua un religieux en se levant d'une chaise placée à son chevet.

L'infirmier de l'institution lui céda sa place de bon cœur. Le docteur sortit son stéthoscope de sa petite mallette de cuir noir, écouta le chuintement de la poitrine. Les deux poumons se révélaient embarrassés de sécrétions. Le sous-vêtement s'ouvrait sur un corps couvert d'une sueur froide. Deux petites pièces de tissu bénites étaient accrochées d'un côté, le fameux scapulaire. De l'autre, une épingle portait des médailles de la Vierge, de saint Joseph et de saint Jude. Les remèdes chers aux élèves valaient tout aussi bien pour les maîtres.

— Je vais lui faire une injection. Vous le relèverez ensuite en position assise, cela améliorera son bien-être.

L'aiguille enfoncée dans le bras ne suscita aucune réaction. Une fois la seringue rangée à sa place, l'infirmier tendit le doigt vers un petit bassin de porcelaine où trempait un morceau de toile. Une couleur rose, malsaine, teintait l'eau.

— Ce sang... Ce n'est pas la tuberculose? Il avait une mousse rouge sur les lèvres, ce matin.

— Non, il fait une pneumonie. Cela a-t-il commencé par une grippe?

L'autre lui fit signe qui oui. Le médecin murmura, après un nouveau regard au malade:

— Vous devriez appeler un prêtre.

— La situation est si grave?

Caron hocha la tête avec tristesse. Au moment où il sortait de la cellule, le religieux demanda:

— Venez voir notre autre frère.

Dans une pièce située un peu plus loin se trouvait un second malade. Son état semblait un peu plus encourageant. Il mérita pourtant la même médication et la même recommandation quant au dernier sacrement.

~

Leurs rencontres en fin de soirée prenaient un caractère régulier, comme une douce habitude que deux personnes entretiennent sans se concerter. Dès que le silence s'appesantissait sur la vieille demeure sans élégance de la famille Dupire, Jeanne descendait doucement les escaliers, prenait place à un bout du canapé, juste en face du petit verre de cristal posé sur une table basse.

Le 27 septembre, elle tendit une copie du journal *La Patrie* à son employeur tout en demandant :

— L'avez-vous lu ?

La question demeurait de pure forme. La feuille aux tendances conservatrices passait sous les yeux de tous les membres de la maisonnée du notaire avant d'atteindre la cuisine, pour servir à diverses fins un peu ignobles.

— Tu y as lu quelque chose qui t'inquiète ?

— Je peux allumer ?

Cela aussi témoignait d'une nouvelle audace de leur part, car on pourrait les voir de la rue. D'un autre côté, la lumière électrique donnait un caractère moins suspect à leur conciliabule. La jeune femme se leva pour aller peser sur l'interrupteur près de la porte. La clarté soudaine les fit cligner des yeux tous les deux.

— On parle longuement du camp militaire de Saint-Jean. Comme vous le savez, mes deux frères sont là-bas.

Les deux colosses avaient attiré l'attention d'un officier. Au lieu de passer en Europe l'été dernier, ils étaient demeurés au Canada afin de poursuivre leur entraînement. Cet heureux dénouement tenait à leur incorporation à un régiment de génie. Ils apprenaient à couper des arbres – une activité déjà bien familière pourtant –, à creuser des réseaux complexes de tranchées dotés de casemates et de poudrières, à élaborer des entrelacs de tunnels, pour les étançonner de planches ensuite. En continuité avec leur existence antérieure, ils feraient la guerre en effectuant les plus durs travaux.

La domestique lui présenta le journal plié en deux, à la page voulue. Une section d'un article intitulé : « Cette épidémie de grippe se propage » avait été soulignée en rouge. Il lut à mi-voix :

L'épidémie de l'influenza devient de plus en plus sérieuse aux casernes de Saint-Jean, Québec, disent les rapports reçus par le général Wilson. Le nombre de cas à l'hôpital, de 355 qu'il était hier, est monté à 450.

Deux soldats ont succombé à la pneumonie, aggravée par cette fièvre espagnole.

Le général Wilson déclarait, hier après-midi, qu'on avait pris toutes les mesures nécessaires pour enrayer cette épidémie. Les casernes ont été mises en quarantaine et des tentes ont été érigées.

En autant que les casernes à Montréal sont concernées, le lieutenant-colonel Patch déclarait hier qu'il n'y avait aucun signe de contagion et qu'on prenait toutes les précautions possibles.

Les journaux de Montréal se montraient maintenant fort explicites sur cette contagion, alors que ceux de Québec commençaient tout juste à en faire mention. *Le Soleil* insistait sur le caractère « ordinaire » de la maladie. Cela ne rassurait les gens qu'à moitié.

— J'étais si heureuse de les voir demeurer ici plus longtemps. Maintenant, cette grippe semble plus dangereuse que les balles allemandes.

— Tu exagères un peu, non ? On parle de deux morts sur quatre cent cinquante hospitalisés. Et puis le reste de cet article indique que la contagion se résorbe. Par exemple, au Séminaire de Sherbrooke, on a eu une trentaine de cas, mais les choses rentrent déjà dans l'ordre, les cours reprennent. Tu n'as pas reçu de mauvaises nouvelles sans m'en avertir ?

L'inquiétude, sincère dans la voix de son employeur, toucha la domestique. Elle secoua la tête, faisant voler ses boucles brunes.

— Selon leur dernière lettre, ils se portaient bien.

— Tu vois...

Elle prit son verre, avala une gorgée en lui adressant un regard reconnaissant. À cette heure du jour, plus exactement de la nuit, elle se débarrassait de sa coiffe. Ses cheveux foncés captaient la lumière, tout comme ils attiraient les yeux de Fernand.

— Cette maladie ne vous inquiète pas ? questionna-t-elle bientôt.

— Les informations sont contradictoires. Tu l'as vu toi-même dans le numéro de ce journal. En première page, on insiste sur le grand nombre de cas à Saint-Jean tout en disant que les choses vont mieux à Sherbrooke. Un peu plus loin, selon le Service de santé publique de Montréal, ce serait une grippe bien ordinaire.

— Plus contagieuse que les autres... Ils indiquent les moyens de se protéger : éviter de se fatiguer, isoler les personnes atteintes...

— Ne pas envoyer à l'école les enfants ayant été en présence d'un malade, compléta-t-il en lui adressant son meilleur sourire.

Elle en était rendue à se préparer à ces conversations. Au fil des mois, elle lisait de plus en plus facilement, ne cherchait plus que de rares mots inconnus dans le dictionnaire, acceptait de bonne grâce d'être reprise et ne commettait jamais la même erreur une nouvelle fois devant lui. Il tenait un peu du Pygmalion.

— Ne croyez-vous pas que je devrais arrêter de promener les enfants dehors ?

— Cela leur fait prendre un peu d'air. C'est bon pour eux.

— Le temps demeure mauvais. À la limite, je pourrais aller dans la cour arrière avec eux. Mais la maladie passe d'une personne à l'autre. Dans la rue, nous croisons d'autres bonnes, accompagnées d'autres enfants. Je ne peux pas m'enfuir chaque fois pour me protéger des... microbes.

Le concept de ces petites bêtes invisibles, capables de rendre les personnes malades, lui paraissait aussi impénétrable que celui d'un Dieu unique composé du Père, du Fils et du Saint-Esprit. Les notions scientifiques demeuraient aussi insaisissables que les mystères de l'Église. Chaque poignée de porte, chaque couvert, mais aussi toutes les mains tendues ou toutes les joues des enfants pouvaient se couvrir d'une myriade de ces êtres minuscules.

— Je te fais totalement confiance, en ce qui concerne le soin des enfants.

Elle avait posé sa main gauche sur le bras du canapé. Fernand la couvrit de la sienne, chaude, grande et forte. Malgré les risques de contagion et celui, bien plus grand, du péché, elle ne se déroba pas. Au contraire, elle profita de ce contact rassurant.

~

Le samedi matin 28 septembre, la nouvelle figurait en première page de *L'Action catholique*. Charles Hamelin décida de faire un crochet sur son chemin vers l'Hôtel-Dieu. L'entrée principale de l'Académie commerciale portait de larges banderoles de crêpe noir.

Il emboîta le pas à un cortège d'enfants d'une douzaine d'années venus d'une école de Limoilou. Un garçonnet aux cheveux très blonds posa un regard curieux sur lui.

— Jacques... Jacques Létourneau, ordonna le religieux aux allures de garde-chiourme responsable du petit troupeau, suivez les autres.

Tous les élèves affichaient un masque grave, parfois souligné d'une véritable frayeur. Cette expédition ne les réjouissait guère.

Dans le hall de l'institution d'enseignement, trois cercueils s'alignaient devant une forêt de cierges. De nombreux frères enseignants, venus de toutes les écoles de la ville, marmonnaient leur chapelet dans un chœur un peu cacophonique. Afin de les amener à réfléchir à leur fin dernière, des dizaines d'élèves se trouvaient conduits en procession en ces lieux.

À ces enfants se mêlaient des adultes, de simples curieux ou alors de bonnes âmes à la religiosité frileuse. Il en résultait un défilé sans fin, sans cesse renouvelé, passant devant la dépouille du frère Dosité et celle de son collègue bien plus jeune. Surtout, le cadavre d'un garçon de quinze ans peut-être, sanglé dans un habit de velours trop petit pour lui, glaçait les âmes.

« Ses parents se sont imaginés le rapprocher de ciel en l'exposant ici, au lieu du salon familial », songea Hamelin.

Un couple éploré, âgé dans la quarantaine, accompagné d'une demi-douzaine d'autres rejetons, se tenait à proximité du modeste cercueil en planches de sapin.

Le médecin se tint un moment à l'écart afin de laisser un nouveau contingent d'adolescents parader devant les étroites caisses de bois. L'un d'entre eux ne put réprimer une méchante quinte de toux.

« Si un élève avait échappé jusqu'ici aux germes, maintenant le voilà contaminé », poursuivit l'homme toujours pour lui-même, rageur devant tant de sottise.

~

— Cela me fait encore tout drôle de te voir ici, un samedi matin, formula Élisabeth avec un large sourire, tout en versant le thé dans la tasse de son époux.

— Je suppose que je fais l'apprentissage de la retraite, grommela le commerçant. Dans quelques années, je saurai parfaitement comment me tourner les pouces, si je ne meurs pas d'ennui d'ici là.

Le ton recelait moins de colère que d'habitude. Sa femme commençait à l'admettre, un exercice aussi agréable que le « devoir conjugal » ne pouvait entraîner une attaque cérébrale. « C'est tout le contraire : si Euphrosine avait présenté une mine moins rébarbative, papa Théodule serait encore de ce monde », avait-il plaidé au lever du jour.

L'argument s'était révélé imparable, et tous les deux mangeaient des rôties à dix heures du matin, longtemps après le départ de table des autres membres de la maisonnée.

— Cesse de faire semblant, tu prends goût à ces quelques samedis passés avec moi. Encore un peu de temps et tu ne voudras plus les sacrifier.

— S'ils ressemblent tous à celui-ci, tu as tout à fait raison. Mais je suis tout de même trop jeune pour me retirer, même à moitié, et Édouard l'est aussi pour diriger toutes nos entreprises.

Après un moment, il se corrigea :

— Il manque d'expérience ou d'envergure, je ne sais trop.

— Tu prends toutes les décisions vraiment importantes. D'une certaine façon, ton fils agit un peu comme ton ministre et toi comme le monarque absolu.

— Le roi du commerce de détail, convint-il en levant sa tasse.

Thomas protestait pour la forme. Le transfert des responsabilités s'étalerait sur quelques années, son fils progressait fort bien. Certains jours, il se surprenait même à rêver de quémander à Wilfrid Laurier un siège de sénateur. Le vieux chef ne pourrait lui refuser une pareille sinécure et le premier ministre actuel, Robert Borden, se laisserait fléchir juste pour faire plaisir à son honorable adversaire. Après deux décennies passées dans l'ombre, cela lui permettrait de se livrer au jeu politique en pleine lumière.

Dans la maison silencieuse, ils avalèrent leur léger repas, regagnèrent la bibliothèque en apportant avec eux la théière et les tasses. L'homme retrouva les journaux négligés la veille, et sa femme, ceux du matin. Après de longues minutes silencieuses, elle lança :

— Cette grippe, cela devient sérieux !

Son époux venait de lire un paragraphe sur la situation au camp militaire de Saint-Jean. Maintenant, les civils des environs souffraient de cette infection.

— Le Service de santé publique de Montréal soutient qu'il s'agit de la maladie habituelle... Peut-être un peu plus contagieuse, convint-il après une hésitation.

— Les collèges de Victoriaville et de Sherbrooke paraissent durement touchés. Et même à l'Académie commerciale...

— Je me souviens de certains hivers où les écoles ont été fermées. En 1885, et encore en 1890...

Ce dernier épisode l'avait convaincu, en 1896, d'embaucher Élisabeth comme préceptrice plutôt que de mettre ses propres enfants à l'école. Bien sûr, la présence d'Alice dans la maison, grabataire, avait pesé sur cette décision. Toutefois, l'homme souffla après un silence :

— Je souhaite seulement que nous n'ayons pas commis une sottise.

Devant le regard interrogateur de sa compagne, il expliqua :

— Il y a huit jours, le docteur Hamelin nous a demandé de prendre des mesures contre cette épidémie. Enfin, il a demandé cela au médecin hygiéniste de la Ville.

— Celui-ci n'a rien fait ?

La voix paraissait chargée de reproche, au point où il se défendit :

— Le spécialiste de la question, Paquin, prétendait que cela ne servait à rien. Son collègue de Montréal paraît du même avis.

Il agita le numéro de la veille de *La Patrie*, comme pour ajouter au poids de son plaidoyer.

— Mais sur la colonne voisine, concéda-t-il bientôt d'une voix moins assurée, le même médecin enchaîne en conseillant de retenir à la maison les écoliers ayant été en contact avec des personnes malades. Bien plus, il faudrait désinfecter les vêtements de ceux-ci...

Le malaise de Thomas s'amplifia encore un peu. Une semaine plus tôt, la décision de ne rien faire semblait bien raisonnable. Aujourd'hui, cela lui paraissait fort douteux.

~

Le vieil hôpital si souvent agrandi semblait déborder. Les religieuses augustines, de leur côté, se raréfiaient. Au terme de sa tournée des malades, Hamelin retrouva la directrice dans le couloir, fidèle à une habitude vieille de plusieurs jours. Les préoccupations et l'épuisement se conjuguaient pour creuser ses traits.

— Les choses ne vont pas mieux? demanda l'homme.

— La moitié de mes sœurs souffrent de cette vilaine grippe. Si cela continue, nous seront forcées de fermer nos portes. Les sœurs valides suffisent à peine à soigner les malades.

Elle s'engagea dans le couloir, le médecin sur ses talons. Pour des motifs de pudeur, une petite salle séparée recevait les religieuses malades. La contagion avait forcé l'ajout de deux lits dans la pièce, ce qui entraînait une désagréable promiscuité. Un concert de toux accueillit leur entrée, venant autant des malades que de la soignante présente.

Tout au fond, des draps pendus au plafond préservaient une couche des regards. Le médecin découvrit la toute jeune religieuse, vingt ans à peine, inconsciente, la respiration très laborieuse. Plus personne ne songeait à manipuler les pans de la chemise de nuit de façon à dissimuler les pointes des seins au moment de l'auscultation. Même la coiffe demeurait sur le chevet. Les cheveux mal coupés lui donnaient l'allure d'un garçon aux traits étonnamment doux.

— Les poumons paraissent pourtant se dégager, souffla-t-il en secouant la tête.

— Elle a combattu si longuement, si courageusement, pendant des jours.

Hamelin se souvenait de ces moments de lutte. La respiration oppressée, les lèvres violacées, le corps en sueur. À ce moment, elle prononçait des mots sans suite, où revenaient les « Doux Jésus » entre de brèves protestations contre la maladie. Maintenant, tout son corps paraissait prêt à s'abandonner à la mort bleue.

— Comme si tous ses efforts la laissaient sans ressources pour reprendre conscience, conclut la religieuse. Elle a sombré trop bas…

Juste à ce moment, la patiente émit une plainte, son corps s'arqua un peu, pour se détendre ensuite tout à fait dans un grand soupir. Comme si elle attendait juste de profiter d'une présence humaine au moment de son départ.

— Oh ! Seigneur mon Dieu ! s'exclama la vieille augustine en se précipitant.

Le médecin reconnut tout de suite l'ouvrage de son ennemie de toujours. Le visage se détendit, s'inclina un peu sur la gauche. Malgré la proximité de la directrice, ou peut-être pour prévenir un épanchement peu compatible avec ses fonctions, il s'approcha pour poser le bout de ses doigts sur la carotide, juste sous la mâchoire. Ensuite, il remonta le drap de façon à couvrir le visage. Seuls les cheveux, un peu malpropres et collés au crâne, demeurèrent visibles.

Après une pause, il murmura en tendant la main :

— Ma sœur, venez avec moi.

Elle le regarda un bref instant, surmonta son chagrin et se redressa sans accepter son aide. De retour dans le couloir, elle déclara à voix basse :

— Un ange !

Ce genre de constat mettait le médecin mal à l'aise. Il avait eu sous les yeux une jeune femme menue, jolie, dont tout l'être désirait survivre. « Une personne délicieusement incarnée, songea-t-il, pas un être céleste. » La religieuse continua d'ailleurs sur un tout autre registre, après une pause.

— Elle a tout supporté sans une plainte. En quoi sa mort, survenue si jeune, peut-elle servir Dieu ?

Le doute le mit encore plus mal à l'aise que la foi naïve. Le médecin refusa de s'engager sur ce terrain. Jusque-là, aucune mort, prématurée ou non, ne lui avait paru obéir à un plan divin. Celle-là moins que toutes les autres.

Sa compagne aspira profondément, ferma les yeux un instant, le temps de retrouver sa contenance, puis ajouta :

— Ce départ touchera durement mes compagnes. Les plus jeunes de nos sœurs deviennent un peu nos filles. Déjà, elles ne suffisent plus à la tâche, à cause des absentes. L'effet sur leur moral...

— Il faudra pourtant trouver le moyen de leur donner un peu de repos. Non seulement la fatigue les rend plus vulnérables à la contagion, mais les complications...

Elle marqua une nouvelle pause, plus longue, avant de répliquer :

— Je vous remercie sincèrement, docteur Hamelin. Pour vos bons soins, votre sollicitude... et votre amitié.

— Vous m'honorez de la vôtre, ma sœur.

— ... Maintenant, si vous voulez m'excuser, je dois m'occuper de cet angelot.

L'homme s'éloigna d'un pas las après un salut de la tête.

~

Le dernier décès souleva une indignation nouvelle chez le docteur Hamelin, au point de l'amener à une nouvelle visite dans les bureaux du *Quebec Chronicle*. Peut-être le rédacteur protestant conçut-il une sympathie particulière pour la petite religieuse catholique décédée. Toujours est-il que le lundi suivant, un éditorial bien tassé fustigeait l'inaction des autorités municipales. Le gratte-papier se donna même la peine de pousser son enquête du côté du port et dans les hôpitaux de la ville. Cela lui permit de soutenir qu'au bas mot, deux cent quarante marins affectés par la grippe avaient mis les pieds sur la rive, et que neuf personnes étaient décédées des complications liées à celle-ci.

Demeurer encore dans l'expectative devenait ridicule. Au cours de l'après-midi du 30 septembre, le docteur Paquin dressa une liste des précautions à prendre afin de limiter la contagion, tout en insistant sur le fait qu'il s'agissait d'influenza «ordinaire». Ce diagnostic, tout comme les invitations à la prudence, seraient repris dans les journaux du lendemain matin.

~

À six heures du matin, la petite maison de la rue Dorion était agitée d'une sorte de branle-bas de combat silencieux. Madame Caron, une personne imposante et sérieuse, sonnait avec entêtement. Charles Hamelin se dépêcha d'ouvrir, désireux de préserver le sommeil de ses enfants, puis commença:

— C'est si gentil à vous, belle-maman. Nous serons absents tous les deux et je préfère garder les enfants hors de l'école pendant quelques jours encore.

— La maladie a touché le monastère des ursulines?

— Pas encore, mais les absences se multiplient chez les frères. Pensez donc, des classes entières sont allées défiler dans le hall de l'Académie commerciale, dans un lieu infesté.

— Quelle horreur, semer une inquiétude morbide chez de tout jeunes enfants. Ces maîtres sont des brutes.

Le médecin jugea inutile de dire qu'il partageait entièrement cet avis. La dame chassa ses idées moroses et continua d'un ton enjoué:

— Cela me fait plaisir de passer une journée avec ces anges.

— Des anges? Êtes-vous certaine de parler de mes enfants?

— Bien sûr. Vous verrez quand vous serez grand-père: vous aurez à votre tour le plaisir et aucune des responsabilités.

Élise apparut dans le petit vestibule en enfilant ses gants. Après des bises sur les joues maternelles, elle demanda en étirant le cou pour voir par la porte laissée ouverte:

— Tu as demandé au chauffeur de m'attendre?

— J'ai respecté tes consignes à la lettre.

— Alors autant ne pas le faire patienter trop longtemps. À ce soir.

Elle sortit alors que son mari murmurait:

— Si vous voulez bien m'excuser un moment…

Il accompagna son épouse jusqu'au trottoir, déclara en mettant la main sur la poignée de la portière:

— Je suis désolé de te recruter de la sorte dans ma lubie… J'aimerais toutefois en savoir un peu plus, les journaux me paraissent trop laconiques. Les articles sont concis et je soupçonne que les rédacteurs gardent en tête les nouvelles directives du premier ministre Borden quant à la censure. Parler de maladie peut être vu comme une attitude défaitiste.

— Je t'assure, sortir de la maison me fera du bien. Je regrette juste de partir sans toi.

L'homme se pencha pour l'embrasser sur la bouche, s'attarda au point de faire jaser les voisins, puis l'aida à monter dans le taxi. Quand il réintégra son domicile, sa belle-mère le contempla en offrant une mine amusée. Il reprit la conversation où il l'avait interrompue:

— Nous risquons tous les deux de revenir assez tard, pas avant dix heures ce soir.

— Profitez-en pour aller souper ensemble au Château et entendons-nous pour minuit au plus tôt. Si c'est plus tard, je dormirai sans doute sur le canapé du salon. Essayez seulement de ne pas me réveiller en entrant.

Charles tendit la main pour prendre le manteau de sa parente afin de l'accrocher dans la garde-robe et la laissa disposer elle-même de son chapeau. Il enfila son imperméable en concluant:

— Comme la journée sera longue, autant me mettre en route tout de suite. Vous m'excuserez auprès des enfants, tout en leur disant que je ferai l'impossible pour revenir à midi.

Au moment où il s'apprêtait à passer la porte, il se retourna pour dire encore:

— Vous savez, vous êtes très gentille.

— Confidence pour confidence, mon gendre, vous êtes très gentil aussi.

Ces mots l'accompagnèrent pendant une bonne partie de cette longue journée.

~

La Citadelle de Québec formait un ensemble défensif désuet, en grande partie enfoui sous terre. En temps de paix, elle servait d'attraction touristique et de logis au gouverneur général, lors de ses séjours dans la vieille capitale. Depuis 1914, elle prenait l'allure d'une ruche bourdonnante, où des centaines d'hommes s'agitaient dans toutes les directions.

Le docteur Charles Hamelin se heurta d'abord à des sentinelles aux visages peu sympathiques. Dans le dédale de couloirs, les militaires jetaient sur lui des regards soupçonneux. Dans un univers kaki, son costume de tweed le rendait louche. À la fin, il trouva l'antichambre d'un grand bureau et commença dans son meilleur anglais:

— Je désire parler au général Landry.

— Le commandant ne reçoit pas de visiteur, rétorqua l'autre en français.

— C'est de la plus haute importance, croyez-moi.

Le lieutenant faisant office de cerbère et de secrétaire marqua une hésitation, chercha une feuille et la tendit au visiteur en disant:

— Écrivez l'objet de votre démarche et vos coordonnées. Nous vous contacterons.

Un pareil dénouement semblait aussi probable que le retour inopiné du Messie sur terre. Le médecin secoua la tête de dépit, puis déclara:

— Je n'ai pas le temps de jouer à ces sottises. Dites au général Landry que je veux lui parler. Avec toute la paperasse qui vous passe entre les mains, vous connaissez sûrement le nombre de malades au camp de Saint-Jean. Il atteint maintenant les six cents. Je n'aimerais pas voir la situation se répéter ici, le général non plus.

L'officier demeura un moment interdit, puis après cette hésitation, il disparut dans la pièce attenante. À son retour, quelques minutes plus tard, il déclara en dissimulant mal sa surprise :

— Le général Landry accepte de vous recevoir un moment.

Joseph-Philippe Landry, grand, maigre et sec, une moustache broussailleuse sous le nez, allait sur ses cinquante ans. Les autorités militaires lui avaient refusé le privilège de combattre sur le front, pour l'affecter à des tâches administratives. Au moment où des Canadiens de langue anglaise cueillaient les lauriers de la gloire dans les Flandres, lui assumait le commandement du district numéro cinq, celui de Québec. Avec celui de son collègue Lessard, les manuels d'histoire retiendraient son nom pour avoir réprimé les émeutes du printemps de 1918.

— Monsieur, commença le militaire en se levant à demi pour tendre la main, je n'ai pas retenu votre nom.

— Charles Hamelin.

Il accepta le fauteuil qu'on lui désignait, enchaîna sans attendre :

— Je le comprends, votre temps est précieux, le mien aussi. Pour éviter de répéter dans notre ville la situation sévissant à Saint-Jean, et sans doute aussi dans de nombreux autres camps au Canada et aux États-Unis, il convient de prendre des mesures énergiques.

— J'ai vu les recommandations du médecin hygiéniste de la Ville dans le journal du matin.

— Elles ne suffisent pas.

Le général s'adossa dans son fauteuil pour attendre la suite.

— Un cantonnement militaire représente la pire menace pour la santé publique. Des jeunes hommes venus de partout au pays se trouvent réunis. Cela revient à tenir un congrès de tous les microbes.

— Vous y allez un peu fort…

— Ils se répandent dans la ville ensuite. On voit des soldats dans les tavernes, dans les cinémas, dans les théâtres. Comme à Saint-Jean, l'infection atteindra les civils.

— Nous ne trouvons pas tellement de cas parmi nos hommes.

Hamelin lui répondit par un sourire un peu sceptique, mais il accepta de jouer le jeu.

— J'ai lu la même chose concernant la base de Longue-Pointe, à Montréal. Si vous dites vrai, la contagion ira tout bonnement dans l'autre sens. Avez-vous lu l'article publié dans le *Chronicle* ?

Landry chercha dans une pile de journaux, rapporta dessus l'exemplaire de la veille.

— Deux cent quarante marins grippés. On les rencontre dans les mêmes tavernes, les mêmes bordels que les soldats. Si ce n'est pas encore le cas, bientôt le tiers de vos recrues sera sur le dos, peut-être la moitié.

Le général laissa échapper un soupir, ce qui permit au médecin de deviner que déjà, l'épidémie affectait la Citadelle.

— Que conseillez-vous ?

— La quarantaine. Cela seul peut limiter les dégâts. Vous procédez sans doute comme à Saint-Jean, en isolant les hommes présentant des symptômes.

L'autre acquiesça de la tête.

— Le problème, c'est qu'une personne infectée est contagieuse avant de se sentir elle-même malade. Aussi, il faudrait limiter les contacts entre la population civile et vos hommes. Vous pouvez certainement supprimer toutes les permissions, celles d'une heure comme celles d'une semaine.

— Ce sera fait.

— Cela veut dire aussi suspendre les activités du Chez-nous du soldat, et même les visites chez les parents.

— Je suis en mesure d'enfermer tous les hommes dans leurs chambrées jusqu'à la fin de la guerre.

— Pas seulement ici, mais aussi au Manège militaire et à Valcartier.

Le général ne put dissimuler son agacement en répondant:

— Ce sera fait.

— Toutefois, empêcher les soldats de sortir ne donnera rien si vous laissez les civils entrer.

— Ce n'est pas un collège ici, nous ne permettons pas des heures de visite.

— Je pensais aux fournisseurs, aux fonctionnaires...

Pour nourrir, vêtir et équiper des milliers de conscrits, des dizaines de camions ou de voitures devaient se présenter dans les divers bâtiments militaires tous les jours. Chaque fois, des germes pouvaient y entrer ou en sortir. Le général hocha la tête pour signifier sa compréhension de la situation.

— ... Tout cela sera-t-il fait? demanda le médecin après une hésitation.

— Bien sûr. Vos paroles reprennent presque mot à mot les directives de l'état-major. Votre visite vient seulement me confirmer ce dont je me doutais: la situation de notre ville est moins sûre que certains ne tentent de le faire croire.

— Beaucoup moins sûre, affirma Hamelin en quittant son siège. Un moment viendra où tous les habitants de la ville auront été exposés à la contagion. Alors, tous les services publics s'interrompront, faute de main-d'œuvre. Vous êtes très occupé, je ne m'attarde pas plus longtemps. Merci de votre attention.

Après un aussi sombre pronostic sur la progression de l'infection, aucun des deux n'osa tendre la main au moment de prendre congé.

La locomotive du Québec Central s'arrêtait dans de nombreux villages, pour laisser monter ou descendre des agriculteurs surtout, parfois des voyageurs de commerce. Elle entra dans la gare du Grand Tronc, à Sherbrooke, juste un peu avant midi.

Tout de suite, la scène s'offrant à la voyageuse la frappa comme un coup de poing au ventre. Le porteur debout sur le quai portait un masque de coton lui couvrant la bouche et le nez. Ses gants visaient peut-être à le protéger du froid, mais le vieil homme désirait plus probablement défendre son épiderme de tout contact direct avec les personnes et les bagages susceptibles de porter des germes.

Dans le petit édifice de brique un peu vieillot, tous les employés se soumettaient aux mêmes précautions. Les voyageurs quittant la ville cherchaient à se protéger aussi. Les arrivants affichaient à l'unanimité une mine à la fois surprise et inquiète.

« Charles, songea-t-elle en relevant machinalement son foulard afin de couvrir un peu le bas de son visage, si tu travaillais ici, tu trouverais des gens déterminés à t'écouter. »

La voyageuse se trouva bientôt rue Lansdowne, totalement perdue. Une voiture taxi était stationnée un peu en retrait, dans l'attente de clients. Elle songea aux ressources un peu limitées du ménage, se résolut à prendre le tramway en soupirant. Un arrêt se trouvait tout près, elle demanda à un homme debout à proximité :

— Je veux me rendre à l'hôtel de ville. Pouvez-vous me dire quelle voiture prendre ?

— ... La prochaine, fit l'homme en reculant un peu.

Si les usages exigeaient que l'on ne serre pas de trop près une inconnue, celui-là paraissait déterminé à doubler la distance habituelle.

— Au coin de la rue Wellington, vous descendrez pour en prendre une autre vers l'est.

Sa méfiance des germes le rendait un peu moins attentionné. Quand le tramway arriva enfin, il monta en premier. Puis, après avoir acquitté son droit de passage, il préféra aller s'asseoir tout au fond du véhicule. Élise comprit sa méfiance et choisit de rester à l'avant, pour occuper la banquette la plus proche du conducteur. Ce dernier portait aussi un masque et il semblait réticent à accepter ses pièces de monnaie.

La voiture tourna à gauche dans la rue King, gravit une pente douce.

— Les rues sont désertes, remarqua-t-elle à haute voix. Pourtant, je le vois bien, nous sommes dans le quartier des ateliers et des manufactures.

— ... Vous ne savez pas ? interrogea l'homme en la regardant à la dérobée.

— À propos de la grippe ? Bien sûr, je suis au courant.

— Plusieurs personnes ne se présentent même plus au travail... y compris certains de mes collègues. Cela allonge mes journées de façon déraisonnable.

Le ton du chauffeur témoignait de sa déception de ne pouvoir faire la même chose. Une famille nombreuse devait dépendre de son salaire.

— Les autres citadins assez courageux pour aller au boulot font tout pour limiter les contacts avec leurs voisins ou leurs compagnons. Je les imagine casser la croûte chacun dans son coin... Voilà Wellington. Si vous vous pressez un peu, vous monterez dans le 253 avant son départ.

Elle fit comme on le lui disait. Dans cette artère commerciale, Élise constata encore le petit nombre de badauds. Bien des magasins et presque tous les restaurants conservaient leurs stores baissés, même si on était au milieu du jour. Sherbrooke prenait des allures de ville assiégée, comme si une armée ennemie campait dans les environs. Sans mal, elle reconnut l'architecture convenue de l'hôtel de ville, située juste en face du palais de justice.

La grande bâtisse victorienne fourmillait d'activité. Le contraste avec le reste de la cité troubla la jeune femme un moment, puis elle murmura : « Bien sûr, les décisions se prennent ici. » Tout le monde dans ces parages portait un masque, et la plupart, des gants aussi.

Un policier de faction près de l'entrée lui indiqua comment se rendre au bureau du docteur Jones. Elle trouva la porte entrouverte, aperçut un homme penché sur un dossier.

— Docteur, commença-t-elle d'une voix timide, pour enchaîner dans son meilleur anglais appris chez les ursulines des années plus tôt : Je suis vraiment désolée de vous déranger.

— ... Madame Hamelin ?

La prononciation déficiente rendait le patronyme méconnaissable.

— Oui, c'est moi. Je vous prive sans doute de votre heure de dîner.

L'homme fit un geste de la main pour mettre fin à ses excuses, puis lui désigna la chaise devant son bureau.

— À lire les journaux, on se rend mal compte de la situation ici. Je veux dire : les rues désertes, la plupart des lieux publics fermés... Tout cela est tellement étrange.

— Sherbrooke prend des allures de ville fantôme. Comme la maladie se transmet par les contacts entre les personnes, la meilleure façon d'éviter le danger demeure l'isolement. Les gens se terrent dans les maisons.

— Toutes ces précautions sont-elles utiles ?

Le médecin lui jeta un regard réprobateur, puis déclara d'un ton narquois :

— Je m'étonne que Charles ne vous ait pas convaincue. Dans sa lettre me demandant de vous recevoir, il exprimait une grande inquiétude.

— En tant qu'épouse, et surtout mère, je suis encline à partager son point de vue. Mais les autorités municipales, tant à Québec qu'à Montréal, parlent d'une grippe "ordinaire". Vos concitoyens doivent se ronger d'inquiétude. Si c'est en pure perte...

— Cette inquiétude ne les tuera pas. Voulez-vous m'accompagner ?

Elle acquiesça de la tête après un moment d'hésitation.

— Je vais donc faire votre éducation, déclara le médecin en quittant sa place.

Il s'empara d'une boîte posée sur une étagère, la tendit vers la visiteuse en ajoutant:

— Je déteste vous voir dans cette tenue. Vous pouvez être porteuse de la maladie, et moi plus encore, compte tenu de mon métier.

La boîte contenait des gants et des masques de coton.

— Je ne tousse pas du tout, protesta-t-elle.

— Moi non plus. Mais je soupçonne les malades d'être contagieux avant même l'apparition des premiers symptômes. Prenez-en un.

Un moment plus tard, elle accrochait derrière ses oreilles les ficelles d'un masque couvrant sa bouche et son nez.

— J'ai mes propres gants.

— Je l'ai remarqué. Nous sommes tous les deux assez coquets pour ne pas porter ceux-là.

Le médecin reposa la boîte à sa place, sortit son propre masque de la poche de sa veste de laine pour l'accrocher à son visage, avant d'enfiler des gants de cuir fin.

— Nous recommandons à toutes les personnes obligées de sortir de s'accoutrer ainsi. Et pour bien faire, chacun devrait se laver les mains soigneusement au moins toutes les heures et surtout éviter de serrer celle des autres, ou toucher à mains nues le moindre objet manipulé par un autre. Je soupçonne que les poignées de porte et les pièces de monnaie jouent un rôle particulier dans la dispersion des germes.

Le souvenir de l'attitude du conducteur du tramway lui revint en mémoire. Elle choisit de lever la tension entre eux:

— Je me doutais bien que vous étiez un homme poli, malgré les apparences.

Après un moment d'incertitude, l'envie de rire marqua le coin de ses yeux:

— Sherbrooke deviendra la capitale de l'absence de savoir-vivre. Je m'excuse de ne pas vous avoir tendu la main, tout à l'heure. Suivez-moi.

Quelques instants plus tard, ils sortaient de l'hôtel de ville pour monter dans une petite Ford de modèle T. Sur le chemin de l'hôpital, le bruit du moteur rendait impossible toute conversation. Les rues et les trottoirs étaient quasi déserts. Les rares passants hâtaient le pas, visiblement désireux de rentrer bien vite pour se cacher derrière des portes closes.

En comparaison, les parages de l'établissement de santé grouillaient de vie. À l'intérieur de l'édifice, Élise se souvint des confidences de son époux. L'Hôtel-Dieu devait ressembler à cela, avec des malades entassés dans les corridors, des chambres surpeuplées et un personnel exténué.

— Comme les gens savent bien que la maladie peut-être mortelle, ils viennent ici dès les premiers symptômes. Cela crée un encombrement tel que nous n'arrivons plus à soigner de manière satisfaisante ceux qui endurent des complications. La pneumonie finit par tuer une partie des malheureux, pas la grippe.

— Cette affluence tient à vos mesures de quarantaine. La panique doit s'emparer des gens.

— Nos précautions visent d'abord à réduire l'ampleur de la contagion. Diminuer un peu le nombre de cas, c'est déjà un succès. Nous tentons ensuite de créer des centres de soins où faire le tri des patients, afin d'orienter seulement les plus menacés vers les hôpitaux.

— Des centres de soins ?

— Je vous montrerai tout à l'heure.

Le docteur Jones s'absorba bientôt dans de longues conversations avec le personnel médical afin de connaître le nombre de personnes admises la veille et le matin. Il prenait soigneusement en note les chiffres recueillis.

— Le nombre de cas progresse régulièrement, commenta-t-il en revenant vers elle.

— Cela ne peut pas augmenter sans cesse.

— Tôt ou tard, comme dans le cas de la marée, il y aura un reflux. Nous ne savons ni quand ni jusqu'où la situation se dégradera avant de s'améliorer un peu.

Il marchait d'un pas rapide dans les couloirs de l'établissement, elle tentait de se maintenir à sa hauteur. Au moment de quitter les lieux, il expliqua :

— Je dois rentrer à l'hôtel de ville, mais chemin faisant, je veux voir comment les choses se passent au centre de soins. J'en profiterai pour vous montrer les lieux, et vous abandonner ensuite...

— Je devine combien la situation pèse sur vous. Je vous suis très reconnaissante pour le temps que vous m'accordez, et Charles aussi, n'en doutez pas.

La petite voiture parcourut la distance jusqu'au Sherbrooke High School en crachotant. Le médecin entra dans l'édifice avec une assurance de propriétaire. Un membre du clergé anglican, visiblement dépassé par les événements, l'accueillit à la porte.

— Nous avons déjà plus de trente personnes sur les bras, déclara-t-il d'emblée, nous ne pouvons pas en recevoir un plus grand nombre.

— Alors espérons que notre appel pour obtenir des volontaires parmi la population sera entendu. Ces malades sont-ils susceptibles de présenter des complications ?

— ... En autant que je puisse en juger, ils ont simplement attrapé la grippe.

Les deux hommes quittèrent le hall pour emprunter un couloir, la visiteuse sur les talons. Dans une première classe, les pupitres avaient été entassés dans un coin pour faire de la place à six lits de camp. Élise remarqua la présence d'une infirmière de l'Ordre de Victoria, aisément reconnaissable à son uniforme, se déplaçant de l'un à l'autre lit.

— L'armée nous prête les couchettes, expliqua le docteur Jones à son intention. Cela ne doit pas lui poser de difficulté, car l'état-major devra ralentir le recrutement à cause de l'épidémie. Entasser des centaines d'hommes sur un navire pour les expédier en Europe ne ferait qu'accélérer les progrès de l'infection.

— Ces personnes ne seraient-elles pas mieux dans leur famille ?

— La plupart de ces hommes vivent seuls. En réalité, ils auraient eu bien du mal à s'occuper d'eux-mêmes, une fois atteints par la maladie. À la faveur de la guerre, de nombreux travailleurs se sont logés dans des maisons de chambres, ils prenaient leur repas dans des cantines maintenant fermées à cause de la quarantaine. Nous sommes en mesure de leur offrir un lit, un espace aéré et une alimentation saine. Surtout, si leur situation se complique, nous les enverrons à l'hôpital.

L'homme marqua une pause en regardant un individu d'une quarantaine d'années, puis enchaîna, un ton plus bas :

— Certaines situations sont plus touchantes : des chefs de famille décident de venir ici plutôt que de rentrer à la maison, de peur de contaminer leurs proches.

Dans une ville sensibilisée à la dangerosité de la contagion, ce genre de comportement devait se répéter avec régularité. Ils quittèrent la pièce pour passer dans la classe suivante, celle-là occupée par des femmes.

— Il y a aussi une autre situation navrante : au premier raclement de gorge, au premier reniflement, les domestiques sont congédiées sur-le-champ, souvent sans aucun sou en poche. Encore une fois, la crainte de la contagion inspire ce comportement, les familles tentent de se protéger ainsi. Comme ces jeunes filles viennent pour la plupart de la campagne, elles n'ont aucun parent dans cette ville. Nous les recevons ici.

Élise remarqua que les occupantes de la pièce avaient toutes entre quinze et vingt ans. Elles affichaient un air inquiet, parfois angoissé.

— Pensez-vous que ces précautions devraient être reprises à Québec ?

— Je ne le sais pas avec certitude. Au moins, les gens rassemblés ici ne répandent pas leurs germes dans les rues. Juste pour cela, nos efforts sont sans doute justifiés. Pour le reste... à la grâce de Dieu.

Le pasteur protestant, debout un peu à l'écart, approuva d'un signe de tête. Le docteur Jones s'interrompit, puis reprit, un ton plus bas :

— Je dois retourner au travail.

— Merci encore de votre générosité.

— Je peux tout de même vous conduire à la gare.

— Mon train partira plus tard dans la journée. Malgré le ciel maussade, je préfère marcher un peu.

Sur le seuil du Sherbrooke High School, ils se séparèrent après une poignée de main. Élise fit le geste de retirer son masque pour le lui rendre.

— Gardez-le. Croyez-moi, c'est plus prudent.

À pas lents, elle retrouva la rue King pour en suivre le cours en direction de la rivière Saint-François. En croisant les rares passants, elle constata que ceux-ci s'écartaient un peu de son chemin, répondaient à son salut d'un geste de la tête avec un instant de retard. Elle s'arrêta dans l'un des rares restaurants encore ouverts, au coin de Wellington, sourit tristement à la lecture d'un petit écriteau soigneusement calligraphié : « Toutes nos tables ne reçoivent qu'une personne, tout le personnel porte des gants et un masque. »

Malgré ces précautions, que cet endroit demeure encore ouvert devait faire rager le médecin hygiéniste de la Ville. D'un autre côté, comment fermer tous les endroits où un visiteur pouvait prendre un repas ? Certains services demeuraient essentiels. La jeune femme s'installa près d'une fenêtre, seule cliente en ces lieux. L'affichette disait vrai : non seulement la serveuse travaillait la bouche et le nez couverts d'une pièce de coton, mais elle posa les aliments en se tenant le plus loin possible de la table.

— Les affaires sont ralenties, remarqua Élise.

— L'heure du dîner est passée depuis longtemps, celle du souper viendra bien plus tard.

Quelque chose dans le ton suggérait à la visiteuse de s'en tenir aux usages, la prochaine fois, plutôt que de venir interrompre le repos d'une honnête travailleuse en après-midi. Son masque toujours accroché à une oreille, Élise mastiqua lentement la pièce de viande, les yeux sur le trottoir désert, puis laissa les pièces de monnaie près de l'assiette au moment de partir. L'employée semblait déterminée à réduire au minimum ses contacts avec ses semblables.

À la gare, Élise passa d'abord au kiosque du télégraphe. Un long moment, elle resta immobile, le crayon suspendu dans les airs, à six pouces de la feuille de papier. Comment décrire ce qu'elle avait vu de façon succincte, puisqu'elle devrait payer pour chaque lettre figurant dans la communication ? À la fin, elle écrivit : « SHER VILLE FANTÔME JE T'ÉCRIS AVEC UN MASQUE. JONES ENCORE PLUS INQUIET QUE TOI. »

Un gamin apporterait le message au cabinet du docteur Caron. Son mari le recevrait avant de se rendre à la séance du conseil municipal.

Chapitre 11

Pour les personnes privées de loisirs plus enlevants, les séances du conseil municipal fournissaient un divertissement acceptable. Bien sûr, la longue domination du Parti libéral sur les destinées de la ville limitait le nombre de surprises. Cependant, les avatars de l'existence procuraient parfois de véritables débats.

Le mardi 1er octobre, au moment de l'ouverture de la période de questions, Charles Hamelin se leva comme si un courant électrique venait de parcourir son siège, puis il clama d'une voix rendue chevrotante par la nervosité :

— L'épidémie de grippe nous menace tous, et vous, vous ne faites rien pour nous protéger !

Les autres spectateurs désireux d'en découdre avec l'administration tournèrent leur regard vers l'énergumène. Les chiens errants et le ramassage du crottin de cheval dans les rues revêtaient un caractère moins dramatique que cette infection, ils le reconnaissaient volontiers.

Le maire Lavigueur crispa sa main sur son maillet et fixa un regard mauvais sur le médecin. Les articles du *Quebec Chronicle* avaient un écho chez les Canadiens français, bien vite les gens en viendraient à formuler des accusations d'incurie.

— Monsieur, un peu de retenue. Le Service d'hygiène a publié des recommandations…

— Je vous ai signalé le danger il y a plusieurs jours. Maintenant, la moitié de la population a sans doute été exposée aux germes.

— Ces recommandations sont identiques à celles promulguées à Montréal…

— Cela n'excuse en rien votre retard criminel. Votre silence met des vies en péril. Le simple rassemblement de plusieurs dizaines de personnes dans cette salle tient de la plus pure sottise. Tout à l'heure, cet homme toussait à s'en arracher les poumons.

Hamelin pointait du doigt le greffier de la Ville, un gros homme aux favoris démesurés, comme on les portait au siècle précédent.

— Vos accusations pourraient vous conduire devant un tribunal, menaça le maire.

— Sous quel chef d'accusation ? Celui de me préoccuper de la santé de mes compatriotes, alors que vous ne faites rien ? Abrégeons les procédures, je plaide coupable.

Un murmure parcourut l'assemblée. La formule risquait bien de se trouver le lendemain en première page de tous les journaux. Le magistrat adoucit le ton au moment de rétorquer :

— Le médecin hygiéniste nous assure que cette grippe ne diffère en rien de celles des années passées.

Cela revenait à dire : « Au moment de chercher un coupable, voilà la direction où regarder. » Le magistrat se désolidarisait de son employé. Il continua :

— On a pris exactement ces mêmes précautions à Montréal. Elles suffisent, dans les circonstances.

— Vous devriez aller dire cela aux soldats de la base de Saint-Jean ou alors aux habitants de Sherbrooke. Cette ville est soumise à une quarantaine sévère.

Les spectateurs se regardèrent tout en opinant de la tête. Les comptes rendus des journaux avaient de quoi inquiéter les plus optimistes.

— Rien, dans la situation actuelle, ne justifie des mesures aussi extrêmes. Selon le médecin de la Ville…

Son plaidoyer devenait de moins en moins convaincant, aussi il s'arrêta.

— Le général Landry vient de mettre la Citadelle et le Manège militaire en quarantaine. L'armée se soucie visiblement plus de la santé de ses soldats que le conseil municipal de celle de ses concitoyens.

— Monsieur, je ne vous permets pas...

— Laisse-le parler, Lavigueur, cria quelqu'un dans un coin de la salle. Pour une fois que quelqu'un sait ce qu'il dit.

L'apostrophe entraîna quelques rires contraints. Le maire frappa la table à grands coups de maillet, afin d'imposer le silence, les yeux fixés sur le médecin. Celui-ci reprit son souffle avant de déclarer encore:

— Vous devez imposer ici les mêmes mesures qu'à Sherbrooke. Tous les rassemblements publics doivent être interdits, comme cette séance, le spectacle d'opéra qui vient de commencer à l'Auditorium, la présentation de films...

Dès le premier exemple, quelques personnes quittèrent la salle, soucieuses de se soustraire aux miasmes ambiants. Charles Hamelin continua:

— J'espère juste qu'il n'est pas trop tard. La contagion a beaucoup progressé.

Quelqu'un, pourpre de colère, se leva dans le premier rang des spectateurs pour crier:

— Vous n'avez pas le droit de semer l'inquiétude dans la population. Nous subissons des grippes tous les ans. Malheureusement, quelques personnes en meurent. Ce qui a commencé par une réaction hystérique de votre part risque de se transformer en panique générale.

Le jeune médecin contempla un instant son collègue de vingt ans plus âgé, puis déclara, un ton plus bas:

— Docteur Paquin, si vous saviez comme j'aimerais avoir tort. Je retourne auprès de ma famille. J'ai trop privé celle-ci de ma présence, ces derniers jours.

Sur ces mots, il quitta la salle.

~

Chaque fois qu'il revenait à l'Auditorium de Québec, Édouard reniflait, certain de percevoir encore une odeur de fumée. Si l'incendie déclenché par les émeutiers le printemps précédent avait entraîné des dégâts limités, les tissus des lourdes tentures et ceux des sièges paraissaient en porter encore la trace. Quant aux déprédations elles-mêmes, rien ne les laissait plus deviner. Les croisées des fenêtres, tout comme les portes de la façade, étaient neuves, ainsi que la plupart des tapis. La peinture et les décors de plâtre témoignaient aussi de rénovation récente.

Évelyne, vêtue d'un élégant fourreau de soie bleue, un chapeau exagérément large sur la tête, se pendait au bras du jeune commerçant, heureuse pour une fois de partager une soirée avec lui. Le couple prit place dans l'une des corbeilles placées sur le côté droit de la grande salle, relativement près de la scène.

La jeune femme s'installa avec précaution sur l'un des sièges près de la balustrade, soucieuse de ne pas donner de mauvais plis à sa robe. Sa belle-mère s'assit à ses côtés. À quarante ans, Élisabeth attirait les regards. Sa robe, bleue elle aussi, mais d'une teinte plus pâle que celle de sa belle-fille, demeurait bien sage, plus longue que la mode l'y autorisait, boutonnée haut sur le cou. Elle soulignait la silhouette longiligne, toujours aussi fine et souple. Relevés et ramassés sous son chapeau, ses lourds cheveux se dérobaient aux regards. La coiffure dégageait une nuque et des oreilles parfaites. Thomas lui glissa à l'oreille, une fierté amusée dans la voix:

— Tu brises les cœurs, une fois de plus. Regarde tous ces yeux tournés vers toi.

— Ne dis pas de sottises. Tes yeux, je les ai captés il y a plus de vingt ans. Les autres ont mieux à contempler.

La protestation de pure forme ne persuada personne. La loge l'offrait aux regards appréciateurs des personnes regroupées au parterre ou dans la mezzanine. Certaines braquaient sans vergogne de petites lunettes d'opéra sur elle afin de satisfaire leur curiosité.

— Je suis comblé, ricana son époux assis derrière elle, en lui caressant l'épaule de la main. Non seulement j'ai épousé la plus jolie femme de la ville, mais celle-ci ne se rend pas compte de l'effet de ses charmes sur les autres.

— Je la soupçonne de s'en rendre compte et de s'en réjouir, intervint Édouard à son tour. Maman feint une modestie de bon aloi. Après tout, l'éducation des ursulines laisse des traces durables.

À ses côtés, Évelyne se mordit la lèvre inférieure tout en posant les yeux sur sa voisine. Malgré son âge, sa parente demeurait vraiment magnifique et sa façon de ne sembler y attacher aucune importance ajoutait à son charme. Pourtant, son mari n'aurait-il pas dû protester un peu, souligner qu'Élisabeth n'était peut-être pas la plus belle dame dans cette loge ? Même s'il ne le croyait pas, ce genre de délicatesse n'allait-il pas de soi dans un couple ?

La principale intéressée tenta de détourner la conversation vers un sujet plus innocent :

— Vous connaissez cette compagnie… San Carlo…

— San Carlo Opera Company, précisa Thomas. Maintenant que j'ai des loisirs à ne plus savoir qu'en faire, je peux lire les pages artistiques des journaux. C'est la création d'un Américain d'origine italienne, Fortune Gallo. Il se promène d'une ville à l'autre pour présenter ses spectacles. *Faust* ce soir, *Lucia di Lammermoor* demain, en matinée. Puis tout le monde se déplacera vers Montréal, ensuite à Toronto, pour offrir le même programme.

— Nous reviendrons donc demain après-midi, insista Élisabeth.

L'homme poussa un soupir, puis donna son assentiment d'un signe de la tête. Elle se retourna pour le remercier d'une pression de la main sur la cuisse.

— Quand j'y pense, je suis jaloux, commenta Édouard. Voilà une entreprise merveilleuse. C'est un véritable cirque, sauf qu'ils n'ont pas à s'encombrer des tentes et des animaux. La troupe regroupe une soixantaine d'artistes, dont trente musiciens.

— Le magasin à lui seul compte deux fois plus d'employés, remarqua son père. Pourquoi envier ces gens ?

— Notre commerce ne se déplace pas d'une ville à l'autre. Tu imagines, voyager sans cesse, visiter de nouveaux endroits chaque semaine. Je me verrais bien dans ce genre d'existence.

Évelyne afficha un visage plus morose encore. Elle n'en doutait pas, son mari aimerait bien errer d'une extrémité à l'autre du continent, libre de multiplier les rencontres, en la laissant seule pendant des mois. De toute façon, il arrivait à afficher cette attitude distante – le mot irresponsable lui vint à l'esprit –, en ne travaillant qu'à quelques milles à peine de son domicile.

— Cette compagnie ne voyage pas avec son effectif complet, ce ne serait pas rentable, tempéra son père. Puis, pour faire mousser la vente des billets, Gallo n'hésite pas à confier des rôles à des artistes locaux.

— Y a-t-il quelqu'un de Québec sur scène ce soir ? demanda son fils.

— Je ne pense pas. Notre petite ville doit faire trop locale pour lui.

Les trois coups firent taire toutes les conversations dans le théâtre. Le rideau s'ouvrit dans un silence religieux.

~

La voix de basse de Méphistophélès s'enflait, remplissait l'Auditorium de Québec. Thomas regardait s'époumoner le gros homme, suffisamment près de lui pour qu'il puisse distinguer les veines du cou saillantes sous l'effort. Le propos du *Faust* de Gounod, un livret inspiré de Goethe, le touchait plus profondément que de raison.

Son apparence d'homme robuste, en pleine possession de ses moyens, laissait croire qu'il se trouvait bien loin du soir de sa vie, à la différence du protagoniste de l'opéra. Toutefois, le souvenir de la précocité du décès de Théodule et les ennuis de santé qui l'assaillaient depuis quelques mois le rendaient étrangement sensible à l'idée d'un pacte avec le diable pour retrouver sa jeunesse. Non pas que les jeunes filles l'attiraient outre mesure. Son regard caressait la nuque et le cou de sa femme. Élisabeth valait assurément toutes les Marguerites du monde, vendre son âme pour demeurer près d'elle très longtemps lui paraissait une bonne transaction.

La gaieté du deuxième acte le lassa un peu. La teneur un peu vulgaire de la chanson *Avant de quitter ces lieux* amena un sourire sur les lèvres d'Édouard, heureux de trouver là de nouveaux arguments pour étayer son attitude face à la vie. La rebuffade encaissée par Faust ne le toucha guère :

— Ne permettez-vous pas, ma belle demoiselle,
Qu'on vous offre le bras pour faire le chemin ?
— Non, monsieur, je ne suis demoiselle ni belle,
Et je n'ai pas besoin qu'on me donne la main.

Les entreprises de séduction se heurtaient parfois à des résistances. Clémentine s'était dérobée. Une autre viendrait bien égayer sa vie de ses charmes. La silhouette de Flavie traversa son esprit. Les vers de la chanson d'introduction du second acte lui trotteraient dans la tête pendant des jours :

Que ta gloire
Les amours
Soit de boire
Toujours

Prendre la chose au pied de la lettre se révélerait ridicule. Mais il entendait ne pas laisser une goutte du contenu de la coupe de sa vie.

La troupe San Carlo présentait un spectacle d'une honnête qualité, susceptible de séduire les habitants de ce gros village aux prétentions d'une grande ville. De longues quintes de toux amenaient parfois les artistes à jeter des regards inquiets vers la salle. Dans ces moments, sans en prendre conscience, ils portaient leur main devant leurs lèvres et leur nez, comme pour se protéger. Leurs pérégrinations d'un bout à l'autre du continent les rendaient familiers avec la grippe « espagnole ». Leur métier les exposait à capter les microbes dans une ville et à les transporter dans une autre.

Une pause permettait aux artistes de se préparer aux prouesses vocales des trois derniers actes. Dans des temps plus cléments, des hommes, traînés là de force par leur douce moitié, auraient saisi l'occasion d'obéir à la directive de Gounod. Celui-ci ne conseillait-il pas de chercher dans le gin, le whisky ou le cognac le courage de faire face à l'issue inévitable... et dans le contexte de cette soirée, à attendre la fin du spectacle avec stoïcisme ?

Des soirées de ce genre faisaient comprendre à plusieurs à quel point le vote massif en faveur de la prohibition, l'année précédente, tenait de la sottise.

Dans le grand couloir donnant accès aux corbeilles, Thomas se tenait avec une tasse de café à la main, au milieu d'une foule caquetante, éblouie, ou voulant sembler l'être, par les performances des chanteurs et les promesses du spectacle du lendemain, *Lucia di Lammermoor*. Il vit arriver Lavigueur avec son paletot toujours sur le dos, les oreilles cramoisies de rage.

— Mesdames, si vous voulez bien m'excuser, prononça-t-il à l'intention de sa femme et de sa bru, je vais aller m'enquérir des motifs de colère de ce pauvre homme.

Élisabeth lui donna sa permission d'un signe de tête, Évelyne savait bien que le pluriel tenait aux convenances : son beau-père ne se souciait guère de son opinion.

Thomas rejoignit Lavigueur au moment où celui-ci s'éloignait du bar avec un café à la main. Le politicien reconnut son collègue, dit d'une voix sourde :

— Picard, venez avec moi. Ce soir, je ne me contenterai certainement pas de cette boisson infecte. Je vais la relever un peu.

Il se déplaça derrière une colonne, tendit sa tasse en grommelant « Tenez cela pour moi », sortit de la poche intérieure de sa veste une petite flasque de couleur argent très mince, susceptible de passer inaperçue. Il versa de généreuses rasades dans les deux cafés, récupéra le sien pour prendre une longue gorgée.

— Si on vous voit… Vous êtes responsable de l'application de la loi Scott dans cette ville.

— Je ne pardonnerai jamais au cardinal Bégin et à son sbire, l'abbé Buteau, d'avoir exigé la tenue de son fameux plébiscite. L'animal profite toujours de son vin de messe, lui !

Thomas fit un signe de la main pour inviter son interlocuteur à baisser la voix. Ce genre de remarque pouvait à coup sûr coûter la prochaine élection aux libéraux si on la rapportait au palais cardinalice.

— Notre digne prélat ne vous vaut certainement pas cette méchante humeur… enfin, pas lui seul.

Lavigueur fixa ses yeux sur le commerçant, comme fâché de se faire rappeler un événement désagréable.

— Votre foutu médecin s'est présenté à la séance du conseil municipal, ce soir.

— C'est aussi le médecin de centaines de personnes parmi vos concitoyens, tempéra Thomas.

— Il va finir par semer une véritable panique parmi les habitants de la ville.

En quelques mots, le politicien résuma l'intervention du docteur Hamelin, insistant sur les arguments sensationnalistes.

— Cet enragé risque de nous faire un tort considérable. Il faut trouver un moyen de le faire taire, conclut-il.

— Mais… s'il a raison ?

Lavigueur demeura un moment interdit, puis il grogna :

— Vous n'allez pas vous y mettre aussi ?

— Vous savez, j'observe que de nombreux employés se sont absentés du magasin pendant quelques jours.

— Je suppose qu'ils sont revenus à leur poste.

Thomas n'osa préciser « Pas tous ». Son silence passa pour un acquiescement.

— Cela arrive tous les jours, à l'époque de la grippe, insista son compagnon.

— ... Nous pourrions rejoindre nos femmes. Les artistes venus de New York n'en ont pas encore fini avec nos tympans.

À quelques pas, les Lavigueur se trouvaient en grande conversation avec les Picard. Élisabeth achevait tout juste de résumer l'action des deux premiers actes à l'intention d'une grosse dame, de son fils et de l'épouse de ce dernier.

— Vous n'avez pas raté le clou du spectacle. Les trois derniers sont les meilleurs, assura-t-elle.

— Nous avons attendu le retour de mon mari du conseil municipal, murmura madame Lavigueur. La politique...

— ... tout comme le commerce nous les enlèvent bien souvent, compléta son interlocutrice du ton d'une femme habituée à ces retards.

À son habitude, soucieuse de parfaire sa culture, Élisabeth avait lu avidement tout ce que les journaux recelaient d'informations sur cet opéra, poussant le zèle jusqu'à se rendre à la librairie Garneau afin d'acheter une traduction française du *Faust* de Goethe. Le commis avait sourcillé pour deux raisons. L'œuvre lui paraissait bien peu morale, même pour une femme ayant passé l'âge de l'innocence. Puis, convenait-il de lire un auteur allemand au moment où l'empire épuisait sa jeunesse contre son vil ennemi ?

Un peu en retrait, Édouard demanda à Louis Lavigueur :

— La guerre qui s'éternise nuit-elle au commerce d'instruments de musique ?

— Plutôt, le retour de la paix nous fera du tort. Aujourd'hui, au prix auquel ils vendent le beurre, le fromage et le bacon, tous les cultivateurs paraissent désireux d'acheter un piano à leur fille aînée.

Au cours des dernières semaines, ce jeune homme était devenu le collègue avec lequel il entretenait les relations les plus suivies. Leur situation professionnelle très semblable tendait à les rapprocher.

— Et une soirée comme celle-ci va faire mousser nos ventes à tous deux, conclut-il.

— Surtout avec la publicité de ton magasin dans le programme de ce soir, remarqua Édouard en riant.

— Elle a exactement la même taille que celle du magasin Picard, répondit l'autre sur le même ton.

— Il faut bien rappeler à tous ces gens combien nous savons les rendre élégants.

Le jeune homme tourna sur lui-même, heureux de montrer le bel habit de soirée déniché un peu plus tôt en après-midi au rayon des vêtements pour homme du grand commerce de la Basse-Ville. La démonstration fit rire les autres.

— Nous devons regagner nos places, annonça Élisabeth pour ramener à l'ordre la jeune génération.

Pendant tout le troisième acte, la mezzo-soprano interprétant Marguerite sut se mettre en valeur. Le caractère enlevant de la musique chassa les idées noires de la tête du maire Lavigueur. Au moment où elle chanta: «Ah! Je ris de me voir si belle en ce miroir», une jeune femme dans une corbeille voisine fut prise d'une toux déchirante. La proximité de la scène rendait l'interruption fort déplaisante, suffisamment pour faire perdre sa concentration à l'artiste. Elle rata quelques notes, chercha des yeux la coupable dans la pénombre.

La spectatrice n'arrivait pas à reprendre son souffle. Pendant que se terminait le fameux *Air des bijoux*, elle dut quitter son siège pour regagner le couloir à la recherche de quelque chose à boire. À ce moment, Thomas jeta les yeux vers la gauche, en direction de la corbeille où prenait place la famille du maire Lavigueur. L'homme serrait les mâchoires tout en contemplant fixement ses concitoyens réunis au parterre.

Au dernier acte, penché sur l'épaule de sa femme, Thomas contempla la sarabande de la *Nuit de Walpurgis* prenant vie sous ses yeux. De nouveau, la peur de la mort, et dans ces circonstances, l'attrait d'un pacte avec le diable pour la conjurer, remua son esprit. En diagonale devant lui, Évelyne se laissait plutôt bercer par la scène finale où Marguerite, libérée des vicissitudes humaines grâce à une intervention divine, s'élevait vers un paradis peuplé d'anges. Elle se tourna à demi pour voir Édouard assis derrière elle. La scène agissait différemment sur lui. À ce moment, remarqua-t-elle, le regard de son époux se portait vers le corsage échancré de la plantureuse chanteuse.

~

Plutôt que de profiter de l'opéra, Charles Hamelin se tenait sur le quai, au moment où le traversier venu de Lévis descendait sa passerelle. À cette heure, les passagers se trouvaient peu nombreux et Élise vint tout de suite vers lui. Il ouvrit les bras pour l'accueillir, eut un mouvement de recul en apercevant le masque couvrant la moitié inférieure de son visage.

— Oh ! Je suis désolée, commenta-t-elle en le décrochant de ses oreilles. Toutes les personnes montées dans le train à Sherbrooke conservaient le leur. Après, j'ai oublié.

Ils échangèrent un baiser, puis il demanda :

— La situation là-bas est tellement grave ?

— À tout le moins, le docteur Jones la prend très au sérieux.

— Si tu veux, tu me raconteras au restaurant. Ta mère nous recommande de prendre un petit souper tardif au Château. Elle semblait même disposée à passer la nuit sur le canapé du salon.

— … Tu es vraiment dans ses bonnes grâces.

Le médecin répondit d'un sourire, tout en lui tendant le bras. Pendant deux heures, ils arriveraient à faire semblant que les germes n'existaient plus.

~

Les retours de voyage, même au terme d'une absence aussi courte, valaient de douces retrouvailles. Charles se leva un peu plus tard, heureux de ne pas avoir à conduire ses enfants à l'école. Le déjeuner se déroula dans une atmosphère plutôt joyeuse, comme si le congé signifiait le retour inopiné des grandes vacances.

Un peu avant neuf heures, l'homme se décida pourtant à affronter l'automne particulièrement maussade. Une pluie froide, poussée par un vent du nord-est, lui fouetta le visage durant tout le trajet jusqu'à la côte du Palais. L'eau, s'insinuant par le col de son imperméable, le trempa à moitié. Les corridors de l'Hôtel-Dieu se révélèrent inhabituellement silencieux, si l'on arrivait à ignorer les quintes de toux étouffées.

En pénétrant dans la première salle réservée aux malades, il la découvrit à moitié vide. Aucune religieuse ne se tenait là pour prendre soin des patients. Le premier sur lequel il se pencha lui demanda d'une voix haletante :

— Passez-moi la bouteille pour pisser.

Hamelin marqua une hésitation, puis répondit :

— La sœur va s'en occuper.

— Je ne l'ai pas vue depuis le lever du soleil.

Il chercha l'urinoir dans une armoire métallique placée à une extrémité de la pièce, se résolut à ausculter l'homme au moment où celui-ci se soulageait.

— Votre état s'améliore, vous sortirez d'ici bientôt.

— En êtes-vous certain ?

— Autant que je peux l'être avec cette satanée grippe.

Le malade marqua une hésitation, jeta un regard de côté avant de s'informer :

— Lui ?

Sur ce mot, l'homme lui tendit le contenant de verre à moitié plein d'un liquide jaune orangé. Le médecin préféra ne pas répondre, tellement le pronostic risquait de ruiner le moral de son interlocuteur. Après avoir fait le tour des lits occupés, il passa dans la salle voisine. Cette fois, une hospitalière, pâle et un peu haletante, dispensait des soins. Le médecin arrivait à la fin de sa tournée quand la directrice se présenta devant lui, les yeux creux, le teint blafard.

— Arrivez-vous à vous reposer un peu ?

— Pas plus que vous, je suppose.

— Vos sœurs sont bien peu nombreuses, ce matin.

La religieuse secoua la tête de dépit, puis précisa :

— La moitié d'entre elles sont très malades, trop pour travailler, en conséquence les autres ne fournissent pas. Épuisées, ce seront des victimes faciles...

La religieuse marqua une pause avant de conclure :

— Depuis ce matin, nous n'accueillons plus personne.

— ... Mais l'épidémie !

Le médecin trahissait son désarroi. La religieuse maugréa, impatiente :

— Mais je ne peux pas crever ces femmes. Celles qui demeurent bien portantes ne suffiront bientôt plus pour s'occuper de leurs consœurs grippées.

— Je comprends, convint son interlocuteur un ton plus bas. Excusez-moi. Vous avez raison, il faut les protéger.

Elle opina de la tête. Le médecin marqua une pause avant de demander :

— Vous avez encore de nombreux patients dans vos salles. Que leur arrivera-t-il ?

— Nous n'acceptons plus personne, mais nous ne chasserons pas ceux qui sont là. Les plus chanceux quitteront ces lieux afin de poursuivre leur convalescence à la maison. Les autres...

L'hospitalière s'interrompit de nouveau, puis enchaîna :

— Nous en prenons soin de notre mieux. Nous ne pouvons faire plus.

— Je vais passer voir vos sœurs. Certaines d'entre elles vous paraissent-elles gravement atteintes ?

— Je les crois épargnées par les complications. J'espère que vous confirmerez cette impression.

Il lui emboîta le pas. Dans l'escalier, elle se tourna à demi pour dire :

— Connaissez-vous des gens du Jeffery's Hale ?

— J'ai de bonnes relations avec des médecins de là-bas. Pourquoi ?

— Nous échangeons des informations. Il semble que des marins y sont morts hier. Des Chinois.

— Cela me semble inévitable. Sur les navires, la promiscuité est propice à la contagion.

En arrivant sur le palier du second étage, la religieuse observa encore :

— Je le sais bien. Mais six morts faisant partie du même équipage... Cela donne froid dans le dos.

En vérité, cela conférait un nouveau visage à la contagion, à une époque où les navires de commerce se pressaient dans le port.

~

La maison des Dupire, rue Scott, s'engluait dans une morosité sévère. La présence des enfants ne parvenait pas à l'égayer tout à fait. Plus précisément, sa pérennité assurée par ses petits-enfants, le vieux couple s'enfermait dans une religiosité un peu morbide, sous prétexte de se préparer à une « bonne mort ».

De son côté, à moins de trente ans, Eugénie considérait avoir accompli son destin de femme avec ses trois grossesses rapprochées. Jusqu'à la fin de ses jours, elle semblait résolue à se cloîtrer dans la mauvaise humeur. Elle y mettait une formidable application : il paraissait peu probable qu'elle s'éloigne un jour de ce destin.

Fernand passait ses journées à rédiger des contrats. Son esprit vagabondait vers le passé. Pendant de longues heures, il regrettait son farouche entêtement à solder ce mariage, quelques années plus tôt. Combien son engouement, pendant toutes ses années de jeunesse, lui paraissait ridicule aujourd'hui ! Les plus mauvaises conclusions couronnaient parfois de longs efforts.

Ces tristes pensées le forcèrent bientôt à lever la tête d'un contrat de mariage ou d'un testament, le temps de pousser un soupir et de contempler l'horloge placée à une extrémité de sa table de travail. La tentation de se lever pour se rendre dans la cuisine l'empêcha un moment de reprendre sa plume, puis ce fut le son du heurtoir de l'entrée principale. Le pas de la bonne résonna dans le couloir, il l'aperçut au moment où elle passait devant son bureau, lui adressa un bref sourire de connivence.

Le sens du murmure de l'échange dans le hall lui échappa, puis un instant plus tard, Jeanne se présenta devant lui, avec un rectangle de papier tenu du bout des doigts.

— Il s'agit d'un télégramme.

— Donne, dit-il en tendant la main.

— ... Il est pour moi !

La chose lui paraissait à la fois incongrue et très menaçante. Comme elle demeurait immobile, son employeur crut bon de conseiller :

— Tu devrais l'ouvrir... ou alors je vais m'en charger.

Jeanne secoua la tête, déchira l'enveloppe du bout du doigt, déplia la feuille et commença :

— *Madam...*

Le *We regret* la laissa perplexe, puis l'évidence s'imposa.

— C'est de l'anglais.

Cette fois, Fernand soupçonna que la missive devait porter de bien mauvaises nouvelles. Il quitta son siège pour retendre la main, récupéra la feuille de papier pour la parcourir des yeux, posa sa main droite sur l'épaule de la jeune femme en murmurant :

— Je suis vraiment désolé, cette missive annonce un grand malheur.

— C'est l'armée ?

En ces temps de guerre, un télégramme rédigé en anglais semait toujours la consternation.

— Mes frères, murmura-t-elle. Ils sont partis vers l'Europe ?

— Non. Henri est mort de la grippe ce matin, Je suis désolé.

Fernand se souvenait bien des deux colosses, sans toutefois pouvoir accoler à chacun son prénom. Le survivant s'appelait Arthur. Dorénavant, cela ne lui sortirait plus de la tête.

Jeanne demeura un moment frappée de stupeur, puis un cri, un seul, sortit de sa bouche: «Non!». L'homme passa son bras droit autour de ses épaules, l'attira contre sa large poitrine. Sa grande main parcourut le dos, glissa jusqu'à la hauteur des reins pour remonter ensuite, alors que la coiffe amidonnée touchait sa joue.

Des sanglots sonores suivirent la vaine dénégation, alors qu'elle posait ses paumes ouvertes sur les pans du veston de son employeur.

— Je suis désolé, murmura-t-il en continuant de caresser son dos.

Malgré le moment dramatique, il appréciait le corps assez menu contre lui, l'odeur de savon venant de la peau.

— Ils... ils disent ce qui est arrivé? parvint-elle à prononcer.

— La grippe.

Les journaux affirmaient que l'épidémie ne faiblissait pas au camp militaire de Saint-Jean. Les victimes se comptaient maintenant par dizaines.

Des pas retentirent dans le couloir, la silhouette d'Eugénie se découpa dans l'embrasure de la porte. Le cri avait dû retentir jusqu'à l'étage.

— Que se passe-t-il?

Fernand avait tout juste eu le temps de se reculer un peu. Certain que le rouge lui montait aux joues, il expliqua:

— Jeanne vient de recevoir un télégramme des autorités militaires. L'un de ses frères a succombé à la grippe.

Avec difficulté, la domestique réussit à refréner ses sanglots. Elle s'éloigna de deux pas avant de dire:

— Je vais devoir m'occuper de récupérer le corps. Mes parents ne sauront pas. Mais je ne connais pas l'anglais...

— Je t'aiderai, rétorqua son employeur.

— Je…

Les pleurs revinrent avec une nouvelle véhémence. La suite de la phrase s'étrangla dans sa gorge. Elle s'enfuit, ses chaussures claquèrent bientôt dans l'escalier.

— Que de générosité, ironisa Eugénie, en contemplant son époux, penaud au milieu de la pièce.

— Elle a raison. Personne ne doit connaître un mot de français parmi les officiers, à Saint-Jean.

— Oh ! Je parlais surtout de la scène touchante. Peu de maîtres consolent leur bonne d'aussi belle façon, sauf dans les romans français.

« Donc, elle m'a vu », songea l'homme alors que ses joues s'empourpraient tout à fait.

— Elle est seule à Québec, séparée de sa famille depuis des années.

— Un autre jour, je songerai à admirer ta vertu chrétienne ! Afficher suffisamment de charité pour la tenir dans tes bras, lui permettre d'essuyer ses larmes et sa morve sur les revers de ta veste. Notre domesticité doit faire l'envie de toute la Haute-Ville.

Il inclina la tête pour vérifier la correction de sa mise, n'aperçut aucun dégât sur le tissu, puis répondit d'une voix mauvaise :

— Mais ce ne sont pas toutes les domestiques du quartier Saint-Louis qui s'occupent aussi bien de mes enfants. C'est vrai qu'ailleurs, les mères se montrent habituellement plus attentives, au lieu de passer leurs journées enfermées à lire de mauvais romans.

Eugénie chercha ses mots un moment, ne les trouva pas. Dans sa colère, en sortant de la pièce, elle claqua la porte si fort que les cadres bougèrent au bout de leur clou.

~

L'affirmation de la religieuse le laissait en proie à un scepticisme inquiet. Que six marins d'un même équipage meurent de la grippe lui faisait soupçonner une dangerosité nouvelle. Cela représentait sans doute une mortalité de plus de dix pour cent de cette petite population captive. Aussi Charles Hamelin décida de vérifier lui-même.

Les nouveaux locaux du Jeffery's Hale se dressaient rue Saint-Cyrille, un peu à l'ouest de l'intersection de Claire-Fontaine. La grande porte donnait accès à un hall où se pressaient une multitude de personnes. Les malades affluaient de tous les points de la ville, le personnel ne savait plus où donner de la tête.

Le visiteur chercha un moment les bureaux administratifs, devina avoir trouvé quand une jeune femme lui demanda le motif de sa présence.

— Je désire voir le directeur, répondit-il au joli cerbère.

— Vous n'êtes pas sérieux ! opposa-t-elle.

— Je suis le docteur Hamelin, je veux lui parler de l'épidémie.

— Justement, le docteur Mason soigne les gens. Vous n'avez pas vu tous ces malades ?

Bien sûr, quitter son poste de travail le temps d'une discussion paraissait ridicule, dans les circonstances présentes. Mieux valait changer de stratégie :

— Peut-être pourrez-vous m'aider, alors. J'ai appris que vous aviez accueilli des marins atteints de la grippe, ces jours derniers.

— Cela arrive tous les jours ! L'hôpital de la marine est débordé.

— Des Chinois.

Son interlocutrice marqua une pause, pour la première fois un intérêt parut dans ses yeux bleus, visibles au-dessus de son masque.

— Six d'entre eux seraient morts, insista Charles.

— C'est vrai. Hier. L'issue fatale a surpris tout le monde. D'habitude, la moitié des gens s'en tirent…

— Je peux les voir ?

L'incongruité de la demande la laissa interdite un moment, puis elle demanda :

— Vous dites être médecin ?

— Charles Hamelin. On a parlé de moi dans le *Chronicle*. Je pratique à l'Hôtel-Dieu.

— Oh ! C'est vous. Dans cet hôpital, ils n'acceptent plus personne, je pense. Cela explique en partie l'affluence, ce matin.

Elle désigna le va-et-vient dans le corridor.

— Je vais vous conduire à la morgue. De toute façon, je demeure la personne la moins utile de cet établissement, aujourd'hui.

Elle quitta son poste, marcha d'un pas rapide dans le long couloir, descendit un escalier avec Hamelin sur les talons. La morgue se trouvait en demi-sous-sol. Elle donnait sur une porte dérobée, où les entrepreneurs de pompes funèbres prenaient le relais de médecins devenus impuissants.

Quelle que soit la météo, la pièce demeurait fraîche à cause de l'amoncellement de glace. Dans les murs, de petites portes donnaient sur autant d'alcôves.

— Il veut voir les Chinois, expliqua la secrétaire à un homme maigre, sans âge, le teint malsain.

— Je suppose que cela ne leur fera pas de mal.

Au moment où la jeune femme quittait les lieux, Hamelin la remercia. Un instant plus tard, il s'approcha d'une civière, alors que l'employé soulevait le drap. Le cadavre d'un gris appuyé présentait des pommettes saillantes, des cheveux de jais.

— Vous en avez six comme cela ? demanda le médecin.

— Oui. Voulez-vous les voir ?

— Ce ne sera pas nécessaire. Six morts sur un seul navire… Vous savez combien il y avait de personnes à bord ?

— Non, mais je peux vous dire combien cette morgue contient de cadavres.

L'humour du vieil homme échappa au visiteur, qui s'esquiva par la porte située tout près, après un remerciement murmuré.

~

Charles Hamelin demeurait d'un tempérament timide. Dans les circonstances où il devait absolument faire prévaloir son point de vue, cela l'exposait à montrer une brusquerie susceptible de heurter les sensibilités. Pourtant, le maire Lavigueur réussit à maîtriser sa mauvaise humeur. Le premier magistrat de la Ville n'avait guère l'habitude de se voir sommer de recevoir un visiteur, en plus de mobiliser un fonctionnaire afin d'assister à l'entretien.

Un peu avant midi, le médecin pénétra dans le grand bureau de fonction. Le docteur Paquin, assis devant la table de travail, le suivit des yeux depuis la porte avec un visage peu amène.

— Comme vous le constatez, nous sommes là pour vous entendre, annonça le maire en désignant la chaise encore inoccupée.

Hamelin fit comme on le lui indiquait, puis il se lança :

— Les choses vont de mal en pis, tout le monde l'admet dans la province. Prétendez-vous encore qu'il s'agit d'une grippe ordinaire ?

L'ironie était perceptible dans sa façon d'articuler le dernier mot. De nouveau, Lavigueur prit sur lui de garder son calme. Il répondit d'une voix contenue :

— Espagnole ou ordinaire, cela ne change rien. C'est une grippe.

— Au bas mot, dix fois plus mortelle. Refusez-vous encore de vous rendre à l'évidence ?

Ce fut Paquin qui fit mine de se lever pour quitter les lieux.

— Si vous venez ici pour nous narguer…

Le maire agita la main pour calmer son employé, puis remarqua:

— Vous ne vous êtes certainement pas dérangé pour nous dire cela.

— Vous avez raison. Je veux savoir ce que vous comptez faire pour contrer l'infection.

— Votre collègue fera publier des directives dans les journaux dès demain.

— Des directives?

Hamelin écarquillait les yeux de surprise, comme si l'idée lui semblait bien ridicule.

— Rester à la maison dès les premiers symptômes pour limiter la contagion, précisa Paquin, se laver les mains plus souvent...

— Vous en êtes encore à publier des directives... murmura-t-il, incrédule.

Sans doute, nulle part ailleurs en Amérique, on ne prenait les choses aussi à la légère.

— C'est ce que vous demandiez, remarqua Lavigueur.

— Mais nous n'en sommes plus là. Partout les lieux publics sont fermés, les rassemblements interdits, la quarantaine...

— Toujours cette fameuse lubie...

Le visiteur éleva le ton afin de couvrir la voix de Paquin:

— Les morts se multiplient dans la ville et vous allez conseiller aux gens de se laver les mains!

— Monsieur Hamelin, l'interrompit Lavigueur, nous connaissons votre opinion, vous ne perdez aucune occasion de l'exprimer dans toutes les tribunes qui vous sont offertes. En particulier celles du Parti conservateur. Je vous remercie de votre visite. Nous apprécions votre zèle.

Pareil aveuglement tenait moins de la sottise que de la stratégie politique: après avoir tardé à prendre des mesures sérieuses, agir maintenant avec énergie serait avouer une négligence. Depuis un an, le maire représentait la Haute-Ville au gouvernement fédéral, aux côtés de Wilfrid Laurier. L'intérêt du parti se mêlait à celui de la santé publique.

— Vous ne pouvez pas être sérieux! s'exclama encore le visiteur. J'arrive du Jeffery's Hale. Les corps de six marins chinois se trouvent rangés côte à côte à la morgue! Votre entêtement à ne rien faire tient de l'incompétence ou alors de la folie criminelle.

— Cette fois, cela suffit! ragea le maire. Sortez de mon bureau!

Le médecin quitta son siège sans rien ajouter, claqua la porte derrière lui. Le politicien avait raison: seuls les publications conservatrices faisaient écho à ses préoccupations. Alors, il utiliserait encore cette voix de communication. Les bureaux du *Chronicle* se trouvaient tout près. Les mots imprimés frapperaient peut-être mieux les imaginations que ceux prononcés dans l'atmosphère feutrée des officines du pouvoir.

Chapitre 12

Après un long moment dans sa chambre, sous les combles, le temps de retrouver une contenance, Jeanne revint dans le bureau de son patron. Assise sur la chaise placée devant la table de travail, elle le regarda s'impatienter au bout du fil. Fernand dut attendre au moins quinze minutes avant qu'une employée de Bell Canada ne daigne répondre. Il en perdit encore au moins vingt avant de pouvoir parler à un officier *in charge* à la base militaire de Saint-Jean. À la fin, il put expliquer à un officier dans un anglais défaillant :

— L'un de vos hommes, Henri Girard, est mort dans la nuit. Sa famille souhaite rapporter son corps dans son village natal afin de l'inhumer parmi les siens.

Il écouta un long moment son interlocuteur, puis couvrit l'émetteur de sa main, le temps de répéter :

— Ils peuvent chanter un service funèbre là-bas et le mettre dans le cimetière de l'armée.

— … Non, pas parmi des étrangers, des protestants.

Jeanne présentait des yeux rouges, un peu enflés. Même si elle paraissait maîtresse d'elle-même, son employeur jugea le moment mal choisi pour lui expliquer que les autorités militaires se montreraient suffisamment respectueuses pour faire reposer le cadavre dans un cimetière catholique.

— Je veux qu'il dorme parmi les siens… conclut la domestique. Je paierai, j'ai pu amasser des économies, depuis dix ans.

Le montant devait en être bien modeste, car jusqu'à tout récemment son père avait encaissé l'essentiel de son revenu. Elle avait osé mettre fin à cet abus le jour de ses vingt-cinq ans. Fernand précisa à l'intention de son correspondant invisible :

— La famille, que je représente, tient à ce que le corps regagne son village.

Après un autre silence attentif, le notaire précisa :

— Il faudra aller à Saint-Jean, pour signer des papiers.

— Mon travail…

— Tu prendras tous les jours de congé nécessaires.

Elle demeura songeuse, puis déclara encore :

— Mais est-ce que je saurai ?

Son apprentissage de la lecture ne faisait pas problème… mais les papiers de l'armée, en plus d'être rédigés en anglais, devaient être bien abscons. Puis, ses seuls déplacements s'étaient limités à se rendre dans Charlevoix, en train, une fois l'an.

— Je vais donc t'accompagner.

— … Monsieur, je ne peux pas accepter.

Le premier mot devait rappeler la distance entre eux. Il ne servit à rien.

— J'accepte bien que tu prennes soin de mes enfants à la place de leur mère.

Puis il approcha de nouveau le cornet du téléphone de sa bouche afin de planifier sa venue dans le camp militaire. Les formalités se régleraient plus vite si on l'attendait avec un certain nombre d'informations en main. Au moment où il raccrocha après les dernières salutations, Jeanne enchaîna :

— Je ne pourrai sans doute pas vous rembourser le coût du trajet, encore moins votre temps…

Il leva la main pour la faire taire.

— C'est moi qui te devrai toujours quelque chose, pour tes bons services. Maintenant, je dois encore contacter la gare, afin de connaître les horaires des trains. Monte te préparer, nous partirons le plus tôt possible.

Par un curieux hasard, cette fois, la communication s'établit facilement. Ensuite, Fernand regagna sa chambre afin de remplir un petit sac de voyage. Au moment où il s'apprêtait à redescendre, le souvenir de ses obligations familiales lui revint. En soupirant, il frappa à la porte du petit salon occupé par sa femme, n'attendit pas la réponse avant d'ouvrir la porte. Eugénie leva la tête de son livre, un regard ironique sur le visage.

— Je vais accompagner Jeanne à Saint-Jean. Elle ne saurait pas régler les formalités. Nous reviendrons au petit matin, demain.

— Oh! Ta sollicitude n'a plus de bornes. Un petit voyage avec la domestique, à présent.

— Pour aller récupérer le cadavre de son frère. Aimerais-tu changer de place avec elle? Ou avec moi?

Le souvenir d'Édouard effleura l'esprit de la jeune femme, un moment, elle se demanda si cette inversion du sort lui pèserait tant.

— Comme elle te torche depuis dix ans, la responsabilité d'aller avec elle devrait te revenir.

— Tu sais bien que je n'aime pas les voyages.

La dérobade fit sourire son époux. La suite mit une grimace sur ses traits:

— Puis, je n'aimerais pas te priver de ton plaisir.

En sortant, il ne put s'empêcher de remarquer:

— Comme Jeanne séjournera dans sa paroisse jusqu'aux funérailles, cela te donnera l'occasion de renouer avec tes enfants. Je me demande si tu te souviens encore de la couleur de leurs yeux.

Si son intérêt pour la domestique faisait de lui un mauvais mari, aux yeux de tous, être une mauvaise mère entraînait une condamnation plus sévère.

~

Un moment plus tard, le jeune notaire, assis dans la chambre de sa mère, lui relatait les derniers malheurs de Jeanne. Elle allait sur ses soixante ans, mais ses cheveux précocement blancs et sa mine permettaient de lui en donner vingt de plus. Elle ne couvrait plus son embonpoint qu'avec de grandes robes noires, décorées de dentelles de même couleur. Sa silhouette rappelait celle de la reine Victoria, lors de ses dernières années de règne.

— Je vais l'accompagner jusqu'à la base militaire.

Si la vieille dame jugea cet empressement suspect, elle ne prononça pas un mot de reproche. Même une fidèle servante des enseignements du Seigneur savait apprécier combien le mariage de son fils demeurait privé de toute joie. Sa complicité n'allait toutefois pas jusqu'à formuler un commentaire.

— Pauvre fille, tu lui transmettras mes plus sincères condoléances et celles de ton père.

— Pourras-tu tenir les enfants à l'œil ? Jeanne ne sera pas là pendant quelques jours.

Un bref instant, la vieille dame pensa dire : « Eugénie sera présente. » Elle se ravisa juste à temps :

— Cela me fera plaisir. Je me souviens encore du bonheur que j'ai eu à m'occuper de toi.

Fernand quitta son siège pour lui baiser les joues, puis il demanda encore :

— Papa n'est pas revenu… un testament à rédiger près du lit d'un agonisant. Tu le mettras au courant de mon absence. De toute façon, avec l'épidémie, les clients ne se pressent pas à la porte de notre cabinet.

Elle acquiesça d'un signe de tête. Le jeune homme retrouva la domestique dans le vestibule, au rez-de-chaussée, déjà vêtue de son manteau, un petit sac de voyage à la main.

~

Le trajet vers la ville de Saint-Jean, par l'ancienne ligne de chemin de fer du Grand Tronc, prit des heures. Non pas que la distance fût si grande, mais les très nombreux arrêts rendaient le trajet interminable. Ils descendirent dans la gare de la localité une fois la nuit tombée, cherchèrent devant le petit édifice un moyen de se rendre à la base militaire.

— Il y a une voiture taxi là-bas, murmura Jeanne en pointant du doigt un petit hôtel.

Même s'ils marchèrent d'un pas rapide, un couple dans la quarantaine atteignit le véhicule juste avant eux.

— Nous allons au camp, déclara l'homme au chauffeur par la fenêtre laissée entrouverte.

Fernand lui posa la main sur l'avant-bras afin de lui demander :

— Monsieur, si vous nous le permettez, nous allons prendre place avec vous. À cette heure, nous ne trouverons plus personne pour nous conduire.

— À quatre, là-dedans ?

— Cela ne peut pas être bien loin.

L'homme et la femme portaient des vêtements de deuil. L'uniforme noir de domestique de Jeanne, débarrassé de la coiffe et du tablier blanc, donnait très bien le change.

— Venez-vous aussi pour votre fils ? demanda l'inconnu d'une voix plus amène.

Dans l'obscurité, les traits tirés, tous les deux devaient paraître bien plus âgés.

— Non, son frère.

L'homme soupira, puis convint :

— Refuser ne serait pas chrétien. En nous serrant les uns contre les autres, je suppose que cela ira.

Il s'épargna cependant la promiscuité en grimpant à l'avant, près du chauffeur.

La grosse Chevrolet accueillit les trois autres à l'arrière. Pour ne pas faire porter son poids contre cette inconnue, Jeanne se rapprocha de son employeur pendant tout le trajet, à la fois intimidée et rassurée par cette proximité.

Par une guérite, un soldat contrôlait l'accès de la base militaire. Le notaire prit sur lui d'expliquer au garde de faction les motifs de leur visite. Un moment plus tard, le taxi stationnait devant un baraquement sommairement construit de planches et de tôles.

— C'est l'hôpital, expliqua le chauffeur.

Il n'effectuait pas ce trajet pour la première fois. Depuis plusieurs jours, la destination de visiteurs endeuillés se révélait toujours la même. Un officier, portant un masque, les reçut un peu froidement. En leur tendant un morceau de tissu identique à celui qui lui dissimulait la plus grande partie du visage, il précisa, dans un mauvais français :

— C'est une précaution nécessaire. Nous mettons les corps de ce côté.

L'automne rigoureux permettait d'épargner de trop fortes odeurs aux narines sensibles, car la décomposition s'opérait lentement. Six modestes cercueils de planches s'alignaient sur le plancher de la salle voisine. Le soldat leva le couvercle de l'un d'eux, la femme inconnue se jeta à genoux en étouffant un sanglot. « Tancrède », articula-t-elle avec peine. Son mari posa les mains sur ses épaules, afin de la retenir de toucher au corps.

À l'ouverture de la seconde boîte, Jeanne saisit la main de son employeur, la serra avec une force inattendue. Le visage d'Henri Girard demeurait plein, son corps trahissait encore une grande robustesse. Dans la mort, le bleu de la peau, résultant de la lente asphyxie, avait pris une teinte grise, terreuse.

— Nous comptons prendre le train ce soir, expliqua Fernand. Dans deux heures, plus précisément. On m'a expliqué au téléphone que vous pourriez arranger le transport jusqu'à la gare.

Le militaire acquiesça d'un signe de tête, sans toutefois dissimuler son irritation. À ses yeux, un cimetière en valait un autre. Faire parcourir des centaines de milles à un cadavre pour le mettre dans un trou, de toute façon, tenait du caprice dangereux. Tout le long du chemin, des personnes seraient sans doute contaminées.

L'inconnue abandonna finalement la proximité du cercueil de Tancrède en reniflant bruyamment, assistée par son mari. Les parents éplorés passèrent dans une pièce voisine afin de signer des documents en quatre exemplaires.

— Vous pouvez retourner à la gare, expliqua l'officier, une fois les formalités accomplies. L'entreprise de pompes funèbres que vous aurez désignée récupérera votre fils demain matin.

— Notre taxi est retourné au village, expliqua le père.

— Je vais appeler une voiture.

Jeanne se tenait un peu à l'écart, en attendant son tour. Elle questionna, à l'intention de Fernand :

— Avons-nous le temps de voir Arthur ? Comme nous sommes ici...

— Notre train ne partira pas avant quatre-vingt-dix bonnes minutes. Cela nous laisse suffisamment de temps.

Au moment où l'officier se tournait vers eux, il enchaîna :

— La personne décédée a un frère dans cette base, lui aussi atteint de la grippe. Arthur Girard. Il se trouve sans doute encore à l'hôpital.

Le militaire parcourut ses formulaires un moment, répondit bientôt :

— Vous avez raison. Mais nous ne sommes pas dans le civil, il n'y a pas d'heures de visite.

— Nous sommes venus de Québec, rétorqua Fernand d'une voix impatiente. Jeanne vient de perdre l'un de ses frères, un autre se trouve dans cette bâtisse, malade. Pensez-vous sérieusement à la renvoyer chez elle sans lui permettre de le voir ?

L'homme posa son regard sur les yeux rouges et enflés de la jeune femme, visibles au-dessus de la pièce de coton lui couvrant la moitié du visage. Il se laissa fléchir par son allure défaite.

— C'est bon, je ferai une exception pour votre femme.

L'impair mit le rose aux joues du gros homme. Le soldat continua :

— Gardez vos masques, ne touchez rien ni personne. Conservez vos gants, ce sera plus sûr.

Un instant plus tard, ils pénétrèrent dans une très vaste salle aux allures d'entrepôt. Des dizaines de lits s'alignaient sur quatre rangées. La toux de plusieurs malades formait un bruit continu. La plupart de ceux dont la santé se rétablissait dormaient déjà. Des infirmiers, masqués et gantés, passaient de l'un à l'autre pour replacer les oreillers, donner un peu d'eau, essuyer la sueur sur les fronts.

Arthur Girard se trouvait à une extrémité de la pièce, dans une section un peu plus silencieuse. Il reposait bien à plat sur le dos, les traits tirés, le teint un peu pâle. Fernand trouva une chaise afin de permettre à sa compagne de s'asseoir près du lit, puis il se tint un peu à l'écart.

Jeanne posa sa main sur l'avant-bras de son frère tout en murmurant :

— Tu dors ?

Le malade sursauta en ouvrant les yeux, s'exclama :

— C'est toi ! Que fais-tu ici ?

— Je suis venu chercher Henri.

Un moment oubliée, la triste réalité s'imposa à l'esprit du malade.

— Je comprends.

La situation rappelait celle des champs de bataille, quand un camarade tombait. Seul le sort déterminait l'identité des morts et des vivants. Deux frères, la même infection, les mêmes complications. À cette loterie infernale, Arthur avait gagné.

Si Jeanne ressentait le besoin impérieux d'accomplir son devoir en s'assurant que son frère repose dans le cimetière paroissial, ses relations avec ses parents demeuraient empruntées. Fernand se demanda si cela tenait à de vieux contentieux, des querelles, des abus peut-être, ou alors au seul sentiment de se trouver maintenant devant un véritable étranger. Il se souvenait de la gamine efflanquée, employée chez les Picard dix ans plus tôt. Elle n'avait pas vraiment côtoyé ses cadets sous le toit familial, ou alors si peu de temps et à un âge si tendre. Elle ne devait pas vraiment s'en souvenir. Le patient alité devant elle lui était presque inconnu. Ne demeurait entre eux que la certitude d'appartenir à la même fratrie.

— Serez-vous encore longtemps à l'hôpital ? demanda Fernand afin de rompre un silence devenu trop lourd.

— Je suppose que non… mais ici on obéit aux ordres. S'ils veulent me garder dans ce lit jusqu'à Noël, je n'aurai pas le choix.

— Tu ne pourras pas reprendre l'entraînement, protesta Jeanne, pas après une pneumonie. Tu dois te reposer.

Elle s'interrompit, puis précisa :

— Le télégramme indiquait cette maladie comme cause du décès… Monsieur Dupire me l'a lu.

— Les hommes victimes de la grippe se retrouvent ici. Ceux pour qui cela se complique passent dans la petite pièce, au fond. La plupart en sortent dans une boîte, les autres reviennent parmi nous. Après un moment, ils retournent dans les chambrées. Ce devrait être mon tour bientôt. Après cela, je ne sais pas…

Arthur souffrait visiblement de ne rien savoir de ce qui l'attendait.

— Vous vous retrouverez certainement en convalescence pendant un long moment, le rassura Fernand. Quelques semaines, je pense.

— J'espère juste qu'ils ne m'enverront pas en Europe, souffla le malade, la voix chargée de dépit.

De nombreux hommes rêvaient sans doute d'une maladie suffisamment grave pour éviter ce sort. Le pire serait d'avoir successivement la maladie et le service au front.

— Ne savez-vous pas ? La guerre semble devoir se terminer bientôt, les Allemands reculent partout.

La nouvelle ajoutait à l'ironie de la situation.

— Pauvre Henri ! Après des mois à essayer d'éviter les balles, il meurt de la grippe.

Le gros notaire ne sut que répliquer. Il se souvenait des deux jeunes bûcherons anxieux d'éviter la conscription, quelques mois plus tôt. Cela semblait maintenant si loin.

— Tu ne pourras donc pas assister aux funérailles !

Jeanne évoquait là une évidence du ton de celle qui venait juste d'y penser. L'autre ricana avant de dire :

— J'arrive à peine à aller pisser seul, alors me rendre dans Charlevoix...

Un nouveau silence embarrassé suivit la confidence. Fernand tira sa montre de son gousset pour remarquer :

— Si nous ne voulons pas risquer de manquer notre train, mieux vaut nous mettre en route sans tarder.

— Vous avez raison, monsieur Dupire.

La jeune femme se leva et, maladroitement, fit mine de poser ses lèvres sur la joue de son frère.

— Ne fais pas cela... déclara son patron. La contagion.

Elle se redressa juste à temps. Le port du masque ne suffisait pas à lui inspirer la prudence.

— Pour la même raison, je ne vous serre pas la main, précisa le visiteur.

— Porte-toi bien, et essaie de m'envoyer un mot, pour me rassurer, enchaîna la domestique.

— Tu sais bien que nous ne sommes pas des écriveux, dans la famille.

Après une brève inclination de la tête, en guise de dernier salut, le couple quitta la grande salle surchauffée dans un concert de toux creuse.

~

Ils eurent de la chance, une voiture militaire les conduisit à la gare. Fernand chercha un employé afin de s'assurer que le cercueil se trouvât bien dans le wagon postal. Le colis macabre tiendrait compagnie aux employés pendant les douze prochaines heures.

Minuit approchait quand la locomotive s'ébranla dans un nuage de vapeur.

—Vous êtes extrêmement généreux de vous être déplacé ainsi. Je n'aurais pas réussi, avec tous ces étrangers, déclara

Jeanne, pour la centième fois peut-être depuis leur départ de Québec.

— Je t'assure, c'est un juste retour des choses, compte tenu de tes services.

— Aucun autre employeur ne ferait la même chose.

La jeune femme détourna le regard, contempla un moment le grand rectangle noir de la fenêtre. À cette heure, sous un ciel d'encre, l'obscurité était totale. Aucune lumière ne brillait dans les maisons. Sans les nombreux villages traversés à bonne allure, elle aurait pu s'imaginer roulant dans un long tunnel.

— Tu as peut-être raison. Je ne le fais pas pour mon employée, mais pour une bonne amie.

Elle le regarda brièvement, à la dérobée.

— Depuis des années, tu es la seule personne avec qui je peux avoir une conversation, à la maison. Tu le vois comme moi, mes parents ne sortent plus de leur missel.

Fernand jugea plus convenable de ne faire aucune allusion à son épouse. Il ne se souvenait même plus de sa dernière véritable conversation avec elle. Il continua après un moment:

— Je discute un peu de métier avec mon père. Pour le reste… J'apprécie nos conversations échangées le soir, lorsque toutes les lumières sont éteintes, puis pendant la journée, les secondes volées entre deux portes. Ce sont mes seuls contacts humains, en plus des enfants.

Trop intimidée pour le dévisager, Jeanne fixa son regard sur la fenêtre du wagon, sur sa gauche. À cause de l'obscurité à l'extérieur et de la lumière à l'intérieur, il se produisait un effet miroir. Cela lui permettait de voir le reflet de son compagnon. Fernand présentait un embonpoint appréciable. Sa forte carrure lui conservait toutefois une certaine prestance. Le visage exprimait de la timidité, mais surtout une grande délicatesse et une bonté foncière. Sur le parvis de l'église de Petite-Rivière-Saint-François, il aurait présenté un excellent parti. Sur celui de la cathédrale de Québec, il demeurait fort convenable. Toute femme soucieuse de sa sécurité matérielle et affective se serait donné la peine de considérer très attentivement sa candidature au poste d'époux.

— Vous êtes terriblement seul, conclut-elle, cette fois en regardant son employeur dans les yeux.

— N'est-ce pas ridicule ? Dans une maison où vivent neuf personnes, je me sens seul.

— Les enfants grandissent, bientôt vous pourrez profiter de leur présence.

Elle convenait aisément que le babil de sa progéniture ne procurait guère une présence véritable à un homme, un professionnel de surcroît. Il lui donna raison en murmurant dans un ricanement :

— À quel âge Antoine pourra-t-il tenir une conversation ? Dix ans ? Quinze ans ? Une éternité.

Le cœur à vif, épuisée par cette journée, le geste vint naturellement à la jeune femme. Jeanne plaça sa main gantée sur celle, très grande, de son employeur. Il saisit les doigts fins, affirma :

— De ton côté, tu te trouves aussi isolée dans notre grande demeure, sans autre compagnie que celle des enfants.

Des larmes montèrent encore aux yeux de sa compagne.

— Même les jours de congé, tu ne rejoins personne. Tu n'as pas vraiment d'amis à Québec.

« Ni ailleurs », songea-t-elle. Elle ne maintenait aucune relation dans son village natal et l'autre domestique de la maisonnée gardait une attitude hostile pour la « nouvelle », malgré les années écoulées.

— Tout naturellement, nous nous sommes rapprochés à cause de notre solitude. Tu demeures mon unique amie.

Sur la banquette, à l'abri des regards, leurs mains demeuraient jointes.

— Tu comprends alors pourquoi je trouve si naturel de t'accompagner aujourd'hui.

Ce fut au tour de Jeanne d'exercer une pression sur les doigts masculins, une façon d'exprimer la réciprocité de ses sentiments.

Le train était entré en gare de Québec un peu après cinq heures. Tous les deux avaient somnolé un peu au cours de la nuit. Cela ne valait guère une nuit de repos.

— Vous devez rentrer, maintenant, déclara Jeanne en levant les yeux vers son compagnon. Je connais le chemin jusqu'à la Petite-Rivière-Saint-François. Je peux continuer seule.

— Nous allons nous assurer que le cercueil se trouvera à bord de ce nouveau train, puis nous déjeunerons ensemble. Je te quitterai au moment de ton départ.

L'homme se dirigea vers le wagon postal sans attendre ses protestations. Superviser le transfert de la grande boîte d'un train à l'autre prit vingt minutes tout au plus. Bientôt, ils se trouvèrent face à face, de part et d'autre d'une petite table, devant un déjeuner copieux. Pendant une bonne heure, ils commentèrent l'affluence grandissante, le jour qui se levait, le climat sévère pour la saison. À la fin, Fernand remarqua à voix basse :

— Pour tous ces gens, nous devons sembler former un couple particulièrement bien assorti.

— ... Ne dites pas des choses pareilles, ce n'est pas bien.

— Pourquoi ? Quand Eugénie se trouve avec moi dans un endroit public, elle semble terriblement ennuyée. Je ne sais pas si elle a honte de moi ou si elle aurait la même attitude excédée avec qui que ce soit. Tu parais tout à fait à l'aise. Fatiguée, peinée, mais à l'aise.

— ... Personne n'a de raison d'avoir honte de se trouver avec vous. Bien au contraire, je vous assure.

Le rose marquait les joues de la domestique. Elle aussi, depuis un moment, se disait que les choses auraient pu être autrement. Bien sûr, sa mise trahissait un peu sa condition de domestique, celle de son compagnon, le bourgeois prospère. Au-delà des vêtements, la réserve attentionnée qu'ils affichaient l'un pour l'autre devait plutôt paraître charmante.

Le repas copieux les rasséréna tous les deux. Il était près de huit heures quand l'homme reconduisit sa compagne sur le quai. Près de la porte d'un wagon, elle déclara en posant une main sur la sienne:

— Je vous remercie encore, du fond du cœur.

— Je t'assure, c'est tout naturel, dit-il en caressant ses doigts.

Elle hésitait entre se dérober, de crainte d'attirer l'attention par ce contact, et joindre son autre main à la première.

— Nous sommes jeudi, réfléchit-elle à haute voix. Le service funèbre aura lieu demain.

Impossible de passer outre à la veillée funèbre. Fernand chassa l'image d'Henri de son esprit. Le cadavre ne serait vraiment plus très frais en fin de soirée.

— Je pourrai revenir samedi au plus tard, peut-être même demain en fin d'après-midi. Je vérifierai l'horaire des trains.

— Reviens dimanche et profite d'une journée complète de repos, chez tes parents.

Jeanne se retint d'avouer que la maison paternelle représentait à ses yeux un lieu de détente bien incertain. Après une inclination de la tête, elle grimpa les deux marches donnant accès au wagon. Après avoir vu le train se mettre en route dans un nuage de vapeur blanche, l'homme se résolut à rentrer rue Scott.

~

Bien que ce fût un journal conservateur, Thomas Picard s'assurait de la présence d'une demi-page de publicité quotidienne dans le *Quebec Chronicle*. Édouard avait déjà pris le chemin du commerce de la rue Saint-Joseph, Évelyne ne s'attardait jamais trop longtemps dans la salle à manger après le départ de son époux. Assez curieusement, cela laissait au vieux couple des moments de tête-à-tête nouveaux pour lui. En prenant mari, Élisabeth s'était retrouvée belle-mère de deux jeunes enfants. Cette forme d'intimité se révélait donc peu familière.

— Tu n'as pas besoin de sortir ces jours-ci, j'espère, s'enquit bientôt le chef de famille en fermant le journal d'un format inhabituel.

— ... Pas vraiment, je n'ai besoin de rien et les papotages avec les voisines ne m'attirent pas particulièrement. Tu as des projets pour nous ?

Elle lui adressait un sourire amusé, soupçonnant chez lui des envies de rapprochement.

— Malheureusement, non. Je dois me rendre au magasin.

Élisabeth arqua les sourcils, intriguée.

— Je préférerais que tu demeures dans la maison le plus possible. Avec cette épidémie, mieux vaut user de prudence.

— Les choses ne vont pas mieux ? Je dois avouer qu'avec toutes les mauvaises nouvelles à ce sujet, je néglige les journaux.

— Le *Chronicle* devient de plus en plus alarmiste. Voilà qu'il réclame la fermeture de tous les lieux publics d'amusement et des églises, de même que la mise en quarantaine des soldats et des marins.

— Pour les soldats...

Thomas comprit que sa compagne continuait tout de même de parcourir les quotidiens.

— Les autorités militaires les ont confinés dans les casernes depuis plusieurs jours, mais le recrutement se poursuit. Si les habitants de la Citadelle sont sains, l'arrivée d'une recrue malade peut tout changer. Puis, il y a eu de nombreuses morts de marins. Le rédacteur implore aussi la création d'un hôpital de fortune où des volontaires iraient prendre soin des malades, afin de relever le personnel médical insuffisant.

— Pourquoi parles-tu d'un manque de personnel ?

— L'Hôtel-Dieu ne reçoit plus de nouveaux patients. Une religieuse est décédée, la moitié des autres se retrouve sur le carreau.

La grande maison bourgeoise paraissait être une île abritée des malheurs. Les mauvaises nouvelles venaient à Élisabeth par les journaux ou les hommes de la maison. Personne n'y avait encore été touché par la contagion, pas plus que dans les demeures voisines, d'ailleurs.

— Tu pourrais rester à la maison, pendant les jours à venir.

— Je suppose que oui... mais cela ne fera aucune différence.

Devant la mine intriguée de son époux, elle ajouta :

— Comme toi et Édouard passez vos journées au magasin, parmi les employés et les clients, pour revenir ensuite à la maison, me cloîtrer ici ne donnerait rien.

— Nous devrions peut-être prendre des arrangements, le temps que l'épidémie prenne fin. Il y a des hôtels pas très chers dans la Basse-Ville.

— Voyons, ne dis pas de sottises, je ne me séparerai pas de toi.

Il pensa ajouter quelque chose, se contenta d'un sourire avant de convenir :

— Tu as sans doute raison. Maintenant, si tu veux bien m'excuser, je dois y aller, le commerce m'attend.

Élisabeth l'accompagna jusqu'à la porte, afin de le quitter sur un baiser.

Certains mensonges demeuraient tellement véniels qu'ils ne méritaient aucune confession. Thomas négligea de se rendre à son magasin pour se présenter plutôt à l'hôtel de ville. Familier des lieux, il frappa bientôt à la porte du bureau du maire Lavigueur, pour entrer avant même d'y être invité.

— Ah Picard ! déclara le politicien, après l'instant de surprise passé. Que voulez-vous ?

— Vous avez lu le *Chronicle* ?

— Je vais poursuivre ces gens ! Ils ne peuvent pas salir des réputations impunément.

— Le moment ne me semble pas propice à ce genre de jeu politique. Une pareille initiative se révélerait ridicule, de toute façon. Vous n'y gagneriez rien, en plus d'attirer la sympathie sur ce journaliste. Ce dernier se contente de réclamer l'adoption de mesures semblables à celles prises dans toutes les villes d'Amérique.

Le politicien dut en convenir. Après une pause, il décida d'une voix plus calme :

— Je vais demander au directeur du *Soleil* de publier un éditorial condamnant les propos alarmistes de cette feuille bleue, tout en insistant sur le fait que nous faisons tout ce qui est nécessaire.

À la solde du Parti libéral, ce quotidien prenait ses ordres des politiciens. À titre de député fédéral et de maire de Québec, Lavigueur pouvait certainement en influencer le contenu.

— En réalité, précisa Thomas, je me soucie bien peu des articles et des éditoriaux rouges et bleus. Nous avons une épidémie sur les bras.

— Les mesures de prudence sont connues de tout le monde. Tous les journaux les énumèrent chaque jour.

— Mais le conseil municipal devrait prendre acte de la situation et adopter un certain nombre de décisions.

Le maire s'adossa dans son fauteuil et commenta :

— Réduire les heures d'ouverture des magasins et fermer quelques lieux publics ne changeront sans doute rien à la situation, tout en nuisant aux affaires. La vraie solution serait d'enfermer tout le monde chez soi, mais c'est impraticable. Seriez-vous prêt à fermer boutique ?

— Mes intérêts personnels n'ont rien à voir. Tôt ou tard, on risque de vous faire payer le prix de cette inaction.

Le commerçant s'exprimait là en organisateur politique. Il conclut en se levant :

— En admettant que vous ayez raison, même inefficaces, certaines mesures rassureront la population et lui donneront l'impression que vous vous préoccupez de sa santé. Une séance spéciale du conseil me paraît tout indiquée…

Thomas se leva sur ces mots pour sortir de la pièce, alors que l'élu secouait la tête, peu convaincu.

~

Le lendemain, dès le lever, Fernand ressentit une douleur sourde à la base du crâne, de même que dans les épaules et les bras. Comme le dimanche matin, mieux valait s'abstenir de déjeuner afin de participer au « banquet » de la communion, selon la formule consacrée des prêtres, il demeura un peu plus longuement au lit avec l'espoir de voir son malaise s'estomper.

Cela ne se produisit pas. À neuf heures trente, le jeune notaire se présenta dans le hall d'entrée de la maison, toujours en vêtement de nuit, un peignoir enfilé en vitesse demeuré entrouvert sur sa poitrine.

— Je ne vous accompagnerai pas, aujourd'hui, commença-t-il à l'intention de ses parents.

— Qu'as-tu ? interrogea sa mère, une pointe d'inquiétude dans la voix.

— Un simple mal de tête, puis dans le dos…

La vieille dame fit mine de détacher les boutons de son manteau en disant :

— Je vais rester avec toi.

— Mais non, ce n'est pas nécessaire. Je vais me reposer un peu, les choses se tasseront d'elles-mêmes.

— Cette grippe fait toujours des ravages…

— Ne va pas imaginer le pire. Tout ira bien.

Madame Dupire posa les yeux sur son mari, comme pour chercher un appui. Elle conclut, après un moment de réflexion :

— Nous allons prier pour toi. Le cardinal ne cesse de le répéter, cela demeure notre meilleure protection contre l'épidémie.

— C'est gentil, je te remercie. Quant à moi, je vais regagner ma chambre.

— ... Tout de même, cela m'inquiète un peu de t'abandonner dans cet état.

Eugénie était arrivée à temps pour entendre les dernières phrases échangées. Elle le contempla en posant son chapeau sur ses boucles blondes. Une voilette dissimulerait à demi ses traits, une précaution exprimant un curieux mélange de modestie et de prétention, comme si ses traits risquaient de nuire au recueillement de ses voisins, à l'église. Elle ne put se priver d'un commentaire :

— Si tu n'accordais pas si généreusement des congés aux domestiques, Jeanne serait là pour prendre soin de toi.

— Je te remercie de m'offrir si gentiment de me tenir compagnie. Toutefois, je préfère demeurer seul. Tu m'excuseras auprès de tes parents, mais je ne pourrai pas me présenter au dîner habituel.

Le reproche implicite amena l'épouse à crisper les lèvres. L'idée de jouer à la garde-malade pour son mari ne lui avait même pas effleuré l'esprit. Le vieux couple Dupire préféra sortir de la maison pour attendre, debout sur le trottoir, l'arrivée du taxi devant le conduire à la messe. Eugénie et Fernand demeurèrent un instant immobiles l'un devant l'autre, à se dévisager, puis la jeune femme quitta les lieux à son tour.

~

Quand madame Dupire revint de la cathédrale avec son époux, elle monta péniblement les escaliers en se dandinant, s'accrochant d'une main à la rampe de bois. Par la porte demeurée ouverte, elle aperçut son fils. Tout de suite, le spectacle suscita chez elle une vive inquiétude : sa respiration semblait oppressée, son visage brillait sous une mince pellicule de sueur.

— Tu ne vas pas mieux... au contraire.

La grosse dame se précipita vers le lit, posa son bras en travers de la poitrine de son fils.

— Non, pas vraiment. Je pense que je fais de la fièvre.

La main ridée se posa sur son front, constata que la peau devenait moite et tiède.

— Je vais tout de suite téléphoner au docteur Caron.

Fernand fixa les yeux sur elle, sans songer une seconde à protester. Le souvenir de l'hôpital militaire, à Saint-Jean, hantait son esprit. Malgré le masque et les gants, le mal s'était emparé de lui. Ces protections lui paraissaient maintenant bien illusoires. Toutefois, la contagion pouvait l'avoir touché n'importe où, par exemple dans le train, le tramway ou le taxi emprunté ce jour-là. Puis, il fallait toujours compter avec les rencontres dans les rues, les poignées de main que la civilité exigeait de lui.

Madame Dupire savait déléguer. Depuis le haut de l'escalier, elle cria à l'intention de son époux, demeuré au rez-de-chaussée :

— Appelle le médecin, c'est la grippe.

Le vieil homme obtempéra sans discuter, cela d'autant plus qu'il entendit son fils tousser violemment juste à ce moment. La femme revint dans la chambre, approcha une chaise du lit afin de le veiller. La quinte s'éteignit enfin, Fernand laissa tomber sa tête sur l'oreiller, le visage pâle, les yeux fiévreux.

— J'ai froid, souffla-t-il en essayant de tirer la couverture jusqu'à son cou.

— Laisse-moi t'aider.

Une autre voix se fit entendre depuis le haut de l'escalier :

— Le docteur Caron ne se trouve pas à la maison. Selon sa femme, il a une assez longue tournée de malades à effectuer. Elle lui dira de passer ici au moment de son retour.

Le pas pesant du vieux notaire se fit entendre près de la porte de la chambre.

— Cela ne va pas mieux, fils ?

— Il fait de la fièvre, répondit la mère à la place de son rejeton, une habitude vieille de trois décennies maintenant.

L'homme s'approcha, posa à son tour sa paume sur le front fiévreux, afin de se faire sa propre idée. L'examen sommaire lui inspira une conclusion :

— Je redescends afin de téléphoner au jeune docteur Hamelin. Si celui-là ne peut pas venir tout de suite, je vais prendre le bottin et essayer avec toute la liste.

Au moment où il quittait la chambre, la mère expliqua :

— En revenant de l'église, nous avons déposé Eugénie chez ses parents, pour le repas bihebdomadaire. Souhaites-tu que je la joigne afin de lui demander de revenir ?

— Pourquoi ne pas profiter un peu de son absence ?

Une certaine ironie amusée marquait la voix du malade.

~

L'insistance du père n'avait servi à rien : la même surchage de travail accablait tous les médecins de la ville. Le docteur Caron s'engagea dans l'allée de gravier conduisant à la maison des Dupire, son petit sac de cuir à la main, au moment où Jeanne réglait le prix de sa course en taxi depuis la gare. La dépense pèserait sur ses ressources pendant tout le reste du mois, mais les trois jours dans la maison paternelle l'avait mise dans un état de lassitude profonde. Marcher lui avait semblé trop exigeant et les journaux ne décrivaient plus les tramways que comme des lieux de pestilence.

— Docteur, s'informa-t-elle en s'engageant sur les talons du visiteur, quelqu'un est malade ? Pas un enfant ?

— En quelque sorte oui, le plus vieux, Fernand. Ses parents m'ont appelé un peu plus tôt.

— Ce n'est pas ?...

La domestique porta ses doigts à sa bouche, incapable de continuer. Le médecin la connaissait bien, elle comme toutes les habitantes des rues environnantes.

— D'après la description de monsieur Dupire, cela semble être la grippe.

— Oh non !

Le cri paraissait exagéré, même de la part d'une domestique bien traitée par ses employeurs. Caron se trouvait toutefois trop surmené pour s'interroger sur les causes d'une pareille réaction. Jeanne lui ouvrit la porte, se dirigea vers le salon sans prendre le temps d'enlever son chapeau. Le vieux notaire se trouvait bien là, recueilli dans ses pensées.

— Monsieur, le docteur Caron est arrivé en même temps que moi. Je le conduis en haut ?

Le praticien, habitué à bousculer un peu les règles de la bienséance, se tenait près de la jeune femme.

— Enfin, maugréa le maître de la maison, ce n'est pas trop tôt.

Cette indélicatesse aussi ne le heurtait plus. Il s'engagea dans l'escalier à la suite du notaire, la domestique leur emboîtant le pas. À l'étage, il retrouva son masque de compétence affable pour dire :

— Alors, jeune homme, vous ne vous sentez pas bien, je crois.

— C'est la grippe espagnole, balbutia la mère d'une voix éteinte par l'émotion, des larmes dans les yeux.

Dans ses vieux doigts un peu tordus par l'arthrite, elle tenait un chapelet.

— C'est ce que je vais vérifier tout de suite. Si vous voulez me laisser seul avec le patient…

La dame souhaitait protester, mais elle se résigna à quitter la pièce. Avec son mari, elle se réfugia dans sa chambre, de l'autre côté du couloir.

— Je peux faire quelque chose pour vous ? questionna Jeanne, dans l'espoir d'assister à l'examen. Faire bouillir de l'eau ?

— Je ne vais pas l'accoucher, tout de même, répondit Caron en lui fermant la porte au nez.

Dès le premier coup d'œil, le médecin avait reconnu les signes de l'influenza, dans sa version la plus sévère. Il ouvrit la veste du pyjama, promena son stéthoscope sur la large poitrine.

— Ma mère a raison, commenta Fernand d'une voix faible, les yeux entrouverts.

— C'est bien une grippe.

— Espagnole ?

— Impossible de le dire, mais comme celle-ci affecte de nombreux habitants de la ville, je suppose qu'il s'agit bien de cette damnée cuvée.

Il rangea son stéthoscope dans son sac de cuir, sortit un thermomètre pour le secouer violemment, avant de le glisser sous la langue du malade.

— En réalité, nous le saurons quand vous irez mieux. Cette infection se distingue par des symptômes sévères, mais peu durables. Si vous avez de la chance, vous sortirez de ce lit dans trois jours, vous pourrez rédiger des contrats dans cinq jours, ce que je déconseillerai très fortement. Il faut au moins doubler ces nombres, dans le cas de la grippe ordinaire.

Fernand afficha un rictus pouvant passer pour un sourire, puis il grommela, une fois débarrassé du tube de verre :

— Et si je suis malchanceux, je serai au cimetière dans moins d'une semaine.

Caron songea que le pronostic pouvait bien se réaliser. Plutôt que de tromper son client, il préféra dire la vérité :

— Cela figure parmi les possibilités. Mais vous savez, dans la très grande majorité des cas, les gens reviennent à la santé. Alors, ne songez pas trop vite à préparer votre propre testament. Vos poumons sont en excellent état. Je passerai tous les jours pour m'assurer que cela reste le cas.

Le médecin lui adressa un sourire encourageant, puis sortit de la chambre pour se retrouver de nouveau en face de Jeanne, son paletot toujours sur le dos. Elle n'avait pas bougé d'un pouce.

— Comment va-t-il ?

— Ses parents ne doivent pas être loin.

Le diagnostic n'irait pas d'abord à la domestique. Elle désigna la chambre toute proche. Le docteur se plaça dans l'embrasure de la porte pour déclarer :

— C'est bien la grippe. Ses poumons ne sont pas encombrés, alors ne vous inquiétez pas trop. Cependant, il demeure contagieux. Aussi le mieux serait de n'autoriser qu'une seule personne à entrer dans la chambre, pour lui porter ses repas et lui donner des soins. Toujours la même.

— Je peux m'en occuper, proposa Jeanne d'une voix empressée.

Elle se tenait derrière le médecin, une proximité un peu agaçante, soucieuse de ne perdre aucune de ses paroles.

— Voyons, ma petite, votre geste est généreux, mais c'est le rôle de sa mère, protesta la vieille femme.

— ... Il est trop lourd pour vous.

L'argument parut implacable au médecin. Il se tourna à demi vers elle pour l'englober dorénavant dans la conversation :

— Vous porterez un masque et des gants. Vous devrez vous laver soigneusement les mains, avant d'entrer dans la chambre et tout de suite en sortant de celle-ci... et le plus souvent possible au cours de la journée. N'oubliez surtout pas de nettoyer vos vêtements dans l'eau très chaude. Même chose avec ses vêtements à lui, ses draps, sa vaisselle.

Le ton gagna un peu de sévérité quand il s'adressa ensuite aux parents :

— Tout cela vaut aussi pour vous.

Le vieux couple donna son accord d'un mouvement de tête.

— Tout de même, abstenez-vous de pénétrer dans la chambre, de toucher ce qu'il a touché. Vous ne l'aiderez en rien en contractant la maladie à votre tour.

Un moment plus tard, le médecin descendit l'escalier sans escorte. Au moment où il s'apprêtait à sortir de la maison, ce fut au tour d'Eugénie d'apparaître devant ses yeux.

— Mademoiselle… Je m'excuse, madame Dupire, c'est l'habitude. Je suis heureux de vous revoir.

Pendant des années, au moment où elle prétendait encore au titre de meilleure amie d'Élise, il l'avait reçue à sa table avec une belle régularité.

— Moi aussi, docteur Caron, je suis heureuse de vous voir, répondit-elle en tendant la main. Toutefois, votre présence ici ne doit pas annoncer une bonne nouvelle.

Le sourire s'estompa bien vite du visage de son interlocuteur.

— Vous avez raison, j'en ai peur. Votre époux a contracté la grippe. Je suis désolé.

Comme tous les hommes de son métier, il savait adopter le ton de contrition nécessaire à ce genre de situation. Sur un dernier salut de la tête, il s'esquiva.

Eugénie monta à l'étage à son tour pour se trouver au beau milieu d'un conciliabule tenu dans le couloir, devant la porte de la chambre de son mari.

— Il est malade, commenta la mère.

— Je sais, le médecin vient de m'expliquer.

— Jeanne a accepté de s'occuper de lui.

La jeune femme reconnut la présence de la domestique en maugréant :

— Te revoilà enfin. J'espère que tu as bien profité de ce congé.

— C'était des funérailles !

Eugénie demeura un moment interdite par le ton de la réplique, puis elle enchaîna :

— C'est contagieux. Je vais prendre mes repas dans ma chambre, pendant les prochains jours. Si Jeanne s'occupe de lui, je ne veux pas qu'elle touche à mon assiette.

Elle venait de se mettre elle-même en quarantaine. Sans témoigner de la moindre intention de se rendre dans la chambre de son mari, elle s'enferma dans son petit salon, laissant ses interlocuteurs interdits.

~

Depuis le début de septembre, une fois par semaine, Gérard avait retrouvé Françoise sur le trottoir devant la boutique ALFRED. La jeune femme arrivait à se dégager du sentiment de culpabilité où la mettait sa situation. Même le regard de Marie, au moment de revenir à l'appartement en soirée, n'entraînait plus la vague honte des débuts.

Toutefois, elle n'en était pas encore à demander à son cavalier de monter, au moment de venir la chercher. Il est vrai que le faire passer par l'escalier de service aurait été un peu incongru… et Françoise se doutait qu'au moment de le faire entrer dans la cuisine, Gertrude lui aurait réservé un accueil glacial. Quant à le faire passer à travers le commerce après la fermeture de celui-ci, cela se révélait impossible.

Le dimanche 6 octobre, afin de se délier un peu les jambes, la jeune femme avait bouleversé ce scénario en proposant de retrouver son cavalier à la banque un peu avant sept heures. Condamné à faire du temps supplémentaire, le jeune employé de la Banque de Montréal découvrirait au moins un visage ami au moment d'abandonner son labeur. En lui serrant la main, au moment de la rejoindre sur le trottoir de la rue Saint-Jean, il déclara :

— C'est un peu ridicule de vous faire parcourir tout ce chemin. Vous partez des abords du cinéma pour y revenir avec moi.

— D'abord ce n'est pas très loin, puis cela me fait profiter d'une petite marche. Les occasions de s'aérer ne sont pas si nombreuses, avec le mauvais temps des dernières semaines.

Il lui tendit le bras, puis conclut :

— Remarquez, je ne me plains pas. Cela me donne le plaisir de me montrer en votre compagnie.

Ils parcoururent la rue Saint-Jean jusqu'au bout en s'attardant devant quelques vitrines, s'engagèrent rue de la Fabrique. À ce moment, Françoise demanda :

— Votre directeur, à la banque, ne vous fait pas trop de misères ? Vous demander de travailler un dimanche, cela me paraît excessif.

— À part être un Anglais, je ne peux rien lui reprocher.

— Et cela, ce n'est pas de sa faute.

Elle s'amusait de la remarque. Son compagnon prenait la chose un peu plus sérieusement :

— J'aimerais bien savoir à qui tenir rigueur du fait que dans cette province, ceux qui donnent les ordres parlent toujours anglais et ceux qui doivent obéir, toujours français.

Elle exerça une pression des doigts sur l'avant-bras de son compagnon. Juste après avoir dépassé le commerce ALFRED, ils se trouvèrent devant l'entrée du cinéma Empire. Depuis trois ans, cette petite salle offrait des projections aux habitants de la Haute-Ville. De grands placards collés aux murs annonçaient la présentation du film *Hearts of the world*. « Le triomphe suprême de D. W. Griffith », prétendait la réclame. Sous le titre, on vantait la plus douce histoire d'amour jamais présentée, avec des scènes de combat tournées sur les champs de bataille de France.

— Oh ! murmura Françoise en s'immobilisant. C'est ridicule, je vis tout à côté et je n'avais pas saisi la nature de ce film...

Son titre ne laissait guère deviner que la guerre en était le sujet. Son compagnon demanda :

— Préférez-vous que nous regardions ailleurs ? Il y a quelques théâtres dans la rue Saint-Joseph et le tramway se trouve justement à l'arrêt, plus bas.

— Non, non. Après tout, je dois bien accepter de voir ce dont tout le monde parle.

Son compagnon paya les deux entrées et la conduisit dans la salle obscure. Les lumières s'éteignirent bientôt dans la vaste pièce. Malgré la réticence du clergé à voir le jour du Seigneur souillé par des représentations de ce genre, la plupart des sièges étaient occupés. Tout au long de la projection, la toux de l'un ou l'autre des spectateurs créa un bruit de fond agaçant.

Hearts of the world, loin d'être le chef-d'œuvre annoncé, consistait en un exercice de propagande grossier. Dans un village français occupé, une jeune fille, interprétée par Lillian Gish, était battue à coups de pied ou soumise à une tentative de viol dès qu'elle se trouvait à proximité d'un soldat allemand. Un ami d'enfance la libérait finalement de ce triste destin. Comment diable un Américain pouvait-il connaître une jeune Française depuis sa naissance? La résolution de ce mystère était laissée à l'imagination des spectateurs.

Le film contenait assez de scènes de bataille pour donner une petite idée de l'enfer de la ligne de feu. Françoise le devinait, la censure empêchait de montrer les aspects les plus cruels de la guerre. Mathieu devait affronter quotidiennement pire encore.

Finalement, songeurs, tous deux quittèrent le théâtre en fin de soirée. La jeune femme se sentait atrocement coupable de chercher à se divertir, avec un homme en plus, alors que son «promis» affrontait une situation si difficile. De son côté, Gérard mesurait combien ces héros, à leur retour, recevraient toutes les attentions. Il remarqua d'une voix agacée:

— Si les Allemands étaient vraiment aussi cruels que cela, il ne resterait pas une femme vivante en Belgique ou dans l'est de la France.

— Je ne suis pas spécialiste de la cruauté des Allemands et il se peut bien que cette propagande soit outrancière. Toutefois, je ne voudrais vivre dans aucune région occupée, quelle que soit la nationalité des occupants.

Gérard se le tint pour dit, sa mentalité d'insoumis ne recevrait pas bon accueil auprès de sa compagne. Il leur fallut un instant pour arriver devant la boutique de vêtements. Il tendit la main en disant:

— Je vous souhaite une bonne nuit, Françoise.

Quelques heures plus tôt, en quittant son lieu de travail, il avait imaginé faire la bise pour la première fois à sa cavalière, au moment de se séparer. Après des semaines, ce pas vers l'intimité lui paraissait acceptable. Le climat entre eux ne s'y prêtait plus guère, maintenant. Ce serait pour la prochaine fois… peut-être.

— Bonne nuit. Je vous remercie pour cette soirée.

Elle avait déjà sa clé dans la main gauche. Un instant plus tard, elle traversait le commerce obscur pour regagner l'appartement du dernier étage.

Chapitre 13

La pension Milton se révélait étrangement silencieuse. La suspension des cours à l'Université McGill, quelques jours plus tôt, avait entraîné la migration de la moitié des locataires vers leurs foyers. Les autres préféraient demeurer dans leur chambre afin d'éviter les risques de contagion. Thalie parcourait un gros livre d'anatomie, étendue à plat ventre sur son lit. Elle leva la tête au son d'un léger coup contre la porte, puis dit :

— Entrez.

Catherine Baker passa la tête dans l'embrasure :

— Je tenais à te saluer avant de partir.

— Tu as donc décidé de rentrer à Sherbrooke.

— Dans le courrier de ce matin, j'ai trouvé une longue lettre de ma mère. Elle paraît bien effrayée. La ville semble assiégée… un peu comme sur les champs de bataille européens, avec les gaz. Les rues sont presque désertes, les gens portent un masque.

— Justement…

Thalie quitta le lit, fouilla dans la poche de sa veste pendue à un crochet. Elle en tira un morceau de tissu, le plaça dans la main de son amie en disant :

— En sortant de cette pièce, tu vas mettre cela sur ton visage et ne pas l'enlever avant d'entrer dans la maison de tes parents. Et si quelqu'un chez toi présente le moindre symptôme, garde-le aussi à l'intérieur. Au moindre signe de fatigue, à la moindre toux…

— Je sais. Et je dois aussi me laver soigneusement les mains, laver mes vêtements dans de l'eau très chaude. Tous les journaux nous répètent sans cesse la liste des précautions à prendre.

— Et les gens ne cessent de les négliger, comme si leur ange gardien les protégeait de la maladie.

Catherine acquiesça de la tête, résolue à faire attention. Thalie prit les mains de son amie dans les siennes, posa les lèvres sur chacune de ses joues.

— Je suis très sérieuse. Fais attention à toi, je ne veux pas te perdre. Tu es mon guide, à Montréal comme à l'université.

Elle ajouta dans un rire forcé, pour dissimuler son émotion :

— Sans toi, je serais tout à fait perdue dans la grande ville.

L'autre lui adressa un sourire contraint et, après un moment, brisa le silence devenu un peu lourd :

— Comptes-tu demeurer ici en attendant la reprise des cours ?

— Non, je ferai comme toi. Maman m'envoie des lettres aussi angoissées que celle de ta mère.

Elles se séparèrent sur une dernière pression du bout des doigts.

~

Vingt-quatre heures après avoir éprouvé ses premiers symptômes, Fernand était toujours aux prises avec la grippe espagnole. Sa fièvre demeurait élevée, la sueur couvrait tout son corps. En s'arc-boutant, Jeanne était arrivée à l'aider à s'installer sur une chaise, le temps de changer les draps. Au moment où il reprenait sa place dans le lit, elle répéta, pour la dixième fois, peut-être :

— Je m'en veux tellement. Vous avez attrapé cette maladie en venant avec moi à Saint-Jean.

— Cela, personne ne pourra jamais en être certain, rétorqua-t-il dans un souffle.

— Mais cet hôpital...

La jeune femme s'interrompit au moment de défaire les boutons de sa veste de pyjama. Une pellicule de sueur couvrait la large poitrine. Elle récupéra la serviette de toile mise à tremper dans un grand plat de porcelaine placé sur le chevet, parcouru le sein droit de son employeur, descendit jusqu'au ventre. Elle replongea le tissu dans l'eau, l'essora un peu avant de répéter les mêmes gestes sur le côté gauche.

Fernand ferma les yeux, se laissa emporter par la douceur de la caresse. L'intimité de la situation le troublait plus que de raison. Malgré le masque couvrant la moitié de son visage, la domestique demeurait séduisante, sanglée dans son uniforme noir. Après la poitrine, elle s'occupa de son ventre, s'approchant dangereusement de la ceinture du pantalon de fin coton.

Malgré la fièvre, sa timidité naturelle, la toux creuse qui le pliait en deux toutes les cinq minutes, l'homme rougit en sentant son sexe gonfler, pousser sur le vêtement léger. Jeanne ne pouvait ignorer son état. Dans toute autre circonstance, avec toute autre femme, la honte l'aurait étranglé. Mais savoir que de nombreuses personnes dans sa condition finissaient par mourir d'une pneumonie donnait à l'expérience une dimension nouvelle, lui inspirait un sentiment d'exquise urgence. Au lieu d'ignorer son érection, de feindre le sommeil, il choisit plutôt d'attirer l'attention sur elle en soufflant, les yeux toujours clos:

— Je suis désolé. Je ne voulais pas.

— Ce n'est rien... la nature. Et dans une certaine mesure, je me sens rassurée: cela indique que la maladie n'a pas le dessus sur vous.

Fernand ouvrit les yeux pour les fixer dans ceux de sa domestique. Il constata, au coin de ceux-ci, la trace d'un sourire amusé. Cela, ou peut-être la fièvre, suffit à l'enhardir. Sa main droite quitta la surface du lit pour se poser sur la hanche toute proche, puis elle passa sur la fesse, ronde, agréablement ferme et molle tout à la fois. La contradiction apparente du constat l'amusa. La plus grande part du muscle logeait dans sa paume.

— Je te remercie de prendre soin de moi ainsi. Je veux voir dans cette sollicitude bien plus que l'exercice du devoir, bien plus que de l'amitié aussi.

Dans son état, cela représentait un long discours. Il se tourna à demi sur le côté afin de tousser, cherchant à réduire la douleur qui lui sciait chaque fois le bas des côtes. À ce moment, la tiédeur du linge humide, la douceur de la fesse, la demi-érection, tout cela quitta son esprit. Quand il reprit sa place sur le dos, tous les deux firent semblant que rien ne s'était passé. Pourtant, le souvenir de ce moment les hanterait tout le reste de la journée.

Jeanne tira les couvertures sur le corps de son patron, demanda avec sollicitude :

— Aimeriez-vous avoir d'autres oreillers ?

— Je respirerai peut-être mieux si ma poitrine est un peu soulevée.

La jeune femme passa dans une petite pièce où l'on rangeait les draps et les couvertures, rapporta deux oreillers supplémentaires, les plaça de façon à permettre à Fernand d'être relevé à un angle de quarante-cinq degrés.

Elle prit ensuite place sur la chaise placée près du lit et y demeura toute la matinée.

~

Moins d'une heure plus tard, un masque accroché derrière les oreilles, placé de façon à couvrir le nez, la bouche et même le menton, Thalie Picard quittait la pension Milton à son tour, un petit sac de toile à la main. Cela lui donnait une allure étrange, rappelant un peu celle des courtisanes du harem du Grand Turc. Les jours où la guerre n'apportait pas son lot habituel de faits héroïques et de descriptions d'hécatombe, les journaux titillaient la curiosité des lecteurs avec des illustrations de ce genre.

Heureusement, sa veste et sa jupe bleu foncé rompaient bien vite l'illusion. À la fois à cause de la nécessité d'économiser le tissu et parce que les femmes, très nombreuses, mobilisées dans des emplois salariés autrefois réservés aux hommes, devaient trouver une nouvelle liberté de mouvement, son ensemble n'allait pas plus bas que les mollets. Encore en 1914, cette tenue aurait paru indécente.

Elle marcha d'un pas vif jusqu'à l'arrêt de tramway le plus proche, monta prestement dans la voiture à peine arrêtée. Aucun autre passager ne s'y trouvait, les journaux conseillant d'éviter autant que possible de se tenir avec d'autres personnes dans des lieux clos. Toutes les réunions devenaient inquiétantes, même les plus anodines. Sur les trottoirs, les gens marchaient d'un pas rapide, la tête baissée. S'ils n'apercevaient pas leurs connaissances, ils n'auraient pas à leur tendre la main pour échanger un « Bonjour ». Les plus inquiets semblaient craindre d'attraper la maladie par un simple regard.

Par la fenêtre de la voiture, Thalie contemplait les devantures des restaurants, des cinémas et des autres lieux publics. La semaine précédente, même l'archevêque de Montréal avait cru bon d'accorder à ses ouailles la permission de s'absenter de la messe dominicale sans risque de péché. En ces temps périlleux, les curés s'alarmaient de la désertion du sacrement de la confession. La grande boîte où énumérer ses fautes ressemblait fort à un cercueil dressé debout, sans compter les microbes susceptibles de polluer ce petit réduit.

~

Henri Lavigueur devait harmoniser ses responsabilités de maire et de député aux intérêts de son entreprise commerciale. Avec l'aide de commis compétents, il s'occupait lui-même du magasin d'instruments de musique situé rue Saint-Jean, dans la Haute-Ville. Les quartiers Saint-Roch, Saint-Sauveur et Jacques-Cartier recelaient assez de ménages prospères pour justifier la présence d'un second établissement dans la Basse-Ville. Celui-là profitait de la présence de son fils aîné, Louis.

Au moment où le père entrait dans la succursale de la rue Saint-Joseph, il aperçut ce dernier en grande conversation avec un épicier soucieux d'offrir à ses proches les plaisirs d'un harmonium. Il attendit la fin de l'explication, profita ensuite du fait que le client voulait essayer l'instrument pour demander à Louis:

— Les affaires demeurent-elles bonnes?

— Pas du tout. Avec la grippe, les visiteurs se font de plus en plus rares. Depuis une semaine, nous ne faisons sans doute pas nos frais.

— Évidemment, avec les articles de journaux si alarmistes...

À ce moment, le jeune homme fut pris d'une quinte de toux. Le client s'éloigna un peu de l'instrument, porta machinalement la main à son visage afin de couvrir à la fois son nez et sa bouche. Son amour de la musique ne le conduisait tout de même pas à risquer sa vie.

Le commerçant retrouva son souffle avec peine, puis expliqua:

— Les journaux n'ont rien à y voir. Le sifflement de mes poumons suffit à garder les gens chez eux.

Le ton contenait une pointe de reproche, le père encaissa le choc, regarda autour de lui: sauf l'amateur d'harmonium, personne ne se trouvait dans le commerce. Si les ménagères ne pouvaient se priver d'aller au marché afin de procurer des vivres à leur famille, et même, à la rigueur, des vêtements, ajourner l'achat d'un instrument de musique ne posait aucun problème.

— Les choses iront certainement mieux bientôt, maugréa le maire.

— Au premier coup d'œil, cela ne paraît pas, répondit le jeune homme avant de retousser bruyamment.

Lavigueur secoua la tête, soudainement très préoccupé. La visite de Thomas, deux jours plus tôt, lui restait en travers de la gorge. Maintenant, ses préoccupations prenaient une tournure très personnelle. Après quelques mots d'encouragement à son fils, il se dirigea prestement vers le grand magasin Picard. La planification de la séance spéciale du conseil municipal, prévue pour le soir, méritait un effort de réflexion avec ce citoyen éminent.

~

Le vicaire Malenfant exerçait son ministère dans la paroisse Saint-Roch depuis deux ans déjà. Il conservait toujours l'espoir de faire une différence positive dans ce petit monde besogneux. Toutefois, les projets de ses maîtres, à la Faculté de théologie, lui paraissaient maintenant un peu saugrenus. Construire une nouvelle Jérusalem en terre québécoise attendrait. Visiter des logis ouvriers touchés par la maladie lui semblait maintenant une œuvre certes plus modeste mais plus utile.

Après être passé dans une dizaine de domiciles depuis le matin, le jeune ecclésiastique montait à l'étage d'une petite bâtisse située à l'ombre de la grande église paroissiale construite de pierre grise, rue Saint-François. Un petit homme désemparé répondit un long moment après les coups contre la porte.

— Monsieur le curé, enfin. Entrez, entrez.

Malenfant ne crut pas opportun de préciser que sa promotion à une cure viendrait dans de nombreuses années. Le désordre inouï exposé sous ses yeux le laissa un moment interdit. Des pièces de vêtement, et même des couverts souillés de restes de nourriture, encombraient le plancher. Quelque part, un bébé vagissait faiblement.

— Germaine se trouve dans la chambre.

Dans la pièce minuscule, sur la gauche, le prêtre reconnut une odeur de sueur, d'excréments et de peur mêlés. Une femme maigre et pâle, étendue dans le lit, respirait difficilement. À la vue de la soutane, elle tenta de serrer contre sa poitrine les pans de sa chemise de nuit.

— Monsieur le curé…

Se montrer à son pasteur dans cet état semblait bien impudique. Le prêtre ne s'en formalisa pas. Il chercha la main moite de la malade, la serra dans les siennes, puis murmura :

— Je vous écoute, ma fille.

L'expression, à l'égard d'une femme sensiblement de son âge, lui parut soudainement ridicule. Il approcha son oreille, distingua quelques mots dans le murmure soufflé avec peine. Il reconnut la nomenclature de quelques péchés bien véniels, songea à l'arrêter, le temps de mettre son étole autour de son cou. Mais la condamner à recommencer son laïus lui parut inhumain.

Quand la malade s'arrêta, ses grands yeux désespérés posés sur lui, il lui donna l'absolution. Il eut l'impression de la voir s'affaisser, comme si le fait de s'être mise en règle avec son Créateur l'autorisait désormais à abandonner la lutte. Maintenant, les yeux clos, elle ne sembla pas sentir le pouce traçant une croix sur son front, au moment de la bénédiction.

Le prêtre se releva pour voir l'époux debout dans l'embrasure de la porte, les traits défaits.

— Avez-vous demandé au médecin de venir la voir ?

— Oui, il y a deux jours…

— Il pourrait lui donner une injection de camphre… Parfois, cela fait beaucoup de bien.

L'homme parut hésiter, puis il confia à la fin :

— J'ai dû quitter mon emploi au magasin Légaré afin de m'occuper d'elle et des petits.

En d'autres mots, la dépense pour une nouvelle visite du praticien lui paraissait trop lourde.

— Vous avez un enfant ?

— … Deux. Voulez-vous les bénir ?

Le prêtre donna son assentiment. Au-delà de la cuisine obscure, sans aucune fenêtre, une chambre minuscule accueillait deux petits lits placés l'un contre l'autre. Un bébé de moins d'un an continuait de geindre, sans jamais s'interrompre. Il paraissait maigre, déjà bien affaibli.

— A-t-il suffisamment mangé ?

— Germaine donne bien peu de lait...

— Mais vous pouvez en trouver au marché Jacques-Cartier.

L'homme baissa les yeux, penaud, avant de murmurer :

— Je ne sais pas trop... puis c'est cher.

Ce type n'avait aucune idée des soins à donner à ses enfants et, privé de son salaire, les dépenses devaient lui sembler excessives.

— De plus, je n'ose plus sortir afin de ne pas les laisser seuls.

Le second enfant devait avoir trois ans. L'abbé Malenfant lui trouva le teint bleuté, la respiration sifflante. Les complications de la grippe faisaient déjà leur œuvre.

— Vous n'avez pas de parents à Québec susceptibles de vous aider ?

— ... Non... Nous venons de Saint-Irénée.

Arrivée de la campagne afin de profiter des occasions offertes par la prospérité ambiante, la petite famille se trouvait coupée des réseaux de solidarité habituels. Malenfant récita sans conviction les paroles incantatoires de la bénédiction, puis, profondément déprimé, tourna les talons pour regagner la porte de l'appartement. En sortant, il déclara :

— Dès mon arrivée au presbytère, je vais téléphoner au médecin afin de lui demander de passer ici au plus tôt...

— L'argent...

Le vicaire fit un geste impatient, puis il continua :

— Je vais aussi contacter les membres de la Société de Saint-Vincent-de-Paul, leur dire que vous avez deux jeunes enfants. Les bienfaiteurs vous apporteront de quoi manger.

Il s'esquiva rapidement, certain d'entendre très bientôt sonner le glas pour plusieurs membres de cette famille.

~

Thalie avait l'impression de se trouver dans un monde étrange : tous les visages s'offraient à elle à découvert. En conséquence, les gens la fixaient des yeux, comme si elle portait un costume exotique. Le trajet depuis Montréal lui avait pris la meilleure part de l'après-midi. En mettant le pied sur le trottoir de la rue Saint-Paul, elle serra le col de son manteau afin de protéger son cou du froid. Un tramway avançait sur sa gauche, elle arriva à l'arrêt en même temps que la voiture.

Au gré des changements de tramways, en attirant sur elle des regards curieux pendant tout le trajet, elle atteignit la porte du commerce ALFRED juste un peu avant la fermeture. Surprise, Marie posa la main sur sa bouche. Derrière la caisse, Françoise craignit qu'un cambrioleur se cache derrière le masque. La jeune fille détacha la pièce de tissu de ses oreilles et la laissa pendre sur sa poitrine en commentant, tout sourire :

— En voilà une réception pour la fille prodigue !

— En voilà une tenue pour une enfant élevée dans un commerce de vêtements, répondit la mère, en s'approchant les bras tendus.

Une longue embrassade souligna les retrouvailles. La scène se répéta au profit de Françoise.

— La semaine dernière, les cours de McGill ont été suspendus, expliqua Thalie.

— J'ai appris cela dans les journaux. Je croyais que tu reviendrais à la maison.

— … Avec quelques étudiants de la classe préparatoire, j'en ai profité pour réviser un peu la matière vue depuis septembre.

Le petit mensonge passa inaperçu. Depuis un peu plus d'un mois, la jeune fille apprenait à apprécier sa nouvelle indépendance. Elle continua :

— Mais ce matin, la pension s'est vidée presque totalement, la Faculté ne semble pas prête de reprendre ses activités.

Françoise posa son bras sous celui de son amie, tout en demandant à son employeure:

— Voilà déjà l'heure de la fermeture, personne ne s'est présenté de tout l'après-midi. Pourrions-nous monter tout de suite afin de parler un peu à notre visiteuse?

— Tu as raison. Je vais dire aux vendeuses de rentrer chez elles.

Marie se rendit à l'étage, puis revint bientôt avec les deux jeunes filles sur ses talons. Au moment où elle poussait le verrou de la porte, Thalie observa:

— Les affaires sont donc très ralenties.

— Avec la grippe…

— À Montréal, de nombreux commerces n'ouvrent plus ou alors seulement quelques heures pas jour.

— Je devrais peut-être fermer aussi, je perds de l'argent depuis des jours. Je ferais mieux de débaucher au moins les vendeuses. Françoise et moi suffirions pleinement à la tâche.

La marchande s'engagea la première dans l'escalier, suivie des jeunes filles. Dans l'appartement, les retrouvailles avec Gertrude s'accompagnèrent de nouveaux épanchements. La vieille domestique remarqua d'une voix faussement bourrue, en faisant disparaître une larme de son œil gauche:

— Ma foi, je pense que tu as grandi.

— Je suis absente depuis un mois à peine, c'est impossible.

— Pas un mois, presque six semaines.

— Et à mon âge, on ne grandit plus.

L'autre la toisa, puis conclut:

— Tu es encore une gamine.

Sur ces mots, la bonne retourna dans la cuisine. Les autres femmes se retrouvèrent dans le petit salon afin d'attendre le moment de passer à table. La fille de la maison regardait les lieux, cherchant tous les repères de son enfance. Elle observa bientôt:

— Depuis la gare, j'ai été surprise de ne voir personne avec un masque. Cela me paraît bien imprudent.

— Nous prenons tout de même quelques précautions, remarqua Françoise. Ce matin, les journaux conseillaient de réduire les visites à nos connaissances.

— Mais ce n'est pas suffisant. Demain matin, vous allez en mettre un toutes les deux.

Elles se consultèrent des yeux, Marie protesta:

— Sois un peu sérieuse, nous ne pouvons vendre des vêtements avec un masque sur le visage. Déjà, les gens ne se pressent pas à la porte, il ne faut pas faire exprès de les chasser. Imagine-nous avec des airs de Mardi gras.

— Tous les jours, au moins une cliente porteuse de la grippe se présente devant vous. C'est un miracle que vous demeuriez encore en bonne santé.

Elle parlait avec l'assurance d'une étudiante en médecine, incapable encore d'émettre le moindre doute sur ses nouveaux savoirs.

— ... Nous ne possédons pas de masque, confia Françoise, d'une voix soudainement moins bien assurée.

— Avec un pied de coton égyptien et trois de ruban, je vous en confectionnerai quelques-uns après souper. Mais vous devez me le promettre: demain, vous travaillerez en portant des masques et même des gants.

Le ton recelait assez de sollicitude inquiète pour les convaincre. Elles donnèrent leur assentiment d'un signe de tête. Cette question réglée, désireuse de changer de sujet, Thalie retrouva l'objet habituel de ses inquiétudes:

— Recevez-vous des nouvelles de Mathieu? Je lui ai communiqué mon adresse à Montréal, mais je n'ai encore rien reçu.

— Des lettres arrivent de façon très irrégulière, expliqua la mère. Toujours quelques mots griffonnés sur un petit bout de papier fourni par l'armée.

— Du genre : “Je me trouve dans un pays que je ne peux pas nommer, je ne sais trop à quel endroit exactement, ni vraiment pourquoi”, murmura Françoise d’une voix dépitée.

Un long silence suivit ces mots. Chacune savait que les Allemands avaient conduit des offensives très brutales afin de faire précéder l’arrivée des troupes américaines en Flandres de quelques victoires sur le terrain. Les tués se comptaient en nombre plus élevé que jamais depuis 1914. Toutefois, à partir du début d’octobre, l’ennemi avait reculé sans cesse. Sa défaite paraissait inéluctable, mais l’hécatombe ne régressait pas vraiment.

Gertrude les trouva perdues dans leurs pensées un moment plus tard. Le motif de cette morosité soudaine ne lui échappait guère. Troublée, elle demanda d’une voix hésitante :

— Êtes-vous prêtes à manger ?

— Non, mais nous devons tout de même le faire, n’est-ce pas ?

La question ne s’adressait à personne en particulier.

~

Thomas remarqua tout de suite l’affluence inhabituelle dans la salle du conseil municipal. La séance spéciale s’ouvrit dans un bruissement de conversations murmurées, l’impatience devenant palpable. Le commerçant reconnut le docteur Hamelin dans les premiers rangs des sièges, il le salua d’un signe de tête. Sa femme, Élise, se tenait à sa gauche. Sa façon de laisser son épaule effleurer celle de son époux témoignait de la complicité d’une amoureuse. À sa droite, le docteur Caron paraissait recruté de mauvaise grâce en guise de renfort. Il n’était pas le seul : d’autres praticiens ameutés par le croisé de la santé publique se trouvaient présents, une dizaine peut-être. L’affluence dans leurs officines respectives suffisait à les convaincre du sérieux de la situation.

Lavigueur savait reconnaître la menace d’une véritable fronde. Aujourd’hui, la situation lui paraissait plus dangereuse qu'au moment des émeutes contre la conscription. À grands coups de son maillet sur la table devant lui, il ramena un semblant de silence dans la salle avant de déclarer :

— Nous avons pu le constater au cours des derniers jours, la grippe espagnole a atteint notre ville…

— Il a fallu plus de cent cinquante morts pour vous ouvrir les yeux ! cria Hamelin.

Élise posa sa main sur l'avant-bras de son époux, serra les doigts afin de le calmer un peu.

— Dans ces circonstances exceptionnelles, nous devons prendre des mesures exceptionnelles. Demain matin, toutes les écoles demeureront fermées. Dès à présent, dans tous les pensionnats de la ville, les religieux et les religieuses envoient des missives aux parents pour les prier de reprendre leurs enfants chez eux…

— Les écoles ont été désertées depuis des jours, hurla quelqu'un. Vous ne le saviez pas encore ? Lisez les journaux.

Les mesures que les autorités municipales refusaient, les habitants de la ville les mettaient en place progressivement. Depuis des jours, ils retiraient leurs enfants des classes, réduisaient leurs sorties et les rencontres sociales. De nouveau, les coups de maillets retentirent. Le maire semblait déterminé à annoncer toutes ses initiatives l'une à la suite de l'autre. Les conseillers voteraient en bloc, sans rien discuter, afin d'abréger cette séance.

— Les restaurants, les tavernes, les théâtres et tous les autres lieux d'amusement fermeront demain, pour ne rouvrir qu'au moment où l'épidémie sera passée.

Comme Lavigueur ralentissait son débit, quelqu'un jugea bon de lui rappeler où s'effectuaient les plus grands rassemblements de population :

— Et les magasins ?

— Nous ne pouvons empêcher les habitants de s'approvisionner…

— Veux-tu dire en instruments de musique ?

L'ironie gouailleuse fit l'effet d'une gifle au visage de l'élu. Il marqua un temps d'arrêt avant de poursuivre :

— En conséquence, les commerces fermeront à quatre heures de l'après-midi.

Alors que certains établissements demeuraient ouverts aussi longtemps que des clients pouvaient se présenter, parfois aussi tard que onze heures en soirée, cela diminuerait vraiment les occasions de contracter la maladie.

Charles Hamelin contempla son épouse. Les mesures qu'il réclamait depuis dix jours seraient imposées dès le lendemain. « Mieux vaut tard que jamais », murmura-t-il entre ses dents.

— Bien évidemment, enchaîna le premier magistrat, le conseil municipal ne peut décider du service du culte...

— Les protestants ont interrompu l'enseignement des écoles du dimanche, commenta un fidèle lecteur du *Chronicle*.

— Toutefois, continua Lavigueur, j'ai demandé à Sa Grandeur le cardinal Bégin d'adopter les mesures qu'il jugera pertinentes en ces temps de grande inquiétude.

Chacun pensa à la sagesse de l'archevêque de Montréal et espéra voir lever l'obligation de la messe dominicale dans le diocèse de Québec.

— Enfin, les tramways seront désinfectés tous les jours. Ce règlement s'appliquera aussi longtemps que l'exigera la sévérité de l'épidémie.

— Vous ne dites pas un mot des mesures nécessaires pour donner des soins médicaux à la population, déclara le docteur Caron en se levant.

Hamelin avait réussi à convaincre son parent de jouer son rôle dans cette mauvaise pièce.

— ... Je suis certain que tous les médecins de la ville, vous le premier, feront leur devoir, répondit le maire dans un soupir.

— La condition de certains malades rend nécessaire leur hospitalisation. Les places manquent dans les hôpitaux.

— Mais non...

Charles Hamelin se leva à son tour pour clamer :

— L'Hôtel-Dieu refuse tous les nouveaux patients. Mes collègues et moi voyons des victimes de pneumonie tous les jours.

— Cet hôpital rouvrira bien vite.

— Je pratique là-bas. Les religieuses tombent les unes après les autres, victimes de la maladie. Certaines vont mourir…

Un bruit de chaise violemment repoussée se fit entendre à l'autre extrémité de la salle.

— Vous continuez de semer la panique, cria le docteur Paquin.

Debout lui aussi, il pointait un doigt accusateur vers son adversaire.

— Une seule de ces saintes femmes est décédée… continua-t-il sur le même ton.

Le médecin hygiéniste faisait l'objet de conversations peu charitables, où le mot « incompétence » revenait souvent. Sa lenteur à réagir paraissait suspecte.

— Vous avez raison, à ce jour, une seule de ces religieuses est morte. À vingt ans tout juste. Vous pouvez m'assurer que cette vilaine grippe ne fera plus aucune victime dans notre ville ?

Un ricanement mauvais força Paquin à se rasseoir.

— Qu'avez-vous en tête ? demanda le maire.

— Ailleurs, on a créé des hôpitaux de fortune pour recevoir les malades. Ma femme revient de Sherbrooke…

Tout le monde connaissait la situation dans cette ville, les journaux détaillaient les initiatives de ce genre avec des commentaires positifs.

— Mais le problème de personnel se posera encore, précisa le maire. Si les hospitalières ferment un établissement, elles ne peuvent pas en faire fonctionner un autre.

— Nous pouvons faire appel à des volontaires dans la population, commenta quelqu'un en anglais. Seulement chez les femmes et les filles des personnes présentes ici, nous trouverons un effectif suffisant.

Autant la pratique de la médecine semblait revenir aux hommes, autant le soin quotidien des malades demeurait l'apanage exclusif du sexe faible. Les qualités d'une bonne mère ressemblaient fort à celles d'une infirmière. Changer des couches et manipuler les bassines ou les urinoirs requéraient des habiletés bien semblables.

— Nous allons allouer un budget de mille dollars afin d'acheter le matériel nécessaire au fonctionnement d'un ou de plusieurs centres de soins, consentit le magistrat. Je compte sur vous, messieurs les médecins, pour y offrir des soins, et sur l'ensemble de la population de la ville pour les faire fonctionner.

Le budget paraissait dérisoire. Hamelin reprit toutefois son siège en affichant un sourire de satisfaction. Enfin, après des jours passés à semer l'alerte, tout le monde paraissait d'accord sur la nécessité de faire face à l'ennemi.

~

Tout de suite après son lever, Thalie descendit au rez-de-chaussée, entrouvrit la porte du commerce pour crier au camelot se tenant sur le parvis de la cathédrale :

— Veux-tu m'apporter le journal ?

— Je ne fais pas de livraison à domicile, répondit le garçon d'un ton frondeur. Viens le chercher.

— Je suis encore en robe de nuit.

— Raison de plus pour venir vers moi.

Des passants se tournèrent vers elle. En serrant la main sur son peignoir pour demeurer bien décente, elle insista :

— Cesse de faire ton drôle.

Le gamin courut vers elle en tendant une copie du quotidien, délaissant un moment sa clientèle de gens pressés de se rendre au travail. Un pourboire le récompensa de son geste.

Un moment plus tard, elle dépliait *Le Soleil* et entreprenait de commenter les nouvelles pour sa mère et Françoise, occupées à déjeuner.

— Les écoles et tous les lieux de divertissement sont fermés à compter de ce matin.

— Cela ne changera pas grand-chose pour nous. Voilà bien un mois que je ne suis pas allée dans un théâtre, commenta son amie.

— Nous menons une vie de recluses, ricana Marie.

— Paul devient-il très casanier et passe-t-il ses dimanches dans un fauteuil de notre petit salon ?

Thalie prononça ces mots en adressant un gros clin d'œil à sa mère.

— Nous arrivons tout de même à le faire bouger un peu.

La remarque pouvait s'entendre de bien des façons. Françoise rougit un peu de l'image qui se présenta à son esprit.

— Si ces premières mesures ne changent rien à votre existence, continua la jeune fille, en voilà une qui vous intéressera beaucoup : les magasins de la ville devront fermer à quatre heures. As-tu pensé à ce que je te disais hier ?

Elle faisait référence à l'inutilité de maintenir la boutique ouverte.

— Je dirai aux vendeuses de rentrer chez elles à midi. La matinée nous donnera le temps de mettre un peu d'ordre dans le magasin. Par la suite, nous suffirons à la tâche.

Marie marqua une pause avant de demander, soudainement incertaine :

— Tu voudras bien nous aider ? Je veux dire en attendant la reprise des cours à l'Université McGill, bien sûr.

— Je ne sais pas. Pas aujourd'hui, en tout cas.

Devant la déception de sa mère, elle précisa :

— Ne le savais-tu pas ? Un navire hôpital doit arriver à Québec aujourd'hui. Il transporte des blessés et des malades du 22e bataillon. J'aimerais aller assister à son accostage. J'apprendrai peut-être quelque chose.

— ... Si Mathieu se trouvait à bord, nous le saurions. L'armée nous aurait certainement donné l'information.

— Tu as sans doute raison, mais je vais tout de même y aller. Je demanderai aux hommes de son unité s'ils le connaissent.

Cette initiative ne rapporterait sans doute rien. Marie ne pouvait tout de même pas empêcher sa fille de tenter sa chance. Surtout, Françoise demanda bien vite :

— Je peux y aller aussi ?

Les grands yeux gris posés sur elle contenaient une prière. Une seule réponse demeurait possible :

— Oui, bien sûr. Je garderai les vendeuses avec moi toute la journée.

Thalie continuait de parcourir *Le Soleil* sans se soucier de l'assiette devant elle. Gertrude remarqua, en prenant place à son tour à table :

— Tu devrais manger un peu.

— Oui, oui. Je vérifie la liste des blessés originaires de Québec qui se trouvent à bord. Je trouverai peut-être le nom d'un garçon de son âge, susceptible de bien le connaître.

Pourtant, elle n'arrivait pas vraiment à fixer son attention sur les patronymes tellement une autre information occupait son esprit. Les dernières lignes de la page précédente disaient : « Toutes les personnes souhaitant se rendre utiles sont invitées à offrir leur aide au Service municipal d'hygiène. Les centres de soins sauront utiliser toutes les bonnes volontés. »

~

Les informations du *Soleil* s'étaient montrées exactes. Après une escale à Halifax afin de débarquer quelques dizaines de blessés ou de malades, le *Hibernia* jeta les amarres près du quai, sous l'imposante falaise du cap Diamant, un peu après une heure de l'après-midi. Parmi des dizaines de proches des soldats rapatriés et un nombre au moins égal de curieux, Thalie et Françoise examinèrent la manœuvre. Une passerelle fut bientôt placée contre le flanc de fer du navire hôpital. Des soldats en uniforme empêchèrent quiconque de monter à bord.

Parmi tous les autres, les deux amies patientèrent pendant une heure, bras dessus, bras dessous. Puis une agitation se produisit sur le pont du navire, se répercuta dans la foule. De robustes infirmiers s'engagèrent sur la passerelle, tenant une civière entre eux. Au moment où ils mettaient les pieds sur le quai, une voix éraillée laissa échapper un «Lucien» sonore.

Thalie se tourna pour voir une femme dans la quarantaine s'effondrer à demi, ses genoux se dérobant sous elle. Heureusement, un homme la soutint avant qu'elle ne s'affale sur le ciment.

— Moi aussi, confia Françoise, je crois qu'à la vue de Mathieu sous mes yeux, je tomberais dans les pommes. Je ne l'ai pas vu depuis des mois.

Sa compagne accueillit la confidence par un sourire plein de compassion.

— Toi, tu n'es pas le genre à t'évanouir, ajouta-t-elle.

Le ton trahissait un mélange de déception et de gêne. Françoise éprouvait toujours un peu de honte face aux émotions intenses qui la privaient régulièrement de ses moyens. Même si ses joues tournaient bien moins souvent au cramoisi qu'à l'époque où elle se trouvait au couvent, elle enviait l'assurance de la jeune fille pendue à son bras.

— Je ne pense pas être à l'abri de ce genre de réaction, répondit Thalie.

L'aveu sonnait faux. Sous leurs yeux, une procession ininterrompue de civières se poursuivait, donnant lieu la plupart du temps à des retrouvailles émues. Celles-ci demeuraient toutefois de courte durée, des ambulances se succédaient afin de conduire les blessés vers l'hôpital militaire. Ce serait partie remise: les soldats assez mal en point pour être rapatriés ne retourneraient pas en Europe. Très vite, l'armée leur donnerait le *honorable discharge* avant de les rendre à leur famille, diminués mais vivants.

Quelques estropiés ne faisaient l'objet d'aucun accueil. Ils reposaient sur le quai, étendus sur leur civière, en attendant leur tour. Thalie reconnut un visage vaguement familier, celui d'un garçon malingre aux cheveux d'un blond sale et aux yeux d'un bleu délavé. En réalité, elle ne le reconnut pas vraiment, mais le nez un peu dévié sur la gauche lui fournissait un indice précieux.

— Pierre Pelletier ? demanda-t-elle en s'approchant.

— Qu'est-ce que tu veux, beauté ?

La voix était éraillée, une toux sèche amena les jeunes femmes à garder leurs distances. Le port du masque aurait été plus prudent.

— Tu ne me reconnais pas ? Nous nous sommes rencontrés, il y a bien des années.

Il la regarda un moment, intrigué, avant de répliquer :

— Si c'était le cas, je m'en souviendrais. Une aussi jolie fille, cela ne s'oublie pas. Tu ne vas pas me dire que tu t'es retrouvée avec un "paquet" à cause de moi ?

Émue par le sort incertain des armes, bien des jeunes femmes compatissantes cédaient aux avances d'un militaire sur le point de s'embarquer, tellement l'odeur de la mort éveillait celle de l'amour, parfois. Les plus malchanceuses se mettaient en réserve une jolie surprise, neuf mois plus tard.

— Tu peux cesser de donner le change. Déjà, à l'époque de notre rencontre, je soupçonnais que tu préférais les garçons. Avec une pareille inclination, tu ne risques pas d'augmenter la population des orphelinats.

Françoise se trouva de nouveau assaillie par une rougeur soudaine aux joues, devant l'allusion explicite à des pratiques « contre nature ». Pelletier fit le geste de se dresser à demi afin de protester. Une quinte de toux interrompit son mouvement.

— Qui es-tu, à la fin ? bafouilla-t-il en reprenant son souffle.

— Il y a des années, tu aimais bien torturer un garçon plus jeune que toi. C'est lui qui t'a cassé le nez de cette façon.

Elle désignait l'appendice volumineux et dévié.

— Moi, je suis la petite sœur.

— Jésus-Christ ! La petite garce.

— Je savais que tu te souviendrais. Attention à ta langue, je pourrais bien te crever un œil. Nous sommes comme cela, dans la famille, prêt à rendre les coups au centuple.

Sur les derniers mots, elle caressa l'extrémité de la longue aiguille qui retenait son chapeau à la masse de ses cheveux. L'homme marqua une pause, puis grogna :

— Une famille de fous, oui !

— Tu es du 22e bataillon, comme Mathieu. Je suppose que tu l'as vu, en Europe.

— Nous sommes des milliers dans ce régiment.

— Tout de même, insista Thalie, je suppose que les hommes de la même ville fraternisaient.

Françoise surmonta sa crainte de la contagion au point de se pencher sur la civière pour préciser :

— C'est mon fiancé. Vous l'avez vu, n'est-ce pas ?

Pelletier la regarda un moment, esquissa une grimace en songeant aux accusations lancées plus de dix ans auparavant.

— Il ne s'ennuie pas, le cochon.

— Vous l'avez vu ?

À la fin, le militaire se résolut à jouer au bon garçon :

— Évidemment, je l'ai vu. Tout le monde l'a vu. Quand le capitaine a reçu un obus dans le cul, il a pris sa place. Cela fait deux mois qu'il décide qui va aller se faire tirer dessus et qui survivra jusqu'au lendemain.

— Il est en bonne santé ? questionna Françoise, de l'espoir dans la voix.

— Cela fait un mois que je me trouve à l'hôpital. Comment voulez-vous que je le sache ?

Sur ces mots, il montra sa main droite, couverte d'un gros bandage. La blessure idéale, suffisante pour éloigner du champ de bataille, sans toutefois mettre la vie en danger. Thalie saisit le poignet, révélant une vigueur étonnante dans un corps si menu. Le geste ramena le soldat onze ans plus tôt, lors de leurs premiers échanges.

— Il se portait bien.

Le ton de la jeune femme tenait de l'injonction.

— Au moment de mon retrait vers l'arrière, il n'avait même pas encore subi une égratignure. Une chance de cocu.

Ses yeux allèrent vers Françoise. La petite main se serra encore sur son poignet, glissa vers la blessure.

— Mais un mois en Belgique, c'est une éternité. Après, je ne sais pas.

— Jamais tu n'as entendu qu'un malheur était arrivé ?

— Ni qu'aucun malheur ne s'était produit. Ils ne font pas la liste des personnes demeurées indemnes pour nous la lire à l'hôpital.

Cette fois, les doigts gantés se trouvaient directement sur la blessure et exerçaient une légère pression.

— Je suppose que si le courageux capitaine Picard avait reçu une balle, la nouvelle se serait rendue jusqu'à mes oreilles.

Thalie plongea ses yeux dans ceux de Françoise, comme pour lui intimer de considérer cette information comme satisfaisante. Sa compagne ne demandait qu'à s'en convaincre. La petite brune se redressa au moment où des infirmiers s'approchaient, déclara encore :

— Maintenant, laissons le brave soldat Pelletier prendre place dans son ambulance. Notre héros doit languir de se trouver enfin dans un bon lit.

La dérision dans la voix amena un sourire sur le visage des deux nouveaux venus. Les blessures à la main droite demeuraient suspectes. Des militaires se les infligeaient parfois eux-mêmes afin de quitter la ligne de feu. Thalie venait méchamment de semer un doute dans leur esprit.

~

— Flavie, Louis n'a pas téléphoné, au cours de l'après-midi ?

La jeune femme leva les yeux de la feuille de papier où se trouvaient ses notes, arrêta ses doigts au-dessus de la machine à écrire avant de répondre :

— Vous savez bien que je vous mets en communication avec tous les correspondants ou alors je prends le message si vous êtes absent.

— Oui... oui bien sûr. Mais vous auriez pu oublier.

Le sourire de la secrétaire lui signifia qu'il était bien peu probable qu'elle commette une erreur de cette nature.

— Il devait m'appeler, car nous comptons aller ensemble au Club de réforme.

De jeunes militants animaient ce nouveau club, voué à rénover le vieux Parti libéral. En d'autres mots, une nouvelle génération entendait remplacer bientôt les politiciens de la « vieille école », celle de Laurier et même de Gouin. Tout en s'éloignant d'Armand Lavergne, Édouard se rapprochait de ces ambitieux un peu turbulents, convaincu lui aussi de la nécessité d'un changement de garde.

— J'essaie de le joindre sans succès depuis quelques minutes. Le téléphone du magasin de musique se trouve peut-être en dérangement.

— Avec la grippe, il semble que le central téléphonique de Bell soit déserté par ses employées. Enfin, j'ai lu cela dans le journal.

— Dans ce cas, je vais aller le rejoindre.

Il se dirigea vers la patère afin de prendre son feutre, puis lui lança encore avant de partir :

— Ne travaillez pas trop tard.

— Je termine ceci et je m'en vais. Bonne soirée, monsieur Picard.

— Bonne soirée, Flavie.

Le jeune patron appréciait toutes les qualités de sa nouvelle secrétaire. Par-dessus tout, il lui était particulièrement reconnaissant de ne jamais lui donner du « monsieur Édouard ». Elle ne le faisait qu'en présence du propriétaire des lieux et toujours en le regardant avec l'air de dire « désolé ».

Dans la rue Saint-Joseph, il accéléra le pas afin de ne pas être en retard à son rendez-vous.

— Peut-être est-il parti sans moi, maugréa-t-il.

Pourtant, ce matin, il avait laissé sa voiture tout près du commerce d'instruments de musique afin de faciliter leur départ à tous les deux.

Il arrivait à destination quand il aperçut une voiture taxi juste devant la porte de l'établissement de son collègue. Un commis aidait le colosse à y monter. Le nouveau venu accéléra le pas, sans réussir à battre le véhicule de vitesse. Le chauffeur appuya bientôt sur l'accélérateur pour s'éloigner dans un nuage de fumée bleue et une pétarade de moteur emballé.

Soucieux, Édouard demanda à l'employé en arrivant à sa hauteur :

— Que se passe-t-il ?

— Monsieur Picard, dommage que vous ne soyez pas arrivé plus tôt. Vous auriez pu le conduire à la maison.

— Qu'est-il arrivé ?

— Cette horrible grippe. Vous savez combien il est fort… Tous ces derniers jours, il est venu travailler.

Édouard écarquilla les yeux, déclara, fort surpris :

— Mais je l'ai vu ce matin, il me semblait tousser un peu moins.

— Cet après-midi, cela n'allait plus du tout. Je l'ai trouvé derrière son bureau tout à l'heure, incapable de reprendre son souffle.

Pour exprimer son désarroi, l'employé secouait la tête. Puis il réintégra le commerce sans rien ajouter. Un moment, le fils Picard songea se rendre au Club de réforme seul. À la fin, inquiet, il décida de rentrer plutôt à la maison pour se reposer. Après tout le temps passé avec son collègue récemment, il risquait fort d'avoir attrapé cette damnée infection.

Chapitre 14

Le pronostic du docteur Caron se montra exact: au troisième jour de sa grippe, la toux de Fernand se calma, de même que la douleur à la base du crâne, dans les épaules et dans les bras. Sa grande fatigue relâcha un peu son emprise. Puis, le vendredi 11 octobre marqua son passage de la maladie à la convalescence. Cela lui valut un léger changement de tenue. Au lieu de passer sa journée en pyjama, sous les couvertures, il endossa son peignoir dès le matin pour s'asseoir sur celles-ci, le dos soutenu par un amoncellement d'oreillers.

Jeanne le trouva dans cette posture au moment de lui monter son petit déjeuner. Son masque lui conférait toujours un air étrange, celui d'une combattante engagée dans une guerre sans merci.

— Monsieur, cela ne me semble pas bien prudent.

Elle voulait dire abandonner la position horizontale.

— Selon le médecin, je vais beaucoup mieux. Vous l'avez entendu hier soir. Je dois bien faire un effort pour donner raison à ce pauvre homme.

— Il a aussi dit de vous reposer, de ne pas reprendre vos activités avant une autre semaine.

— Alors je ne toucherai pas à un contrat ou à un testament, avant vendredi prochain, juré, craché. Ce sera le 18, je crois. D'ici là, je ne resterai pas sous les couvertures toute la journée.

L'homme marqua une pause, puis il ajouta:

— Je ne vais même pas garder le lit pour manger.

Un fauteuil se trouvait placé près de la fenêtre. Il se leva avec précaution.

— Attendez que je vous aide.

Le plateau, tenu à la hauteur de la poitrine, l'avait encombrée pendant tout leur échange.

— Pose-le sur le lit et approche le petit guéridon.

D'un pas incertain, l'homme se rendit à son siège. Un moment plus tard, son repas devant lui, il leva des yeux désolés en plaidant :

— Tu sais, je commencerai à aller vraiment mieux le jour où j'aurai droit à des aliments destinés à des humains. L'avoine, c'est pour les chevaux.

— Mieux vaut manger léger. Vous êtes encore faible.

— Je demeurerai faible aussi longtemps que je mangerai du gruau.

La domestique lui adressa un petit sourire, perdu dans son masque, puis elle céda :

— Tout de même, faites un effort pour en avaler un peu. Pendant ce temps, je vais aller vous chercher un morceau de fromage et deux toasts.

— Tu es une bonne fille. Remonte avec le journal. J'aimerais savoir ce qui se passe du côté des vivants.

Jeanne allait ouvrir la porte quand il ajouta, soudainement préoccupé :

— Personne d'autre n'a été affecté par cette vilaine grippe, dans la maison ?

— Non. Je trouve d'ailleurs cela curieux. Les journaux insistent tellement sur la contagion...

— Les enfants ?

— Pas la moindre petite toux. Ils sont en train de rendre folle votre vieille nounou. Vos parents vont bien aussi. Comme je n'ai plus eu aucun contact avec eux depuis le jour de la mort de mon frère, sauf au moment de mon retour, je suppose que cela a suffi à enrayer le passage des microbes. Ou alors, c'est un miracle.

Le mot microbe sonnait curieusement dans la bouche de la jeune femme, comme si elle nommait un démon nouvellement recruté dans les armées de Lucifer. Ses dernières paroles, au moment de sortir, confirmèrent l'impression de Fernand :

— Vos parents ont tellement prié.

~

Une ambiance plutôt étrange régnait dans le grand magasin Picard, à cause des allées à peu près désertes. L'obligation de fermer à quatre heures de l'après-midi ne changerait pas grand-chose : les consommateurs se terraient chez eux, ne sortant plus que pour faire des achats absolument nécessaires. Ils ne s'attardaient guère et se tenaient à distance.

Édouard quitta son bureau, demeura interdit en posant les yeux sur sa secrétaire. Celle-ci portait désormais un masque lui couvrant la moitié du visage.

— De plus en plus de gens en portent un, plaida-t-elle en fixant un regard contrit sur son patron.

Elle s'inquiétait un peu de son initiative. Aussi elle insista :

— Il y a même des vendeurs…

— Vous faites bien. Écrivez une note recommandant au personnel de faire la même chose et placez-la bien en vue. Avec ce qui est arrivé au pauvre Louis…

La jeune femme hésita un moment avant de demander :

— Avez-vous reçu des nouvelles alarmantes ?

— Certaines informations sont alarmantes, les autres optimistes. Je désire me faire une idée moi-même : je vais le voir.

— … Soyez prudent.

Les yeux bruns exprimaient de l'inquiétude. Le masque lui donnait une curieuse allure. Dans un autre contexte, il s'en serait amusé.

— Promis. Je commencerai par prendre un déguisement comme le vôtre au rez-de-chaussée.

Une demi-heure plus tard, il stationnait sa voiture en face d'une charmante petite maison de la rue Saint-Jean. Son collègue vivait tout près de son paternel, cela devait favoriser la concertation entre les deux hommes.

« Au fond, se dit Édouard, il se trouve sous une surveillance presque aussi étroite que moi. »

En quelques pas, il parcourut l'allée, gravit les trois marches conduisant à la galerie s'étendant sur toute la largeur de la demeure, frappa à la porte. Comme rien ne se produisait, il donna du poing un peu plus fort, se pencha afin de coller son front contre la vitre découpée au milieu de la surface de bois.

Le rideau de dentelle n'empêchait pas totalement de voir à l'intérieur. Il aperçut la petite silhouette de la femme de son collègue. Elle tenait sa fille âgée d'environ six mois dans les bras.

— C'est moi, Édouard, cria-t-il contre la vitre. Laissez-moi entrer. Je viens voir Louis.

Elle s'approcha d'un pas hésitant. L'homme distingua bientôt le visage défait, les paupières enflées, les joues barbouillées de larmes.

— Est-ce que je peux entrer ? Je désire voir Louis, insista le visiteur.

— … Il est malade.

Si le son ne parvint pas à ses oreilles, il devina le sens des mots.

— Je sais. Je voudrais l'encourager un peu.

Une grimace se dessina sur le petit visage, cette fois, il perçut des sanglots. Une silhouette parut au fond du couloir, vint vers la porte. À l'uniforme, le visiteur reconnut une infirmière de l'Ordre de Victoria. Depuis quelques jours, ses collègues et elle devaient réaliser des affaires d'or. Elle posa les mains sur les épaules de la maîtresse de maison, la poussa doucement vers une pièce s'ouvrant sur la gauche, puis revint près de la porte.

Elle portait un masque et ses cheveux étaient enfermés dans un bonnet ressemblant fort à celui d'une cuisinière.

— Vous ne pouvez pas entrer ici, commença-t-elle.

Le marchand trouva d'autant plus difficile de la comprendre qu'il ne voyait pas ses lèvres. Un peu comme un sourd, il désigna son oreille en secouant la tête de droite à gauche.

L'infirmière lui fit signe de reculer un peu, attendit qu'il se trouve près de l'escalier avant de tourner le verrou et d'ouvrir la porte d'une largeur de six pouces environ.

— Ne vous approchez pas, pour votre propre bien.

— Je porte un masque.

— Ce n'est pas un talisman. Gardez vos distances.

Elle s'exprimait bien en français, mais avec un lourd accent guttural, écossais sans doute.

— Je veux voir Louis… Monsieur Lavigueur.

— Je suis désolée, mais ce serait trop dangereux.

— Je suis son ami.

Elle le contempla comme s'il était un demeuré, incapable de comprendre le bon sens. À la fin, le visiteur demanda, un ton plus bas, trahissant une émotion qui le surprit lui-même :

— Est-ce si grave ?

— Son état est très sérieux. Sauf sa femme et sa fille, le médecin ne veut laisser personne l'approcher. Dites-moi votre nom. S'il s'informe de votre raffut, je le lui dirai.

— … Édouard. Édouard Picard.

Elle hocha la tête, ferma la porte et, tout de suite, le bruit métallique du verrou retentit.

~

Le morceau de cheddar, épais comme un doigt, fit sans doute plus pour revigorer Fernand que toutes les prières de sa sainte mère. Jeanne s'était assise sur le lit. Sa posture découvrait la meilleure part de ses mollets. Cela aussi agissait sur le moral du convalescent.

— Ce ne sont que des mauvaises nouvelles, commenta-t-elle en parcourant *Le Soleil*. Rien de bien intéressant pour un homme dans votre état.

Les informations relatives à l'épidémie risquaient bien peu de remonter le moral de l'une de ses victimes. Elle censurait sa lecture à haute voix pour ne pas l'alarmer. Un grand titre la retint toutefois :

— Une proclamation, c'est…

— Une directive du gouvernement. Tu te souviens, il y en a eu plusieurs sur la conscription.

— Celle-là est sur la grippe. Elle vient du Bureau d'hygiène de la province.

— Me diras-tu ce qu'elle raconte ?

La jeune femme marqua une hésitation, suffisamment longue pour l'amener à dire :

— Cela ne me fera pas de mal. Je vais mieux, comme tu peux le voir. Je pourrai même me laver seul, tout à l'heure.

Une certaine déception marquait sa voix. Le souvenir des moments d'intimité des derniers jours mit le rose aux joues de la domestique. Elle commença, soucieuse de changer de sujet :

— Tous les commerces devront fermer à quatre heures de l'après-midi, sauf les pharmacies pour la vente de médicaments.

— Comme plusieurs parmi eux reçoivent des clients très tard tous les soirs, cela écorchera le chiffre d'affaires.

— Tous les locaux de réunion doivent demeurer fermés. Pas seulement les lieux d'amusement, mais aussi toutes les églises. Les mesures du conseil municipal n'allaient pas si loin.

Devant le regard interrogateur de son employeur, elle dut résumer les résolutions adoptées lors de la séance spéciale du lundi précédent. Fernand laisser échapper un sifflement, puis remarqua :

— La situation est devenue terriblement sérieuse.

— Je suis si contente que vous alliez mieux !

Une larme apparut au coin de l'œil droit de la domestique, glissa bientôt sous son masque. Elle affecta une petite toux pour se donner une contenance, continua :

— Aucune rencontre sportive, même pas celles se déroulant à l'extérieur, ne pourra être tenue si elle doit rassembler plus de vingt-cinq personnes.

— La saison de la Ligue nationale de hockey sera donc retardée. Tant pis pour les Bulldogs.

— Les écoles sont aussi fermées. Cela ne changera rien, la municipalité a ordonné cela lundi dernier.

— Sauf que maintenant, cela s'appliquera à toute la province. Fini les bravades d'échevins irresponsables.

Les villes et les villages perdaient ainsi leur autonomie quant à la santé publique. La situation apparaissait maintenant suffisamment sévère pour imposer ces mesures d'exception.

— Enfin, il est déconseillé de prendre le train ou le tramway, conclut la bonne en fermant le journal.

— Heureusement, je ne comptais aller nulle part, rétorqua Fernand. Vraiment, tu devrais aller chercher une seconde tasse et partager ce thé avec moi.

— ... Je dois faire mon travail.

— En voilà un vilain mensonge. Ne te trouves-tu pas affectée à mon service exclusif afin de limiter les risques de contagion ?

Après un moment d'hésitation, elle céda en quittant le lit :

— Je reviens tout de suite.

Il lui fallut pourtant dix bonnes minutes, car elle se donna la peine de préparer une théière de thé frais. Au moment de s'asseoir sur la chaise en face de son compagnon, elle déclara, un peu amusée :

— Cela n'ira pas, avec ce masque.

— Alors, enlève-le.

Comme elle hésitait, Fernand insista :

— Je ne tousse plus, tu portes des gants de coton, nous sommes tous les deux de part et d'autre de ce guéridon. Nous ne risquons pas de nous contaminer l'un l'autre.

Surtout, malgré la prudence affichée, l'homme considérait que la promiscuité des derniers jours l'avait exposée à la contagion. Si Jeanne, tout comme ses parents, les enfants ou Eugénie, se trouvaient toujours en bonne santé, cela tenait à leur bonne étoile ou à une quelconque protection divine.

À la fin, la jeune femme se cala dans sa chaise afin de s'éloigner encore un peu plus de la source d'infection, puis elle décrocha les deux boucles de ruban de ses oreilles, pour laisser tomber le masque sur sa poitrine.

— J'avais presque complètement oublié combien tu es jolie, constata Fernand.

Cette fois, le rose marqua ses joues sans qu'elle puisse le dissimuler. Elle s'empara de sa tasse de thé pour en prendre une gorgée et retrouver sa contenance.

— Tout à l'heure, je vais prendre un bain, continua le convalescent. L'eau chaude me fera certainement le plus grand bien. Tu voudras bien m'aider ?

Elle s'imagina un instant en train de lui laver le dos… ou d'autres parties plus compromettantes de son anatomie. Il lui adressa un sourire amusé avant de continuer :

— Je veux dire pour le remplir, régler la température, des choses comme cela. Pour le reste, je peux me débrouiller.

Ses yeux exprimaient un amusement croissant, comme si sa pudibonderie s'estompait en même temps que les symptômes de la grippe.

— Et c'est bien dommage, conclut-il.

Le magasin ALFRED demeurait désert depuis le matin. La mise à pied temporaire des deux vendeuses ne risquait guère de nuire aux affaires. La situation rendait Marie songeuse.

— Nous pourrions aussi bien fermer tout à fait, jusqu'à ce que les choses rentrent dans l'ordre, grommela-t-elle.

Françoise et elle étaient installées devant le comptoir, sur des chaises apportées de la salle de repos située au fond de la boutique. Les derniers jours avaient permis de tout récurer, de mettre de l'ordre dans les mouchoirs, les rubans et les dentelles. Chacun des atomes de poussière avait fait l'objet d'une chasse impitoyable pendant une journée entière.

— Ce serait tout aussi bien, répondit Thalie.

La jeune fille était juchée sur un tabouret derrière le comptoir, la copie du matin du *Soleil* ouverte devant elle.

— Il semble que douze mille citoyens soient touchés par la maladie. Compte tenu de la population de la ville, cela signifie au moins une personne sur huit, peut-être même sur sept. C'est très sérieux.

— Heureusement que nous ne sommes que cinq dans l'appartement, remarqua Françoise.

Son humour sonnait faux. Tous les deux jours, son père téléphonait à Rivière-du-Loup afin de se rassurer sur l'état de santé d'Amélie et, tout de suite après, il contactait son aînée pour l'informer de la situation.

— Cela ne peut tout de même pas aller sans cesse en augmentant, plaida Marie en regardant sa fille. La grippe ne touche jamais tout le monde.

— Les journaux donnent le nombre des nouveaux cas tous les jours : ils sont en croissance régulière. Personne ne sait quand la maladie cessera de progresser.

Des souvenirs de lecture venaient à l'étudiante en médecine, les récits de villes victimes de la peste ou du choléra. Cette dernière affection avait touché Québec en 1832. Mais des épidémies avaient encore semé la mort moins de quarante ans plus tôt. Un intérêt un peu morbide l'amena à commenter encore :

— Le nombre de décès attribué à la grippe atteint maintenant cent quatre-vingts, toujours pour notre ville. Selon les entrepreneurs de pompes funèbres, depuis dix jours, leur clientèle tient essentiellement à cette maladie.

Un long silence accueillit l'information, puis Françoise demanda d'une petite voix :

— Peux-tu lire ce journal sans le commenter à haute voix ?

Elle ajouta bientôt, afin d'enlever toute rudesse à sa remarque :

— Je pense que je suis un peu peureuse.

Thalie agréa d'un regard, puis s'adressa à sa mère :

— Puis-je m'absenter cet après-midi ?

— Tu seras tout à fait libre de tes mouvements. À midi, je vais pendre le petit écriteau indiquant "Fermé" à la fenêtre de la porte, puis j'ajouterai une note indiquant "À cause de l'épidémie". Si nous devons passer les prochains jours assises à ne rien faire, autant que ce soit dans l'un des fauteuils du salon, un bon livre à la main.

— Cela vaudra mieux, l'encouragea sa fille. De toute façon, les personnes désireuses de s'acheter des vêtements pourront le faire dans quelques jours. Ce genre d'envie ne passe jamais à une femme.

La propriétaire des lieux quitta sa chaise pour s'engager dans l'escalier.

— Mais ses besoins peuvent changer. Je contacte nos fournisseurs afin de commander des vêtements de deuil.

— Voyons, Marie ! s'exclama Françoise. Ne soyez pas si pessimiste.

La femme se retourna, le temps de dire :

— Les cent quatre-vingts victimes ont, au bas mot, huit cents mères, sœurs, épouses ou fiancées, puis il y a la clientèle de l'extérieur de la ville. L'épidémie progresse encore. Je pense que le noir dominera dans de nombreuses garde-robes féminines l'hiver prochain.

Sur ces mots, elle gagna le bureau situé à l'étage.

~

Tout de suite après le dîner, Thalie revêtit son paletot, le boutonna jusqu'au cou, puis s'arrêta devant un miroir pendu dans le couloir afin de fixer soigneusement son masque derrière ses oreilles.

— Si nous devons nous spécialiser dans les vêtements de deuil, déclara Françoise en se plantant derrière elle, nous ferions peut-être aussi bien de vendre des masques noirs.

La jeune fille posa ses grands yeux sombres dans ceux de son amie, puis déclara d'une voix douce :

— Cette situation te préoccupe beaucoup.

Une larme perla dans chacun des yeux de Françoise, qui confia dans un souffle :

— Je suis si fatiguée de tout cela. Nous ne recevons plus de nouvelles de Mathieu. Capitaine ! Tu connais l'espérance de vie des officiers.

On leur demandait de mener les attaques vers les lignes ennemies à la tête de leur contingent. Cela en faisait des cibles parfaites.

— Puis maintenant, Amélie se trouve seule à Rivière-du-Loup avec tante Louise. Mon père n'ose même plus m'embrasser, de peur de m'infecter !

— ... Ne t'inquiète pas, les choses iront mieux maintenant.

L'autre la regarda dans les yeux, puis explosa :

— Ne me traite pas comme une idiote. Il y a moins de deux heures, tu affirmais que le nombre de cas continue d'augmenter !

Françoise ne se mettait presque jamais en colère. Quand cela lui arrivait, elle devenait désemparée devant son propre excès et susceptible d'éclater en sanglots dans les secondes suivantes. Thalie l'encercla de ses bras, la pressa contre elle, puis posa sa bouche masquée tout près de l'oreille afin de dire :

— Je te demande pardon si je t'ai donné l'impression de te manquer de respect. Au sujet de Mathieu, je me console en me disant que les combats se termineront bientôt, l'Allemagne et l'Autriche reculent partout.

Elle s'éloigna un peu, contempla de nouveau les grands yeux gris.

— Alors, je prie de tout mon cœur pour que papa sache veiller sur lui, de là-haut, afin que le grand sot que nous aimons toutes les deux nous revienne en un seul morceau. Au sujet de la grippe, je te rappelle que les sept huitièmes de la population ne l'ont pas attrapée. C'est beaucoup.

— Les chiffres grimpent.

Une pointe d'affolement teintait la voix de Françoise.

— J'ai parlé aussi de cent quatre-vingts décès, cela pour douze mille malades. Si cette grippe tue beaucoup plus que les autres, la plupart des gens s'en sortent. Pour l'immense majorité, c'est un mauvais moment à passer.

— Mais tu ne sors jamais dehors sans ce masque.

L'étudiante en médecine laissa échapper un rire bref, puis elle précisa :

— Je n'ai aucune envie de passer par ce mauvais moment, toi non plus. Alors ne sors jamais sans ton masque, repose-toi bien, mange bien. Avec un peu de chance…

Sur ces mots, elle posa ses lèvres sur les joues de son amie, s'amusa de l'effet produit à cause du masque, puis s'esquiva par l'escalier avec un dernier salut de la main.

~

Thalie ferma soigneusement la porte du commerce, s'engagea dans la rue de la Fabrique en diagonale, s'arrêta pour laisser passer un tramway à peu près vide. Elle remarqua le chauffeur, affublé d'un masque semblable au sien. La nonchalance remarquée le lundi précédent disparaissait bien vite.

Un moment plus tard, elle posait le pied sur le trottoir de la rue Buade, s'engageait dans Desjardins afin de rejoindre le grand édifice de pierre de la cathédrale anglicane.

Le logis de l'évêque se trouvait dans une maison attenante. La jeune fille sonna, attendit en vain une longue minute, puis agita encore la chaînette de laiton, cette fois avec insistance. Une adolescente vêtue d'un uniforme de domestique vint lui ouvrir. Thalie prononça dans son meilleur anglais :

— Je veux voir madame Hawkins.

— … Madame est très occupée, avec la grippe.

— Justement, j'aimerais lui offrir mes services. Je suis étudiante en médecine.

L'autre parut un peu intéressée par cette dernière information.

— Attendez un instant, je vais voir.

La porte se ferma sur le nez de la visiteuse. Laisser ainsi quelqu'un sur le trottoir tenait de la dernière impolitesse, mais la situation amenait de nombreuses personnes à oublier toute bienséance. Les Québécois, préoccupés de microbes et de germes, tendaient à garder leurs distances et à transformer leurs demeures en forteresses.

Un moment plus tard, la domestique revint pour déclarer :

— Madame consent à vous accorder une minute.

La bonne paraissait encline à s'assurer que la visiteuse ne prenne pas une seconde de plus, chronomètre en main.

La porte d'entrée s'ouvrait sur un long couloir, tout de suite à gauche se trouvait une pièce lambrissée de chêne, les murs couverts d'étagères ployant sous le poids des livres. L'épouse de l'évêque occupait la pièce de travail de son mari, un téléphone à portée de la main, une multitude de bouts de papier dispersés sur le bureau devant elle. Une autre femme s'affairait dans un coin de la pièce, assise derrière une table à cartes, elle aussi couverte de documents.

— Je suis désolée de vous recevoir de façon aussi cavalière, s'excusa son interlocutrice, une personne dans la cinquantaine, en se levant à demi, la main tendue, mais dans les circonstances…

— Je comprends, répondit la visiteuse en adressant un salut de la tête à l'autre personne présente dans la pièce, aussi je ne vous ferai pas perdre de temps. Je suis Thalia Picard, étudiante en médecine à McGill.

— Oh ! Je sais parfaitement qui vous êtes. Sans ce masque, je vous aurais reconnue tout de suite. Nous sommes presque voisines et je vous ai vue à quelques reprises au Quebec High

School, lors de visites effectuées avec mon mari. Asseyez-vous.

La jeune fille posa le bout des fesses sur la chaise devant le bureau, continua avec une pointe de modestie :

— Je suis seulement en première année. En fait, j'ai assisté aux cours pendant un peu plus d'un mois, avant la fermeture de la Faculté. Mais je sais que je serai utile à votre mari. J'ai lu dans les journaux que vous recrutiez des volontaires pour le centre de soins qu'il dirige dans la Basse-Ville.

L'évêque anglican avait pris l'initiative de créer un établissement de soin rue Saint-Pierre, à l'intention des protestants victimes de grippe, tant les habitants réguliers de la ville que les marins de passage.

— Je suis certaine que vous sauriez l'aider. Toutefois...

— Vous ne me prendrez pas parce que je suis catholique ? s'offusqua Thalie en élevant un peu la voix.

— Pourquoi ferais-je une chose pareille ? J'allais dire : toutefois, ne croyez-vous pas que vous feriez mieux d'offrir vos services dans les centres de soins destinés aux Canadiens français ? J'ai bien peur que les organisateurs aient du mal à trouver du personnel.

La visiteuse regretta un moment son emportement, songeuse, puis commenta :

— Aucun centre n'est encore ouvert pour mes compatriotes ?

— Alors que l'appel pour demander des bénévoles a été lancé lundi dernier, très peu de personnes se sont proposées. Mais je crois savoir que les premiers établissements ouvriront lundi prochain. Vous serez certainement reçue à bras ouverts.

Thalie préféra taire son scepticisme : le soin des malades, chez les catholiques, revenait à des religieuses. Sa petite personne n'embaumait pas précisément une odeur de sainteté.

— Si jamais...

— On refusait votre offre généreuse ? Revenez ici en courant. Les microbes n'ont pas de religion, les soignants ne devraient pas en avoir non plus.

Un sourire de connivence égaya les yeux de la visiteuse, au-dessus du masque. Elle se retira après une dernière poignée de main.

~

Un peu comme un prétendant transi soucieux de couver des yeux la personne aimée afin de se constituer une réserve d'images d'elle pour les moments de solitude, Édouard ne se lassait pas d'admirer la grande pièce réservée au président des entreprises Picard. Il passait peut-être le tiers de son temps dans le bureau de son père. Mais le désir d'en être bientôt l'unique occupant le taraudait. Ce serait sans doute le cas dans deux ans, trois tout au plus. Finalement, les inquiétudes cardiaques de l'entrepreneur lui profiteraient.

La situation comportait aussi un autre avantage. La porte du bureau demeurait généralement ouverte. Cela lui permettait de surveiller le va-et-vient de Flavie. Chaque fois que celle-ci apercevait les yeux de son jeune patron posés sur elle, un grand sourire révélait des dents parfaites, un battement de ses cils signifiait un acquiescement. Si l'attention de tous les hommes paraissait la nourrir, celle d'Édouard la touchait plus que les autres.

Le jeune homme en était encore à se réjouir de la chance dont il jouissait quand une voix un peu caverneuse, mécanique en quelque sorte, retentit dans la rue. Au début, les mots demeurèrent indistincts, puis il reconnut « cardinal Bégin ». Il quitta son fauteuil afin de s'approcher des fenêtres donnant sur la rue Saint-Joseph.

— Savez-vous de quoi il s'agit ? questionna-t-il à l'intention de la secrétaire.

— Aucune idée. On dirait le son d'un gramophone.

Même si la remarque paraissait incongrue, l'employée avait raison. Édouard ouvrit la croisée, se pencha un peu à l'extérieur pour voir un véhicule automobile affublé de deux grands cornets métalliques, comme les haut-parleurs d'un tourne-disque. Il en sortait une voix amplifiée, un peu râpeuse :

« Le cardinal Bégin souhaite aviser la population du diocèse qu'en accord avec la proclamation venue du Bureau d'hygiène publique de la province, seules des messes basses seront chantées dans les églises le dimanche. Tous les autres offices religieux seront suspendus. Cette situation d'exception durera aussi longtemps qu'une nouvelle directive ne sera pas émise par les autorités civiles. »

Le jeune commerçant déclara à Flavie, venue se planter à ses côtés :

— Je croyais que nous aurions tout à fait congé de messe jusqu'à la fin de l'épidémie. Ce ne sera pas le cas.

— Je suppose que les curés ne voulaient pas se priver complètement du profit de la quête.

La remarque semblait terriblement irrévérencieuse. La jeune femme, surprise de sa propre audace, pouffa de rire dans le creux de sa main.

— Vous avez sans doute raison. Mais, si on y trouve finalement la même affluence qu'à la grand-messe, la précaution ne donnera plus rien, les risques de contagion demeureront aussi élevés.

— Sans les chants et le grand sermon, ce sera plus court.

— Un bien petit avantage, en termes de santé publique.

La voiture automobile se trouvait directement sous la fenêtre quand la voix tonitruante leur imposa le silence :

« Les réunions de toutes les associations catholiques sont suspendues. Les membres des Filles d'Isabelle, des Dames de Sainte-Anne, des Ligues du Sacré-Cœur, des cercles Lacordaire, des syndicats catholiques, des cercles d'étude et des groupes de prière attendront les directives des officiers de leur organisation. »

Sur les trottoirs, les gens s'arrêtaient pour s'extasier devant le curieux véhicule et pour entendre dans le recueillement les directives de leur prélat. À la réflexion, les badauds concluaient que ces grands cônes rappelaient davantage l'émetteur d'un téléphone que les haut-parleurs d'un gramophone. La voix, amplifiée grâce à d'énormes piles électriques, prenait une sonorité artificielle, métallique en quelque sorte.

« Toutes les personnes dont l'un des proches est atteint de la grippe sont priées de s'abstenir de participer aux cérémonies religieuses. Elles pourront obtenir le réconfort de la religion de la part des prêtres et des vicaires se livrant à des visites aux malades. »

Cette information contredisait un peu la première : dans ces conditions, même les messes basses risquaient de se voir désertées, car la plupart des ménages devaient compter un de leurs membres touché par la maladie.

— Les funérailles prendront une curieuse allure, remarqua Flavie, si les membres de la famille ne peuvent plus y assister.

Prise au pied de la lettre, la directive aurait bien cet effet. Plus probablement, les proches feraient exception pour ce dernier adieu, mais les voisins, les cousins, les oncles et les tantes ne risqueraient pas leur santé pour l'occasion.

— À Montréal, précisa Édouard, l'archevêque limite à cinquante personnes l'assistance aux funérailles.

— Et aucun crêpe n'est tendu dans les églises, compléta Flavie, témoignant ainsi de sa lecture assidue de *La Patrie*. Il paraît que les tissus peuvent abriter des germes.

Toute la population du monde occidental essayait de mettre un visage sur ces êtres microscopiques habitant leur environnement. À cause des découvertes scientifiques, chacun avait l'impression de se trouver dans un univers grouillant de bestioles invisibles, le plus souvent dangereuses. Finalement, même dans les pays les plus avancés, l'existence se déroulait dans une jungle menaçante.

Alors que l'automobile s'éloignait pour livrer son message de prudence dans la paroisse Saint-Sauveur, soudainement, une énorme cloche de bronze commença à sonner le glas dans le clocher de l'église Saint-Roch, distant de quelques dizaines de pieds tout au plus. Édouard ferma la croisée afin de limiter le vacarme. Le son faisait tout de même vibrer les vitres dans leur cadre.

— Encore un autre, murmura la secrétaire en regagnant sa place derrière sa machine à écrire. Quelle tristesse !

Le jeune homme souhaitait continuer la conversation, mais la pensée d'un nouveau décès dans la paroisse Saint-Roch lui enlevait toute envie de conter fleurette.

Au fond, se disait Thomas en entrant dans le grand magasin en fin d'après-midi, sa présence sur les lieux ne donnait rien, sauf peut-être cultiver l'illusion de demeurer encore le premier artisan de l'entreprise. De plus en plus, il aimait traîner à la maison après le déjeuner ou alors visiter des voisins, des connaissances, le plus souvent des alliés du Parti libéral. Dans la jeune cinquantaine, il se surprenait à développer des habitudes de retraité.

Cependant, une fois passées les grandes portes, son esprit se mettait en quelque sorte au garde-à-vous. Tout de suite, le fléchissement de l'effectif de vendeurs et de vendeuses lui sauta aux yeux. Soit les absents se trouvaient atteints de la grippe, soit ils veillaient l'un de leurs proches. Dans certains cas, rares sans doute, des personnes se privaient de rémunération dans le seul but de se terrer chez elles afin de ne pas s'exposer à la contagion. Les demeures prenaient l'allure de petites forteresses dont les habitants entendaient se couper entièrement du genre humain. Cela lui rappelait les évocations des épidémies de peste dont les journaux accablaient les lecteurs déjà enclins à s'inquiéter.

La rareté de la main-d'œuvre n'affectait pas vraiment les opérations du magasin à rayons puisque la clientèle se trouvait réduite au moins dans la même proportion. « Personne n'a de raison de risquer d'attraper la crève afin de venir chercher une paire de pantalons », ronchonna-t-il entre ses dents.

Le seul motif de la visite du propriétaire des lieux tenait à la promesse d'Édouard de lui fournir une estimation chiffrée des pertes quotidiennes. À table, ce genre de compte rendu aurait ruiné le repas du soir. Autant l'entendre dans son grand bureau. L'homme trouva l'ascenseur immobile au rez-de-chaussée, la porte couverte de laiton grande ouverte, un adolescent de quatorze ans affublé d'un uniforme rouge criard assis sur un tabouret.

— Bonjour, monsieur Picard, l'accueillit le garçon en quittant son perchoir. Vous montez au troisième ?

— Je ne peux rien te cacher. Le masque, cela doit faire fuir la clientèle, non ?

L'autre roula des yeux inquiets, balbutia :

— Selon les médecins, des petits espaces fermés comme celui-ci sont remplis de germes. C'est pire encore qu'un tramway.

Sur l'une des parois métalliques du réduit, une affichette affirmait : « Cet ascenseur est soigneusement lavé à l'eau de Javel toutes les heures. » L'endroit empestait d'ailleurs le désinfectant.

— Alors, si les médecins l'affirment, nous serions mal venus de nous y opposer, n'est-ce pas ? Tu as raison d'être prudent. Tu n'as pas pensé à porter un masque rouge écarlate ? Cela irait mieux avec l'uniforme.

— ... Je demanderai à maman de m'en confectionner un. Vous êtes au troisième.

Le propriétaire laissa son jeune employé un peu perplexe. Il traversa le rayon des vêtements pour femmes, à peu près désert. Il demanda au gérant de faction derrière la caisse :

— Cela ne s'améliore pas ?

— Au contraire, les choses empirent. Nous pourrions sans doute dire à tout le personnel des ventes de rester à la maison. Je suffirais à la tâche.

— D'un autre côté, laisser croire que nous abandonnons notre poste, au moment de l'orage, ne paraîtrait pas très bien. La concurrence murmurerait que la faillite nous menace.

L'autre lui jeta un regard sceptique. Arriver au bureau à quatre heures de l'après-midi ne permettait guère de se poser en modèle de ponctualité et de rigueur. Comme la rémunération d'un chef de rayon se composait d'une part des profits de son «département», celui-là rêvait de débaucher les vendeuses afin de réduire ses propres pertes.

— De toute façon, conclut le propriétaire, nous devons fermer les portes dans quelques minutes. Tout le monde retrouvera bientôt sa liberté.

Le magasin Picard mettait habituellement fin à ses opérations vers six heures tous les soirs de la semaine, excepté le vendredi, un jour où l'affluence retenait tout le monde à son poste jusque vers neuf heures. Les règles fixées par la proclamation ne paraissaient guère excessives, dans les circonstances.

Les bureaux administratifs se trouvaient dans l'édifice voisin, le premier commerce de grande surface ouvert par son père, Théodule, en 1876. Une ouverture percée dans le mur mitoyen permettait d'y accéder directement. En s'approchant, Thomas trouva son fils assis sur le bord du bureau de la secrétaire, en pleine conversation avec celle-ci:

— Quel dommage que les cinémas soient fermés, l'entendit-il regretter d'une voix mielleuse. Les films produits aux États-Unis deviennent de plus en plus intéressants. Certains durent deux heures, à en croire la publicité.

— Je pense que je me lasserais avant la fin. Je préfère les petites histoires. Avez-vous vu celles de Charlie Chaplin? Il est si drôle avec son chapeau melon, sa petite moustache, sa veste toujours deux tailles trop petite.

— Il joue toujours le même rôle, celui du vagabond. Je pense que les gens vont se lasser. Je suis certain que les grands films vous plairaient aussi. Donc, quand l'Auditorium rouvrira, je vous y inviterai.

La secrétaire eut un battement de ses longs cils, un sourire entendu sur les lèvres, puis elle glissa:

— Ce ne serait pas gentil de laisser votre femme seule à la maison.

— Si vous insistez, je peux l'inviter aussi. Mais elle préfère la compagnie de Junior et son confort domestique à toutes les sorties que je propose.

Demeuré à l'écart pour écouter cet échange, Thomas se remémorait les motifs qui lui faisaient craindre la présence d'une secrétaire. Très précisément, la scène lui rappelait sa mésaventure avec Marie, vieille de vingt-deux ans maintenant. Des jeux de ce genre pouvaient coûter très cher. Il en avait averti son fils des années plus tôt. Ce dernier se comportait toutefois comme si cette nouvelle secrétaire se trouvait condamnée à répéter les erreurs de la précédente. Ces jeunes femmes se laissaient mener en bateau à cause du tout petit espoir, toujours déçu, que cela se termine en épousailles.

Il toussa pour les avertir de sa présence, s'avança vers l'espace de travail de la secrétaire au moment où Édouard se remettait debout, un air un peu coupable sur le visage. De son côté, Flavie redécouvrit la lettre coincée sous le rouleau de sa machine à écrire.

— Bonjour, papa. As-tu passé une bonne journée ?

Le ton narquois visait à renverser le fardeau de la preuve. Des témoins de la scène, s'il y en avait eu, aurait soupçonné le propriétaire du grand magasin de se prélasser au lit toute la journée plutôt que d'assumer ses responsabilités. La stratégie fonctionna : Thomas perdit immédiatement son envie de semoncer son garçon sur les dangers de conter fleurette à une employée du magasin.

— As-tu calculé le montant de nos pertes, comme je te l'ai demandé ? demanda-t-il d'une voix impatiente, presque désireux de le prendre en défaut.

— À dix sous près. Mais afin de nous donner une meilleure idée de la situation, j'ai aussi comparé notre situation à celle des dix premiers jours de septembre dernier et à celle des dix premiers jours d'octobre de l'année 1917.

Le propriétaire ne pouvait que répondre : « Beau travail. » Son humeur maussade l'incita plutôt à rester coi. Édouard continua :

— Si tu veux m'attendre un moment, je vais m'occuper de la fermeture. Même si les clients se font rares, nous devons tout de même pousser quelques hurluberlus vers la porte. Ils semblent préférer passer leur temps ici plutôt que chez eux.

Thomas acquiesça de la tête. Peut-être ces badauds craignaient-ils de regagner une demeure touchée par la maladie ou encore par un deuil. Il s'approcha de la fenêtre donnant sur la rue Saint-Joseph, songeur. Après un moment, il entendit un pas léger derrière lui, sentit une présence. Il se retourna pour voir Flavie à ses côtés.

— C'est un peu difficile de se concentrer, vous savez. Plusieurs fois par jour, nous entendons le glas.

Elle plaidait bien sa cause, essayait de se faire pardonner son moment d'oisiveté. Il la contempla. Ses cheveux bruns coupés court, à la garçonne, dégageaient un visage régulier, aux traits mobiles. Les yeux bruns irradiaient l'intelligence, la vivacité d'esprit. Elle ne se comparait guère à Marie, timide, réservée et inquiète, plus de vingt ans plus tôt. L'attention des hommes ne l'effrayait guère : elle la recherchait.

— Je sais. Les décès surviennent plus souvent dans la Basse-Ville, à cause des foyers surpeuplés...

Il s'arrêta. Cette fille devait habiter le quartier. L'inquiéter en évoquant les corps affaiblis par de longues heures de travail, une alimentation souvent pauvre et peu variée, ne servirait à rien. Il exprima alors une certaine sollicitude :

— Êtes-vous satisfaite de votre situation, à Québec ? Je crois me souvenir que vous ne venez pas de la ville. Demeurez-vous chez des parents ?

— Je suis de L'Ancienne-Lorette. Ce n'est pas très loin, mais je dois tout de même vivre dans une maison de pension située rue Dorchester.

« Une situation semblable à celle de Clémentine LeBlanc », songea son interlocuteur. Aucun chaperon ne devait veiller sur elle. Si le désir d'Édouard de s'encanailler dans la Basse-Ville lui avait paru être un péché véniel quelques années plus tôt, maintenant le statut d'époux et de père de famille de son fils rendait la situation infiniment plus délicate. Un moment, il eut envie de réprimander la jeune femme, puisqu'il n'osait plus le faire avec son garçon. Une agitation sous ses yeux l'en empêcha.

Un corbillard venait de se stationner sur le parvis de l'église Saint-Roch. Il reconnut la voiture hippomobile noire, richement décorée, de Lépine, l'entrepreneur de pompes funèbres établi tout près, rue Saint-Vallier. Les croque-morts en descendirent, au nombre de quatre. L'un ouvrit la porte arrière du véhicule, tira une petite boîte blanche, semblable à une caisse oblongue. Une seule personne arrivait à la transporter.

— Mon Dieu, un enfant, presque un bébé, murmura Flavie d'une voix éteinte.

Un autre employé sortit une seconde boîte, à peine plus grande, elle aussi assez légère pour ne requérir qu'un seul porteur.

— Il y en a deux!

Thomas crut nécessaire de poser sa main sur l'épaule de la secrétaire, pour la réconforter un peu. Toute envie de la réprimander était passée. Sous leurs yeux, les deux derniers porteurs de chez Lépine sortaient un troisième cercueil de la voiture, celui-là de la taille d'un adulte.

Un jeune homme s'extirpa avec difficulté d'une automobile stationnée près du corbillard. Des parents le soutenaient de chaque côté, sinon il se serait effondré.

— C'est une mère et ses deux enfants, conclut Flavie.

Des larmes coulaient maintenant sur ses joues. Thomas esquissa une caresse de la main sur son épaule, comme pour la consoler.

— Alors, nous regardons ces chiffres ou vous attendez de voir le soleil se coucher sur les Laurentides?

Dans le silence recueilli, la voix d'Édouard parut tonitruante. Le propriétaire se retourna, pensa un moment s'insurger contre ce manque de tact. Puis, il admit enfin:

— Tu as raison, autant nous consacrer à cela tout de suite.

D'un mouvement de la tête, il salua la secrétaire avant de regagner son bureau.

~

Édouard éprouva une légère frustration de le voir prendre la grande chaise derrière la table de travail, puis il se résigna à occuper celle destinée aux visiteurs.

— Comme tu peux le voir dans le registre devant toi, commença-t-il, la plupart des chefs des rayons m'ont remis des états financiers en forte baisse. Cela se révèle catastrophique en ce qui concerne les meubles. Personne ne songe à faire une forte dépense au moment où il risque de rater des jours de travail à cause de la maladie. Pour les vêtements, le bilan est partagé. Les robes, les chemises, les complets demeurent sur nos présentoirs. Par contre, les paletots, les gros chandails de marin, les chapeaux garnis de fourrure, les chaussons de feutre et les bottes s'envolent.

— Les gens s'emmitouflent comme si nous étions en février.

— Exactement. En plus, l'argent ne manque pas, les emplois sont abondants. Les manteaux de fourrure sont vendus à peine sortis des caisses. Ce sera notre meilleure année, à ce chapitre.

— Cela ne compense-t-il pas pour le reste?

Ce rapport rondement présenté rassurait un peu le commerçant sur les compétences professionnelles de son fils. Son attention aux affaires semblait s'accroître au gré de ses responsabilités. Les jupons risquaient de lui nuire plus gravement que ses lacunes en mathématiques.

— Non, comme je le disais, nous fonctionnons tout de même à perte. D'abord, parce que nous sommes en rupture de stock pour les produits les plus en demande. Les fournisseurs ne peuvent pas accélérer la production. Nous pourrions vendre bien plus de paletots, mais il ne nous en reste plus.

— Ils sont sans doute eux-mêmes victimes de l'absentéisme de leurs travailleurs. Dans ces conditions, impossible d'augmenter les cadences.

— Ils me répondent cela, très précisément. Enfin, une chose doit nous rassurer : le vice vend toujours. Je n'ai constaté aucune baisse dans le rayon du tabac et des articles pour fumeurs. Dommage que nous ne vendions pas d'alcool.

Thomas s'amusa du constat, examina les chiffres un moment. Édouard observa encore :

— En fermant complètement le commerce, nous pourrions réduire nos pertes.

— Mais ce serait donner l'impression que la situation continuera éternellement à se détériorer. Là, nous faisons savoir à la population que nous sommes à son service, prêts à l'accueillir à son retour. Bref, nous lui montrons notre fiabilité, malgré les coups durs.

L'homme marqua une pause avant de compléter sa pensée :

— La plupart des achats sont tout bonnement remis à plus tard. La dame qui doit procurer de nouveaux pantalons à ses six enfants s'y résoudra tôt ou tard.

— Mais il y a des chances qu'à ce moment, il ne lui reste que quatre enfants, compléta Édouard. Pire encore, les plus jeunes porteront les vêtements de leurs aînés décédés.

Si le ton de son fils ne trahissait aucun cynisme, les mots glacèrent le sang du père. La parade des trois cercueils aperçus plus tôt lui revint en mémoire.

~

Le son d'un doigt frappant à la porte du bureau chassa bien vite ses sombres pensées. Flavie passa la tête dans l'embrasure pour annoncer :

— Monsieur Létourneau vient d'arriver.

— Faites-le entrer.

Devant la mine interrogatrice d'Édouard, le propriétaire expliqua :

— Comme je me doutais bien que nous aurions à adapter un peu le rythme de notre production, j'ai demandé à Fulgence de nous rejoindre.

«J'aurais bien pu apporter ces précisions à notre employé, songea le jeune homme. Un simple coup de fil suffisait.» Thomas préférait mettre des formes, cultiver de bonnes relations. Il quitta son siège pour aller au-devant du nouveau venu, lui serra la main en demandant :

— J'espère que vous vous portez bien, tout comme tous les vôtres.

— Oui. Dieu merci, jusqu'ici la grippe nous a épargnés.

— Votre garçon, Jacques, ne fréquente plus l'école, j'espère.

— Nous le gardons à la maison depuis près de dix jours. De nombreux frères enseignants ont été touchés.

Tout en échangeant ces mots, le commerçant avait approché une seconde chaise près de son bureau. Le directeur des ateliers adressa quelques mots à Édouard, puis reporta son attention sur son patron. Celui-ci aborda son principal sujet d'inquiétude :

— Du côté du personnel de la Pointe-aux-Lièvres, quelle est la situation médicale ?

— Il manque une personne sur six ou sept. Cela perturbe un peu la production.

— Des décès ?

— Quelques-uns. J'ai proposé à tous de porter un masque et la plupart des couturières, des mécaniciens et des manutentionnaires ont trouvé l'idée excellente. D'autres considèrent qu'ils bénéficient d'une protection divine et se promènent avec un air de bravade...

— Mettez-les à la porte s'ils ne comprennent pas. Faire exprès pour propager la maladie est criminel.

Encore une fois, le défilé des trois cercueils lui passa à l'esprit.

— Mon fils va vous expliquer quels changements vous devrez apporter à la production.

Édouard fut reconnaissant à son père de lui abandonner cette responsabilité. Heureux de sortir de son mutisme, il s'affichait ainsi comme la personne réellement responsable des opérations. En quelques mots, il invita le gérant à accélérer la production des vêtements les plus chauds.

— Les quantités ?

— J'ai ça ici.

Le jeune homme tendit la main, récupéra une feuille soigneusement dactylographiée sur le bureau. Pendant de longues minutes, Fulgence Létourneau demanda des précisions. À la fin, il plia le morceau de papier pour le faire disparaître dans la poche intérieure de sa veste. Quand l'homme fit mine de se lever, son employeur le retint en disant :

— Encore un instant. Vous vous doutez que le conflit européen tire à sa fin ?

— ... La liste des morts et des blessés s'allonge sans cesse dans les journaux.

— Parce que tous les généraux semblent vouloir entrer dans les livres d'histoire en menant une action d'éclat avant la fin des hostilités. Leur petite gloire s'érigera sur des monceaux de cadavres supplémentaires. Mais on m'a averti, en haut lieu, de ne plus compter sur de nouvelles commandes militaires.

Le gérant offrit une mine dépitée, comprenant tout de suite les conséquences de ce constat :

— Il faudra renvoyer bien du monde. La moitié des filles confectionnent des pièces d'uniforme.

— Au cours des prochaines semaines, identifiez les meilleures couturières. Si des mauvaises coutures ne vexent personne sur un capot de soldat, sur le manteau d'une élégante, cela dépare un peu.

— La moitié d'entre elles...

— Nous garderons les meilleures.

Des centaines de jeunes filles venaient des campagnes afin de profiter de l'emballement de la production manufacturière causée par le conflit. Les plus chanceuses regagneraient leur paroisse pour épouser un cultivateur, toutes fières d'avoir amassé leur trousseau de jeune mariée grâce au salaire reçu pendant deux ou trois ans. Les autres passeraient de durs moments avant de décrocher un nouvel emploi.

— Ne pouvons-nous pas les convertir à la production de vêtements civils ? demanda Édouard. Excepté ces derniers temps, à cause de la grippe, la demande s'accroît sans cesse.

— Mais avec les pertes d'emploi dues à la fin de la production de guerre, la demande baissera aussi, car les gens auront moins d'argent dans leur poche. Ils vont même éviter de dépenser leurs économies, au cas où le ralentissement se prolongerait.

Tout en parlant, l'homme se résolut à conserver la planification à long terme de l'entreprise pour lui seul. Son fils assumait très bien la gestion quotidienne, mais les enjeux les plus importants lui échappaient encore.

— Nous allons garder les meilleures employées dans les ateliers, continua-t-il, et nous départir des autres. Nous allons aussi diminuer un peu le personnel du magasin. En réduisant nos coûts d'opération, nous maintiendrons plus facilement notre marge bénéficiaire.

Sur ces derniers mots, Thomas se leva, donnant le signal de la fin de l'entretien. Létourneau se laissa reconduire jusqu'à la porte, échangea une dernière poignée de main avec son employeur.

— Je vous souhaite une bonne santé, à vous et à votre famille, conclut-il.

— Et moi, je vous retourne le même souhait. Ces jours-ci, nous mesurons mieux combien cela est précieux.

Le gérant quitta les lieux, un peu touché de la sollicitude de son patron. Ce dernier ne préciserait jamais que son intérêt concernait surtout son petit-fils placé en adoption, et bien accessoirement le reste des membres de la maisonnée Létourneau. En regagnant sa place, le commerçant dit encore à son fils :

— Tu regarderas un peu plus attentivement la performance de notre personnel, pour me faire des recommandations. Avec la pénurie de main-d'œuvre due au conflit, nous avons parfois recruté des gens peu productifs. Ceux-là, nous ferons mieux de les envoyer poursuivre leur carrière chez nos concurrents.

Son garçon acquiesça.

— Rentres-tu avec moi ? demanda encore Thomas.

— Non, il me reste quelques petites choses à régler.

— Alors bonne soirée.

Le propriétaire récupéra son manteau sur la patère, près de la porte. Au moment de saluer la secrétaire, il songea : « Ils vont rester tout fin seuls dans le magasin. Évelyne attendra sans doute son époux jusqu'au milieu de la soirée. »

Certaines mauvaises habitudes semblaient avoir la vie dure.

Chapitre 15

Si les nouvelles règles relatives aux cérémonies religieuses ne rendaient pas les Québécois fort matinaux, elles en feraient de bien mauvais chrétiens. Un moment, Thalie eut envie de se laisser compter dans ce second bataillon. À Montréal, il lui était déjà arrivé d'errer dans les rues au lieu de se présenter au rendez-vous dominical. À la maison, plus de discipline s'imposait.

— Nous sommes des commerçants, déclara simplement Marie.

Debout dans le couloir, près de la porte de la chambre de sa fille, elle enfilait ses gants.

— J'arrive, murmura cette dernière en quittant le vieux fauteuil à moitié défoncé où elle se prélassait, un livre dans les mains.

Au moment où sa mère, Françoise et Gertrude atteignaient la porte donnant rue de la Fabrique, elle les rejoignit en ajustant son chapeau sur ses lourds cheveux noirs.

— Je pourrai même communier, commenta-t-elle. Je n'ai même pas avalé une gorgée d'eau depuis le lever.

Après avoir signifié sa bonne volonté de se plier aux disciplines familiale et religieuse, elle changea de rôle et se fit autoritaire :

— Vous avez vos masques, j'espère.

Sous son regard sévère, ses compagnes sortirent la pièce de coton de leur poche pour la fixer sur leur visage.

— Nous pouvons y aller, dit-elle enfin en attachant le sien.

Quelques minutes plus tard, le quatuor de femmes arrivait sur le parvis de la cathédrale, parmi des fidèles aux mines sombres, le col du manteau relevé, le chapeau bas sur les yeux. Le mauvais temps ne donnait aucun répit à la population.

— Voilà le genre de climat susceptible d'entraîner la multiplication des mauvais rhumes ou des grippes espagnoles, commenta encore l'étudiante en médecine au moment de prendre place sur le banc.

L'affluence à cette messe basse rappelait celle des plus grandes célébrations. L'inquiétude face à la maladie raffermissait les ferveurs religieuses parfois déclinantes. Au moment du sermon, monseigneur Marois monta en chaire pour déclarer, la mine soucieuse:

— Le Service d'hygiène de la Ville de Québec entend ouvrir, dès demain matin, trois centres de soins afin de recevoir les victimes catholiques de la grippe.

L'ironie marqua le regard de Thalie. Soigner les gens en fonction de leur religion lui paraissait tellement sot. Toutefois, elle écouta la suite tout ouïe:

— Le docteur Paquin est à la recherche de personnes prêtes à donner leur temps afin de s'occuper des malheureux nécessitant des soins. Le premier de ces centres sera établi au couvent des sœurs du Bon-Pasteur, le second à l'Académie Mallet, le dernier à l'école Saint-Maurice, dans Limoilou.

Deux de ces établissements se trouveraient à peu de distance du commerce maternel. L'un ou l'autre ferait son affaire.

~

Dans la paroisse Saint-Roch, la messe basse attirait une assistance nombreuse et recueillie. Tiraillé par un événement cruel, l'abbé Émile Buteau chanta la messe de sa voix rauque, le plus souvent avec une mine désolée. Au moment du sermon, de façon studieuse, lui aussi annonça l'ouverture des centres de soin. Il appela les paroissiennes de bonne volonté à offrir leur aide à cette œuvre si susceptible de leur valoir le salut éternel. Sa voix baissa d'un ton quand il dit :

— Notre grande famille paroissiale vient de perdre une belle âme. L'abbé Malenfant est décédé la nuit dernière de la grippe. Vicaire depuis deux ans, vous avez eu l'occasion de faire sa connaissance...

Le prêtre bredouilla le dernier mot, mit un moment avant de retrouver sa contenance.

Flavie Poitras se tenait au fond de la grande église. Elle se souvenait très bien du jeune ecclésiastique qui entendait ses confessions depuis son arrivée dans la Basse-Ville. Curieusement, elle eut l'impression de perdre l'un des siens.

— Notre frère, continua bientôt le célébrant, se livrait à des visites dans les foyers affectés par la grippe. Sa générosité lui a coûté la vie.

Son émotion, sincère, toucha tous les paroissiens. Cette impression favorable se brisa sur les mots suivants :

— Le martyre de cette belle âme se compare à celui des missionnaires de la Nouvelle-France...

Ce genre de récupération parut outrancier à la plupart des gens. La suite de sa péroraison les laissa indifférents. Quelques instants plus tard, le curé conclut :

— Les funérailles auront lieu ici, demain à dix heures. L'inhumation suivra au cimetière Saint-Charles.

Le prône se termina sur des paroles empruntées à l'archevêque de Montréal :

— Avant tout, recourons à la prière. Supplions le Seigneur d'épargner notre cité et notre pays. Recourons à la Vierge Marie, Notre-Dame-du-Bon-Secours et disons fidèlement le chapelet à cette intention.

« Mon masque de coton me protège sans doute mieux que les grains de verre coloré », songea la jolie secrétaire. Tout de même, avant de se coucher, elle marmonnerait fidèlement les cinq dizaines de *Je vous salue Marie*.

~

Paul Dubuc avait assisté à la messe depuis le fond de la cathédrale, les yeux fixés sur sa maîtresse et sa fille. Après avoir passé quelques jours à Rivière-du-Loup avec Amélie, ses activités politiques le ramenaient dans la capitale. À la sortie de l'église, Marie se dirigea vers la maison avec les deux jeunes filles et la domestique. Il leur emboîta le pas avec un empressement susceptible de faire sourire les hommes parmi ses connaissances. Son assiduité auprès de la charmante veuve lui valait une complicité bienveillante de la plupart d'entre eux.

Au moment où la marchande glissait sa clé dans la serrure, il déclara à l'intention du petit groupe:

— Mes très charmantes dames, comment allez-vous? Vous ressemblez à des Turques, avec ce déguisement.

— Nous allons aussi bien que possible, dans le contexte présent, rétorqua Marie. Tu l'as remarqué, nous portons des masques, la moitié de la ville est malade…

Le ton témoignait de son irritation croissante. Elle errait des journées entières dans son commerce fermé, surveillait les passants de moins en moins nombreux dans la rue. Heureusement, la bâtisse était payée depuis 1914. Cette situation n'affecterait pas trop sa situation financière. Toutefois, cette mise en quarantaine lui pesait sur les nerfs.

Elle se reprit après une brève pause:

— Je m'excuse, je suis en train de devenir une vieille femme acariâtre.

— Si tu veux, nous pourrions marcher avant de dîner, déclara le politicien en posant la main sur l'avant-bras de sa compagne.

Il continua après un moment, un peu plus bas:

— À moins que tu préfères déjeuner…

Pour communier, il fallait demeurer à jeun depuis la veille. Dans quelques minutes, Gertrude poserait des rôtis et de la confiture sur la table de la salle à manger.

— Tu as raison, prenons un peu l'air.

Elle poussa la porte en ajoutant:

— Les filles, vous allez monter sans nous. À tout à l'heure.

Un instant plus tard, pendue au bras de son amant, elle se dirigeait de nouveau vers la cathédrale. Cette petite marche les conduirait vraisemblablement dans le parc Montmorency. La contemplation du fleuve apaiserait bien vite son âme.

À l'intérieur du commerce, Gertrude monta retrouver son fourneau. Plantée devant la vitrine donnant sur la rue, Thalie commenta :

— Tout de même, ces deux tourtereaux sont amusants. Ils assistent à la messe chacun à son extrémité de la cathédrale, mais ton papa accourt ici dès le *Ite missa est*.

— Parfois, ils ressemblent à des adolescents, observa Françoise.

— Dans le cas de ma mère, il s'agit encore d'une adolescente…

L'étonnant destin de sa mère, mise enceinte par son patron et sauvée par la proposition de mariage d'un homosexuel, revint à la mémoire de la jeune fille. Si le sujet n'avait pas été aussi scabreux, il aurait fourni la matière d'un roman populaire apte à tirer des larmes.

En arrivant au palier de l'étage, la jeune fille de la maison précisa à sa compagne :

— Tu m'excuseras, mais je m'arrête ici pour téléphoner. Cela peut être long…

— Donc, je devrai manger des toasts avec Gertrude à m'en rendre malade, ricana Françoise.

— Pauvre petite… tu peux m'en garder un ou deux.

Même si, depuis quelques années, Marie payait un second abonnement téléphonique pour l'appartement du dernier étage, la jeune fille préférait la discrétion du grand commerce désert. Elle décrocha le cornet de bakélite pour le porter à son oreille, approcha l'appareil de sa bouche, attendit en vain l'intervention de la préposée.

— Voyons, les journaux ne parlent d'aucune grève, grommela-t-elle.

Pour attirer l'attention à l'autre bout du fil, elle agita à plusieurs reprises le support de l'écouteur afin d'interrompre et de recommencer la communication de façon répétée. Elle imaginait la salle de contrôle de Bell Canada, un grand panneau où une petite lumière clignotait au rythme de son impatience. Pourtant, personne ne vint répondre.

Au bout de dix minutes de ce jeu, elle se lassa, remit son masque et quitta les lieux en replaçant son chapeau sur ses boucles noires. L'hôtel de ville se trouvait tout juste de l'autre côté de la rue. Une douzaine de femmes, toutes âgées de trente ans au moins, formaient une courte file d'attente devant la table placée dans le hall d'entrée. L'une après l'autre, elles venaient s'asseoir sur une chaise droite en face d'un petit fonctionnaire. Une conversation murmurée s'amorçait alors, toujours la même. Au moment de s'adresser à Thalie, l'homme rompit sa routine en la regardant dans les yeux :

— Vous êtes très jeune. Nous voulons des personnes… expérimentées.

Malgré le masque, Thalie trahissait son âge.

— … Ces dames ne sont pas des infirmières.

La conversation des personnes l'ayant précédée sur ce siège lui en avait donné l'assurance.

— Mais toutes ont pris soin de familles nombreuses ou de vieux parents malades. Vous êtes encore une écolière, je parie.

— Monseigneur a demandé des personnes de bonne volonté. J'en ai.

Le petit homme continua avec sympathie :

— Prendre soin des personnes victimes de l'épidémie sera certainement difficile et aussi très dangereux. Ces centres de soins seront des foyers de contagion. Écoutez mon conseil, contentez-vous de prier.

La colère rendit plus sombre encore le regard de son interlocutrice. Elle précisa, la voix cassante :

— Je suis étudiante en médecine à l'Université McGill. Je peux faire mieux que prier.

— Êtes-vous la jeune Picard ?

La jeune fille hocha la tête, incertaine du résultat de ce constat.

— Je ne vous reconnaissais pas, avec le masque. Comme vous habitez de l'autre côté de la rue, vous accepterez sans doute de vous rendre à l'Académie Mallet ? Elle se trouve à quelques minutes à pied, tout au plus.

— … Avec joie.

La réponse lui parut inadéquate, dans les circonstances.

Dans les minutes suivantes, elle fournit de nombreux renseignements personnels, étonnée que l'administration publique trouve nécessaire de créer un véritable dossier sur chacune des bénévoles. Quand elle sortit de l'édifice municipal, elle murmura :

— Maintenant, la vraie difficulté sera d'annoncer cela à ma chère maman !

Avec un peu de chance, une heure passée au bras de son amant aurait rendu sa bonne humeur à la commerçante.

La famille Picard se trouvait réunie dans la salle à manger du domicile de la rue Scott. Thomas présentait sa mine des mauvais jours. *Le Soleil* évoquait l'ouverture des centres de soins en première page.

— On y trouve des centaines de lits, conclut-il en remettant le journal sur la table de service.

— Tu crois que ce sera vraiment utile ? demanda sa femme.

— Sans doute. Des milliers de personnes viennent des campagnes afin de profiter des emplois de guerre. Juste à mon service, il y en a peut-être une centaine. Elles sont seules dans notre ville. Cette initiative permettra de leur venir en aide.

Élisabeth demeura un moment songeuse, puis elle glissa :

— Comme c'est triste. On demande des volontaires pour s'en occuper. Tu crois que je pourrais…

L'homme faillit laisser tomber sa tasse de thé, tellement la suggestion le surprit.

— Je te l'interdis absolument.

Il reprit plus posément sans tarder, d'un ton plus amène :

— Je m'excuse de t'avoir parlé ainsi… Mais c'est trop dangereux ; je ne veux pas que tu t'exposes de la sorte.

— Je n'ai jamais été malade, tu le sais bien.

— … Justement, moi, je le suis, à ce qu'il paraît. Alors je réclame l'exclusivité de tes services.

Assis avec eux à la table, en compagnie de sa femme, Édouard demeurait silencieux, hanté par les rumeurs circulant sur son ami Lavigueur. Les plus mauvais pronostics se murmuraient dans le creux de l'oreille, lors des rencontres entre collègues. Il regarda sa montre, soupira au moment de demander :

— Papa, viendras-tu au magasin, aujourd'hui ?

— Ce n'était pas mon intention… Je ne voudrais pas que cette dame décide d'imiter Florence Nightingale, je vais la surveiller.

Il désignait son épouse des yeux, une inquiétude un peu amusée sur le visage. Évelyne sortit de son mutisme pour murmurer :

— Moi, je ne le ferai pas. Avec l'enfant…

Personne ne parut s'intéresser à ses intentions.

— Mais si tu crois que ma présence est nécessaire, continua Thomas, je peux changer mes plans.

— Non, ne crains rien, je me tirerai d'affaire… Bon, je vais partir tout de suite.

Au moment où il quittait la pièce, sa jeune épouse lui dit d'une voix lasse :

— Bonne journée. Essaie de ne pas rentrer trop tard.

Depuis quelques semaines, elle ne se donnait plus la peine de l'accompagner à la porte quand il se rendait au travail. Ce petit moment d'intimité lui paraissait maintenant superflu.

— Bonne journée à toi aussi. Comme au moins le tiers des employés du magasin ne se présente pas à leur poste, je ne sais pas quand je terminerai.

Les yeux sur son assiette, elle choisit de considérer cela comme un faux prétexte. Pourtant, la fermeture des lieux de loisir laissait bien peu l'occasion au jeune homme de courir la prétentaine. Ces jours-ci, seules ses obligations professionnelles risquaient de le détourner de ses devoirs domestiques...

Une demi-heure plus tard, Édouard pénétra dans le commerce de la rue Saint-Joseph, marcha jusqu'à l'ascenseur pour se heurter à la porte close, ornée de la petite affichette « Hors de service ».

— Donc, il ne va pas mieux !

Depuis jeudi de la semaine dernière, le jeune garçon en uniforme rouge gardait le lit à cause de la grippe. Le directeur n'avait pas eu le cœur de le remplacer. En conséquence, la clientèle devait gravir les escaliers pour avoir accès aux nombreux étages de l'établissement.

Au moment d'atteindre les locaux de l'administration, il s'arrêta devant le bureau de sa secrétaire, sourit pour la première fois de la journée en lui disant :

— Je ne m'y ferai jamais.

Elle portait toujours son masque, une pièce de coton attachée derrière la tête et autour du cou avec des rubans. Ses cheveux bouclés, coupés court, lui donnaient un air juvénile.

Quand les grands yeux bruns se posèrent sur lui, il devina un dénouement cruel.

— Monsieur Picard, je suis si désolée de vous apprendre la nouvelle. Tout le monde parle de cela ce matin, mais vous ne paraissez pas le savoir : votre ami Lavigueur est mort pendant la nuit.

L'air manqua à ses poumons, il dut chercher la surface de la table de travail afin de se soutenir. Après un moment, le jeune homme prononça d'une voix blanche :

— Êtes-vous certaine ?

Elle se troubla un instant. L'unanimité d'une rumeur en faisait-elle une vérité ? Mieux valait demeurer prudente.

— Plusieurs personnes me l'ont répété.

— … Je vais aller voir au magasin de musique. Je reviendrai aussi vite que possible.

De son pas vif, l'homme descendit l'escalier, emprunta la rue Saint-Joseph vers l'ouest. Au moment où il se présenta devant le commerce de son collègue, le commis plaçait des bandes de tissu noir dans la vitrine. Une photographie ornée d'un ruban de même couleur se trouvait disposée à côté de violons et de flûtes.

~

Depuis la veille, Thalie retardait le moment fatidique, effrayée de l'accueil réservé à sa décision. Sa mère était revenue de sa promenade de meilleure humeur. Pourtant, elle n'avait pas trouvé le courage de lui apprendre la nouvelle. Au moment du petit déjeuner, après une longue hésitation, elle lança au-dessus de la table :

— Je m'en vais offrir mes services au docteur Paquin.

Au mieux, il s'agissait d'une demi-vérité, au pire, d'un demi-mensonge.

— … Tu ne feras pas cela, protesta Marie.

— C'est mon devoir de venir en aide aux gens. J'étudie la médecine.

— Ne viens pas me parler du serment d'Hippocrate ! Tu as accumulé six semaines de cours tout au plus, cela ne fait pas de toi une autorité.

Tout à fait véridique, le commentaire piqua pourtant la jeune fille au vif, au point de l'inciter à quitter la table en reniflant. Sa fuite la conduisit à la porte du centre de soins. Tout le long du trajet, elle craignit d'entendre un « Rentre à la maison tout de suite », une injonction que sa mère lui avait pourtant épargnée durant toute son enfance. Sa fierté déjà écorchée n'aurait pas résisté à ce nouvel affront. L'événement ne se produisit pas.

L'Académie Mallet, une école tenue par les sœurs de la Charité de Québec, se dressait dans la rue des Glacis, une artère en pente conduisant à la Côte-à-Coton. Une religieuse l'accueillit à la porte.

— Je me nomme Thalie Picard, répondit-elle à l'interrogation muette. Je me suis enregistrée à l'hôtel de ville, hier.

Un pli apparut au front de la femme, son masque dissimula à peine sa réprobation. Une personne si jeune lui paraissait plus susceptible de nuire que d'aider.

— Le docteur Hamelin se trouve dans la pièce voisine, l'informa-t-elle pourtant. Vous devriez d'abord passer le voir.

Elle lui désigna un couloir de la main. Thalie acquiesça d'un signe de tête avant de se diriger vers la classe des grandes. Les chaises et les tables avaient disparu, faisant place à six couchettes empruntées à l'armée. Un homme donnait des ordres à deux femmes dans la force de l'âge. Au moment où il se tournait vers elle, la jeune fille bredouilla :

— Monsieur, la religieuse m'a demandé de vous voir.

— Vous êtes la jeune Picard ! En voyant le nom, je m'étais imaginé qu'Élisabeth…

Il l'avait vue si souvent avec son mari qu'il en était à la désigner par son prénom.

— Ce n'est que moi ! Je suis désolée.

L'ironie pointait dans les yeux de la bénévole. Charles Hamelin fut pris d'un grand rire, puis rétorqua :

— Voilà des paroles qui ne correspondent pas à votre réputation. La rumeur ne vous décrit pas comme une personne modeste.

— C'est curieux combien les gens semblent me connaître. Je ne croyais pas être devenue une célébrité.

— Dans notre petite ville, combien trouve-t-on d'étudiantes universitaires, selon vous ?

— … Je ne sais pas.

Elle mentait, bien sûr. Thalie savait bien être la seule Canadienne française dans cette situation. Le sourire moqueur de son interlocuteur se perdit dans son masque.

— Je viens vous offrir mes services, enchaîna-t-elle bientôt.

— Vous pensez pouvoir vous rendre utile ? Il s'agit d'une tâche bien difficile.

— Cessera-t-on de me prendre pour une enfant, à la fin !

Son emportement assombrit son regard.

— Vous êtes de petite taille et ne grandirez plus, votre peau demeurera lisse, vos yeux pétillants… Non seulement on vous regardera longtemps comme une enfant, mais un jour vous vous réjouirez de votre air juvénile.

Après un moment de réflexion, il continua :

— Cette école compte six classes et une salle académique. Cela nous permettra de recevoir une soixantaine de personnes. Les hommes et les femmes se trouveront en nombre à peu près égal. Cela vous donne une idée de l'ampleur de la tâche.

La bénévole comprit être admise parmi le personnel de ce petit établissement improvisé.

— Serons-nous nombreuses à prendre soin des malades ?

— Parmi le personnel de cette école, cinq religieuses demeurent valides. Elles nous aideront. Ajoutez encore une dizaine de volontaires, comme vous…

— Ce sera beaucoup.

— Ne dites pas cela, ce sera peu. Vous vous rendrez très vite compte de la lourdeur de la tâche… et ne voyez pas là une allusion à votre jeunesse.

Elle le remercia d'un regard, puis demanda encore :

— Et les médecins ?

— Vous avez devant vous la totalité de l'effectif médical de cet établissement.

La religieuse préposée à la réception passa la tête dans l'embrasure de la porte.

— Docteur, déclara-t-elle, nous avons nos premiers… malades. Deux hommes. L'un a du mal à tenir debout.

— J'arrive. Mademoiselle Picard, aidez vos collègues à préparer les lits. À midi, la moitié d'entre eux seront occupés.

Il s'esquiva afin d'évaluer la condition des nouveaux arrivants.

~

La prédiction se révéla juste. À l'heure du lunch, une trentaine de lits de camp servaient déjà. La plupart des malades venaient de l'arsenal, une entreprise voisine. Des centaines de personnes recrutées à la campagne y fabriquaient des munitions pour les troupes déployées outre-mer.

Thalie aidait une jeune fille à se tenir assise, tout en plaçant les pans de sa robe de façon à les maintenir devant sa poitrine. Le docteur Hamelin promenait le bout du stéthoscope sur un dos maigre, décharné. Une rumeur sourde parvint à leurs oreilles et, bientôt, ils reconnurent les accents du *Ô Canada*. Tous les deux échangèrent un regard intrigué.

Le médecin rangea ses instruments alors que la volontaire aidait la malade à s'étendre sur le dos.

— Nous allons vous garder ici jusqu'à ce que vous alliez mieux. Bientôt, sœur Saint-Anselme vous apportera une chemise de nuit et de quoi manger. Cela vous donnera un peu de force.

La travailleuse le regardait avec de grands yeux inquiets, elle balbutia un « Merci » hésitant. Quand le praticien quitta la salle de classe, Thalie lui demanda :

— Elle se porte mal, n'est-ce pas ?

— Le problème, c'est que la maladie trouve ces pauvres gens totalement épuisés. Cette gamine passe sans doute de douze à quatorze heures dans la cartoucherie de l'arsenal, dans une atmosphère viciée.

— Ses poumons sont-ils atteints ?

Des larmes perlaient au coin des yeux de la jeune fille. Charles Hamelin posa la main sur son épaule en disant :

— Depuis ce matin, je découvre que vous serez un médecin compétent… si l'on ne vous rend pas la vie trop dure à la Faculté.

Au fil des heures, elle lui avait fait quelques confidences.

— Faites attention toutefois, car si vous vous laissez toucher par les malheurs des patients, je veux dire, personnellement toucher, vous ne résisterez pas.

— … Vous, vous arrivez à vous durcir le cœur?

— Pas assez, j'en ai peur. Cela rend ma recommandation d'autant plus pertinente. Je sais de quoi je parle.

De nouveau, une rumeur vint de la rue, ils reconnurent encore les accents du chant patriotique. Le médecin ouvrit la porte de l'école, interpella un passant d'une voix forte:

— Qu'est-ce qui se passe?

Une vingtaine de jeunes hommes agitaient des drapeaux de la France et du Royaume-Uni tout en chantonnant le *Ô Canada*. L'un d'eux cria:

— Sur la façade des édifices des journaux, on annonce que les Allemands ont accepté les conditions de Wilson.

Entre la parution de leurs diverses éditions, les entreprises de presse affichaient de grands placards afin de faire connaître les dernières nouvelles arrivées par télégramme. Le bouche à oreille faisait le reste avec une rapidité étonnante. Cependant, l'événement sans cesse réinterprété prenait parfois des proportions démesurées.

Le petit peloton des manifestants venu de la Basse-Ville par la Côte-à-Coton continua son chemin vers la rue Saint-Jean. Bientôt, des centaines de personnes se masseraient sur la terrasse Dufferin, afin de célébrer la reddition prochaine des ennemis.

— Je suis heureux de ce développement, affirma Thalie. Vous savez peut-être que mon frère se trouve en Belgique.

— Cet enrôlement volontaire aussi a été commenté dans nos chaumières, les soirs d'hiver.

— Quand le sort de mon frère et le sujet de mes études vous laissent un certain répit, de quoi discutez-vous?

— Que voulez-vous, nos loisirs sont peu nombreux. Déjà, du temps de votre père, votre famille alimentait les conversations. La tradition semble vouloir se maintenir.

La situation prêtait mal aux conversations aimables. Des malades se pressaient dans l'escalier donnant accès au couvent. Thalie se dépêcha de descendre quelques marches pour leur offrir son bras.

~

La jeune fille rentra à la maison un peu passé huit heures, après une longue journée au centre de soin. Trop silencieux, l'appartement laissait présager un orage. Après s'être débarrassée de son manteau et de son chapeau, elle se tint un moment dans l'embrasure de la porte du salon, murmura aux deux femmes assises chacune dans son fauteuil, un livre à la main.

— Bonsoir. Vous avez eu une bonne journée ?

Françoise leva les yeux de sa lecture, puis répondit doucement :

— Bonsoir, Thalie...

Elle risqua un regard en direction de son hôtesse.

— Comme je pense que vous devez parler entre vous, continua-t-elle, je vais me retirer dans ma chambre.

En sortant, ses yeux croisèrent ceux de son amie, exprimèrent un vague souhait de « Bonne chance ». Durant un instant qui parut une éternité, Marie se mura dans le silence, puis elle commença d'une voix mal assurée :

— Je suppose que tu n'as rien mangé depuis ce matin.

— Une bouchée, un peu avant midi. Après, les gens sont arrivés, nombreux.

— Alors nous pouvons tout aussi bien parler dans la salle à manger.

Thalie trouva une assiette à sa place habituelle. En entendant la porte s'ouvrir, Gertrude l'avait tirée du réchaud placé au-dessus de la cuisinière au charbon. Elle se tenait debout près de la table, les mains sur les hanches, curieuse.

— Si tu veux retourner dans la cuisine, lança Marie à son intention, cela me fera plaisir. Tu entendras aussi bien, mais je serai tout de même moins intimidée pour parler à cette demoiselle.

La domestique présenta un visage impassible devant l'affront, mais en se retirant dans la pièce voisine, elle fit claquer la porte.

— Tu fais mieux de manger tout de suite, si tu n'as rien avalé depuis plus de huit heures.

Thalie retrouva sa chaise, plaça la serviette sur ses genoux. L'odeur de la pièce de viande eut un effet immédiat sur son estomac. Elle ne se souvenait guère d'avoir été aussi affamée. Au moment d'avaler la première bouchée, elle entendit :

— Je ne veux pas que tu retournes travailler dans ce centre.

— ... Je suis désolée de te décevoir.

La réplique étonna Marie, tout comme le ton, très doux.

— Tu souhaites continuer ?

— Personne ne semble vouloir le comprendre, mais je n'ai pas décidé d'étudier la médecine par coquetterie ou pour faire jaser dans la rue de la Fabrique. Je veux soigner les gens. Il se trouve que nous avons une épidémie sur les bras.

— Mais regarde-toi : tu es une enfant !

Être de petite taille ne simplifiait pas la vie de Thalie. Tout le monde la croyait plus jeune que son âge réel. Toutefois, aux yeux de sa mère, même haute de six pieds, elle demeurerait une gamine.

— J'ai dix-huit ans tout juste. À mon âge, tu te trouvais enceinte de Mathieu, je crois.

La repartie laissa la mère songeuse. Voir la réalité sous cet angle la forçait à réviser son jugement. Sa fille poussa encore un peu son avantage :

— À huit ans, les jours où j'aidais au magasin, papa m'appelait son mousse. À douze ans, comme la majorité des fillettes de cette ville, j'aurais été capable de gagner ma vie.

À tout le moins, se souvint Marie, elle passait tous ses étés au magasin, offrant une performance comparable à celle des autres vendeuses. Oui, placée dans des circonstances plus difficiles, elle aurait pu occuper un emploi.

— Tu risques d'attraper cette maladie, plaida-t-elle. Tu as sûrement entendu la nouvelle : le fils du maire Lavigueur est décédé la nuit dernière.

— Nous pouvons tous attraper la grippe. Ce jeune homme n'est jamais allé dans un centre de soins. Il a sans doute été contaminé dans son commerce.

— Tout de même, ne viens pas prétendre que là-bas, tu ne t'exposes pas plus que les autres.

— Les autres, comme tu dis, ne désirent pas consacrer leur vie aux malades, moi si. Tu vois, ce soir, je suis plus certaine de mon choix professionnel que ce matin. Je le serai encore plus demain.

La femme baissa les yeux, demeura silencieuse un long moment.

— Mange, murmura-t-elle à la fin, sinon Gertrude devra faire chauffer ton assiette une autre fois.

La jeune fille reprit sa fourchette pour avaler son repas en vitesse. Elle terminait quand sa mère déclara encore :

— Je pourrais t'empêcher d'y retourner. La loi me le permet.

Avant l'âge de ses vingt et un ans, un enfant pouvait être contraint d'obéir à ses parents.

— Mais tu ne le feras pas. Tu sais que je t'aime très fort. Tu ne voudrais pas détruire ce sentiment.

Marie accusa le coup. Mathieu, environ un an plus tôt, Thalie maintenant, avaient choisi l'orientation à donner à leur vie sans vraiment tenir compte de son opinion. Le garçon avait mis un océan entre elle et lui, sa fille entendait suivre une voie tout à fait inhabituelle pour une femme. Non seulement se rebiffer contre ces choix ne donnerait rien, mais au bout du compte, une pareille attitude l'isolerait encore plus. Aussi, elle adopta la seule position possible :

— Gertrude a préparé une tarte aux pommes aujourd'hui. Elle doit se tenir derrière la porte avec une théière à la main. En veux-tu ?

— Vas-tu m'accompagner ?

— Oui, si tu le désires. En réalité, je n'ai pas beaucoup mangé, tout à l'heure.

— Je vais chercher Françoise. Elle doit se sentir un peu seule, dans sa chambre.

Quelques minutes plus tard, les quatre femmes se trouvaient réunies, une fourchette à la main. Il fallut un moment avant que la conversation reprenne vraiment. Thalie réussit à la relancer en évoquant la nouvelle du jour :

— Vous êtes sans doute au courant : les Allemands ont accepté les conditions posées par le président des États-Unis comme préalable à une négociation de paix.

— Les combats ne sont pas terminés pour autant, remarqua Françoise.

— Ils ne sauraient se poursuivre bien longtemps. Les désordres se multiplient en Allemagne, le gouvernement pourrait s'effondrer à tout moment. En acceptant les principes établis par le président Wilson comme un préalable à un armistice, l'ennemi indique que la paix viendra bientôt. On ne parle plus de semaines, mais de jours.

— Et pendant ces jours-là, des milliers de jeunes gens se feront tuer ou estropier, murmura la mère.

Tous les indices d'une paix prochaine faisaient naître une sourde inquiétude dans l'esprit des proches des militaires : l'être aimé serait-il parmi les dernières victimes ? Curieusement, pour toutes ces personnes, tomber le dernier jour apparaissait, bien plus cruel que mourir dès le premier.

— ... Je le sais, cela ne paraît pas sensé, mais je le pense vraiment. Même si j'ai le sentiment que Mathieu est aux prises avec de grandes difficultés, il s'en sortira finalement, glissa Thalie.

Marie reconnut le ton étrange, celui que la jeune fille utilisait pour relater ses rencontres, en rêve, avec son père décédé. Elle avait terriblement besoin de la croire, en cet instant.

~

Quand Charles Hamelin se laissa choir sur la banquette arrière d'un taxi, Thalie dormait comme un loir depuis une heure au moins. Il somnola jusqu'à son domicile de la rue Dorion. Le chauffeur dut élever la voix pour le ramener à la conscience. La porte de la maison s'ouvrit devant lui. Élise serrait son peignoir sur sa poitrine d'une main, de l'autre elle s'empara du petit sac de cuir contenant ses instruments.

— Ma pauvre, lui dit-il en entrant, tu aurais dû aller te coucher. Tu vas être épuisée.

— Crois-tu que je pourrais dormir alors que je sais ce que tu affrontes ?

Elle se lova contre lui une fois la porte fermée. L'homme n'osait pas trop la toucher, certain que ses vêtements et ses mains pouvaient transporter des germes. Le besoin de câlins d'Élise demeurerait insatisfait.

Un moment plus tard, Charles se laissait tomber sur une chaise, dans la cuisine, alors que sa femme allait chercher son assiette dans le fourneau demeuré un peu chaud.

— Décidément, le docteur Paquin a obtenu sa vengeance, remarqua-t-elle d'un ton frustré.

— ... Que veux-tu dire ?

— Tu as mis son incompétence meurtrière en lumière. Il te le fait payer, maintenant.

L'escalope posée sous ses yeux avait eu le temps de sécher, au cours des dernières heures. Même si l'appétit faisait défaut, il l'avalerait tout entière afin de reconstituer un peu ses forces.

— Ne comprends-tu pas ce qui se passe ? continua-t-elle sur le même ton impatient. Il te confie un centre de soins. Déjà, tu t'es épuisé pour faire entendre raison à ces idiots. Maintenant, tu te trouves seul à prendre soin des locataires de cette grande école. Il y a au moins quatre-vingts médecins dans cette ville, il a décidé de te confier cette tâche.

— Tout le monde se trouve surchargé, aujourd'hui. Je ne le suis pas plus qu'un autre. Je ne pouvais pas me dérober à mon devoir.

— Ton devoir? Montre-moi ton ordre de mission. Je suis bien curieuse de savoir qui t'a demandé de sauver cette ville à toi seul.

Tout de suite, elle regretta son ton cassant. Elle quitta sa chaise pour venir derrière lui, passer ses bras autour de ses épaules, amener la tête lourde de fatigue contre ses seins.

— Je te demande pardon, souffla-t-elle. Je pense que je deviens folle d'inquiétude.

Charles abandonna son visage un moment à ses baisers. Peut-être le médecin hygiéniste lui avait-il réellement confié le centre de soins de l'Académie Mallet dans un esprit de revanche. D'un autre côté, si on l'avait oublié, il aurait lui-même réclamé une affectation de ce genre.

Quand Élise, les yeux gonflés de larmes, regagna sa place, il commença, désireux de changer de sujet:

— Tu te souviens d'Alfred Picard? Le marchand de vêtements…

— Évidemment. J'achète toujours mes plus belles tenues chez lui, quand je le peux.

— Je ne t'ai pas beaucoup gâtée dans ce domaine.

Si elle le laissait aller, il reprendrait sa vieille rengaine sur son regret de ne pas lui offrir le niveau de vie convenant à une jeune fille de la Haute-Ville. Mieux valait le ramener à son sujet:

— Pourquoi me parler de lui ce soir?

— Sa jeune fille vient de se proclamer mon assistante personnelle. Elle est arrivée à l'Académie ce matin et elle ne m'a pas quitté d'une semelle ensuite.

— Que fait-elle là, si jeune?

— Elle est assez âgée pour être étudiante à la Faculté de médecine de McGill.

— Pourtant…

Élise aussi arrivait mal à détacher de sa mémoire la gracile petite vendeuse de rubans, pour laisser la place à la jeune femme.

— Elle t'apparaît comme une nuisance ?

— Non, bien au contraire. Rien ne semble la rebuter. Peut-être grimace-t-elle sous son masque, mais les bassines ou les urinoirs bien pleins ne semblent pas lui répugner. Même les plaies purulentes…

— Des plaies ?

Charles s'efforça de sourire malgré sa fatigue, puis il précisa :

— Tu sais, les gens qui attrapent la grippe ne sont pas tous en bonne santé. Puis, je pense que des mendiants profitent de l'aubaine et viennent chercher un bon lit et trois repas à peu près chauds. Nous n'allons pas les chasser sous prétexte qu'ils ne toussent pas assez.

— Tu risques d'attraper non seulement l'influenza, mais aussi la gale.

Le dépit marquait de nouveau la voix de sa compagne. Le médecin avait terminé la pièce de viande. Il avala le reste de sa tasse de thé. Au moment de se lever, mal à l'aise, il précisa :

— Demain, je devrai partir très tôt.

Il craignait une rebuffade, Élise se contenta de murmurer :

— Je l'avais deviné. Me promets-tu de demander l'aide d'un autre médecin ?

— … Je ferai mon possible. Mais ce n'est pas tout. Si je couchais à l'Académie, je pourrais sans doute me reposer un peu plus.

— Tu ne peux pas dormir parmi les malades, tout de même.

La voix de son épouse trahissait une émotion nouvelle, proche du désespoir.

— Il serait possible de placer un lit dans le bureau de la directrice.

— Alors je ne te verrai plus du tout. As-tu pensé aux enfants ?

« Je ne pense qu'à eux », eut-il envie de dire. Sa femme, son garçon et sa fille se terraient dans la maison. Ils n'effectuaient que les sorties rigoureusement nécessaires, toujours affublés de masques et de gants, pour éviter la contamination. D'un autre côté, lui se trouvait dans les pires foyers d'infection. Toutes les précautions de ses proches ne servaient à rien aussi longtemps qu'il transporterait les germes à la maison tous les soirs.

À la fin, il ajouta dans un souffle :

— Cela ne durera pas éternellement. Dès que l'épidémie connaîtra un reflux, je te le jure sur la tête de ce que j'ai de plus cher, nous irons tous les deux nous cacher ensemble dans un coin perdu afin de passer plusieurs jours en tête-à-tête.

— ... D'ici ces jours bénis, il ne me reste que quelques heures avec toi. Viens dormir. Je tenterai de me retenir de pleurer jusqu'à demain.

Avec difficulté, elle réussirait à conserver sa contenance pendant tout ce temps.

Chapitre 16

Le mardi 15 octobre, les membres de la famille Picard descendirent de la Buick afin de participer à la veillée funèbre. Le maire Henri Lavigueur demeurait au 610 de la rue Saint-Jean, dans une grande maison un peu biscornue.

— Louis n'habitait plus ici, remarqua Évelyne en rejoignant son mari sur le trottoir.

— Non, au moment de son mariage, l'an dernier, il a acheté une petite maison située un peu plus à l'ouest.

— Alors pourquoi exposer son corps ici ?

— C'est le fils du premier citoyen de la ville. Il y aura foule. Son logis n'aurait pu accueillir tout le monde.

Thomas et Élisabeth atteignirent l'entrée les premiers, le jeune couple sur les talons. Édouard avait raison : la porte s'ouvrit sur un couloir encombré de personnes empestant l'odeur de la pipe, du cigare et de la cigarette. Tous les collègues du maire, dans le domaine des affaires comme dans celui de la politique, désiraient lui témoigner leur solidarité. Puis, tous ceux qui avaient obtenu une faveur ou qui entendaient en solliciter une, tenaient à se faire voir de lui. En conséquence, des centaines de concitoyens passeraient encore en ces lieux avant la tenue des funérailles, prévues le lendemain.

Le défunt reposait dans la première pièce s'ouvrant sur la gauche. Un énorme cercueil de chêne, le couvercle ouvert, révélait un homme robuste, à la beauté virile, le genre d'individu susceptible de vivre cent ans. Depuis le début de l'épidémie, la population s'étonnait de voir les plus forts succomber souvent, tandis que de plus faibles échappaient totalement à la contagion ou se remettaient de l'influenza sans éprouver la moindre complication.

Le quatuor de nouveaux venus s'immobilisa un long moment devant le cadavre, les deux femmes à genoux sur les prie-Dieu placés là, les hommes debout un pas derrière, un masque recueilli sur le visage.

Ensuite, Thomas se présenta le premier devant la famille éplorée, si nombreuse qu'elle longeait tout un mur de la pièce. La jeune veuve, toute de noir vêtue, recroquevillée sur elle-même sur une chaise, répondit à peine au moment où il lui offrit ses sympathies. Mal à l'aise devant une douleur aussi nue, il se déplaça vers la gauche, pour tendre la main à son collègue.

— Henri, je suis si profondément désolé. Je sais combien tu étais près de Louis.

L'homme accepta la main tendue, confia :

— Un aîné, c'est un peu un autre soi-même. On l'imagine occupant notre place un jour.

Le commerçant approuva d'un signe de tête, puis ils échangèrent un long regard.

— Je te comprends très bien.

Pendant ce temps, assise sur ses talons comme devant un enfant attristé, Élisabeth tenait les deux mains de la veuve, murmurait des paroles imperceptibles aux témoins de la scène. Quand elle se releva afin de s'adresser au père Lavigueur, son mari était face à la mère. La grosse femme, flanquée de deux de ses fils, Maurice et Charles-Émile, accepta l'expression des sympathies de Thomas dans un murmure épuisé. Picard serra la main des deux premiers garçons. Il y en avait encore trois autres, Paul, Gustave et Armand, à qui parler l'un après l'autre. Son collègue perdait un fils, il lui en restait toutefois cinq.

Édouard, venant tout de suite après sa mère, sut trouver les mots justes pour chacun des membres de la famille endeuillée. Il présentait chaque fois sa femme. Évelyne ajoutait quelques paroles de circonstance.

En sortant du salon, Thomas glissa à l'oreille de son épouse, pendue à son bras :

— Tout de même, il lui reste ses autres fils.

Le ton semblait mettre un peu en doute la profondeur du drame vécu par Henri Lavigueur.

— Crois-tu vraiment que cela rend la perte moins cruelle ? murmura-t-elle à son oreille.

— Sans rien vouloir minimiser, je pense que oui. Tous vont serrer les coudes autour de lui. Tu vois, on discute déjà qui, entre Maurice et Charles-Émile, prendra la gérance du magasin de la Basse-Ville.

L'homme baissa la voix d'un ton encore pour ajouter :

— Tu imagines la difficulté, s'il arrivait quelque chose à Édouard. Comme je suis à moitié retiré des affaires…

Penser à la lignée, à la suite des choses, permettait aux hommes de se dégager bien vite de ces drames personnels. Élisabeth n'arrivait pas à sortir de son esprit ce grand jeune homme enfermé dans une boîte, sa veuve hébétée de douleur et, surtout, sa petite fille. Âgée de six mois, une domestique s'en occupait sans doute dans une chambre, à l'étage. Elle-même, très vite orpheline et laissée seule, souhaitait pour la fillette la présence de toute une parentèle attentionnée.

— Si je reste dans ce couloir enfumé, confia bientôt la dame à son époux, tu vas bientôt me voir râler. Comment diable les hommes arrivent-ils à endurer cela ?

— Nous sommes capables d'un stoïcisme admirable… Les femmes se sont certainement réfugiées dans une pièce un peu mieux aérée. Cherchons.

Ils marchèrent en direction de la cuisine, située au fond de la demeure. Une rumeur familière leur parvint bientôt, celle d'une assemblée réunie pour un chapelet.

— Les voilà, je parie.

— Au moins, je n'aurai pas à chercher un sujet de conversation.

Après toutes ces années, elle demeurait toujours un peu mal à l'aise au milieu de ces bourgeoises de la Haute-Ville. Leur papotage lui semblait si vain.

— Si quelqu'un te pose une question un peu délicate ou essaie de t'entraîner sur un sujet déplacé, tu te jetteras à genoux en récitant un *Je vous salue Marie*.

— J'aurai l'air d'une sotte.

— Mais les bonnes chrétiennes se font toujours pardonner leur sottise.

Avant d'abandonner son bras afin de rejoindre ses compagnes, elle le pinça assez fort pour le faire grimacer. Privé de son épouse, Thomas retrouva bien vite son fils et sa bru. Édouard commenta, amusé :

— Il y a plus de députés libéraux ici qu'à l'Assemblée législative au moment de la période de questions. Et toutes les personnes présentes appartiennent à cette organisation. On dirait un congrès.

— Sauf quelques énergumènes comme Lavergne, tout le monde est libéral dans la province. Ne le savais-tu pas encore ?

Avant que la discussion ne prenne une tournure franchement politique, Évelyne murmura :

— Les dames ?...

— Elles se trouvent dans la pièce à côté.

Elle s'esquiva bien vite. Son époux regarda autour de lui, reconnut deux des fils de Louis-Alexandre Taschereau, leur fit un signe de la tête.

— Heureusement, murmura Édouard, certains d'entre eux sont un peu plus... raisonnables.

— Ceux-là me paraissent plutôt médiocres. D'un autre côté, leur père fait tout pour se faire valoir afin d'être prêt au moment où sir Lomer ira voir si les pâturages d'Ottawa sont plus gras que les nôtres. Cultive l'amitié des Taschereau, le papa s'occupe sérieusement de son avenir et du leur.

— Gouin laisserait-il son poste de premier ministre de la province afin d'aller s'asseoir sur les banquettes de l'opposition, à la Chambre des communes ? Cela paraît tout à fait insensé.

— Au lieu de boire du whisky de contrebande au Club de réforme, tu devrais suivre les événements politiques. La guerre se terminera dans quelques jours. Penses-tu vraiment que Borden saura se maintenir au pouvoir, une fois la paix revenue ? Dans l'Ouest et en Ontario, les fermiers s'agitent. Au Québec, après la conscription, les conservateurs paraissent avoir disparu sous terre. Gouin, comme bien d'autres, rêve à l'avenir, au sien, pas au passé. Il se voit ministre dans le futur cabinet Laurier.

Dans le silence qui suivit cette analyse politique, Édouard porta son attention sur les conversations autour d'eux. Tous les hommes discutaient d'affaires publiques. Il s'agissait bien d'un congrès d'un genre nouveau.

— Le premier ministre Borden n'aura pas à affronter l'électorat avant 1921, insista-t-il.

— Alors il se fera battre en 1921. Mais je soupçonne que le bonhomme donnera sa démission avant cette date. Gouverner en temps de guerre doit épuiser son homme. L'un de ses fidèles lieutenants ira à l'abattoir à sa place.

— De ce pas, je vais vérifier tes hypothèses auprès de mes nouveaux amis du clan Taschereau.

Le jeune homme s'attendait à se voir confirmer tout cela par les fils du ministre. Son paternel se révélait infaillible, sur ces questions. Thomas choisit d'aller vers la cuisine à la quête de nouvelles confidences.

Il y découvrit un petit quarteron de notables de son parti. Dans un coin, une tasse à la main, Lomer Gouin se tenait tout près de la cuisinière au charbon, heureusement éteinte à ce moment de la journée. Comme il semblait se lasser de sa conversation avec un ministre, le marchand s'approcha pour lui donner l'occasion de s'en détacher, mine de rien.

— Il semble bien que nous arrivons à la fin de cette horrible guerre, commenta-t-il.

— Tous les journalistes semblent l'affirmer. Espérons que pour une fois, ils disent la vérité.

L'interlocuteur précédent eut la gentillesse de s'éloigner un peu. Picard baissa le ton pour remarquer :

— Le gouvernement fédéral cessera sans doute bientôt de courir après les conscrits. Ces poursuites maintiennent l'agitation dans nos campagnes.

— Rien ne semble indiquer un arrêt des procédures.

Entre les articles sur l'épidémie, ceux rappelant les condamnations des personnes vendant de l'alcool malgré la prohibition et les autres sur d'éventuels pourparlers de paix, toute la presse évoquait encore les policiers fédéraux lancés à la chasse aux insoumis.

— Au moins, insista Thomas, on suspendra vraisemblablement l'envoi de contingents vers l'Europe. Non seulement les derniers appelés ne seront pas arrivés sur le vieux continent avant la fin des opérations militaires, mais ces navires doivent être des foyers d'infection.

— Comme les camps militaires sont en quarantaine, murmura le premier ministre, l'expédition de ces hommes a pris fin.

Gouin connaissait bien les difficultés du recrutement militaire. L'agitation de la population le laissait visiblement préoccupé. Toutefois, des motifs plus personnels le rendaient morose depuis quelques semaines. Son interlocuteur suivit son regard, découvrit un colosse à l'angle opposé de la cuisine. Il s'agissait d'Ernest Lapointe, le député de Rivière-du-Loup à la Chambre des communes.

— Nous avons de la grande visite, glissa-t-il avec malice.

— Vous évoquez là son format, je suppose, pas son importance politique. En ces tristes circonstances, il représente notre chef incapable de se déplacer.

— Wilfrid Laurier est-il malade ?

— Il souffre d'une maladie qui nous menace tous : la vieillesse.

Le vieux chef dépassait maintenant les soixante-quinze ans. Grand et maigre, son apparente fragilité avait longtemps alimenté la crainte d'un décès prématuré. Finalement, sa longévité faisait l'envie de nombreux contemporains.

— Le pauvre homme ne peut pas affronter ce temps maussade pour s'exposer en plus à la contagion, maugréa encore le premier ministre provincial. Tous les lieux de loisir sont fermés par mesure de précaution et nous voici entassés ici comme des sardines.

— Vous avez raison, convint Thomas de la voix d'un amoureux déçu par une absence. Notre vieil ami fait mieux de s'abstenir de se trouver dans un rassemblement de ce genre.

Certains jours, le marchand songeait à prendre le train afin de rendre visite à son chef. Une certaine timidité le retenait.

— Je vais dire un mot au député de Rivière-du-Loup, déclara-t-il. Vous voudrez bien m'excuser.

Gouin se raidit un peu, puis acquiesça d'un signe de tête. Un moment plus tard, l'organisateur politique tendit la main au colosse en disant :

— Le très honorable Laurier se porte bien, j'espère.

— Oui, mais pas au point de venir ici. Des événements de ce genre l'attristent beaucoup.

— Croyez-vous qu'il pourra réaliser son grand projet de refaire l'unité du Parti, maintenant que le conflit s'achève ?

Le député regarda autour de lui, comme s'il craignait les oreilles indiscrètes.

— Nous pouvons sortir, proposa Thomas. De toute façon, avec toute cette fumée, nous ne respirons plus.

L'autre donna son assentiment d'un signe de tête. Une porte donnait sur une cour arrière assez vaste. Une bâtisse tout au fond permettait d'abriter une paire de chevaux et des voitures. Des arbres fruitiers donnaient un air campagnard à la vieille demeure.

— Tout à l'heure, faisiez-vous référence à son désir de réunir le Parti libéral déchiré par la conscription, une fois la paix revenue ? demanda Lapointe.

— Il me parlait de cela l'an dernier, lors de ma dernière visite.

— Ce travail est déjà commencé. Les transfuges viennent lui rendre des visites de courtoisie, au nom d'une vieille amitié. Avec les dernières nouvelles d'Europe, ils ne se cachent même plus.

— Tout de même, cela me répugne de les voir revenir après une trahison, pesta le commerçant. L'an dernier, ils ont préféré s'accrocher à leur siège de député, au lieu de demeurer fidèles à leur chef. Ils reviennent aujourd'hui vers lui exactement pour la même raison.

— Plusieurs seront déçus. La dernière élection a permis à de nombreux jeunes hommes de se révéler. Parmi les déserteurs de 1917, nombreux seront ceux qui trouveront leur place prise.

Cela aussi, Laurier l'avait prédit. La crise de la conscription permettait à une nouvelle génération de langue anglaise de se découvrir.

— Mais notre ami ne songe pas à nous diriger lors de la prochaine élection, conclut Thomas, un peu désolé.

— À presque quatre-vingts ans, ce serait un suicide. Il mourrait en pleine campagne. Souhaitons seulement qu'il aura la sagesse de céder la place sans que personne ne lui en fasse la demande.

Thomas ricana. À la suite des conseils d'un médecin, lui-même avait laissé de mauvaise grâce son fils prendre du galon. Au fil des mois, sa décision lui pesait de moins en moins. Céder sa place ne devait pas sembler plus facile à un politicien.

— Lomer Gouin rêve de migrer du côté d'Ottawa, enchaîna-t-il. Cela tient sans doute à un espoir de succéder à Laurier.

— S'il a cette naïveté, il sera déçu, jugea Lapointe. Le choix ne se portera certainement pas sur un Canadien français.

— Wilfrid prétend que plus jamais l'un des nôtres ne devrait accepter ce poste.

L'homme affirmait même en être venu à regretter d'avoir accepté ce fardeau.

— Voilà plus de vingt ans qu'il se fait attaquer par les Anglais parce qu'il est trop généreux avec nous et par les Français parce qu'il ne fait pas assez pour son peuple.

Thomas brûla d'envie de répéter ses récriminations contre les nationalistes, responsables de la défaite de 1911. La frustration du vieux chef tenait surtout à leurs attaques incessantes. Il préféra évoquer l'avenir :

— Je dois comprendre que vous ne serez pas candidat non plus.

— Rêver à la chefferie serait une perte de temps. Je me contente de chercher à deviner qui l'emportera parmi nos collègues de langue anglaise. Mon avenir sera lié à celui du prochain chef.

— … Et vous savez qui succédera à Laurier ?

— Le jeune William Lyon Mackenzie King s'agite beaucoup.

Le marchand afficha un air sceptique, avant de dire :

— Ce petit gros ? Il a passé des années aux États-Unis, plus personne ne le connaît au sein du Parti.

— Pour de nombreux politiciens, se faire discret dans les moments de crise nationale favorise la carrière.

— Cela me semble impossible. Après avoir connu la prestance et les talents d'orateur de Wilfrid, nous passerions sous la gouverne d'un personnage sans couleur, incapable de soulever une foule de trois personnes…

— Nous verrons bien…

L'idée paraissait saugrenue. Lapointe s'en amusait aussi.

— Puis-je vous parler en toute confiance, Picard ? poursuivit-il.

Ce genre de précaution verbale précédait toujours des tractations délicates.

— Si vous en doutez, mieux vaut mettre fin à notre conversation. Mes états de service…

— Je suis désolé, je ne voulais rien insinuer… Wilfrid ne se présentera pas à titre de député lors de l'élection de 1921. Le comté de Québec-Est se trouvera sans titulaire.

Le constat allait de soi. Le vieux chef ne pouvait porter ombrage au nouveau. Thomas préféra ne pas commenter. La suite vint bientôt:

— J'aimerais m'y présenter. Vous comprenez, cela aurait valeur de symbole. Occuper le siège du grand homme…

Ce serait se poser comme son successeur. Si Lapointe n'espérait pas diriger le Parti libéral, il prétendait au moins au titre de «lieutenant canadien-français» du futur chef. Sir Lomer Gouin, lui aussi intéressé à jouer ce rôle, trouverait un rude concurrent devant lui. Le député enchaîna après une hésitation:

— Croyez-vous cela possible?

— La meilleure façon de procéder serait de convaincre les notables et que ceux-ci vous demandent de vous présenter ici. Parfois, si l'on se montre trop entreprenant, la fiancée se rebiffe. Mieux vaut lui laisser prendre les devants.

— Je ne veux pas brusquer les choses, croyez-moi. D'un autre côté, si personne ne sait que je désire représenter les gens de la région, on risque peu de me demander de le faire.

Toute cette longue conversation précédait le recrutement d'un organisateur électoral. L'offre formulée à demi-mot plaisait à Thomas. C'était reconnaître son influence dans les affaires de ce genre. Si sa carrière de marchand s'achevait, la politique lui permettrait de se tenir occupé pour des décennies.

— Faites-moi confiance, d'ici quelques mois, de nombreux habitants de Québec-Est vous demanderont de devenir leur prochain représentant. Bien sûr, je ne bougerai pas d'un pouce avant que Laurier n'ait annoncé son désir de se retirer. Jamais je ne ferai un geste pour le pousser vers la sortie.

— Si vous agissiez autrement à son égard, je n'accepterais pas de travailler avec vous.

L'homme marqua une pause, regarda vers la fenêtre afin de s'assurer que personne ne le surveillait, puis il tendit la main. Thomas la serra pour marquer leur accord.

— Maintenant, dit Lapointe, allons dire un chapelet pour l'âme de ce pauvre Louis. Quelle tristesse !

— Nous irons dans un moment. Je veux d'abord vous parler de moi. Mon fils s'occupe maintenant de la gestion quotidienne de mes affaires. Dans deux ou trois ans, au moment de la prochaine élection, il en sera le seul responsable.

L'autre attendit, certain d'entendre bientôt la contrepartie de la transaction :

— Jusqu'ici, je me suis dévoué sans jamais rien attendre. Toutefois, au moment du retour des libéraux au pouvoir, il me semble qu'un siège de sénateur devrait m'être attribué.

L'idée revenait avec régularité dans la tête du marchand depuis deux ou trois ans. Après vingt ans parmi eux, ses voisins de la Haute-Ville le regardaient encore de haut. Un titre de ce genre riverait leur clou.

— Vous pouvez compter sur moi, murmura Lapointe. Je tenterai de me rendre indispensable au futur premier ministre, il ne me refusera pas cette faveur.

Pour cela, Thomas devrait aussi se rendre indispensable.

— Allons prier un peu, maintenant.

Tout au long du chapelet, Lomer Gouin surveilla les deux complices du coin de l'œil. Cette nouvelle alliance ne le servirait guère.

~

Le lendemain, à neuf heures moins quart, une très longue procession se mit en branle dans la rue Saint-Jean. D'abord, monté sur un cheval noir, le capitaine Émile Trudel ouvrait la marche à la tête d'un détachement de police municipale. Un peloton de pompiers en uniforme venait ensuite. Lourdement décoré, le corbillard de la société Lépine, tiré par quatre chevaux, imposait le respect. Il était suivi de la famille du défunt. Les parents montraient un masque de souffrance stoïque, la jeune veuve dut être portée à demi jusqu'à une voiture de louage. Dans leur sillage, tout le gratin politique emboîtait le pas, suivi d'une importante délégation d'employés provinciaux et municipaux, de même que de tout l'effectif des divers commerces des Lavigueur.

Les Picard se mêlèrent à la masse des amis et des curieux dans l'interminable procession. Thomas, assis sur la banquette arrière de la Buick, grommela :

— Tout le monde insiste sur la nécessité d'éviter les rassemblements, et voilà toute la population de la ville de Québec en route vers l'église Saint-Jean-Baptiste.

— Tu n'exagères pas un peu ?

— Regarde devant nous. La moitié des pompiers se trouve là. Si un incendie éclate…

Les funérailles influençaient un peu son humeur, lui rappelant chaque fois ses ennuis de santé. Après avoir parcouru la courte distance à la vitesse de l'escargot, ils se trouvèrent dans le vaste temple de pierre érigé au milieu d'un faubourg très prospère. En vertu de l'édit du Bureau d'hygiène de la province, l'entreprise de pompes funèbres n'avait tendu aucun crêpe. Ce petit effort pour éviter les germes changerait peu de choses, avec l'affluence. Le service funéraire fut interrompu régulièrement par des quintes de toux.

— Mets ton foulard sur ton nez, murmura Thomas à l'oreille de son épouse.

— Pardon ?

Du geste, l'homme releva sa propre écharpe de façon à se couvrir tout le bas du visage. Elle fit de même, Édouard et Évelyne aussi. Quatre prêtres officiaient dans le chœur, deux autres murmuraient des messes basses dans chacune des allées latérales. Dans le jubé, la chorale des frères des Écoles chrétiennes touchait les âmes avec leurs voix enfantines angéliques. Les plus belles voix masculines de la ville résonnèrent dans le vaste temple pour le *Miserere*, le *Pie Jesu*, le *O Moritum* et le *Jesu Salvator*.

Pendant tout le service, Thomas demeura songeur. La lente résistance du maire, devant l'insistance alarmée de Charles Hamelin pour obtenir des mesures de précaution, coûtait vraisemblablement leur vie à plusieurs habitants de la ville.

Que son fils Louis figure dans la liste des victimes faisait songer à une expiation.

~

Fernand se trouvait complètement remis de sa maladie. Toutefois, il bénéficiait de journées supplémentaires de congé, car les clients désertaient son cabinet, à l'exception des personnes désireuses d'ajouter quelques détails à leur testament. Le glas sonnait trop souvent pour permettre d'oublier ce genre de précautions.

Le vieux notaire Dupire préférait s'occuper lui-même de ces personnes.

— Tu as une jeune famille, répétait-il, tu as déjà été malade. Je préfère prendre tous les risques sur moi.

Son fils avait beau protester, car il y avait peu de risque qu'il attrape la même maladie une seconde fois en un si court laps de temps, rien n'y faisait. Aussi passait-il ses journées à lire dans son bureau ou à échanger avec ses enfants. Discrètement, Jeanne le couvait des yeux, attentive au moindre signe de rechute.

Le vendredi 18 octobre, deux jours après les funérailles du jeune Lavigueur, la domestique le rejoignit dans le salon en fin de soirée. Elle entra dans la pièce sans faire le moindre bruit, pour venir se tenir à ses côtés près de la fenêtre.

— Sans l'éclairage des rues, on ne verrait absolument rien, ce soir, murmura-t-elle.

— Le ciel me semble avoir été couvert pendant tout un mois.

Malgré tout, la clarté blafarde des lampadaires pénétrait dans la pièce. Il la regarda un moment, puis proposa :

— Je te sers la petite gâterie habituelle ?

— Vous pouvez même forcer un peu la dose. Les journaux parlent de la paix et, surtout, la conscription est terminée. J'ai le cœur à la fête.

Fernand posa la main sur l'épaule de la jeune femme avant de préciser dans un murmure :

— Je suis désolé, ce n'est pas tout à fait cela. Le gouvernement arrête d'appeler les conscrits, c'est-à-dire les jeunes hommes qui chaque jour célèbrent leur vingt ans et rejoignent ainsi la liste des appelés. Mais les personnes recrutées avant aujourd'hui ne peuvent pas quitter l'armée.

— Vous voulez dire que mon frère peut encore être expédié en Europe ?

— Non, pas vraiment. Les convois sont interrompus à cause de l'épidémie. Et même si on le mettait sur un navire, la guerre serait terminée avant son arrivée sur les champs de bataille.

Elle s'accrochait à cet espoir depuis des semaines. La dernière lettre d'Arthur évoquait la reprise de son entraînement.

Sur son épaule, la main de son employeur esquissa une caresse, glissa vers le cou, en effleura toute la longueur. La légèreté du contact, de la part d'un individu de sa taille, la troubla. À la fin, l'homme s'éloigna pour se diriger vers le petit cabinet à boisson. Elle regagna sa place, accepta le verre directement de sa main, prolongea l'effleurement des doigts plus longtemps que nécessaire.

Au lieu de s'asseoir sur son fauteuil, Fernand prit place sur le canapé, à ses côtés.

— Eugénie ne te fait pas la vie trop dure ? demanda-t-il

— Pas plus que d'habitude. Elle s'enferme dans sa chambre ou dans le petit salon voisin…

— La grippe lui fournit un prétexte pour se couper encore plus de nous.

L'homme voulait dire de ses parents, de ses enfants, de lui-même.

— Elle exige que je porte des gants et un masque pour entrer chez elle, précisa la domestique.

Elle reprenait la façon dont Eugénie désignait les deux petites pièces. Cela témoignait bien du désir de l'épouse de couper les liens avec le reste de la maisonnée. Dans la ville, elle serait sans doute la seule à regretter la fin de l'épidémie, car elle n'aurait plus de prétexte pour s'isoler.

Jeanne se tenait un peu inclinée vers l'avant, son verre de cristal à la main. Fernand tendit les doigts en hésitant, laissa courir le bout de ceux-ci le long de la colonne vertébrale, de la base du cou jusqu'à la hauteur des reins. Sous sa dernière phalange, la succession des vertèbres faisait un curieux chapelet. Au moment de remonter sa main, il posa sa paume bien à plat, apprécia l'élasticité chaude de la chair à travers le tissu, poussa la caresse jusque sur le cou, puis la nuque.

La domestique aspira bruyamment, s'inclina encore, tout en disant:

— Monsieur... Fernand, vous ne devriez pas.

L'usage du prénom contenait une invitation. Elle ne se dérobait pas, elle ne lui demandait pas d'arrêter. Sa protestation n'en était pas vraiment une : elle rappelait les convenances, tout en lui abandonnant la responsabilité de poursuivre ou de s'interrompre.

L'homme laissa sa main redescendre, cette fois en parcourant son flanc gauche. Il se tenait à sa droite, tout près, lui sembla-t-elle. Elle ne réalisait pas s'être un peu penchée vers lui, pour ajouter à la proximité.

La paume s'arrêta sur la hanche, esquissa une caresse circulaire, reprit de nouveau l'ascension de son flanc, cette fois en l'enlaçant suffisamment pour se poser sur son sein. Les doigts apprécièrent la rondeur, exercèrent une légère pression sur la pointe devenue turgide. Au même moment, de la main droite, il saisit son menton, tourna son visage à demi, chercha sa bouche avec la sienne.

Quatre ans plus tôt, ses premiers contacts intimes avec Eugénie avaient été fébriles et très maladroits. Ce soir, une grande sérénité l'habitait. Depuis quatre ans, la domestique s'affichait comme sa meilleure, plutôt sa seule amie. Au fil des mois, jamais ses yeux ne lui avaient reproché d'être trop gros ou chauve. Quand sa bouche atteignit l'autre bouche, il la trouva douce, déjà entrouverte. Caresser les lèvres de sa langue lui parut la chose la plus naturelle du monde. Il effleura les dents un moment, toucha bientôt l'autre langue, reconnut le goût sucré du sherry.

Après quelques secondes de ce contact, l'homme s'éloigna un peu, regretta de ne pouvoir contempler les grands yeux bruns à sa guise, à cause de l'obscurité.

— Je suis amoureux de toi, Jeanne.

Plutôt que de protester, la jeune femme approcha ses lèvres un peu entrouvertes, chercha les siennes, lança sa langue à l'aventure. En se reculant après un moment, elle murmura :

— Nous ne pouvons pas…

— Je ne veux plus accepter d'être malheureux. J'aurais pu mourir, il y a quelques jours, sans jamais te dire que je t'aimais. Tu imagines le gâchis ?

— Mais c'est impossible. Vous êtes marié…

— Tu as mon mariage sous les yeux tous les jours. Tu y crois, toi ?

Personne, dans la maison, ne se méprenait sur la vraie nature de cette union. Aucun veuvage n'était plus cruel que cette comédie conjugale.

— Je ne sais pas… Je suis toute mêlée. Il vaut mieux que je monte tout de suite.

Elle posa le verre sur la table. Ce soir, elle ne prendrait pas la peine de le laver. Les jambes un peu flageolantes, elle se dirigea vers le couloir, s'engagea dans l'escalier. Au moment de mettre le pied sur la troisième marche, elle sentit la main de l'homme prendre la sienne, la forcer à s'arrêter, à se tourner vers lui. Fernand encercla le corps de son bras, posa sa lourde tête entre ses seins sans prononcer un mot. Elle parcourut la couronne de ses cheveux de ses mains, embrassa doucement le front dégarni.

Avant de la libérer, son compagnon laissa glisser ses mains de la taille aux fesses, palpa doucement les globes jumeaux. En poursuivant son chemin jusqu'à sa chambre, sous les combles, Jeanne dut poser une main sur la rampe d'escalier.

~

Le lendemain matin, un silence un peu lourd régnait dans la maison de la rue Dorion. Élise n'arrivait plus à dissimuler son inquiétude. Son visage morose déteignait sur celui des deux enfants. En fin de matinée, ils se tenaient l'un près de l'autre dans le salon, assis sur le canapé.

— Je n'ai pas vu papa depuis longtemps, murmura Estelle.

Âgée de huit ans maintenant, elle offrait une mine sérieuse, inquiète, même. Ses longs cheveux bruns s'ornaient de rubans rouges, de longues boucles savamment produites grâce au fer à friser maternel. Ces derniers jours, l'habiller et la coiffer meublaient les trop longs loisirs de la pauvre Élise.

— Tu sais bien qu'il soigne des malades, répondit cette dernière, affalée dans un fauteuil.

— Si j'étais malade, intervint Pierre, il reviendrait à la maison.

Autant sa sœur acceptait de servir de poupée pour tromper l'impatience de sa mère, autant lui cultivait un air débraillé.

— Ne dis pas cela, s'inquiéta Élise, n'y pense même pas.

Pour éviter de se répandre en pleurs devant eux, elle quitta la pièce, se réfugia dans sa chambre un long moment. Un peu plus tard, elle passa dans la cuisine pour se pendre au téléphone pendant une minute ou deux. À son retour dans le salon, elle trouva ses enfants exactement dans la même position.

— Cela vous dirait de voir grand-maman ?

L'absence de toute réaction témoignait d'un enthousiasme fort limité.

— Elle va venir vous tenir compagnie pendant une heure, peut-être deux.

— Tu vas sortir ? demanda Pierre, soucieux d'en venir tout de suite au fait.

— Oui… Je veux aller voir papa.

— Moi aussi, clama Estelle en quittant son siège.

Tout de suite, Pierre dit la même chose, vint se tenir près de sa sœur, de l'espoir dans les yeux.

— Vous ne pouvez pas m'accompagner. Vous allez attendre mon retour avec grand-maman.

— Pourquoi ? firent deux voix à l'unisson.

— … C'est trop dangereux. La contagion !

Le mot éveillait des images étranges dans les deux jeunes esprits. La plus effrayante leur faisait imaginer des êtres minuscules rampant sur les murs et les planchers, en regardant vers eux avec colère.

— Mais, si toi tu y vas, tu peux aussi tomber malade, argumenta Pierre.

C'était là la faille du raisonnement de la jeune mère de famille. Si elle pénétrait dans un foyer d'infection, son retour à la maison exposerait les enfants à leur tour.

— Je ferai très attention, je te le jure.

Le son d'un moteur, devant la porte, lui épargna une longue explication sur ses motifs de leur interdire une visite dans un centre de soins.

— Voilà grand-maman. Vous me promettez d'être sages ?

Sans répondre, ils regagnèrent leur siège, plus moroses que jamais. Élise ouvrit la porte pour découvrir sa mère arrivant sur le perron.

— Tu as dit au chauffeur de m'attendre ?

— Comme d'habitude.

La jeune femme chercha son manteau dans la penderie tout en demandant :

— Tu vas bien ?

Elle voulait dire, en réalité : « Échappes-tu toujours à cette damnée maladie ? »

— Pas l'ombre d'un malaise, excepté toute la légion des maux affectant les vieilles dames.

— Et papa ?

— Cela tient du miracle. Il s'agite dix-huit heures par jour depuis un mois tout en se portant très bien.

Élise plaçait son chapeau sur ses boucles brunes. Elle embrassa les joues maternelles avant de conclure :

— Je serai certainement de retour dans deux heures. Si tu peux les égayer un peu, je te serai reconnaissante. Leur père leur manque beaucoup.

Peu après, elle monta dans la voiture, donna l'adresse de l'Académie Mallet. Calée sur la banquette arrière, elle contempla les rues désertes, les rares passants affublés d'un masque. Le chauffeur du taxi portait aussi le sien. Ce dernier, suivant le cours de ses pensées, remarqua avec agacement :

— Nous semblons tous courir le Mardi gras.

— Pour vous, c'est essentiel, avec tous les clients qui montent dans cette voiture.

— Vous savez, les passagers deviennent si rares. La plupart des citadins se terrent chez eux.

Puis, l'homme demeura silencieux jusqu'à la rue des Glacis. Il se tourna vers sa passagère, le temps de recevoir les pièces de monnaie dans sa paume gantée. Sur le trottoir, Élise contempla la grande porte de chêne, grimpa les quelques marches. En entrant, elle se trouva devant une religieuse masquée, elle aussi.

— Je désire voir le docteur Hamelin.

— ... Je regrette, mais c'est impossible, avec tous ces malades.

D'un geste vague, elle désigna le couloir donnant accès à la salle académique.

— C'est mon mari.

La sœur grise demeura un moment interdite, soupçonna une mauvaise nouvelle. À la fin, elle la conduisit dans la grande pièce voisine. Une vingtaine de couchettes, distribuées sur quatre rangées bien alignées, recevaient autant de malades. Dans un vêtement blanc, une coiffe de même couleur, un masque sur le visage, le docteur Charles Hamelin, flanqué d'une petite silhouette féminine, se penchait sur l'un d'entre eux. Il leva les yeux un instant, la reconnut. Après un mot à son assistante, il marcha vers elle, demanda d'une voix préoccupée :

— Ce sont les enfants ? Sont-ils malades ?

— Les enfants se portent bien...

— Dans ce cas...

Il marqua une pause, les yeux fixés sur ceux de son épouse.

— Nous sommes samedi, nous ne t'avons pas vu depuis lundi. Viens dormir à la maison ce soir. Tu nous manques tellement.

— Je sais, je comprends. Mais l'épidémie ne nous donne aucun répit.

Tout en lui parlant, le praticien surveillait Thalie des yeux. Elle se précipitait vers un malade agité d'une toux cruelle.

— Rentre chez nous ce soir, insista Élise. Estelle et Pierre s'ennuient terriblement.

— Bientôt. Aussi vite que je le pourrai.

Des larmes s'échappèrent des yeux de la femme, se perdirent sous le masque de coton. Elle fit le geste de s'approcher de lui, il leva la main pour l'arrêter.

— Il vaut mieux éviter les contacts. Je dois être couvert de germes.

Sa compagne demeura interdite, puis elle se retourna en murmurant :

— Si tu tardes trop, ils ne te reconnaîtront plus.

Elle sortit d'un pas rapide, en pleurs. Afin de se donner le temps de reprendre sa contenance, elle décida de rentrer à la maison à pied.

~

Le lendemain, 20 octobre, Marie et Françoise se dirigeaient vers la cathédrale à l'heure de la messe basse. Gertrude préférait demeurer devant ses fourneaux. Certains jours de mauvais temps, sa jambe folle la faisait souffrir au point de la convaincre d'éviter soigneusement les escaliers.

Elles trouvèrent les portes closes. Sur les grands panneaux de bois, une affiche annonçait la suspension de toutes les cérémonies religieuses, excepté les baptêmes et les funérailles, sur l'ordre du Bureau de la santé de la province.

— C'était prévisible, commenta une voix masculine derrière elles.

— Commet cela ? demanda Marie en se retournant.

— Si tout le monde se présente à la messe basse, les risques de contagion deviennent aussi élevés qu'à la grand-messe. Le gouvernement n'avait plus d'autre choix.

Marie accepta le bras de Paul Dubuc, remarqua encore, en se mettant en route vers son domicile :

— Tu savais donc que la cathédrale serait fermée. Pourquoi être venu jusqu'ici ?

— Pour te voir. Comme tout ce monde, tu étais condamnée à venir te cogner le nez à une porte close. La décision a été prise tard, hier soir. Il n'existait aucun moyen de faire connaître la nouvelle. À la nuit tombée, l'usage de voitures avec des haut-parleurs aurait soulevé la colère.

Les uns après les autres, les paroissiens venaient lire la grande affiche calligraphiée à la main, avant de rentrer chez eux.

— Et, continuait Dubuc, pour être tout à fait honnête, j'espérais recevoir une invitation à déjeuner… en plus de l'invitation à dîner.

— Si tu continues d'être aussi aimable, je veux bien te recevoir à tous les repas.

En s'engageant dans la rue de la Fabrique, le député passa son bras gauche autour de la taille de sa fille, lui demanda avec sollicitude :

— Tu vas bien ? Je te trouve les traits un peu tirés.

— Cela doit tenir à l'inaction… Les journées passent lentement depuis la fermeture de la boutique.

— Tu prends bien soin de toi, j'espère.

Elle hocha la tête, sans lever les yeux vers lui.

Gertrude ne montra aucune surprise à les voir revenir aussi tôt. Le déjeuner se déroula lentement, au gré des commentaires sur la politique européenne. Ils se levèrent de table après neuf heures, pour se réfugier dans le petit salon. Le bruit de la cloche, dans la cathédrale voisine, attira bientôt leur attention. Penchés à la fenêtre surplombant la rue, ils virent une procession sortir par les grandes portes du temple.

— Une procession du saint sacrement en cette saison? interrogea Marie à haute voix.

— Comme le bon peuple ne peut pas se rendre à Dieu, Dieu se rend auprès de lui. Voilà la trouvaille de Mgr Bégin: le saint sacrement parcourra les rues de la paroisse Notre-Dame. Les curés feront la même chose dans Saint-Roch, Saint-Sauveur, Jacques-Cartier... Enfin, partout.

— Ce n'est tout de même pas notre vieux cardinal qui arpente les rues par ce temps de chien.

— Non, regarde, il s'agit de Mgr Marois. Il a sans doute revêtu deux paires de caleçons afin de se tenir au chaud.

Paul Dubuc contempla la courte procession, composée d'un enfant de chœur secouant un ostensoir à la volée, du prélat sous un dais porté par des marguilliers, des deux vicaires et d'un petit peloton d'étudiants en théologie du Grand Séminaire. Elle dépassait l'hôtel de ville quand Françoise, contre son épaule, commença à tousser.

L'homme se retourna, posa sa paume contre le front de sa fille.

— Ma foi, tu fais de la fièvre.

Le constat leva sa dernière retenue, elle s'abandonna à sa toux, au point de devoir s'appuyer d'une main sur le mur.

— Je pense que j'ai la grippe, réussit-elle à articuler.

— Depuis quand? questionna Marie. Je n'ai rien remarqué...

— En me levant, j'ai ressenti une douleur dans les épaules, dans les bras...

Son hôtesse l'aida à regagner son fauteuil habituel en disant :

— Je peux t'accompagner dans ta chambre, si tu préfères.

— Non, je veux rester avec vous.

— Dans ce cas, je vais chercher une couverture.

Avant de partir, elle approcha un pouf, se pencha pour y poser elle-même les pieds de la jeune fille. Elle quittait la pièce quand Paul demanda :

— As-tu quelque chose à lui donner ?

— Le sirop Lambert ou le sirop Gauvin… J'en ai acheté des bouteilles la semaine dernière. Tous les journaux affirment qu'il s'agit d'un remède efficace.

— Ces articles sont payés par les sociétés productrices de ces fameux élixirs.

Tout de suite, l'homme regretta ses mots. Douter à haute voix de l'efficacité des médicaments ne rassurerait pas la malade. Il passa dans la cuisine, s'adressa à la domestique penchée sur sa cuisinière au charbon :

— Ma fille a la grippe, je pense.

— La grippe espagnole ?

Il leva les épaules, marmonna :

— Comment puis-je le savoir ?

Gertrude fit le signe de croix, comme si cela pouvait chasser les germes.

— Connaissez-vous quelque chose pour soulager sa toux ? Pauvre petite, vous l'entendez…

Une nouvelle quinte secouait Françoise.

— Je vais faire bouillir de l'eau, ajouter un peu de jus de citron et du miel.

La mixture lui parut tout de suite plus fiable que les potions vendues dans les journaux. Il hocha la tête en guise d'assentiment, retourna dans le salon pour trouver la jeune fille à demi étendue, emmitouflée dans une couverture de laine.

Chapitre 17

Pour le septième jour d'affilée, Thalie revint à l'appartement passé huit heures. Parfois, elle arrivait aussi tard que neuf heures. Chaque fois, après avoir salué sa mère, elle trouvait une assiette dans la salle à manger. Ce repas, le seul complet de la journée, elle l'avalait sans le goûter, pressée de regagner son lit pour un sommeil sans rêves.

Ce soir-là, Marie la reçut sur le pas de la porte, saisit ses mains en disant :

— Françoise est malade.

Plus personne ne précisait la nature du mal d'un proche. Le glas sonnait exclusivement pour les grippés, semblait-il. La nouvelle venue détacha son manteau avec empressement.

— Ce matin, elle se portait bien.

— Elle a commencé à tousser avant midi.

— Où est-elle ?

— Dans sa chambre. Je ne sais pas quoi faire… J'ai téléphoné au docteur Caron, il m'a dit de rappeler si la situation se dégradait.

Débarrassée de son paletot et de son chapeau, elle se précipita dans la chambre de son amie, trouva Gertrude penchée sur le lit afin de la faire boire.

— Elle est toute mouillée, murmura la domestique en levant la tête.

— Tous les malades sont pris d'une bonne suée.

Elle parlait avec le ton d'une nouvelle experte.

— Peux-tu m'apporter de l'eau froide ? Je vais la laver, cela fera baisser un peu la fièvre.

De la paume, elle caressa le front moite, fixa son regard dans les yeux gris remplis de terreur. Ses doigts replacèrent les cheveux en désordre de chaque côté du beau visage. Françoise fut prise d'une quinte de toux. Thalie l'aida à s'asseoir, la tint dans ses bras un moment afin de lui permettre de respirer un peu plus librement.

— À chaque fois, râla-t-elle, j'ai l'impression que ma poitrine va éclater. Je suis en feu.

— Une fois la sueur lavée, une chemise de nuit bien fraîche sur le dos, tu iras mieux.

— J'étouffe…

— Avec plusieurs oreillers, tu pourras être assise dans le lit. Vois-tu comme cela te permet de mieux respirer?

Pendant de longues minutes, Thalie la tint dans ses bras, sa joue contre l'autre joue brûlante. Elle percevait la chaleur de la peau à travers le tissu du masque. Quand Gertrude posa le plat de porcelaine sur le chevet, elle l'aida à se coucher, commença à défaire les boutons de la chemise de nuit. Françoise la laissa faire un moment, puis elle saisit les doigts en disant d'une voix éteinte:

— Cela me gêne…

— Voyons, nous sommes comme des sœurs.

De nouveau, elle la soutint pour qu'elle se mette sur son séans, fit glisser le vêtement sur les épaules.

— Tu vas me voir…

— Comme je suis construite de la même façon, je ne connaîtrai aucune mauvaise surprise.

Thalie l'aida à se recoucher, demanda l'assistance de Gertrude pour faire passer la chemise sous les fesses, dégagea les longues jambes.

— Tu veux trouver un autre vêtement bien propre et nous laisser seules ensuite?

La domestique fouilla dans la commode, posa une chemise de lin sur la chaise placée près du chevet, puis quitta les lieux. La jeune fille prit la pièce de tissu dans le bassin de porcelaine, la tordit un peu avant de la passer sur le visage fiévreux, descendre sur le cou, parcourir le haut de la poitrine. Françoise se préoccupa encore de sa pudeur :

— Ne me regarde pas…

— Je mentais tout à l'heure, je ne suis pas bâtie comme toi. Tu es bien plus jolie. Détends-toi un peu. Dans un moment tu seras recouverte des pieds à la tête et tu te sentiras beaucoup mieux.

La jeune fille s'abandonna, les yeux clos. Comme promis, quelques minutes plus tard, une chemise propre dissimulait tout le haut de son corps.

— Je vais chercher des oreillers dans ma chambre. Je reviens tout de suite.

Dans le couloir, Thalie trouva sa mère près de la porte, les traits toujours burinés d'inquiétude.

— Elle ne va pas trop mal ?

— Ce sont les symptômes de la grippe. L'eau chaude et le miel que lui prépare Gertrude calmeront un peu la toux.

— Elle ne va pas…

— Voyons, maman, ne pense même pas à cela.

La femme secoua la tête, comme pour chasser l'image de la mort. Elle continua :

— Paul a dû retourner à l'hôtel du Parlement pour une réunion. Il vient de téléphoner, il aimerait revenir ici…

— Je ne sais trop… Il a déjà eu le temps d'être contaminé, mais s'il ne l'est pas encore, prendre le risque de s'exposer une fois de plus me paraît bien inutile.

— Il s'inquiète.

— Nous nous faisons tous du souci, ce soir.

Elle disait cela d'un ton désolé, bien consciente de représenter la plus grave menace pour les habitants de cet appartement. Pouvait-elle avoir transmis la grippe à Françoise sans en ressentir elle-même les symptômes ? Le lendemain, elle poserait encore la question au docteur Hamelin.

— Je lui dirai qu'il serait plus prudent de ne pas revenir ici. De toute façon, Amélie doit se morfondre toute seule à Rivière-du-Loup. Il devrait aller la rassurer.

La jeune fille acquiesça, passa dans sa chambre pour revenir très vite avec tous ses oreillers. Elle expliqua, cette fois à l'intention de Gertrude, revenue offrir sa collaboration :

— Si tu en trouves encore un ou deux, nous allons tenter de la placer en position assise. Elle respirera un peu mieux.

Finalement, Thalie ne quitta pas le chevet de son amie avant minuit. Marie vint prendre le relais quand elle consentit à aller se reposer un peu. Gertrude monterait la garde à son tour, à compter de cinq heures du matin.

~

Après un peu plus de cinq heures d'un sommeil de brute, Thalie se leva comme une automate, repéra ses vêtements là où elle les avait laissé tomber la veille. En entrant dans la salle à manger, elle se trouva devant sa mère.

Les traits tirés, celle-ci décréta :

— Tu ne vas pas retourner là-bas ce matin.

— C'est mon devoir.

— Ah ! Non, pas toi aussi. J'en ai assez de cette sottise.

L'argument lui demeurait en travers de la gorge depuis le départ de Mathieu pour l'Europe. Sa fille se contenta de lui adresser un sourire désarmant, puis elle demanda :

— Françoise a-t-elle passé une bonne nuit ?

— ... Même si j'ai eu envie de la recoucher de tout son long, oui, je dois dire qu'elle a dormi sans se réveiller trop souvent.

— Elle respirera mieux redressée de cette façon. Cette posture dégage les poumons. Même si elle proteste un peu, fais-lui boire du bouillon. Elle ne doit pas trop s'affaiblir.

Tout en parlant, elle avalait son gruau. Marie comprit qu'à moins de l'attacher sur la chaise, elle ne l'empêcherait pas de retourner à l'Académie Mallet. Au moment où Thalie passait la porte, la mère gagna sa chambre afin de récupérer un peu du sommeil perdu.

En entrant dans le centre de soins, la jeune fille rencontra le docteur Hamelin dans le hall. Celui-ci paraissait s'activer depuis longtemps déjà. Il murmura :

— Vous arrivez un peu tard.

— Quelqu'un est malade à la maison...

— Je suis désolé, je ne savais pas.

— Puis-je vous demander de passer ? Maman a appelé le docteur Caron, celui-ci n'a pas pu se déplacer.

Les yeux grands ouverts de la jeune fille, au-dessus du masque, révélaient des iris d'un bleu sombre, propres à séduire. Que le reste du visage demeure caché par le masque ajoutait à leur expression. Le médecin esquissa un geste d'impuissance en répondant :

— Je ne peux pas sortir d'ici, vous le savez bien.

— Je m'inquiète pour elle.

— ... Je prendrai une minute tout à l'heure pour téléphoner au docteur Caron. C'est mon beau-père. Il ne me refusera pas ce service, comptez sur sa visite. Maintenant, les malades de la classe des grandes se languissent de vous.

— Merci.

Elle disparut de son pas vif. Une demi-douzaine de bassines malodorantes l'attendait sans doute.

~

Paul Dubuc se tenait sur le trottoir, un masque sur le visage, devant la porte du commerce ALFRED. Dans la bâtisse, en retrait de deux pas, Marie expliquait :

— Le docteur Caron est passé tout à l'heure. Ses poumons demeurent dégagés, il m'a dit de ne pas trop m'inquiéter, elle a de bonnes chances de se remettre d'ici quelques jours.

— J'aimerais la voir.

— Ce soir, tu seras avec Amélie.

— Justement, cela me coûte tellement de ne pas lui parler avant de prendre le train.

Le dilemme demeurait entier. Tout le monde craignait la contagion, sans en comprendre tout à fait le mécanisme.

— Hier, j'étais avec elle, insista-t-il. En quoi la voir aujourd'hui changera-t-il quelque chose ?

— ... Je ne le sais pas. Mais le docteur Caron paraissait aussi douter de l'à-propos d'une rencontre. Je lui ai posé la question.

L'homme baissa la tête, lâcha un juron dans son masque, puis il ajouta du ton de la prière :

— Vas-tu la saluer pour moi ?

— Bien sûr. En montant, je lui dirai combien tu as de la peine de ne pas pouvoir la voir.

— Ce soir, je vais téléphoner. Si elle peut venir à l'appareil...

— Il se trouve dans la cuisine et le docteur a recommandé de la garder au lit les quatre prochains jours au moins.

Paul trahit sa colère par un autre geste brusque, puis réussit à se maîtriser pour dire :

— Je te suis très reconnaissant de ton aide. Si je rage de ne pas être auprès d'elle, personne ne s'en occuperait mieux que toi. J'en suis certain et cela me touche beaucoup.

— Je le fais par amour pour elle, mais aussi pour toi.

Il porta sa main gantée à sa bouche couverte du masque, fit le geste de lui souffler un baiser. Elle fit exactement la même chose, ferma la porte et, le front appuyé sur la vitre, elle le regarda s'éloigner.

~

En soirée, Thalie s'occupa encore de la toilette de son amie, puis elle demeura à son chevet jusqu'après minuit. Au matin, après une nuit trop courte, elle avala de nouveau son petit déjeuner en compagnie de sa mère. Cette fois, cette dernière ne chercha pas à la dissuader de retourner au centre de soins. Sous les grands yeux, des cernes profonds témoignaient de sa fatigue et de son inquiétude.

Toutefois, dix minutes après le départ de son enfant, Marie endossa son paletot à son tour pour sortir rue de la Fabrique. Dans la vitrine de la plupart des commerces, elle remarqua des affichettes identiques à celle qui ornait le sien : « Fermé pour cause d'épidémie ». Il en allait de même aussi dans Saint-Jean. L'Auditorium de Québec présentait une mine lugubre, avec des panneaux de bois aveuglant les ouvertures afin de prévenir les dégradations.

Elle bifurqua dans la rue des Glacis, se tint un moment debout sur le trottoir, aspira une goulée d'air avant d'entrer dans l'édifice. Une religieuse épuisée lui demanda, un doute dans la voix :

— Êtes-vous malade ?

La visiteuse marchait d'un pas trop assuré pour que ce soit plausible.

— Je veux voir le docteur Hamelin.

— Ce n'est pas possible...

La sœur grise regarda sur sa droite en disant cela. Marie la frôla au moment de s'engager dans un couloir. Elle passa bientôt la tête dans la porte d'une classe, reconnut une silhouette masculine.

— Madame, disait la religieuse dans son dos, vous ne pouvez pas...

Hamelin regarda dans sa direction, reconnut la petite silhouette, les yeux d'un bleu sombre, l'abondante chevelure noire.

— Madame Picard, je pense.

— C'est moi.

Elle décrocha le masque de ses oreilles pour le laisser retomber sur sa poitrine. Tous ses traits soutiendraient ses mots. L'homme fit le geste de l'arrêter, en vain.

— Je viens vous demander de congédier ma fille.

Comme son interlocuteur demeurait silencieux, elle continua :

— Mon fils se trouve en Belgique et elle décide aussi d'aller au front, à sa manière. Elle passe quatorze heures par jour ici et en arrivant à la maison, elle prend soin d'une amie malade.

Marie regarda la demi-douzaine de lits devant elle. Tous les visages des malades demeuraient fixés sur elle.

— Je ne veux pas la perdre.

Le médecin passa son bras autour de ses épaules en disant :

— Venez avec moi. Mais d'abord remettez ce masque.

Quelque chose, dans la voix fatiguée, la força à obtempérer.

— Je vous remercie, ma sœur, continua-t-il à l'intention de la gardienne des lieux. Je vais m'en occuper.

La religieuse s'esquiva. Hamelin conduisit la visiteuse vers la salle académique. Depuis l'embrasure, elle reconnut la silhouette de sa fille. Avec une personne de son âge, vêtue d'une robe grise, elle s'occupait de la toilette d'un homme de forte taille. Thalie le soulevait à demi, sa compagne lui enlevait sa chemise de nuit.

— Nous ne pouvons préserver la pudeur de ces personnes. Alors, les autres font semblant de ne rien voir.

— La... soignante avec elle semble bien jeune.

— Dix-huit ans, tout comme votre fille. Il s'agit d'une postulante ici, chez les sœurs de la Charité. Elles sont devenues amies. Voyez comme elles s'entendent bien. Sans un mot, elles travaillent comme une seule personne.

Le malade affublé d'une nouvelle chemise, elles s'allièrent pour le recoucher. Un malaise envahissait Marie. Combien sa réclamation lui paraissait ridicule, tout d'un coup !

— Quand j'ai entendu parler pour la première fois de son inscription à McGill, continua Hamelin, j'ai pensé au caprice d'une petite enfant de riches.

— Riches... commença Marie.

Charles Hamelin la fit taire d'un geste de la main, puis poursuivit :

— Si elle est à l'université, elle est riche. À la voir faire depuis dix jours, j'en suis venu à respecter tout à fait sa décision. Pour vous dire toute la vérité, je ressens un peu d'admiration pour elle. Avec un pantalon, tout le monde trouverait naturelle sa présence ici. Avec une robe, elle récolte le doute, parfois des insultes.

— Elle est si frêle…

— Plutôt petite, mais certainement pas frêle. Regardez-la.

Avec sa compagne, Thalie aidait un autre patient à adopter la position assise. Il devait peser au moins deux fois le poids de la jeune fille. Le médecin se tourna vers la visiteuse pour conclure :

— Je dois retourner à mes malades. Votre fille ne semble pas avoir remarqué votre présence. Rentrez à la maison et surtout n'allez pas compter parmi les personnes qui mettent en doute ses projets. Elle aura besoin d'alliés indéfectibles pour atteindre son but. Mais aucun appui ne lui fera plus de bien que le vôtre.

Marie murmura en baissant la tête :

— Je vous demande pardon.

Sans demander son reste, la mère éplorée quitta les lieux.

~

Thalie passa la tête dans l'embrasure de la porte et affirma, tout en mettant ses gants :

— Je suis tellement heureuse de te voir en meilleure santé.

Ce matin-là, Françoise offrait un visage un peu pâle, mais souriant. De nouveau couchée sur le dos, la tête sur un seul oreiller car elle respirait à peu près bien depuis la veille, elle confia :

— J'ai eu tellement peur.

— Tu te souviens de ce que je te disais ? La plupart des personnes atteintes de cette vilaine grippe se remettent sans trop de mal.

— Mais plusieurs d'entre elles ne le font pas.

La jeune malade ferma les yeux un instant, songeuse, les rouvrit pour dire encore :

— L'épidémie commence-t-elle à reculer ?

Elle en parlait comme d'un ennemi menaçant.

— Je ne pense pas. Quand un lit se libère, nous avons deux malades prêts à l'occuper.

Elle marqua une pause, puis dit encore :

— En conséquence, je vais me presser de retourner à mon poste. Je suis certaine que tu pourras dire quelques mots à ton père, au moment de son coup de fil. Il sera tellement heureux.

— Amélie va-t-elle bien ?

— Très bien, selon les dernières nouvelles glanées par maman. Ton père pourra te rassurer à ce sujet.

Elle tourna les talons afin de quitter l'appartement, revint sur ses pas pour ajouter :

— Tu vas me promettre de bien te reposer.

— Promis, docteur Picard.

Thalie lui adressa un grand sourire, dissimulé par son masque.

— Merci. Tu sais, tu es la première à m'appeler de cette façon.

— Tu es la première à m'avoir déshabillée. Je vais te regarder comme mon médecin, désormais. Ce sera moins gênant.

Cette fois, Thalie la quitta pour de bon. Le trajet jusqu'à l'Académie Mallet prenait quelques minutes à peine. Elle pénétra dans l'école, parcourut les six classes sans trouver le docteur. À son retour dans le hall, elle tomba nez à nez avec la sœur directrice.

— Où se trouve-t-il ?

— Dans mon bureau, il ne paraît pas bien.

Thalie gravit l'escalier deux marches à la fois, pénétra dans une petite pièce située en façade. Le médecin était étendu sur le côté, sur un lit militaire. Visiblement, il tentait de se lever. Accroupie, elle lui posa la main sur le front, constata tout de suite une forte fièvre. Une quinte de toux le força à se plier en deux.

— Ne bougez plus. Vous n'êtes pas en état de travailler aujourd'hui.

— Les malades…

— Si vous ne recouvrez pas la santé, vous ne pourrez pas les aider. Restez tranquille. Rappelez-moi le numéro de téléphone de votre beau-père.

Le ton ne tolérait pas la moindre réplique. Un instant plus tard, elle composait le numéro personnel du docteur Caron, s'impatientait de la lenteur des téléphonistes du central de Bell Canada. Au moment où elle raccrochait après une brève conversation, Hamelin fermait les yeux tout en laissant échapper un long soupir. Après un mois à s'exposer à la contagion, l'ennemi s'emparait finalement de lui.

~

La pratique de la médecine assurait certains privilèges. Le docteur Hamelin conserva son lit dans l'intimité du bureau de la directrice, plutôt que de souffrir de la promiscuité dans la grande salle. Caron accourut aussi vite que possible à l'Académie Mallet pour l'examiner. Au moment où il rangeait son stéthoscope, le malade demanda d'une voix plaintive, à peine audible :

— Vous ne direz pas un mot à Élise… Ce serait l'inquiéter pour rien.

— Je ne peux pas lui cacher cela.

— Vous le savez, les symptômes durent trois, tout au plus quatre jours. Attendez au moins de voir si des complications se présentent.

Caron secoua la tête, peu désireux de dissimuler la vérité à sa fille. Il se releva pour confier à Thalie, debout dans un coin de la pièce :

— Vous le conserverez dans cet état, à demi soulevé. Il faut le faire manger, même s'il proteste.

Tout en parlant, l'homme quitta la pièce, la jeune femme sur ses talons.

— Comment se porte-t-il ? questionna-t-elle une fois dans le couloir.

— Je ne sais pas…

— Vous ne commettrez pas une indiscrétion. Comme je travaille avec lui depuis l'ouverture de ce centre, vous devez me considérer comme une amie. Son état de santé me préoccupe.

— Il paraît terriblement fatigué, ce qui ne devrait pas m'étonner, avec ses activités des dernières semaines.

Elle commençait à développer sa propre expertise, depuis son recrutement à titre de bénévole.

— Depuis dix jours, il prend une heure de sommeil ici, une autre là. Jamais une nuit complète, cependant, précisa-t-elle.

L'homme regarda les cernes profonds sous les grands yeux bleus, observa :

— Vous-même, mademoiselle Picard, êtes-vous certaine de bien vous porter ?

— Ce n'est facile pour personne. Mais vous ne m'avez pas encore répondu. Comment va-t-il ?

— … Je suis inquiet. Dans son état de fatigue, tout peut arriver.

— Nous ne pouvons nous passer d'un médecin. Toutes les couchettes sont occupées. Je peux vous montrer…

Caron laissa échapper un rire bref.

— Je vous crois sur parole, s'impatienta-t-il.

— Je suis sérieuse, nous ne pouvons nous passer d'un médecin.

— Je resterai ici toute la journée… Je dois toutefois téléphoner à mon bureau afin de voir si des patients m'attendent. Dans ce cas, il faudra les orienter vers un collègue.

L'homme demeura songeur, sachant combien sa clientèle régulière souffrirait de sa défection.

— Mais le docteur Paquin devra trouver un remplaçant d'ici demain.

Sans attendre, le praticien commença une tournée des malades. À quelques reprises, il passa dans le bureau de la directrice, vérifia l'état des poumons de son gendre. À la fin de la journée, l'homme ne se trouvait guère mieux et peut-être un peu plus faible qu'à l'aube.

~

À neuf heures, Thalie regagna l'appartement familial, rompue de fatigue et rongée d'inquiétude. Au moment de saluer les membres de sa famille, elle constata avec joie la présence de Paul Dubuc. Revêtue de sa robe de chambre, Françoise se tenait tout contre lui sur le canapé.

— Vous êtes venu voir notre convalescente, remarqua-t-elle dans un sourire. Nos attentions à tous demeurent la meilleure médecine.

— Françoise et Marie m'ont raconté. Je vous remercie pour vos bons soins, déclara l'homme en se levant, la main tendue.

Un peu rougissante, elle la serra tout en précisant:

— Ce n'est rien, les soins normaux pour une amie.

— Ces jours-ci, j'entends souvent parler d'amis qui se dérobent, prennent la fuite au premier éternuement. Ce genre d'épreuve permet de jauger nos proches. Je vous resterai toujours reconnaissant. Mais je vous retarde, vous devez mourir de faim.

— Nous allons nous joindre à toi pour le dessert, annonça Marie depuis son fauteuil.

Avant de passer à la salle à manger, Thalie demanda encore:

— Amélie se porte-t-elle bien?

— Oui. Ma sœur, Louise, la tient en liberté surveillée. Elle ne proteste pas trop car elle est effrayée, surtout avec la mésaventure de Françoise.

La grippe espagnole devenait une «mésaventure» pour le député. Combien de milliers de personnes dans la ville de

Québec voyaient maintenant plutôt cela comme un drame ? Une demi-heure plus tard, tout le monde rejoignait l'étudiante autour de la table, une fourchette à la main.

— As-tu vu les journaux, aujourd'hui ? demanda Marie.

— Non, je n'en ai pas eu le temps.

— En Alberta, le gouvernement a décrété l'obligation de porter un masque en tout temps en dehors de la maison. Il n'y a qu'une exception, les repas.

— Cela me paraît plus prudent. Si l'on n'avait pas tant tardé, à Québec…

Elle marqua une pause, baissa les yeux sur son assiette.

— Quelque chose ne va pas ? demanda sa mère, soudainement alarmée.

— Ce matin, j'ai trouvé le médecin couché. La grippe…

Marie pâlit. Elle réussit toutefois à étouffer sa peur, son désir de lui interdire de sortir le lendemain. À la place, elle demanda :

— Crois-tu que c'est grave ?

— Le docteur Caron me paraissait bien anxieux, au moment de mon départ.

Devant les yeux interrogateurs de sa mère, elle précisa :

— Il est venu le voir ce matin, puis il est demeuré avec nous pour la journée.

— Je vais prier pour lui.

Thalie demeura interdite. Égrener son chapelet ne figurait guère à l'arsenal habituel de Marie, les jours de grande inquiétude. Elle comprit être aussi l'objet de cette recrudescence de piété. Françoise prit la main de sa voisine dans la sienne et murmura :

— Je prierai aussi. À nous deux…

— Nous trois, grommela Gertrude, de l'autre côté de la table.

Finalement, tout le monde se joindrait au petit cercle de prières.

~

Le lendemain, dès son arrivée, la jeune fille monta tout de suite au bureau de la directrice et se trouva en face du docteur Caron au moment où il sortait de la pièce.

— Comment va-t-il ?

— ... Mal, j'en ai peur.

L'homme paraissait désemparé. Son inquiétude se transmit à son interlocutrice.

— Il faudrait le faire transporter à l'hôpital.

— Il ne serait pas mieux traité à l'Hôtel-Dieu ou dans un autre établissement de la ville. Je vais garder un œil sur lui toute la journée.

— Cela veut dire que personne ne viendra le relever ?

Caron secoua la tête en signe de dénégation. Au Bureau d'hygiène de la municipalité, on paraissait incapable de mobiliser une autre personne pour une période indéterminée.

— En conséquence, conclut-il, je resterai ici aussi longtemps que nécessaire. Mes collègues se partageront ma clientèle dans les jours à venir.

Si, en temps normal, les médecins se trouvaient en concurrence, ces circonstances exceptionnelles les rapprochaient tous. Chacun essayait de soulager l'autre, dans la mesure du possible. Avant de se diriger vers la grande salle, l'homme ajouta :

— Voulez-vous vous occuper de lui ?

— Avec plaisir.

En entrant dans le bureau, Thalie reconnut l'odeur d'excréments. La médecine lui réservait des côtés moins nobles...

~

— Ne crois-tu pas que c'est plus raisonnable ? demanda Thomas en ouvrant la porte du grand magasin à son fils. Nous venons au même endroit, il est plus rationnel d'utiliser la même voiture.

— Mais tu retourneras à la maison tout à l'heure avec la Buick et moi, je serai condamné à prendre le tramway.

— Condamné ! Quel sens du drame.

— C'est un foyer d'infection.

Ils contemplèrent les allées à demi désertées du commerce. En face des grandes portes, Thomas découvrit un nouvel étal rempli de sirops pour la toux, de pastilles, d'onguents à base de camphre. Il demanda, surpris :

— Veux-tu faire compétition à la pharmacie Brunet ?

— Les journaux prétendent que ces préparations font des miracles. Si les clients veulent les acheter, nous serions bien fous de ne pas profiter de cette manne.

— Le résultat ?

— Cela compense un peu pour les produits qui demeurent sur nos tablettes depuis un mois.

L'ascenseur s'ouvrit devant eux, un garçon masqué annonça « Rez-de-chaussée » à la seule occupante de la petite cage métallique. Au moment de monter, le propriétaire lui déclara :

— Je ne vous reconnais pas, monsieur ?...

Pour un gamin d'une douzaine d'années, le titre paraissait un peu pompeux.

— Philippe, monsieur Picard, balbutia l'autre, d'une voix mal assurée.

— Alors, bienvenue parmi nous, jeune homme. Dans les circonstances, je ne vous tends pas la main.

— Je comprends, monsieur. Nous voilà à l'étage des bureaux administratifs.

L'ascenseur s'arrêta brutalement, au point que le garçon murmura un « Pardon » timide. Les hommes sortirent. En traversant le rayon des vêtements pour dames, Thomas demanda :

— Celui qui était là auparavant ?

— La grippe.

— Quel gâchis ! Nous n'en aurons jamais fini.

— Selon les journaux de ce matin, le nombre de cas serait en diminution. Tu sais, tous les jours, *La Patrie* donne à la fois le nombre des nouveaux malades et celui des morts.

L'homme laissa échapper un juron.

— J'essaie de ne plus voir cette colonne quotidienne, confessa-t-il. Déjà, nous avions l'hécatombe de la guerre. Nous voilà aux prises avec l'infection. Même les enfants succombent. Ce pauvre liftier. Il devait avoir quatorze ans, tout au plus quinze.

Dans les locaux de l'administration, vêtue d'une jolie robe noire décorée d'un grand col de dentelle blanche, ses traits cachés par son masque, Flavie les accueillit en se levant à demi.

— Messieurs Picard, comment allez-vous ?

— Mal, très mal. Avec la nouvelle que je viens d'apprendre, j'oublie les bonnes manières et je vous réponds honnêtement, clama Thomas.

— Vous avez vu le nouveau liftier. Je vous comprends. Quelle tristesse ! Quand j'ai appris, hier, je suis allée me cacher dans les toilettes pour pleurer un bon coup.

Le grand patron apprécia cette sensibilité sans affectation. Édouard voulut les sortir de leur morosité en demandant :

— Vous êtes-vous occupée de mes dernières commandes ?

— Au moment de quitter le magasin hier soir, j'avais terminé. Mais... ne craignez-vous pas d'effrayer les clients ? Cela me paraît tellement lugubre.

Le propriétaire du commerce regarda son fils, curieux de connaître sa nouvelle initiative.

— C'est un peu comme le présentoir de médicaments, au rez-de-chaussée, expliqua-t-il. J'ai songé à créer un rayon pour offrir des produits de deuil : un assortiment de vêtements noirs, des brassards, des missels...

— Des crucifix, des chapelets aux grains de jais, des livres sur la bonne mort, ajouta la secrétaire.

Thomas demeura un moment songeur, puis il remarqua :

— Je suis de l'avis de mademoiselle Poitras. Cela sera totalement lugubre. Les clients seront rebutés. Tu n'as pas pensé à ajouter des cercueils, au moins ?

— Je me suis informé. Cela ne paraît pas réalisable.

— Il s'est informé ! répéta son père en levant les yeux vers le plafond.

L'homme secoua la tête, découragé, puis il s'emporta :

— Tout cela, nous l'avions déjà : des articles de piété, des vêtements noirs. Mais créer un rayon relié au deuil ! Il ne fera jamais ses frais.

— Nous avions ces produits éparpillés ici et là dans le magasin. Les personnes frappées par un décès n'ont pas nécessairement envie de passer des heures à chercher. Le rayon, situé au sous-sol pour ne pas heurter les sensibilités, se révèle déjà rentable. Avec la publicité qui paraîtra lundi dans les journaux, la clientèle doublera dès le lendemain.

Tous les commerces multipliaient les réclames sur toute une panoplie de mixtures susceptibles de sauver des vies. Certains autres s'adressaient plutôt aux personnes déçues par les miracles de la science.

Le jeune homme tenait à se distinguer de son père en se tenant à l'affût de la demande publique.

— Viens dans le bureau, proposa-t-il, je vais te montrer les chiffres. Nous ne perdrons pas un sou avec cette initiative.

— Un rayon pour les endeuillés… Vraiment, je suis mûr pour la retraite.

Sur ces mots, il échangea un regard avec Flavie, qui lui adressa un sourire désolé.

~

Thalie se tenait dans l'embrasure de la porte du bureau. Sous ses yeux, le docteur Caron tenait la main de son gendre, les yeux fixés sur le visage devenu bleuté, les lèvres violacées. La poitrine se souleva une dernière fois, puis s'affaissa dans un grand râle.

Le médecin inclina la tête un long moment, essuya son visage avec la paume de sa main d'un geste rageur. Derrière lui, la jeune fille échappa un sanglot étouffé. Quand le praticien vint la rejoindre, elle expliqua d'une voix éraillée de chagrin :

— Quand je suis venue tout à l'heure, il avait perdu conscience.

— C'était prévisible… ses poumons devenaient de plus en plus embarrassés.

Des larmes coulaient des yeux bleus de la bénévole, se perdaient sous le masque.

— Au cours des deux dernières semaines, j'ai appris à l'aimer. Sa générosité…

Sa voix s'étrangla sous l'émotion. Caron passa ses bras autour du corps gracile, la serra contre lui avec tendresse.

— Je le sais bien. Tant de compétence mariée à tant de bonté.

Lui aussi ne retenait plus ses larmes. Il s'éloigna un peu, posa ses mains sur les épaules de la jeune fille.

— Essayez de reprendre votre contenance avant de retourner auprès des malades. Surtout, ne leur communiquez pas la nouvelle. Le décès de leur médecin les inquiéterait trop.

Elle donna son assentiment d'un hochement de la tête, renifla bruyamment. Caron quitta la pièce en offrant une mine sombre. Le plus dur demeurait à accomplir.

~

En fin d'après-midi, le taxi s'arrêta devant la porte de la petite maison de la rue Dorion. Madame Caron descendit la première, attendit son mari avant d'aller sonner à la porte. Elle redoutait les minutes à venir. Déjà, elle avait mis une heure avant de surmonter sa propre douleur.

Le médecin agita le heurtoir contre la surface de bois, attendit un instant. Élise ouvrit, sourit en les voyant, commença :

— Maman, papa…

Son attention fut attirée par les deux visages défaits, puis elle laissa tomber, dans un croassement presque inaudible :

— Charles !

— Je suis tellement désolé, répondit son père en ouvrant les bras. J'ai fait tout ce que j'ai pu. Le pauvre se trouvait si fatigué…

— Charles !

Le cri déchira le cœur des parents. Le docteur Caron se tourna vers son épouse.

— Peux-tu aller voir les enfants ?

Elle acquiesça d'un signe de la tête, fit un effort surhumain pour refouler ses propres sanglots. Pendant ce temps, le père pénétra dans le petit hall toujours en enlaçant sa fille, ferma la porte dans leur dos tout en continuant d'une voix très douce :

— Je suis tellement désolé, ma grande. Je te demande pardon, je n'ai pas pu l'aider.

Il lui parlait comme à une petite fille. Sa main droite tapotait doucement sa hanche, comme si, de nouveau, le geste vieux de trente ans suffirait à calmer ses pleurs.

~

Comme la marée, la grippe refluait lentement. À l'Académie Mallet, lors du départ de Thalie, un peu après six heures, des couchettes libérées depuis l'heure du dîner demeuraient vides. Quelques minutes plus tard, la jeune fille déverrouillait la porte du commerce de la rue de la Fabrique. En arrivant sur le palier du premier étage, elle rencontra Marie. Sa mère, déjà revêtue de son paletot, enfilait ses gants.

— Françoise ne viendra pas avec nous ?

— Je préfère la voir bien au chaud, le temps de se rétablir tout à fait.

— De toute façon, elle ne le connaît pas aussi bien que nous.

La marchande acquiesça d'un signe de tête. Ensemble, elles descendirent au rez-de-chaussée.

— Le docteur Caron nous achetait des robes pour Élise alors que j'étais une petite fille, continua Thalie. Elle a continué de venir ici après son mariage.

— Surtout, tu as passé tous ces derniers jours avec lui.

Au moment où les deux femmes mettaient les pieds sur le trottoir, la plus jeune signifia à son aînée de mettre son masque. Bras dessus, bras dessous, elles gagnèrent la place d'Armes, puis s'engagèrent dans le chemin Saint-Louis.

— N'aurais-tu pas aimé manger un peu? demanda Marie. Nous ne serons pas de retour avant neuf heures.

— Je ne pourrais rien avaler.

La mère caressa l'avant-bras de sa fille. Vingt minutes plus tard, elles empruntèrent la rue Dorion, s'arrêtèrent devant une petite maison dont toutes les fenêtres demeuraient éclairées. Elles reprirent leur souffle, se consultèrent du regard avant de se diriger vers la porte.

Une domestique, celle des Caron, vint leur ouvrir. L'entrée minuscule permettait d'accéder tout de suite au salon. On l'avait débarrassé de ses meubles, pour ne laisser que des chaises alignées contre les murs. Surtout, dans un coin de la pièce, une grande bière de chêne s'imposait aux regards.

À la vue du cadavre, Thalie demeura interdite. La peau grise, les traits flétris ne rendaient pas justice à l'énergie émanant de l'homme seulement quelques jours plus tôt. De nouveau, sa mère toucha son bras, la tira un peu pour l'amener près des prie-Dieu. À genoux, elle ne retint plus ses pleurs. De longs sanglots secouaient ses épaules. À la fin, elle réussit à articuler un seul mot:

— Merci.

Ce serait son dernier adieu. Sa mère posa son bras autour de ses épaules.

— Viens, des personnes attendent.

Thalie se laissa entraîner du côté de la pièce où les proches se tenaient au garde-à-vous, pour accueillir les visiteurs. Marie serra la main de la veuve, murmura quelques mots de réconfort, passa au couple Caron, puis aux enfants.

Thalie vint tout de suite après sa mère. Elle commença dans un souffle:

— Madame...

La suite s'étrangla dans sa gorge. Élise contempla le petit visage, perdit son regard dans les grands yeux sombres.

— Vous êtes la jeune Picard.

— ... Oui.

Une nouvelle ondée de larmes lui monta aux yeux. La situation devenait ridicule. Alors, la veuve lui posa une main sur l'épaule en disant :

— Venez avec moi. J'aimerais vous parler seule à seule.

Elle quitta son siège, l'entraîna dans son sillage vers la petite chambre d'Estelle. Elle s'assit sur le bord du lit, indiqua de la main l'espace à côté d'elle.

— Vous avez passé ces derniers jours avec lui.

— Oui.

— Sans interruption, de l'aube jusqu'au crépuscule. Moi, j'étais confinée ici... Avec les enfants.

Élise paraissait considérer ces deux dernières semaines comme un vol. On l'avait privée de toutes ces heures avec son amoureux.

— Vous avez été en sa présence pendant toutes ces journées, j'en suis certaine, murmura Thalie.

Celle-ci continuait de croire fermement que la distance, et même la mort, ne séparaient pas vraiment les personnes liées par l'amour. Son interlocutrice la contempla un long moment, puis convint avec un demi-sourire :

— C'est vrai, il n'a jamais quitté mes pensées. Je comprends ce que vous voulez dire.

Élise prit la main posée entre elles sur le lit, la serra un moment.

— Pendant ces deux semaines, comment était-il ? demanda-t-elle encore.

— Compétent, généreux. Si j'ai une petite partie de ses qualités, je me considérerai très heureuse.

— Vous les avez, je crois.

La veuve lui adressa un autre sourire infiniment triste, puis précisa :

— À la fin de votre premier jour au centre de soins, il m'a dit combien il vous appréciait.

Un nouveau flot de tristesse sembla submerger la jeune femme.

— Nous n'avons même pas été ensemble dix ans. Vous imaginez combien Dieu est cruel : nous nous sommes mariés il y a seulement un peu plus de neuf ans.

— … Je ne connais rien de l'existence. Depuis ma naissance, j'ai vendu des rubans et j'ai étudié comme si ma vie en dépendait. Je suis totalement innocente, je pense.

La pause laissait tout un univers de sous-entendus. Intriguée, Élise voulut connaître la suite.

— Mais ?…

— Je préfère voir l'autre versant de votre constat. Dieu vous a accordé neuf ans avec une personne exceptionnelle. Ma perception est peut-être celle d'une petite fille. Cette pensée m'a beaucoup aidée, à la mort de papa. Depuis, je le porte toujours en moi. Il en va certainement ainsi du docteur Hamelin. Je suppose qu'il reste quelque chose de lui dans ses enfants.

Les larmes coulèrent sur les joues de la jeune femme.

— Je dis peut-être une énormité, ajouta Thalie, mais le pire, pour vous mais aussi pour moi, dans une toute petite mesure, aurait été de ne pas le connaître.

Elle regarda sa compagne à la dérobée, effrayée de sa propre audace. La main serra encore la sienne. Ni l'une ni l'autre ne pourraient prononcer un mot pendant de longues minutes.

~

À leur retour dans le salon, Thalie put offrir ses condoléances au reste de la famille. Au moment où le docteur Caron acceptait ses paroles de réconfort, il retint sa main un instant dans la sienne, le temps de demander :

— Vous comprenez, je n'ai pas pu revenir à l'Académie Mallet après… ce malheur. Vous a-t-on envoyé quelqu'un?

— Un médecin tenant son cabinet dans le faubourg Saint-Jean a pris le relais.

— Paquin s'est donc décidé à bouger.

Le dépit marquait la voix du praticien. Dans ses moments de colère, il attribuerait au fonctionnaire la responsabilité du décès de son gendre. Ce mauvais sentiment s'estomperait bientôt. D'un peu partout dans la province viendraient des descriptions de dévouement semblable à celui de Charles, récompensés aussi par un décès précoce. Bientôt, il reconnaîtrait de bonne grâce l'existence d'un risque professionnel attaché à la médecine. Attribuer la responsabilité de cette mort à un collègue n'aurait servi ni la justice ni la mémoire du disparu.

Thalie s'éloigna un peu de lui pour s'accroupir devant les chaises où les enfants prenaient place. À sept ans, Pierre accepta en silence la main tendue et l'expression de la «sympathie» de la jeune fille. Plus vieille d'un an, pâle et digne dans sa robe noire, Estelle lui adressa un sourire timide en demandant:

— Tu as travaillé avec papa?

Des bribes de la conversation précédente lui était parvenues. En dépit de l'éducation reçue chez les ursulines, cette collaboration suffisait à la fillette pour établir un lien personnel entre elles. Dans ces circonstances, elle s'autorisait le tutoiement.

— Oui, je l'ai aidé à soigner les malades.

— Les microbes l'ont tué.

La gamine porta son regard vers le cercueil, ramena bien vite les yeux sur son interlocutrice.

— Il y en a partout.

— Oui, je sais. On peut tout de même se protéger un peu en portant un masque, en se lavant souvent les mains.

Estelle acquiesça d'un signe de tête, grave et solennelle. Dans cette maison, des directives de prudence devaient être répétées jusqu'à rendre fous ces enfants.

Une petite commotion se produisait dans la petite entrée, causée par l'arrivée simultanée de plusieurs visiteurs. Thalie reconnut sans peine Thomas Picard, accompagné de toute sa famille. Elle chercha sa mère des yeux, la découvrit dans un coin du salon. Marie lui fit un geste des doigts, imitant une personne qui marche, puis elle prit la direction de la cuisine. Elle pourrait utiliser la porte arrière pour quitter les lieux, sans avoir à se trouver à proximité de son beau-frère.

Ou la jeune fille abandonnait la fillette pour suivre sa mère, ou elle acceptait de rentrer toute seule un peu plus tard à l'appartement. Estelle décida pour elle en tendant la main.

— Tu veux m'accompagner à la toilette ?

À huit ans, depuis bien longtemps elle se passait de compagnie dans ces circonstances. Toutefois, le décès de son père l'amenait à chercher une présence de tous les instants. Thalie prit la menotte en se relevant de sa position accroupie.

— Bien sûr. Tu devras me montrer le chemin.

Elles s'absentèrent. À ce moment, Thomas Picard commençait à entretenir le docteur Caron et sa femme de la fragilité de l'existence, de la douleur de voir des amis pleurer, pour la seconde fois en si peu de temps, la perte d'un homme si jeune et si prometteur.

Devant la porte du petit cabinet, Estelle indiqua à sa compagne, le ton rendu hésitant par l'inquiétude :

— Tu vas rester là, tout près de la porte. J'ai un peu peur.

Elle s'enferma deux minutes, revint pour reprendre immédiatement la main de Thalie. La situation créait entre elles une nouvelle intimité. D'instinct, la fillette se confiait :

— Tu as encore un papa, toi ?

— Non. Il s'est noyé, il y a bien longtemps. Mais d'une certaine façon, il est toujours avec moi… Tu me comprends ?

L'autre hocha la tête lentement, toucha sa poitrine du bout des doigts de sa main gauche. À huit ans, la magie faisait toujours partie de son existence.

— Nous allons vendre la maison, continua-t-elle, très grave. Maman n'a plus assez de sous pour la garder.

De nouveau, pour épargner à la fillette de rejeter la tête vers l'arrière pour voir son visage, Thalie s'accroupit.

— Sais-tu où vous vivrez ?

— Chez grand-maman. Elle a une grande maison.

— Elle semble bien gentille.

Estelle acquiesça d'un signe de la tête, tout de même songeuse.

— Ton grand-papa aussi semble très gentil. J'ai travaillé quelques jours avec lui.

Elle donna encore son assentiment d'un geste.

— Nous allons les rejoindre ?

En revenant dans le salon, elles découvrirent Eugénie debout devant Élise, un masque de coton sur le visage. La jeune femme blonde offrait une allure empruntée. Son déplaisir si manifeste de se trouver là rendait les autres mal à l'aise.

— Nous pouvons passer à côté, proposa Élise dans l'espoir d'alléger un peu l'atmosphère.

La visiteuse accepta. En passant devant sa fille, la veuve se pencha vers elle pour murmurer :

— Tu veux demeurer un moment avec Thalie ? Je reviens bientôt.

Les Caron se trouvaient devant le cercueil, recueillis avec les Picard. Élise ne voulait pas laisser sa fille seule, ne seraitce que pour un instant.

— Oui, je veux bien.

Des yeux, elle remercia la visiteuse, puis disparut. Cette fois, elle se rendit dans la chambre conjugale. Eugénie examina les lieux, jugea l'ameublement modeste. Pour briser un silence devenu trop lourd, elle demanda :

— Que feras-tu maintenant ?

Elle voulait dire, en réalité : « Ton époux n'as pas dû te laisser de quoi vivre bien grassement. » Élise comprit très bien et rétorqua en conséquence :

— Je retournerai habiter chez mes parents. Papa espérait se retirer progressivement, bénéficier d'une retraite tranquille.

Au lieu de cela, il se retrouvera à la tête d'une famille comptant de jeunes enfants.

— Pauvre toi. Se marier pour quitter des proches, puis être forcée de revenir près d'eux...

— Quand je me suis mariée, jamais l'objectif de m'éloigner de qui que ce soit ne m'a effleuré l'esprit. Je voulais plutôt me rapprocher d'un amoureux.

Malgré sa situation, Élise ressentit une certaine pitié à l'égard de cette ancienne camarade de couvent. Combien sa vie devait être pauvre !

— Enfin, d'une certaine façon, je me retrouve un peu veuve moi aussi, murmura son interlocutrice, tout à fait indifférente à la précision.

L'affirmation laissa sa compagne un moment sans voix. Elle réussit bientôt à articuler :

— Pourtant, Fernand a surmonté l'influenza en peu de jours, selon mon père.

— Il s'est rétabli au point de se mettre bien vite à courtiser la domestique. Remarque, il avait commencé avant sa maladie. Maintenant, il ne s'efforce même plus de le dissimuler.

Elle s'arrêta un moment, puis ajouta encore avec dépit :

— Les idiots. Ils s'imaginent que je n'entends rien de ce qui se passe, depuis l'étage. Cette situation m'est pourtant familière. Déjà, quand j'étais enfant...

La jeune femme s'arrêta enfin. Venir à une veillée funèbre pour entretenir la veuve de ses déboires conjugaux trahissait un manque total de tact. La situation dépassait, par son étrangeté, tout ce qu'Élise avait connu jusque-là.

Une pointe d'ironie dans la voix, elle déclara :

— Je suis désolée pour toi. Comme la vie est cruelle, parfois.

— Oh ! Je m'en remettrai. Je ne vais pas me languir pour ce gros...

Elle n'osa pas prononcer l'épithète lui brûlant les lèvres. Après un autre silence, son hôtesse voulut mettre fin à l'étrange conversation.

— Je dois rejoindre mes enfants…

— Oui, je le devine. Enfin, nous redeviendrons voisines. Nous pourrons nous fréquenter, comme auparavant.

— Ce sera un tel réconfort pour nous deux, dans le malheur qui nous frappe.

L'humour acide échappa à Eugénie.

Au moment de regagner le salon, le regard d'Élise alla d'abord au cercueil, puis à Thalie. Celle-ci avait placé Estelle sur ses genoux et elle discutait du ton d'une experte de la beauté de la dentelle blanche ornant le col et les poignets de la petite fille. Elle s'approcha pour prendre l'enfant tout contre elle, en disant à la visiteuse :

— Vous aviez raison, tout à l'heure. J'ai eu de la chance d'avoir ces années de bonheur. Tellement de femmes ne peuvent en dire autant. Faites-moi plaisir, revenez me voir, plus tard, afin de me parler de vos études.

Elle ramena sa fille sur le plancher, prit le petit visage dans ses paumes.

— Puis, vous semblez avoir trouvé une nouvelle amie en cette jeune personne, ajouta-t-elle. Nous serons deux à souhaiter vous voir.

— Nous sommes toutes les deux passionnées de rubans et de dentelles… Je serai heureuse de vous visiter, vous et Estelle, de même que le jeune monsieur si morose.

Elle désigna Pierre des yeux. À ce moment, même les facéties d'Édouard n'arrivaient pas à lui arracher l'ombre d'un sourire.

Après une poignée de main, peu désireuse d'échanger avec l'autre famille Picard, Thalie partit à son tour.

Chapitre 18

De l'autre côté de la rue Saint-Joseph, dans la tour de l'église Saint-Roch, les cloches sonnant à la volée produisaient un vacarme assourdissant. Édouard se tenait devant les fenêtres grandes ouvertes des bureaux administratifs des entreprises Picard.

— Peux-tu fermer, maintenant? demanda Thomas avec humeur. L'épidémie semble en voie de se terminer. Je ne veux pas prendre froid et figurer sur la liste de *La Patrie* parmi les dernières victimes.

Le journal montréalais donnait toujours les statistiques des cas de grippe et des décès. Certains jours, le premier chiffre avait dépassé les mille cinq cents dans la province. Il se montait à vingt-trois malades ce matin-là, le 11 novembre. Bien sûr, la réalité devait être un peu plus triste, tous les cas ne faisant pas l'objet d'une déclaration, comme le voulait la réglementation de la province. Toutefois, ces statistiques témoignaient d'une immense amélioration de la situation.

— Nous sommes victorieux! clama Édouard. Je veux entendre ces cloches célébrer les succès des Alliés.

— "Nous"?

La mine amusée de l'entrepreneur fit rougir le fils. Il réprima son enthousiasme, au point de fermer les fenêtres. Thomas ne put se priver de pousser son avantage:

— Armand Lavergne figure-t-il, lui aussi, parmi les Canadiens français bombant le torse, reprenant à son compte le "nous" victorieux, évoquant "nos" succès sur les champs de bataille des Flandres? Je parie qu'il va sortir son uniforme de colonel de la milice et retourner pavoiser au Cercle des officiers, pour entretenir ses admirateurs des centaines de boches trucidés de sa main !

— Des Canadiens français se sont illustrés au combat, beaucoup sont morts…

— Après avoir ridiculisé ces hommes, condamné leur cause, allez-vous tous les deux tenter d'accaparer leur gloire en parlant au "nous" ?

— Je ne vois plus Lavergne.

Édouard soignait ses fréquentations. Lentement, il rentrait dans les grâces de certains membres éminents du Parti libéral, et en particulier de Louis-Alexandre Taschereau. Dix ans plus tôt, ce petit ministre chétif figurait pourtant parmi les têtes de Turc préférées d'Armand Lavergne et d'Olivar Asselin. Aujourd'hui, l'homme paraissait promis à un grand avenir. Aux yeux du directeur du magasin Picard, les nouveaux amis chassaient les anciens, en quelque sorte.

Toutefois, devant son père, le jeune homme ne pouvait abdiquer aussi vite ses anciennes passions.

— Si les Anglais nous avaient mieux traités dans l'armée, commença-t-il, nous aurions été des milliers.

— Tu pourras raconter des sottises de ce genre au Club de réforme, pas devant moi. Mais même auprès de tes nouvelles relations, sois prudent. Tout le monde sait que tu as contracté un très mauvais mariage pour éviter la conscription.

L'entrepreneur murmurait et le bruit venant toujours du clocher empêchait tous les témoins d'entendre quoi que ce soit.

— Mon mariage va très bien, protesta le jeune homme. Évelyne est de nouveau enceinte…

— C'est pour cela qu'elle promène sa mauvaise mine dans notre grande maison. À ce sujet aussi, sois prudent. Quand tu quittes le lit d'une prostituée, cinq minutes après, un nouveau client te remplace. Celui-là répète la chose à un autre joyeux drille. Ne va pas t'imaginer que les gens de la Haute-Ville se privent de commenter ton mode de vie. Des voisines charitables doivent faire rapport à ton épouse à mots couverts.

Cette fois, le jeune homme ne put dissimuler sa colère. Tous les jours, il réécrivait le récit de sa propre vie, dans l'espoir de se donner le meilleur rôle. Cela ne suffisait pas toujours à changer le regard des autres sur lui. Plutôt que de poursuivre cette discussion, il décida de s'enfermer dans son bureau.

~

Depuis le matin, Marie, Thalie et Françoise s'affairaient dans la boutique de vêtements de la rue de la Fabrique. Il convenait de garnir les rayons pour la réouverture prévue deux jours plus tard. La veille, elles avaient assisté à la grand-messe à la cathédrale, de nouveau ouverte pour le culte. Le recul de la maladie permettait de renouer avec les vieilles habitudes. Même les centres de soins mis sur pied au plus fort de l'épidémie avaient clos leurs portes le vendredi précédent. Les hôpitaux réguliers suffiraient désormais à la demande.

— Les élèves vont retrouver l'Académie Mallet dès mercredi matin, commenta Thalie. J'espère que le nettoyage à l'eau de Javel débarrassera l'endroit de tous les germes. À ce moment, tu renoueras avec tes clientes.

— Ne regrettes-tu pas de t'absenter de la grande corvée ménagère ? demanda Marie.

— Non, vraiment pas, j'ai fait ma part de travail bénévole. Mais je n'oublierai jamais ces quelques jours.

— Moi non plus !

La marchande contempla sa fille avec un air attristé. Réconciliée avec la vocation de cette dernière, elle restait tout de même marquée par les inquiétudes des semaines passées. À l'autre bout du rez-de-chaussée, Françoise se penchait sur une grande boîte en carton. Elle remarqua bientôt :

— Je ne veux pas vous bousculer, mais si nous voulons terminer notre travail à midi, vous devrez m'aider à placer cet assortiment de robes noires sur des cintres.

La livraison de la dernière commande de Marie avait été effectuée au petit matin. Des milliers de personnes endeuillées seraient invitées à passer chez ALFRED le 13 novembre afin de se procurer les vêtements adéquats pour la « triste circonstance ». Ironiquement, le quart de page de publicité acheté par Marie dans *Le Soleil* se trouverait tout à côté de l'encart du magasin Picard, vantant son nouveau rayon « tout de noir ».

— Cela va donner un air tristounet à notre commerce, remarqua encore Françoise, alors que normalement, nos clientes s'intéresseraient déjà à leur toilette de Noël.

— Cette année, intervint Thalie, toute la période des fêtes sera tristounette. Heureusement, aucune de nous ne portera le deuil d'un parent ou d'une amie.

Elle caressa les longs cheveux châtains de sa compagne du bout des doigts. Peu après, les accents du *God Save the King* les attira toutes les trois vers la vitrine. Bientôt, la rue fut envahie de soldats en uniforme, une fanfare en tête. Sur les trottoirs, les badauds s'arrêtaient, nombreux, pour pousser des hourras et faire de grands gestes de la main.

— Voilà la parade des Emprunts de la Victoire totalement détournée de son objectif premier, remarqua la fille de la maison.

— Avec tout le grabuge de cette nuit, je croyais passé le moment des festivités, répondit Françoise.

Au milieu de l'obscurité, le sifflet des usines avait souligné l'imminence de la fin des combats. Depuis le matin, la plus grande agitation régnait dans les rues. Quelques instants plus tôt, toutes les cloches de la ville avaient souligné la onzième seconde de la onzième minute de la onzième heure du onzième jour du onzième mois de l'année 1918. Ce jour, qui deviendrait plus tard la fête de l'Armistice, marquait la fin de la grande boucherie, avec, bien sûr, un décalage de plusieurs heures sur l'événement véritable, en fonction des divers fuseaux horaires.

Cette réalité n'échappa pas à Marie :

— Là-bas, ils vont encore se tirer dessus pendant quelques heures.

Elle avait raison. Des mois plus tard, la population canadienne se scandaliserait d'apprendre que le soldat George Lawrence Price était tombé deux minutes avant le moment fixé pour le cessez-le-feu, lors d'une action totalement dépourvue de sens. La sottise des officiers se révélerait dans toute sa brutalité au cours des mois et des années à venir.

Les pensées des trois femmes allèrent naturellement vers Mathieu. Françoise fit la première l'effort de revenir au présent :

— On ne parle pas d'un traité de paix.

— Non, intervint Thalie. Il s'agit de l'arrêt des combats.

— Ceux-ci pourraient-ils reprendre ?

— Cela me semble totalement impossible. Le kaiser Guillaume II a abdiqué il y a deux jours et il a pris la fuite. Les représentants de tous les pays belligérants vont s'entendre sur la paix, ils n'ont plus aucun autre choix.

La véhémence de la jeune femme témoignait de sa propre inquiétude. Ces hommes en uniforme pouvaient-ils être cruels au point de continuer l'hécatombe ?

~

Elles avaient à peine repris leur travail quand un bruit provint de la porte. Marie se retourna pour voir un homme en uniforme, le front collé à la vitre. Elle vint ouvrir, découvrit un facteur.

— J'ai vu l'affiche indiquant "Fermé" dans la vitrine, mais comme je vous apercevais, j'ai pensé vous déranger dans votre travail. Il me faut votre signature pour cette lettre.

L'homme tendait une enveloppe brune encombrée d'une longue rangée de timbres.

— Vous avez bien fait de nous interrompre.

La femme griffonna son nom sur la feuille du fonctionnaire, prit la lettre.

— Vous devez être extrêmement contente ce matin, madame Picard. En plus, par un hasard extraordinaire, cela semble être une lettre de votre fils.

Tout le sang se retira du visage de la marchande. Elle ferma la porte sans répondre à l'employé des postes. Quand Thalie, alertée par les derniers mots, arriva près d'elle, Marie lui tendit la missive.

— Je ne peux pas, souffla-t-elle.

— Voyons, les mauvaises nouvelles arrivent sous la forme d'un télégramme de l'armée. Puis, je reconnais l'écriture de Mathieu, il y a son nom à l'endos.

Pourtant, prise d'un trac fou, elle aussi tournait l'enveloppe dans ses doigts tremblants, trop effrayée pour l'ouvrir.

— Elle vient du Surrey, précisa-t-elle un instant plus tard en examinant l'oblitération.

— C'est au Royaume-Uni, commenta Françoise.

Le garçon ne se trouvait donc plus sur les champs de bataille, à moins qu'un camarade en permission ne se soit chargé de mettre la lettre à la poste. Un silence suivit le constat.

— Allons derrière, indiqua Marie. Je préfère être assise.

Dans la pièce de repos, à la lumière de l'ampoule électrique pendue au plafond, Thalie sortit de l'enveloppe une feuille de papier d'un vilain blanc et commença d'une voix chevrotante :

— *À toutes les femmes de ma vie…*

Un moment, elle eut envie de tendre la feuille à Françoise, tellement elle était peu rassurée sur sa capacité à supporter d'apprendre une mauvaise nouvelle. Puis, elle osa continuer.

— *Je me porte bien.*

La jeune fille releva la tête, éleva la voix pour dire :

— Il va bien !

Chacune s'absorba un moment dans ses pensées, puis Thalie recommença, cette fois avec un débit normal :

À toutes les femmes de ma vie,

Je me porte bien. Je me trouve en Angleterre depuis une dizaine de jours, dans un hôpital militaire. Mais ne craignez rien, mes blessures sont très superficielles. Je passe maintenant mes journées à parcourir la campagne environnante avec des camarades aussi chanceux que moi. Comme les rumeurs d'une paix prochaine se font bien insistantes, je prends tout mon temps pour cicatriser. Je ne voudrais pas y retourner, ne serait-ce que pour une unique petite seconde.

— Il parle de cicatrices, murmura Marie. Il a vraiment été blessé.

— Mais il va bien, insista Thalie. J'en étais sûre. Je continue.

Elle reporta ses yeux sur la feuille de papier, lut le second paragraphe :

Je vous en prie, ne craignez rien pour moi, ma guerre est terminée. Dans les jours qui viennent, entre mes promenades destinées à me rendre mes couleurs de poupon, je vous écrirai à chacune de longues lettres. Maman, si Thalie se trouve à Montréal quand tu recevras ceci, téléphone-lui. Elle doit s'inquiéter aussi, malgré ses airs assurés. Fais la même chose avec Françoise, si elle a renoncé à sa carrière de marchande de jupons et autres charmants ornements féminins pour retourner chez son père. Je vous embrasse toutes les trois et je m'arrête ici, car on viendra prendre le courrier dans une minute.

Thalie ferma les yeux, avala une longue goulée d'air, puis elle tendit la feuille à sa mère.

— Il signe simplement *Mathieu*, dit-elle.

Le silence régna dans la pièce, le temps que les deux autres parcourent la missive à leur tour.

— Allons-nous respecter notre programme d'aujourd'hui ? demanda l'étudiante à sa mère.

— Pourquoi pas? Nous savons maintenant ce qu'il est advenu de lui. Dans les jours à venir, d'autres lettres nous en diront plus sur sa blessure. Je peux aussi bien t'accompagner à Montréal, cela vaudra mieux que languir ici…

Elle posa les yeux sur son invitée pour ajouter:

— À moins que Françoise préfère ne pas rester seule.

— Je ne serai pas seule. Gertrude sera là et demain papa doit me tenir compagnie.

Les joues de la jeune femme se couvraient de larmes. Un poids considérable quittait ses épaules.

— Gertrude! s'exclama Thalie. Je monte tout de suite le lui dire.

Elle récupéra la lettre sur la table, fit résonner les marches de l'escalier sous ses talons ferrés.

— Es-tu certaine? demanda encore Marie. Cette lettre doit représenter un choc pour toi aussi. Nous avons passé plus d'un an à attendre une mauvaise nouvelle, tout en espérant le contraire de toutes nos forces. Maintenant, nous le savons tiré d'affaire.

— Ne changez rien à vos projets. Accompagner Thalie à sa pension est une excellente idée. Cela vous permet de souligner votre appui à ses projets. Malgré ses grands airs, elle en est très heureuse. De mon côté, je suis si bouleversée…

La marchande prit la main de son invitée, la tint dans la sienne un long moment.

~

Le samedi précédent, Marie avait exprimé le désir d'accompagner sa fille à Montréal. Au moins dix fois depuis, puis encore au moment où elles prirent place dans un wagon de chemin de fer, Thalie dit:

— Ce n'était pas nécessaire, tu sais.

— Je regrette de ne pas l'avoir fait l'été dernier. Tu as dû te sentir bien seule, au moment d'entrer dans ta nouvelle demeure.

— Mais avec le magasin, tu n'es pas très libre de tes mouvements. Je comprenais très bien.

— Justement, le magasin ouvrira après-demain. Alors j'en profite pour faire amende honorable.

La femme marqua une pause, puis reprit, un peu moins assurée :

— Peut-être qu'un retour à l'université avec maman suspendue à ton bras te semble un peu gênant. Tu es une grande fille bien émancipée.

— Maman, que vas-tu imaginer ?

Thalie mit d'autant plus de sincérité dans sa voix que sa mère avait raison. Cette présence minerait un peu l'esprit d'indépendance dont elle se montrait si fière.

— Alors accepte ma présence pour me faire plaisir. Je veux voir ton cadre de vie. Pendant les années à venir, je t'imaginerai plus facilement dans ta chambre à la pension et dans les grands amphithéâtres. J'en serai si fière que je devrai aller me confesser.

La jeune fille prit le bras maternel, le serra bien fort. Afin de prévenir une ondée de larmes, sa compagne changea abruptement de sujet.

— Cela ne te va pas si mal, de te promener sans masque. Tu es même plutôt jolie.

— Je me sens un peu nue.

— Attends de voir les robes, l'été prochain. Nous allons montrer nos mollets.

Tout le long du trajet, les sujets anodins succédèrent aux longs silences. Toutes les deux pensaient à Mathieu, sans toutefois oser l'évoquer à haute voix. Sa lettre les laissait à la fois rassurées et inquiètes.

À Montréal, Thalie guida sa mère vers le tramway avec l'assurance d'une personne rompue aux usages de la grande ville. Le long du chemin, elles constatèrent l'activité sur les trottoirs, les commerces de nouveau ouverts. L'épidémie se transformait en mauvais souvenir.

Elles descendirent à peu de distance de la pension Milton, parcoururent le reste du chemin à pied. Du trottoir, Marie contempla la grande maison.

— La bâtisse ne semble pas en très bon état.

— Ne te laisse pas impressionner par le gazon trop long ou les volets un peu de travers. Nous sommes très bien, la nourriture vaut celle de Gertrude, puis toutes les filles ne songent qu'à leurs études. C'est un milieu très agréable.

— Sont-elles toutes à l'université ?

— La plupart. Certaines fréquentent l'École normale, d'autres étudient pour devenir infirmières.

Elles pénétrèrent dans l'entrée. Thalie actionna la clochette, attendit que la propriétaire revienne de la cuisine.

— Bonjour, madame Anderson. Vous portez-vous bien ?

— Oui, heureusement la maladie a épargné mes proches.

— Nous avons aussi eu cette chance. Ma mère m'accompagne. Je me demandais si vous pourriez lui louer une chambre pour la nuit. Certaines élèves arriveront sans doute seulement demain, puisque les cours reprendront mercredi.

— Normalement, je refuserais de vous attribuer l'une de ces chambres, toutes mes locataires continuant de payer leur loyer pendant leur absence. Vous le savez, n'est-ce pas, puisque c'est votre cas aussi. Toutefois, Gladys ne reviendra pas. Je peux donc accommoder madame votre mère.

La femme marqua une pause, se tourna pour prendre deux clés pendues au tableau. Comme une larme hésitait au coin de l'un de ses yeux, Thalie demanda, tout en étant effrayée d'entendre la réponse :

— Voulez-vous dire que ?...

— La grippe. Ses parents sont venus chercher ses affaires la semaine dernière.

La jeune fille hocha la tête, peinée de ne plus revoir cette jeune étudiante effacée. Elle murmura en se dirigeant vers l'ascenseur :

— Nous allons laisser ton sac au premier étage, dans la chambre de... dans ta chambre. Nous monterons sous les combles, dans mes quartiers, en attendant le moment de sortir souper.

Elles firent ainsi. Au moment de glisser la clé dans la serrure de la porte 302, un bruit attira leur attention, de l'autre côté du couloir.

— Te voilà enfin ! s'exclama Catherine en venant rejoindre son amie.

Elle s'interrompit en les apercevant, puis dit, un ton plus bas :

— Tu n'es pas seule, je m'excuse. Bonjour, madame Picard.

La ressemblance ne lui permettait pas de se tromper. Elle tendit la main, continua avec son meilleur sourire, dans un français fort maladroit :

— Je suis enchantée de vous voir. Thalie m'a tellement parlé de vous.

Puis, elle n'y tient plus, ouvrit les bras à son amie en chuchotant en anglais :

— Je suis tellement heureuse de te retrouver. À tes vêtements, je devine que les tiens ont échappé à l'épidémie.

Elle voulait parler de l'absence des couleurs du deuil.

— C'est le cas. Même Mathieu se porte bien. Nous avons reçu une lettre ce matin. Il en va de même de ton côté, à ce que je vois.

— Oui. Nous avons eu de la chance toutes les deux... Cette pauvre Gladys. Tu as appris ?

La nouvelle venue hocha la tête, ajouta d'une voix changée, tout en consultant sa mère du regard :

— Je vais me retirer avec maman. Tout à l'heure, viendras-tu manger avec nous ?

— Je ne veux pas vous déranger...

— Tu es ma meilleure amie, j'aimerais que maman te connaisse.

Le rose monta aux joues de Catherine, tellement elle appréciait le titre dont l'affublait sa camarade.

— Je suis venue pour me rassurer sur la vie de Thalie, intervint Marie à son tour. Je suis heureuse de vous connaître. Savoir qu'elle a quelqu'un sur qui compter ici me rassurera. Vous ne nous dérangerez pas.

— Dans ce cas, je me joindrai à vous pour le repas.

Les deux femmes se réfugièrent dans la chambre 302.

— Elle paraît gentille, remarqua la mère, amusée de la rencontre.

— Elle l'est. Quand je suis arrivée, elle a frappé à la porte pour me tendre la main comme cela.

Thalie imita le geste en riant.

— Désire-t-elle être médecin ?

— Avocate.

— Oh ! Une profession moins dangereuse que la tienne, en cas d'épidémie.

— Mais moi, je ne serai pas en contact avec des criminels !

Marie apprécia la remarque. Assise sur la chaise placée devant la table de travail, elle examina la petite pièce. Depuis septembre, les rayons s'étaient couverts de livres, il en traînait aussi quelques-uns sur le plancher.

— Comme elle est en seconde année, elle m'aide à me familiariser avec la ville et l'université.

— Tu n'es pas seule, cela me réconforte. Paul me dit souvent que la vie ne sera pas simple pour toi.

— Ton amoureux ne vient pas semer l'inquiétude dans ton esprit, j'espère ?

— En réalité, ses paroles visent à me rassurer. Cela ne fonctionne pas toujours.

Cet homme était une véritable bénédiction. Sans lui, Marie aurait mis toute son énergie à vouloir diriger la vie de ses enfants. Sa présence permettait à la femme de supplanter souvent la mère, au grand plaisir de l'étudiante. Cependant, les députés de la campagne brillaient rarement par leur avant-gardisme. Elle se méfiait un peu de son attitude à l'égard de ses projets.

— Ta petite visite te tranquillisera l'esprit tout à fait, j'espère.

— Ma présence ici ne te gêne pas, tu es certaine?

— Pas du tout. Et toi, de ton côté, tu ne m'en veux pas d'avoir invité Catherine, ce soir?

— Au contraire. Je suis sincère quand je dis que je suis soulagée. Dans ce milieu étranger, je craignais que tu ne te trouves perdue.

Elle se leva pour lire les titres des volumes sur les étagères et amena la discussion sur leur contenu.

~

Après le départ de sa patronne et de son amie, Françoise, préoccupée, tourna en rond la majeure partie de l'après-midi. La lettre venue du Royaume-Uni la rassurait et, dans une certaine mesure, la libérait. Jusque-là, tous ses moments de loisir s'accompagnaient d'un vague sentiment de culpabilité. Mathieu souffrait, risquait la mort. Comment pouvait-elle profiter de l'existence? Le savoir en sécurité allégeait son esprit.

Vers cinq heures, elle quitta l'appartement du dernier étage pour aller téléphoner dans le commerce, afin de profiter d'un peu de discrétion. Gertrude ne passait aucune remarque sur son comportement, mais ses yeux sombres, le pli de son front, valaient les reproches les plus sévères.

Au moment du repas, la jeune fille balbutia:

— Je vais sortir, tout à l'heure.

— … Vous n'avez pas de comptes à me rendre.

— Ce n'était pas mon intention de rendre des comptes. Cependant, comme nous vivons dans la même maison, je voulais vous le faire savoir.

La domestique garda les yeux sur son assiette, arrivant difficilement à taire ses récriminations. Après un moment, sans un mot, elle regagna la cuisine. Françoise acheva son repas toute seule, morose.

Un peu après sept heures, elle enfila son manteau, descendit pour se rendre sur le trottoir, devant la porte. Un moment plus tard, Gérard vint la rejoindre. Il retira son chapeau en s'approchant.

— Mademoiselle, votre appel téléphonique m'a fait tellement plaisir !

En le relançant de cette façon, elle rompait toutes les convenances. Cela lui donnait une certaine audace. Il ajouta en s'inclinant devant elle :

— Me permettez-vous ?

Elle leva la tête, les yeux mi-clos. Les lèvres froides touchèrent sa joue. À la lueur des réverbères, autoriser cette privauté devenait un engagement. L'homme se redressa, un peu intimidé par sa propre hardiesse.

— Maintenant, remettez votre feutre, ordonna sa compagne, amusée. La grippe a fait suffisamment de victimes dans notre ville. La politesse ne devrait pas vous amener à risquer votre vie.

— Quand j'ai appris que vous-même étiez atteinte… je me suis beaucoup inquiété.

— J'ai eu de la chance. Vous me trouvez complètement remise.

Elle marqua une pause avant d'ajouter avec gravité :

— Si vous voulez, nous n'aborderons plus ce sujet. C'est trop triste.

L'homme approuva d'un signe de la tête.

— Aimeriez-vous aller au cinéma ? Si le sujet du film vous intéresse, bien sûr.

Leur dernier long-métrage leur laissait à tous deux un mauvais souvenir.

— Je suis restée enfermée si longtemps… Pourquoi ne pas marcher en direction de la terrasse Dufferin ? Quand nous aurons froid, nous pourrons prendre une tasse de thé au Château Frontenac.

Elle s'arrêta pour contempler son compagnon.

— Si cela vous va, bien sûr. Peut-être aviez-vous des projets…

— Votre programme me convient parfaitement.

Il lui tendit le bras, un sourire sur le visage. Dans une heure, tout au plus une heure et demie, il l'embrasserait une autre fois, cette fois plus longuement. Quand une femme relançait un homme chez lui, cela témoignait d'un intérêt réel, se disait-il.

~

La veille, le souper s'était prolongé assez tard. Catherine utilisait sans gêne son vocabulaire français bien limité, Marie se débrouillait sans trop de mal en anglais. Au moment de regagner leur chambre respective, elles s'étaient fait la bise le plus naturellement du monde.

Le lendemain matin, la mère et la fille marchèrent longuement sur les pelouses de l'Université McGill. La visiteuse appréciait la majesté des lieux. Les cours ne reprendraient que dans quarante-huit heures, mais de nombreux étudiants parcouraient déjà le campus, impatients de renouer avec leur routine.

Au moment où elles pénétraient dans le pavillon de médecine, Thalie expliqua :

— Je ne sais pas si nous pourrons entrer dans les classes. Elles seront peut-être verrouillées.

— Cela ne fait rien. Je saisis pleinement comment ce monde peut te séduire. C'est grandiose, un peu mystérieux…

Elle se tut avant d'ajouter : « Et totalement étranger à notre univers. » Dans le grand hall, la jeune fille lui montra le tableau d'honneur portant les noms de tous les professeurs et des étudiants servant sous les drapeaux.

— Remarque toutes les photos ornées d'un ruban noir.

— Nous sommes très chanceuses, notre volontaire ne serait que blessé, remarqua la mère. J'aimerais tellement connaître la gravité de cette blessure.

— Il nous dit être capable de longues promenades. Cela ne peut pas être trop grave.

Marie la remercia d'un sourire pour cet effort destiné à l'apaiser.

— Ce sont aussi des militaires? demanda-t-elle en désignant un autre panneau.

— ... Je ne sais pas. Il n'était pas là au moment de l'arrêt des cours.

Elles s'approchèrent du grand tableau noir. Une main appliquée avait tracé en grandes lettres élégantes: « Hommage aux nôtres qui se sont dévoués lors de la récente épidémie. » Suivaient une longue série de noms.

— Thalie, tu es là!

Elle désignait, dans la troisième colonne, le nom « Picard, Thalia », parfaitement calligraphié.

— Je ne comprends pas...

— C'est pourtant très simple, expliqua une voix derrière elles. J'ai voulu rendre hommage aux étudiants qui ont affronté l'épidémie afin d'aider leurs semblables.

En se retournant, les deux femmes découvrirent le doyen Mann.

— Je venais justement ajouter un nom.

Il s'exécuta. Quand il eut terminé, Thalie proposa timidement:

— Puis-je vous présenter ma mère?

— Ce sera un plaisir, mademoiselle.

Il serra la main de la visiteuse.

— Madame, observa-t-il en s'inclinant, vous avez là une fille exceptionnelle.

— Merci. Je m'en rends compte tous les jours.

Comme le doyen faisait mine de s'éloigner, Thalie le retint par une question.

— Comment avez-vous su, pour ces personnes? Et pour moi? Je n'ai rien dit à qui que ce soit de l'université.

— Des médecins ont jugé bon de me signaler l'action de nos étudiants ou alors l'information est venue des directeurs des centres de soins.

— Et dans mon cas ?

— Vous êtes privilégiée. L'épouse de l'évêque anglican m'a indiqué que vous cherchiez à offrir vos services.

Marie apprenait là un épisode tout à fait inconnu. Elle réclamerait des explications un peu plus tard.

— Ensuite, j'ai reçu une note d'un certain docteur Hamelin.

La mauvaise prononciation rendait le patronyme à peine reconnaissable.

— Il a pris le temps de vous écrire ! Savez-vous qu'il est mort ?

— Je l'ignorais. Comme c'est triste ! Ses mots à votre sujet se révèlent d'autant plus touchants, dans ces circonstances. Enfin, hier, j'ai reçu une troisième lettre d'un certain docteur Caron. Plusieurs personnes semblent s'intéresser à votre réussite...

L'homme s'interrompit, puis conclut en inclinant encore la tête :

— Alors, je compte vous revoir en classe dans deux jours. Madame, j'ai été honoré de vous rencontrer.

Elles balbutièrent leurs salutations. Un instant plus tard, en sortant de l'édifice, Marie s'accrocha au bras de sa fille.

— J'ai très bien fait de t'accompagner, murmura-t-elle, émue.

Deux heures plus tard, sur le quai de la gare, elle embrassa Thalie en refoulant ses larmes.

— Je te souhaite de te réaliser pleinement. Je continuerai de m'inquiéter pour toi... mais ce ne sera plus jamais de la même manière.

— Merci.

— Essaie de ne pas trop tarder à revenir me voir.

Elle caressa la joue de sa fille du bout des doigts.

— Je te le promets… Mais nous devrons mettre les bouchées doubles, après un mois d'interruption. Ce ne sera peut-être pas avant le congé des fêtes.

— Dès que tu pourras. Je saurai être patiente.

Elle monta dans la voiture, colla son front à la vitre pour lui faire un dernier salut.

~

Jeudi matin, tout en regagnant sa place habituelle dans l'amphithéâtre, Thalie rendit de nombreux saluts à ses camarades. Pour la première fois, elle eut l'impression de faire vraiment partie de cette petite coterie.

Quelques minutes avant le début du cours d'anatomie humaine, un homme très grand et très maigre marcha jusqu'à l'estrade en forme de demi-lune placée devant les étudiants, puis il s'absorba dans la consultation d'une liasse de papiers.

À l'heure prévue, il commença :

— Mesdames, Messieurs, je serai votre professeur jusqu'à la fin de l'année académique. Je m'appelle Julian Levitt.

— … Monsieur McTeer ? interrogea une voix.

— Monsieur McTeer a décidé de prendre sa retraite.

Son visage indiquait son refus de commenter plus longuement cette décision.

— Avant de commencer la leçon, enchaîna-t-il, je veux rendre hommage aux personnes, parmi vous, qui ont offert leurs services pendant la période de crise que nous venons de traverser.

Thalie baissa les yeux, comme la plupart des personnes dans son cas. Le nouveau professeur marqua une pause, comme s'il hésitait à continuer.

— Malheureusement, deux d'entre vous ont succombé à la maladie. L'un s'occupait des malades, dans un centre de soins. Nous allons nous recueillir et demeurer silencieux pendant une minute.

La jeune Canadienne française échangea un regard avec sa voisine immédiate, la seule autre femme dans l'amphithéâtre, puis elle chercha à se souvenir qui, parmi les étudiants présents en septembre, manquait à l'appel aujourd'hui.

Une fois la minute écoulée, le professeur reprit cette fois d'une voix enjouée :

— D'après les notes que le doyen m'a remises, vous n'ignorez plus rien de l'appareil reproducteur des hommes et des femmes. Nous allons nous pencher maintenant sur un sujet moins important : le cerveau.

En ricanant, les étudiants levèrent leur porte-plume. Ils revenaient enfin à la vie normale.

~

Comme après n'importe quelle tempête, chacun essayait de reprendre sa routine. Les clientes revenaient chez ALFRED, contemplaient les étals, appréciaient la qualité des tissus du bout des doigts. Les vêtements de deuil s'envolaient comme prévu.

Françoise profita d'une accalmie pour s'approcher de la caisse.

— Vous ne m'en voulez pas ? questionna-t-elle.

— Pourquoi devrais-je t'en vouloir ?

L'autre hésita un moment, puis confessa à voix basse :

— Je verrai encore Gérard ce soir.

Marie demeura songeuse un moment. Elle voulait peser chacun de ses mots.

— Je suis contente de le savoir vivant. Sa seconde lettre donnait des détails rassurants sur ses blessures. Pour moi, cela suffit à me rendre heureuse.

— Je vais lui écrire afin de mettre au clair la situation.

— Tes sentiments... ne sont plus les mêmes ?

Le rose monta aux joues de la jeune fille, elle s'assura que personne ne se trouve trop près avant de s'expliquer.

— Je ne le sais plus trop. Je ne l'ai pas vu depuis si longtemps. Je suis soulagée de le savoir en bonne santé... enfin, presque en bonne santé, mais il se remettra totalement. D'un autre côté, je suis incapable de m'enfermer dans l'attente pendant presque un an encore.

— Ce ne sera pas si long...

— Vous avez lu le journal comme moi, ce matin.

Selon *Le Soleil*, le rapatriement des soldats prendrait dix mois, au bas mot.

— Cela me paraît impossible, dit Marie. Garder tous ces hommes loin de leur famille aussi longuement.

— Ils sont des millions dans son cas et le transport n'est pas une simple affaire. Un navire porte peut-être deux mille hommes, alors si l'on doit en ramener quatre millions vers la Nouvelle-Zélande, l'Australie, le Canada et les États-Unis...

Aucune des deux ne souhaitait insister sur la situation internationale : à la suite de l'armistice, les belligérants devaient négocier la paix. Un autre motif amenait à retarder le rapatriement des militaires. Conserver tous ces hommes en uniforme, prêts à reprendre le combat, permettait de maintenir la pression sur l'Allemagne et l'Autriche.

— Si cela prend autant de temps, son absence durera plus de deux ans, conclut la jeune fille. Et...

— Et tu ne sais plus trop quels sont tes sentiments. Attendre, ce serait risquer de gâcher ta vie. Nous en avons parlé déjà : je respecte tout à fait ton choix.

— Je vous remercie. D'un autre côté, Gertrude me fait mauvaise mine.

— Tu sais combien elle lui est attachée, depuis le jour de sa naissance. Elle l'aurait suivi jusqu'en Allemagne, si cela avait été possible. En même temps, elle t'aime beaucoup. Vieille fille, elle a une mentalité de marieuse.

Comme une cliente s'approchait de la caisse, Françoise retourna ranger des vêtements sur les rayons, au fond du commerce. Elle ne put reprendre la conversation qu'au moment du dîner, alors que les vendeuses se retiraient dans la pièce du fond pour manger.

— Depuis la grippe, je me sens encore moins encline à attendre tous ces mois. Vous savez, j'ai eu peur de mourir.

— Nous avons tous eu peur pour toi.

— Il ne faut pas négliger les occasions d'être heureuse.

Marie entoura la taille de la jeune fille de son bras, la serra contre elle, puis conclut:

— Je te l'ai dit, je te le répète encore, je comprends tout cela. Ne t'en fais pas, tu seras toujours ma tendre amie, la fille de Paul. Ces titres me suffisent.

Françoise lui embrassa la joue, regagna l'étage afin de se tenir à la disposition des clientes pendant la pause des deux vendeuses.

~

Des milliers de personnes se pressaient à la gare du Canadien Pacifique. Même si les journaux soulignaient l'ampleur de la tâche du rapatriement des militaires et préparaient l'opinion à des mois d'attente, un premier contingent arrivait à Montréal, en ce 2 décembre.

— Es-tu certaine de vouloir attendre avec moi? demanda Catherine. Le train devrait être là depuis une heure. Qui sait quand il arrivera enfin?

— Les cours sont terminés, je ne souffrirai pas d'étudier un peu moins aujourd'hui.

— Tu ne le connais pas.

— Je te connais toi. Ton frère doit être adorable.

La jeune fille lui serra l'avant-bras pour la remercier encore.

— Je viens m'entraîner à vivre la même situation, en quelque sorte, renchérit Thalie. Bientôt j'espère, j'accueillerai Mathieu de la même manière.

— Tu sais, je suis un peu inquiète. Les hommes ramenés si tôt au pays sont des blessés. Leur transport était prévu bien avant la fin des combats.

— A-t-il été gravement atteint ?

— Il se montre rassurant dans ses lettres. Tout de même, les médecins ont conclu qu'il se trouvait inapte au combat.

Six mois plus tôt, on parlait de cela comme d'une « bonne blessure », susceptible de sauver la vie de quelqu'un. Puisque la menace de se faire tuer avait disparu, une infirmité définitive devenait un prix élevé à payer.

Le bruit du sifflet d'un train leur parvint. La foule se pressa un peu plus vers le quai, afin de mieux voir. Un cordon de policiers militaires prévenait les accidents fâcheux, car les spectateurs des premiers rangs risquaient de tomber sur les rails.

Au moment où la locomotive pénétra dans le grand édifice, une fanfare juchée sur une estrade de fortune entonna le *God Save the King*. Dans l'assistance, de nombreuses personnes agitèrent l'*Union Jack*. Les autres applaudissaient à tout rompre, s'égosillaient pour hurler des mots de bienvenue.

Le train s'arrêta dans un nuage de vapeur. Bien vite, les portes de tous les wagons s'ouvrirent. Les premiers militaires à poser le pied sur le quai esquissèrent un mouvement de recul, car la foule se révélait un peu menaçante.

— Je me demande comment ils pourront retrouver leurs proches dans toute cette pagaille, cria Thalie pour être entendue de son amie.

La police militaire partageait sans doute son inquiétude. Elle dégagea un passage conduisant à la sortie de l'édifice. En le parcourant, les militaires s'offriraient à la vue des badauds, leurs proches les reconnaîtraient très vite.

— Tu sais combien de soldats se trouvent dans ce contingent ? demanda encore Thalie.

— Les journaux ont donné le chiffre de quatre mille.

— La plupart n'auront personne pour leur souhaiter la bienvenue.

— La majorité vient d'autres régions de la province ou même du pays. Ils seront reçus dignement en arrivant dans leur patelin.

Pour ceux-là, Montréal ne serait qu'une étape du long retour à la maison. Certains transiteraient auparavant par un hôpital militaire, parfois pour n'en jamais ressortir. Les deux jeunes femmes contemplèrent le passage de nombreuses civières. Puis, les premiers cris de joie retentirent dans le vaste édifice quand des familles reconnurent les leurs, les drapeaux s'agitèrent en tous sens avec une frénésie nouvelle.

Une demi-heure plus tard, Catherine aperçut une longue silhouette un peu courbée vers l'avant, portant une masse de cheveux châtains frisés, des traits fatigués, prématurément vieillis, mais toujours réguliers.

— C'est lui ! hurla-t-elle, en agitant les bras en l'air pour attirer son attention.

La jeune femme trépignait, faisait de grands gestes des mains.

— Johnny ! cria-t-elle encore.

La voix parut se situer une octave au-dessus de toutes les autres. Le militaire leva la tête, aperçut la silhouette féminine sautant sur place. Un sourire illumina son visage, il se dirigea vers sa sœur d'un pas laborieux, en s'aidant de sa canne. Thalie remarqua le fort boitement, les précautions qu'il mettait pour déplacer sa jambe droite.

— John ! lança Catherine en se pressant contre le corps de son aîné.

Elle ne faisait aucun effort pour réprimer ses larmes.

— John, j'ai eu tellement peur.

L'homme devait continuer à s'appuyer sur sa canne pour tenir debout, aussi ne l'enlaçait-il que d'un bras. Après de longues minutes, la jeune femme se détacha de lui.

— Je manque à tous les usages. Si maman me voyait !

Elle essuya son visage avec son gant, se recula un peu afin d'englober son amie dans son champ de vision.

— Je te présente ma meilleure amie, Thalia.

Elle tendit la main. Le militaire la prit de sa main gauche.

— Je suis enchanté de vous connaître. Pardonnez-moi de vous offrir la mauvaise main, mais je n'ose pas lever cette canne du sol. Chaque fois, j'ai la pénible habitude de m'affaler de tout mon long.

— Ne vous en faites pas, je ne suis pas attachée aux usages au point de mettre votre équilibre en péril.

Son sourire exprimait une immense sympathie. Le jeune homme garda la petite menotte dans la sienne un peu plus longtemps que nécessaire. Très vite, Catherine n'y tint plus.

— As-tu été blessé gravement ?

— Rien pour me faire mourir, ne t'inquiète pas. Ma jambe a été brisée en plusieurs endroits. Cela m'a valu de très mauvaises cicatrices, une tige de métal dans le fémur, et une autre dans le tibia.

« Et depuis, une douleur sans doute constante », songea Thalie. L'homme devait penser à la même chose, car il réprima une grimace.

— Je crois être toutefois condamné à m'appuyer sur ce morceau de bois pour le reste de mes jours.

Catherine leva la main pour lui caresser le visage.

— Mais tu es de retour, dit-elle à voix basse. Cela me rend si heureuse.

De nouvelles larmes parcoururent ses joues. Son gant gauche servit à les effacer encore.

— Tu pourras venir souper avec nous, n'est-ce pas ?

— L'armée laisse quartier libre à ses soldats jusqu'à minuit. Et ceux qui seront en retard à la caserne ne risqueront sans doute pas les arrêts de rigueur.

— Tu n'es pas encore libre de tes mouvements ?

— Tu ne connais pas l'état-major. Plus longtemps ces généraux nous tiendront en laisse, plus ils seront contents.

Les traits du militaire exprimèrent l'immense colère accumulée au cours des deux dernières années. Il réprima sa mauvaise humeur avec peine.

— Demain matin, les membres de mon régiment rapatriés au Canada seront reçus en grande pompe à l'hôtel de ville de Sherbrooke. Nous serons ensuite autorisés à rentrer à la maison. Comme nous sommes trop mal en point, on ne nous demandera pas de défiler dans les rues. Cela ferait une mauvaise publicité.

Sa sœur ne lâchait pas son bras, posait sur lui des yeux émus.

— Donc, tu vas nous accompagner.

— … Je ne veux pas m'imposer, commença Thalie. Vous devez avoir tellement à vous dire.

— Viens avec nous, je t'en prie. Je retrouve mon grand frère, je veux garder mon amie.

À la sortie de la gare, elles constatèrent la disparition de toutes les voitures taxis. Les cochers brillaient aussi par leur absence, une petite foule s'entassait à l'arrêt du tramway.

— Avec toute cette affluence, il fallait s'en douter. Crois-tu pouvoir attendre ? Nous pouvons aussi retourner à l'intérieur et nous reposer un peu. Les gens vont se disperser bientôt.

— Cela ne devrait pas être trop long, mettons-nous derrière ceux-ci.

Ils se placèrent dans la file. Catherine s'accrochait au bras de son frère, essayait de le soutenir afin d'épargner un peu la jambe blessée. Bientôt, Thalie fit de même avec le bras gauche.

— Cela doit être la récompense des héros, commenta le militaire en posant les yeux sur elles. Deux très jolies filles pendues à mes bras.

— Un bien petit privilège, compte tenu du prix consenti.

— Vu de cette façon, vous avez raison.

Quelques minutes plus tard, un premier tramway fit le plein de passagers. Ils purent monter dans le troisième. Sa blessure valut à John une place assise, les deux jeunes femmes s'accrochèrent aux courroies de cuir pendues au plafond afin de conserver leur équilibre malgré les soubresauts causés par la progression de la voiture.

Catherine remarqua la grimace sur le visage de son frère, sa main exerçant une pression juste au-dessus de son genou droit.

— Cela fait mal.

— Heureusement, je pensais me faire banquier, comme papa. Le baseball est définitivement de l'histoire ancienne.

Encore une fois, une agressivité sourde pointait dans sa voix. Afin d'amener la conversation sur un autre sujet, la jeune femme demanda :

— Pendant ton séjour à l'hôpital, tu as peut-être croisé le frère de Thalia. Il a été blessé deux semaines environ avant la fin des combats.

— Peut-être. Les Canadiens se trouvaient regroupés dans les mêmes établissements.

Des yeux, il interrogeait l'amie de sa sœur.

— Mathieu Picard. Il servait avec le 22e bataillon, en Belgique.

Il demeura un moment songeur.

— Je suis désolé, cela ne me dit rien.

— Selon ses lettres, les blessures ne seraient pas trop graves, ajouta Catherine.

— Nous écrivons tous cela. Il convient de ne pas affoler les gens de l'arrière. Puis, je suis certain que la censure ne laisserait passer aucune missive trop alarmiste...

L'homme s'arrêta, posa son regard dans les grands yeux bleus sombres de la jeune fille avant de continuer, un peu penaud :

— Je m'excuse, mademoiselle Picard. Comme vous le voyez, dans l'armée, nous en venons à oublier la délicatesse la plus élémentaire. Je souhaite de tout cœur que votre frère ait reçu une bonne blessure, juste suffisante pour l'éloigner de l'enfer.

Thalie le rassura d'un sourire.

— Ses lettres disent exactement cela : une bonne blessure. Vous savez, lui et moi avons appris à nous dire les choses de façon à éviter les froncements de sourcils des censeurs.

Elle remarquait surtout que le militaire parlait toujours de la guerre au présent. Cet enfer, il le portait toujours en lui. Cela se révélerait peut-être, à la longue, plus dur à supporter que des os brisés.

Jeanne attendait sur le quai de la gare de Québec. En cette circonstance, aucune foule ne venait acclamer ces héros. En vérité, ceux-là ne revenaient pas des champs de bataille. Pourtant, pour elle, ce 5 décembre représentait une victoire. Fernand se tenait à deux pas, un peu mal à l'aise de se trouver là. Cela avait semblé une bonne idée la veille au soir, au moment de lui offrir sa présence. En plein jour, convenait-il, certaines de ses connaissances trouveraient bien étrange de le voir avec la domestique de la maison.

Le train venu de Montréal s'arrêta bientôt, les passagers descendirent. La plupart étaient des hommes seuls. Dans tout le Canada, ils étaient ainsi des milliers à regagner leur foyer. Une minorité d'entre eux bénéficiait d'un comité d'accueil.

— Arthur ! cria Jeanne en faisant un geste de la main. Je suis ici !

Son frère la reconnut. Il afficha une certaine surprise en constatant la présence du notaire Dupire à ses côtés. Il commença par faire la bise à sa sœur, puis tendit la main à l'étranger.

— Monsieur, heureux de vous revoir.

— J'espère que vous allez bien.

L'homme prit cela comme une allusion à sa maladie récente.

— Quelle foutue grippe ! Elle a tué un tas de camarades, puis tout d'un coup, plus rien.

— Tu sais, F… monsieur Dupire l'a attrapée aussi. Juste à son retour de Saint-Jean.

Jeanne semblait voir là un lien entre eux, comme une parenté tissée dans l'épreuve.

— Vous avez donc rapporté quelque chose de votre visite au camp militaire !

Fernand crut percevoir une certaine ironie dans le ton. La jeune femme choisit de ramener l'attention sur la nouvelle du jour.

— Comme cela, tu en as bien fini avec l'armée ?

— À moins qu'ils ne changent d'idée. Hier, partout au Canada, tous les conscrits ont été démobilisés. Notre bon roi George n'a plus besoin de nous.

L'homme portait un complet mal coupé, élimé aux manches. Toutes ses possessions se trouvaient dans un sac de toile semblable à ceux des marins, porté sur l'épaule.

— Maintenant, que comptes-tu faire ? Retourner à Petite-Rivière ?

— Il n'y a plus rien pour moi là-bas. Le père ne me gardera pas à ne rien faire. Il y a de grands travaux de construction dans la région de Shawinigan. Je vais aller me chercher du travail de ce côté.

— Partiras-tu aujourd'hui ?

— Non, rien ne presse. Après des mois dans les camps de l'armée, je veux voir un peu la ville. Il y a de petits hôtels dans la rue Saint-Paul.

Fernand songea aux nombreux jeunes hommes démobilisés, désireux de dépenser dans de mauvais lieux les mois de solde accumulés. Les bordels seraient débordés pendant quelque temps, puis chacun regagnerait sa paroisse afin de reprendre une vie ordonnée. Les projets à plus long terme de ce jeune travailleur pourraient se trouver déçus, car le retour à la paix entraînerait un ralentissement sérieux de l'économie.

— Est-ce que je peux t'inviter à souper ? demanda Jeanne.

Arthur regarda du côté de l'employeur de sa sœur. Suivant le cours de ses pensées, elle s'empressa de préciser :

— Il y a un restaurant de l'autre côté de la rue.

Ce ne serait pas chez le notaire. L'idée d'économiser le coût d'un repas sembla sourire à Arthur. Il donna son assentiment d'un signe de la tête. Constatant que le gros homme paraissait désireux de les accompagner, l'ancien militaire conclut que sa première idée n'était pas si étrange.

Même si les manufactures et les ateliers avaient abandonné la production militaire, les produits de consommation courante tardaient à arriver sur les étals du magasin Picard. Thomas parcourait les rayons, un air un peu navré sur le visage par toutes les possibilités ratées. Dans moins de deux semaines, ce serait Noël. Dans d'autres circonstances, l'affluence des clients l'aurait empêché de se déplacer à son aise dans le commerce.

— Nous devons perdre de l'argent, déclara-t-il en rejoignant Édouard au rez-de-chaussée. Je ne me souviens pas d'une pareille morosité, si proche de la période des fêtes.

— Nous ne perdons pas d'argent, mais nous avons connu de meilleurs jours. D'un autre côté, avec les commandes militaires, les ateliers nous ont procuré des profits considérables jusqu'à tout récemment.

— Je veux bien. Mais les ateliers ne servent pas à subventionner le commerce.

Les deux hommes se rendirent près des vitrines donnant rue Saint-Joseph. Sur le trottoir, des hommes s'agitaient, de grands panneaux de bois dans les mains.

— Crois-tu vraiment cette précaution nécessaire ? interrogea Édouard.

— Tu l'as vu comme moi dans le journal : les policiers, les pompiers et les employés de l'aqueduc se mettent en grève. Je ne veux pas voir des voyous défoncer nos fenêtres.

— Nous ne sommes tout de même pas à New York ou à Chicago.

Pendant toute la guerre, les prix avaient monté sans cesse, bien plus vite que les salaires. En ce 12 décembre, les employés municipaux cessaient le travail dans l'espoir de voir s'améliorer leur pouvoir d'achat.

— Nous ne sommes peut-être pas à Chicago, mais je me souviens des émeutes de la conscription, de tous les commerces défoncés dans cette rue.

— Maintenant, le peuple n'a aucune raison d'exprimer sa colère.

— Je ne crains pas la colère du peuple, mais des vauriens saisissent ces occasions pour voler ou simplement s'amuser à détruire. Cela ne te rappelle-t-il pas les événements du printemps de 1917 ?

L'allusion aux grands désordres de l'année précédente troubla un peu le jeune homme. Il avait monté la garde dans le commerce au moment de la flambée de violence. Bientôt, les ouvriers masquèrent les vitrines avec des panneaux de bois, donnant au grand commerce l'allure d'une sombre caverne.

— Tu le sais, précisa l'entrepreneur, des milliers de personnes ont été libérées de l'armée depuis une semaine. Malgré la prohibition, on les voit errer dans les rues, totalement saouls. Sans aucun policier pour maintenir la paix, ces gars-là peuvent s'amuser à lancer des briques dans les vitrines, juste pour se divertir.

Édouard revint à leur premier sujet de préoccupation.

— Le ralentissement de l'économie durera-t-il longtemps, selon toi ?

— Je suppose que la production civile reprendra vite. Les gens ont accumulé de l'argent pendant la guerre, ils voudront sans doute acheter des meubles, des vêtements…

— Les chômeurs sont de plus en plus nombreux. Il y a six mois, nos ateliers comptaient deux fois plus de monde qu'aujourd'hui.

— C'est pour cela que je souhaite voir la consommation civile suffire à relancer les activités. Dans le cas contraire, nous serons en difficulté.

Un dernier panneau de contreplaqué obscurcit la fenêtre de la porte. L'éclairage électrique suffirait jusqu'au moment de la fermeture. D'un autre côté, les ouvertures condamnées rebuteraient sans doute les clients.

Chapitre 19

Février écrasait Québec sous la neige et le froid. Thomas préférait demeurer à la maison les jours où le climat se montrait trop rigoureux. Le lundi 17, il s'enferma dans la bibliothèque tout de suite après le déjeuner, abattu par une très mauvaise nouvelle.

Vers dix heures, Élisabeth passa la tête dans l'embrasure de la porte pour lui demander :

— Me permets-tu de te tenir compagnie ?

L'homme se trouvait derrière sa large table de travail, des copies du *Soleil* et de *La Patrie* placées sous ses yeux.

— Tu vas peut-être te moquer de moi, mais je suis plus triste que le jour où mon père est mort. Plus que le jour du départ de maman, aussi.

La femme n'avait pas connu Théodule, mais elle se souvenait de ses très rares rencontres avec Euphrosine, qu'Alfred appelait le « dragon femelle ». Le décès de la vieille femme était peu susceptible d'avoir plongé ses fils dans un profond désarroi.

Élisabeth regarda le titre étalé en grandes lettres noires en travers du *Soleil* posé sur le bureau : « SIR WILFRID LAURIER EST MOURANT ».

— L'ancien premier ministre ne conserverait-il aucune chance de s'en tirer ? demanda-t-elle.

— Selon les journalistes, les médecins ont renoncé. Ce serait une question de temps. L'accident cérébral a paralysé tout son côté gauche. Papa est mort de la même chose.

« Et j'ai eu si peur de connaître le même sort, en juin dernier », songea Thomas. Sa femme prit place sur la chaise en face de lui.

— Je n'ai aucune envie de me moquer de toi. Tu as consacré tellement de temps à soutenir sa carrière... Sa disparition laissera un grand vide dans ton existence.

— Je persiste à croire qu'il a été le plus grand Canadien français de l'histoire et le meilleur premier ministre du pays.

— Souvent, tu as négligé tes propres affaires pour te mettre à son service.

De nombreuses personnes auraient affirmé que le patronage, pendant les quinze ans du grand homme au pouvoir, avait largement compensé tout le temps consacré au travail d'organisation politique. Observatrice plus fine, Élisabeth ne partageait pas cet avis. Une grande abnégation avait marqué l'engagement de son époux.

— Ton vieil ami est parti après une existence et un destin exceptionnels, souligna-t-elle. Cela doit tout de même te consoler un peu.

— Tu as raison. D'un autre côté, je ne vois apparaître personne capable de recoller les morceaux du Parti. Ou ce sont des vieillards qui se portent volontaires, ou alors des personnes fades et sans envergure. As-tu vu à quoi ressemble William Lyon Mackenzie King ? Un vieux garçon étrange, trop gras et chauve. J'ai du mal à l'imaginer en train de réconcilier un pays déchiré.

— Parmi tous ses membres et ses sympathisants, il doit bien se trouver quelqu'un capable de mener le Parti libéral au pouvoir.

— S'il existe, je n'ai pas encore reconnu le sauveur.

~

Les médecins de l'ancien premier ministre ne s'étaient pas trompés. L'après-midi du 17 février 1919, après avoir murmuré « C'est fini », Wilfrid Laurier laissa échapper son dernier souffle. Dans les jours suivants, tous les journaux consacraient leur première page au grand disparu, retraçant les moments forts de sa carrière et présentant avec moult détails les diverses étapes des cérémonies prévues à Ottawa.

Le vendredi suivant, à la demande des membres de l'Assemblée législative, un premier service funèbre était tenu à la basilique Notre-Dame de Québec. Au moment de déposer ses parents sur le parvis de la cathédrale, Édouard, au volant de la Buick, demanda à son père :

— Es-tu certain de vouloir te passer de mes services ? Je peux revenir à la fin de la cérémonie. Vous paraissez un peu étranges, tous les deux, avec votre valise pour aller à l'église.

— Ta présence est requise au magasin. Nous prendrons un taxi tout de suite après pour nous rendre à la gare.

Thomas descendit de voiture, tendit la main afin d'aider sa femme à faire de même. Il se pencha à la fenêtre de la portière du conducteur pour dire encore :

— Nous rentrerons dimanche.

— Ne crains rien. Je prendrai bien soin du commerce, et Évelyne, de la maison.

— Je n'en doute pas.

— ... Et sincèrement, mes sympathies. Je sais combien tu appréciais le vieux chef.

L'homme chercha sans la trouver une trace d'ironie dans la voix de son fils.

— Merci... Bon, va travailler maintenant.

Comme le couple le constata bien vite, pénétrer dans la cathédrale avec chacun une valise à la main attirait l'attention. Des regards curieux les suivirent depuis les grandes portes jusqu'à leur banc, dans l'allée centrale. Monseigneur Émile Buteau, récemment élevé au rang de « prélat domestique », en récompense de son engagement indéfectible pour l'action sociale catholique, présidait la cérémonie.

— Le bonhomme a fait du chemin, depuis le moment où il venait vérifier les connaissances du catéchisme d'Eugénie et d'Édouard, murmura Thomas à l'oreille de sa conjointe.

— Demeure-t-il tout de même curé de Saint-Roch ?

— Évidemment. Mais à présent, il est susceptible de se voir nommer évêque d'un petit diocèse, comme Saint-Jean ou Saint-Hyacinthe.

Ils abandonnèrent leur discussion sur les perspectives de carrière de Sa Grandeur Mgr Buteau pour écouter son sermon. L'exercice servit à mettre en lumière la piété exemplaire de l'ancien premier ministre, tout au long de sa vie. À ce moment, rappeler que le grand homme avait appartenu pendant quelques années à l'Institut canadien aurait paru mesquin. Le célébrant venu de la Basse-Ville s'en priva. En effet, cet élément biographique aurait tempéré l'avalanche d'hommages adressés à cet homme. Car à titre de membre de cette organisation, le jeune Laurier s'était trouvé touché par une mesure d'excommunication.

À la fin de la cérémonie, le couple Picard quitta le temple avec ses bagages. Sur le parvis, Thomas put saluer tout le cabinet provincial. Les députés du parti au pouvoir, comme ceux de l'opposition, se trouvaient là, ainsi que la plupart des membres du conseil municipal. Même les conservateurs et les nationalistes ne tarissaient pas d'éloges sur le défunt.

— Thomas, tu sembles sur le point de partir en voyage, déclara une voix amusée.

Le marchand se tourna pour reconnaître Louis-Alexandre Taschereau. Le petit homme demeurait fidèle au port de la redingote, ce qui lui donnait un peu l'air d'un croque-mort, surtout quand il se coiffait, comme à présent, d'un haut-de-forme.

— Nous prenons le train tout de suite pour Ottawa afin d'assister aux funérailles, demain.

— As-tu obtenu un laissez-passer ?

— Une faveur d'Ernest Lapointe.

Des milliers de personnes souhaitaient assister à l'événement. Seules celles munies d'une autorisation pourraient entrer dans la cathédrale catholique de la capitale fédérale.

— Le cher Ernest sait se rendre indispensable, ricana le ministre.

— Comme mon époux a été indispensable à Laurier pendant plus de vingt ans, intervint Élisabeth, ce n'est que justice.

D'habitude, cette femme préférait demeurer très discrète à propos des activités politiques ou commerciales de son époux. Devant la mesquinerie implicite de la remarque, cette précision lui paraissait toutefois s'imposer.

— Madame, consentit Taschereau, tout politicien se féliciterait d'avoir un organisateur politique de la compétence de Thomas. Toutefois, il s'agit d'un monde souvent ingrat pour ceux qui travaillent dans l'ombre.

Le ministre regarda les voitures stationnées près de la cathédrale.

— Édouard doit vous conduire à la gare, je suppose. Mais je n'aperçois pas la grosse Buick.

— Mon fils se trouve au magasin. Nous allons prendre un taxi.

— Avec cette foule, ça ne sera pas évident. Montez avec moi, je vous déposerai à la gare.

— Ce n'est pas nécessaire…

Taschereau affecta d'être déçu.

— Vous n'allez pas me refuser le plaisir de vous rendre service ?

À la fin, Thomas acquiesça d'un signe de la tête. De toute façon, son interlocuteur ne paierait pas vraiment de sa personne : un chauffeur en uniforme tenait le volant de sa voiture. Pendant tout le trajet vers la Basse-Ville, Taschereau évoqua à mots couverts les ambitions politiques d'Ernest Lapointe et de sir Lomer Gouin. Déjà, il supputait ses chances de succéder au premier ministre provincial. En conséquence, il souhaitait voir le second atteindre ses objectifs.

Un peu comme Thomas, Henri Lavigueur devait impérativement assister aux deux funérailles de l'ancien premier ministre, celles tenues à Québec en l'absence du corps, et les autres, les vraies, à Ottawa. Le maire de la ville, comprise dans le comté du vieux chef, lui-même député à la Chambre des communes, ne pouvait se dérober.

Le hasard plaça le marchand et sa femme en face du premier magistrat municipal et de la sienne, dans la voiture de première classe. L'homme portait un habit sombre et un brassard noir au bras. Son épouse arborait l'anthracite des bottines au chapeau, en incluant les gants et la voilette couvrant à demi son visage.

Avant que la locomotive commence à rouler, Élisabeth demanda à la femme assise en face d'elle :

— Comment vous portez-vous, madame ?

Il était inutile de préciser « avec le deuil cruel qui vous afflige », tellement cela s'imposait. Elle choisirait de comprendre, si elle se sentait prête à aborder le sujet.

— Dans des circonstances pareilles, on ne peut que se laisser porter par la vie. Mes autres enfants m'entourent, Henri s'occupe de moi...

Elle s'interrompit afin de s'épargner une crise de larmes. Son interlocutrice se pencha pour poser sa main sur la sienne un bref moment. L'émotion les força au silence. Quand le train sortit de la ville, Thomas engagea la conversation sur un sujet moins délicat.

— La grève n'a pas duré bien longtemps.

— Tout de même, trois ou quatre jours sans policiers et sans pompiers, c'est une éternité. Si un incendie avait touché la Basse-Ville, avec toutes ces maisons rapprochées les unes des autres, vous imaginez le drame.

— Je craignais surtout les voyous. Pendant trois nuits d'affilée, j'ai fait placer des panneaux dans mes fenêtres. La situation m'a rappelé les émeutes du printemps de 1917.

La fin de la guerre, puis l'hécatombe attribuable à la grippe espagnole, avaient sans doute laissé les agitateurs trop abasourdis pour profiter de l'occasion.

— J'ai fait la même chose de mon côté, par simple mesure de précaution. Les émeutes appréhendées n'ont pas eu lieu.

Le maire voyait comme un triomphe personnel la traversée de cette grève sans problème majeur. Au même moment, partout au Canada, les prix excessifs et le chômage croissant entraînaient des désordres sociaux. Au Royaume-Uni, les arrêts de travail des mineurs conduisaient le pays au bord de l'effondrement.

— Si le gouvernement Borden cessait de faire la chasse aux insoumis, cela ferait baisser la tension d'un cran ! s'emporta Thomas. La guerre est terminée depuis plus de trois mois. Plus personne ne réclame que nous payions le prix du sang.

— Ces conscrits ont défié les lois. Vous ne vous attendez pas à ce qu'on tourne le dos pour les laisser impunis ?

— Que fera-t-on si on les attrape ? Déclarer une nouvelle guerre afin de les envoyer enfin au combat ?

— Je vous rappelle que nous ne sommes pas au pouvoir. Borden fera comme il l'entend.

Thomas secoua la tête, découragé. Cet entêtement des autorités empêchait la population de se concentrer résolument sur l'avenir, pour la ramener vers les rancœurs passées.

— Et le bonhomme sait qu'au cours des cent prochaines années, souffla-t-il encore, aucun Canadien français ne votera pour les conservateurs. Il entend faire plaisir aux impérialistes en continuant la chasse aux déserteurs.

Élisabeth posa sa main sur l'avant-bras de son époux pour réprimer son emportement, puis murmura à madame Lavigeur, à moitié amusée :

— Le croirez-vous, mon mari doit s'éloigner de son travail, sur les ordres du médecin. Alors à la place, il entend dire à tout le monde comment administrer le pays.

L'ironie piqua un peu son époux. Elle suffit toutefois pour réduire d'un cran sa véhémence. Il chercha un autre sujet de conversation. Les plans de carrière de sir Lomer Gouin, tout comme les ambitions de Louis-Alexandre Taschereau, prêtaient moins à la colère et les deux hommes les commentèrent à satiété.

Quand le quatuor changea de train à Montréal, les compères entendirent se dégourdir les jambes en marchant un peu à l'extérieur de la gare. Ils se trouvèrent bien vite devant une manifestation ouvrière d'envergure. La circulation dans la rue Viger demeurait totalement entravée par des protestataires dans la force de l'âge.

— Grand Dieu, commenta Thomas, voilà les bolcheviques à l'assaut de notre belle démocratie.

L'humour, perceptible dans le ton, empêcha Lavigueur de le prendre au sérieux. Tout de même, le député crut bon d'expliquer :

— C'est une manifestation du Conseil central de Montréal, avec un noble objectif en tête. Regardez.

Une grande banderole large d'une trentaine de pieds portait les mots « Libérez la bière ».

— Bravo ! hurla Thomas. Voilà un programme social qui me plaît !

Son enthousiasme amena un manifestant à se séparer de la parade pour venir lui remettre une feuille portant un texte imprimé.

— Il s'agit d'une lettre ouverte à l'intention du gouvernement du dominion du Canada, expliqua-t-il en la parcourant des yeux.

— Pour réclamer la vente libre de la bière, répondit le maire. Retournons à notre train, sinon nos femmes assisteront aux funérailles de Laurier sans nous.

La prédiction ne se réalisa pas, les deux hommes prirent place dans un autre wagon de première classe afin d'effectuer la suite du trajet.

— Où étais-tu passé ? demanda Élisabeth.

— Marcher. Ne te souviens-tu pas? Hamelin semblait considérer que cet exercice me permettrait de devenir un vieillard. Le docteur Caron est atteint de la même manie.

— Et ce bout de papier dans ta poche ?

Thomas sortit la feuille, la déplia en disant :

— Les travailleurs qui votaient à l'unanimité, ou presque, pour la prohibition l'an dernier, réclament maintenant la vente libre de la bière.

— Ils paraissent même prêts à faire la révolution pour se régaler du champagne du pauvre, renchérit Lavigueur.

Comme les deux femmes paraissaient sceptiques, le marchand commença à lire :

Les raisons suivantes expliquent les motifs qui nous font demander un changement dans les lois existantes.

PREMIÈREMENT : L'exemple de la Russie – la manière arbitraire par laquelle on a supprimé les prérogatives en ce qui regarde les boissons alcooliques – a été immédiatement suivi d'un profond malaise industriel et social. La source de satisfaction que constitue pour l'ouvrier l'usage d'une boisson saine comme la bière, les bons rapports qui en découlent, ainsi que la détente morale après une dure journée de labeur sont aussi importants pour son plaisir et sa tranquillité morale qu'une pipe de tabac après son repas. Les mêmes perturbations, qui existeraient si l'on voulait lui enlever sa pipe, suivront une législation qui voudra lui enlever sa bière. Notre prétention est qu'un malaise social devra infailliblement suivre une législation aussi arbitraire.

Ce qu'il faut, c'est une éducation et non pas une législation.

DEUXIÈMEMENT : En Angleterre, nos confrères ouvriers ne se sont pas vus ainsi privés de leur droit. Pourquoi, en opposition directe avec une volonté formulée par nous, ceux qui sont au pouvoir et qui ne prennent pas en considération ou ne connaissent pas la vie ordinaire de l'ouvrier, veulent-ils imposer si arbitrairement leur volonté ? Nous considérons que c'est injuste.

— Ce plaidoyer continue encore pendant quelques paragraphes. La bière avec une teneur en alcool de deux et demi pour cent est présentée comme une source de bonheur pour la classe ouvrière.

— Pour les satisfaire, le gouvernement Borden voudra-t-il mettre son projet de loi sur la prohibition totale au rancart ? questionna Élisabeth.

Le maire Lavigueur répondit cette fois :

— Il laissera probablement les provinces décider à leur guise.

— Et du côté de Québec, continua Thomas pour indiquer combien il demeurait au courant de tout, le gouvernement tiendra un référendum pour savoir si le bon peuple préfère ou non avoir accès à la bière et au vin en vente libre.

Son compagnon hocha la tête pour indiquer combien ce scénario était probable.

— L'Église fera une nouvelle fois campagne pour la prohibition complète, déclara Élisabeth.

— Le tout sera de savoir si elle obtiendra le même résultat qu'en 1917, ricana son époux.

— Veux-tu parier ?

L'homme saisit sa main tout en lui adressant un sourire moqueur. Une fois levée la menace de la conscription, ses concitoyens lui semblaient peu enclins à se prononcer en faveur de l'abstinence totale. En l'absence d'un motif sérieux de se sacrifier afin d'attirer la protection du Seigneur sur eux, l'effort leur semblerait démesuré. Être forcé à la vertu paraissait moins méritoire dans les circonstances actuelles.

— Mais tu resteras encore privé de cognac, se moqua encore sa femme, prohibition mitigée ou non.

La prédiction arracha un soupir de lassitude au marchand.

~

De la gare d'Ottawa, les voyageurs empruntèrent un taxi afin de se rendre à leur hôtel, dans la rue Metcalfe. Après être passé à la réception, Lavigueur déclara à ses compagnons de route :

— Si vous souhaitez aller à la Chambre des communes afin de lui rendre un dernier hommage, joignez-vous à moi. Je vais vous attendre ici dans dix minutes.

— Non, ce ne sera pas nécessaire, répondit Thomas, déclinant l'offre.

— Vous savez, la file d'attente risque de compter des milliers de personnes. Je pourrai vous faire passer plus vite, en usant de mes privilèges de député.

— Je le sais bien. Lapointe doit venir me chercher pour cette raison…

Le maire lui adressa un sourire entendu.

— La rumeur dit donc vrai : vous êtes déjà en campagne.

— La rumeur exagère un peu. Je demeure attentif aux attentes des électeurs de Québec-Est et je donnerai mon appui à la personne qu'ils choisiront comme candidat.

— Si j'avais l'esprit un peu plus aventureux, je parierais que cette personne sera justement celle qui vous accompagnera devant le cercueil de notre ami.

Lavigueur gagna sa chambre en compagnie de sa femme. Thomas s'attarda un peu dans le kiosque à journaux, puis fit de même avec la sienne.

— C'est tout de même curieux, déclara-t-il, une fois les portes de l'ascenseur fermées sur eux. Tout le monde paraît deviner mes intentions.

— Peut-être te montres-tu un peu trop transparent. Accepter les laissez-passer de Lapointe, en ces circonstances, me paraît aussi compromettant qu'un mariage dans le chœur de la basilique.

— Ma foi, tu devrais présider le comité féminin du Parti libéral dans Québec-Est. Autrement, tes compétences seront gaspillées.

Dans le couloir du troisième étage conduisant à leur chambre, elle revint sur le sujet :

— Je ne savais même pas qu'il existait un comité de ce genre.

— Il sera créé bientôt. Comme toutes les femmes pourront voter lors de la prochaine élection, nous n'allons pas les négliger. Tu sais, je suis sérieux. Ce serait une bonne idée.

Elle le remercia d'un battement de cils au moment d'entrer dans la chambre.

— Tout aussi sérieusement, je refuserai. La politique est ta passion, pas la mienne.

Une heure plus tard, le couple revint dans le hall de l'hôtel. À leur arrivée, le colosse de Rivière-du-Loup quitta son siège pour les rejoindre, la main tendue.

— Je suis heureux de vous rencontrer, madame Picard, commença-t-il.

Il enchaîna en se tournant vers son futur organisateur politique :

— Thomas, j'aurais aimé que ce soit dans des circonstances différentes, mais maintenant, nous devons accélérer la cadence. Le nouveau candidat dans Québec-Est devra être connu bientôt.

— Vous avez raison : dans une semaine, dix notables de la région de Québec auront fait connaître leur désir de succéder au grand homme dans ce comté. Probablement que la victoire au prochain rendez-vous électoral attise déjà bien des convoitises.

— Comme je ne viens même pas de cette ville, ces opportunistes me compliqueront la tâche…

— Faites confiance à la voix du peuple et à sa sagesse proverbiale.

Le marchand lui adressa un clin d'œil complice.

— Nous ferions mieux d'y aller tout de suite, conclut le politicien. Une voiture taxi attend devant la porte.

En mettant le nez dehors, Thomas eut le souffle un peu coupé par l'air glacial. Tout le long du trajet, il tint son foulard contre son nez. Le Parlement canadien siégeait toujours dans le musée Victoria. Les travaux se poursuivaient sur la colline, afin de reconstruire l'édifice gouvernemental détruit par un incendie.

Au moment de descendre devant la grande bâtisse, le visiteur contempla la silhouette gothique, secoua la tête de dépit.

— Tout de même, quel dommage de le voir pour la dernière fois dans un cadre si décevant, alors qu'il a si longtemps dominé les débats de la Chambre des communes.

L'attention d'Élisabeth se portait plutôt sur l'immense chaîne humaine s'étendant sur trois pâtés de maison. Emmitouflés afin de résister au climat glacial de ce soir de février, les admirateurs de sir Wilfrid Laurier rappelaient les longues parades militaires des dernières années, excepté qu'ils progressaient à la vitesse de l'escargot.

— Ne vous inquiétez pas, madame, répondit Lapointe à sa question muette. Nous pourrons passer devant ces gens.

— Cela me paraît terriblement indélicat.

— Nous nous rendrons pourtant coupables de cet accroc aux convenances, conclut son époux en lui offrant son bras.

Les employés responsables de maintenir la foule reconnurent le député de Rivière-du-Loup. Ils lui ouvrirent le passage, tout comme à ses invités. Un murmure réprobateur vint aux lèvres des badauds. Élisabeth leur répondit d'un sourire contrit capable de ramener les plus colériques à de meilleurs sentiments.

Depuis de longs mois, la Chambre des communes siégeait dans une grande salle d'exposition du musée. Thomas se souvenait d'avoir assisté aux débats sur la conscription en ces lieux. Heureusement, les animaux empaillés étaient disparus dans les sous-sols de l'institution. Au milieu de tributs floraux surabondants, encadré d'une garde d'honneur composée de députés et de sénateurs, un grand cercueil de chêne accueillait les restes de Laurier. Ce Canadien français avait été premier ministre pendant quinze ans, au moment où le pays connaissait un âge d'or.

Flanqué de sa femme, Thomas demeura un long moment immobile, sombre et droit, à contempler le cadavre. Gris et cireux, le visage de celui-ci demeurait beau, empreint de noblesse. Ses cheveux blancs lui dessinaient une couronne.

Levant les yeux, Élisabeth remarqua les larmes coulant sur les joues de son homme. Elle serra la main sur le pli de son bras, appuya un peu son corps contre le sien. De nouveau, des murmures impatients leur reprochèrent de s'attarder, un policier s'avança avec l'intention de leur dire de céder leur place. D'un geste de la main, Ernest Lapointe signifia au planton de garder ses distances.

Quand Thomas se décida à avancer, il se réfugia derrière le grand fauteuil du président des débats afin de jouir d'un peu d'intimité pour essuyer ses larmes avec son gant. Un moment plus tard, il tendait la main à son hôte en disant:

— Merci de m'avoir conduit ici. Je me sens un peu fatigué. Nous allons rentrer à l'hôtel tout de suite.

— Si vous voulez attendre un moment dans mon bureau, je vous reconduirai. J'ai une affaire à régler et ensuite je pourrai vous recevoir à souper.

— Je vous remercie, mais je préfère aller me coucher. Demain, la journée sera longue.

— Nous pourrons nous reprendre, j'espère… Serez-vous là demain, en soirée?

Thomas consulta son épouse du regard, puis il répondit:

— Ce sera avec plaisir. Nous rentrerons à Québec dimanche.

Le couple trouva son chemin pour sortir du vaste édifice. La température inclémente permettait aux chauffeurs de taxi de réaliser des affaires d'or. Après avoir fait la file pour se recueillir devant le grand homme, plusieurs badauds attendraient une voiture.

— Nous aurions peut-être mieux fait de profiter de l'offre de Lapointe, murmura Élisabeth après une demi-heure à patienter, debout, les pieds sur le trottoir glacé. Il peut sans doute éviter aussi les queues de ce genre.

— Je ne me sens vraiment pas d'humeur à faire la conversation avec qui que ce soit, rétorqua son époux.

Une voiture s'arrêta enfin devant eux. Après avoir donné l'adresse de leur hôtel, il continua:

— D'ailleurs, j'aimerais m'étendre en arrivant dans la chambre. Tu pourras te faire livrer un repas, si tu ne désires pas aller seule à la salle à manger.

— ... Tu n'as rien avalé de consistant depuis ce matin. Tu n'es pas raisonnable.

— Rien ne passerait.

Elle le contempla longuement de ses yeux inquiets.

— Es-tu certain de bien te porter ?

— Je ne croyais pas que sa mort me ferait cet effet. C'était un vieux monsieur... La première fois où je l'ai vu, il dépassait déjà les cinquante ans. Sa disparition devrait m'apparaître comme la chose la plus naturelle du monde. Et pourtant, regarde l'état où je me trouve.

Cela ressemblait à un grand chagrin d'amour. Élisabeth se retint de le lui dire.

~

La nuit se révéla atroce. Le côté gauche du crâne vrillé par une douleur intense, Thomas aurait aimé trouver un verre de cognac bien tassé afin d'anesthésier sa peine... malgré son estomac vide. Toutefois, en ces temps de prohibition, cette quête se serait déjà montrée difficile à Québec. Dans une ville aussi puritaine qu'Ottawa, la démarche ne donnerait rien.

En se levant, Élisabeth remarqua son teint blême dans la lumière du petit jour.

— Tu ne vas pas mieux ?

— Je ne crois pas avoir fermé l'œil plus d'une heure.

— Cela, je le sais. Tu m'as réveillée une demi-douzaine de fois.

Son époux lui adressa un sourire gêné, afficha une mine désolée.

— Quand le curé évoquait le pire, lors de notre mariage, conclut-il, il parlait sans doute des migraines.

Elle le regarda sortir du lit, le trouva fragile dans sa chemise de nuit.

— Au lieu de nous rendre aux funérailles, remarqua-t-elle, mieux vaudrait chercher un médecin. Ton état m'inquiète un peu.

— Je ne veux pas rater ce dernier rendez-vous avec un vieil ami. Et puis, tu sais, je pense que tous les médecins de la ville seront avec nous, aujourd'hui, sur le trajet du cortège.

— Ne commets aucune imprudence. Tu te souviens de l'été dernier.

Thomas se souvenait très bien. Deux sujets avaient meublé ses pensées, au cours de la nuit : les réminiscences de sa longue carrière d'organisateur politique dans la Basse-Ville de Québec et ses ennuis de santé récents. Le décès d'un proche, parent ou ami, ramenait toujours à sa propre finalité. Déjà, songeait le commerçant, une majorité de ses connaissances se trouvaient dans l'autre monde.

— Je suis sérieux, tous les cabinets de médecin de la ville seront fermés ce matin. Si cela ne va pas mieux cet après-midi, nous pourrons rentrer tout de suite à la maison. Je ne doute pas que Caron accepte de venir me voir en soirée.

L'engagement parut raisonnable à Élisabeth. Un pur inconnu ne saurait pas comment interpréter les symptômes de son mari. Quand celui-ci entra dans la salle de bain, elle demanda encore :

— Ce matin, tu viendras déjeuner. Ton malaise tient peut-être seulement au fait que tu as l'estomac vide.

— Je t'accompagnerai, mais ce sera sans doute pour boire une simple tasse de thé. Je garde une petite envie de vomir depuis hier. Cela tient sans doute à mon mal de tête.

Le programme de la journée était connu de tous, car les journaux l'évoquaient à répétition depuis le mercredi précédent. À neuf heures, le cortège funèbre partirait du musée Victoria, le siège du Parlement depuis plus d'une année, pour se rendre à la cathédrale d'Ottawa. Cent mille spectateurs seraient assez braves pour affronter le froid humide de février. Afin de leur permettre de voir passer le cortège funèbre, le corbillard tiré par quatre chevaux noirs irait au pas.

Le cortège funèbre devait passer par la rue Metcalfe, sous les fenêtres de l'hôtel où logeait Thomas. Au moment de sortir de la salle à manger, Élisabeth proposa :

— Restons tout bonnement dans la chambre, bien au chaud. Tu verras passer le corps depuis la fenêtre. Si tu demandes au comptoir de la réception, on fera même venir un médecin ici.

— Je tiens à me rendre à l'église. J'ai admiré cet homme depuis sa première campagne à titre de chef du Parti libéral, dans les années 1880. Je veux l'accompagner jusque-là. Je m'épargnerai toutefois la visite au cimetière.

En parlant, il portait la main à son œil gauche, afin d'exercer une petite pression sur son globe oculaire.

— Cela fait si mal ?

L'inquiétude marquait la voix féminine. Ce matin, elle ne tenait pas son bras pour s'appuyer, mais pour le soutenir.

— La pire migraine de ma vie… Excepté les lendemains de veille, bien sûr. Sortir me fera le plus grand bien.

Une demi-heure plus tard, ils quittaient l'hôtel pour rejoindre la rue Wellington et se diriger ensuite successivement vers Saint-Patrick et Rideau.

— C'est absurde de fermer les portes de la cathédrale, remarqua la femme. Nous pourrions nous asseoir sur un banc et attendre bien au chaud.

— Les organisateurs tiennent à ce que les membres du cortège entrent les premiers. Une façon de flatter nos élites, sans doute. Ensuite, seulement les détenteurs de laissez-passer entreront dans le temple.

Thomas se pencha pour prendre un peu de neige sur le bord du trottoir et l'appliquer sur sa tempe gauche.

— Ce froid me fouette un peu. Demeurer dehors un long moment me fera du bien.

Le gros mensonge passa inaperçu. En réalité, sa vue de l'œil gauche se voilait, jusqu'à devenir opaque. Puis sa démarche devenait un peu erratique, comme après trois cognacs avalés trop vite.

À peu de distance de la cathédrale, parmi une foule de gens respectables munis de laissez-passer, ils s'arrêtèrent pour occuper la plus haute des deux marches donnant accès à une maison. Thomas appuya son épaule contre le cadre de la porte, son dos contre l'huis.

— Nous verrons très bien, d'ici.

— Si le propriétaire nous demande de partir…

— Tu lui adresseras ton meilleur sourire et, séduit, il nous offrira des chaises.

Elle serra son avant-bras de la main, scruta son visage. L'air frais ajoutait un peu de rose à ses joues, cela la rassura un peu. Dans trente, tout au plus quarante minutes, ils se trouveraient assis dans le temple. Rassérénée, elle contempla le bel attelage de quatre chevaux noirs tirant un corbillard abondamment sculpté. Ses flancs en verre laissaient apercevoir le riche cercueil de chêne. Juste derrière cette voiture venaient sur deux rangs les quatorze notables, proches collaborateurs de l'ancien premier ministre, qui tiendraient les cordons du drap mortuaire au moment de son entrée dans l'église.

— Je devrais me trouver parmi eux, murmura Thomas d'une voix pâteuse. J'y ai certainement plus de droit que le sénateur Laurent-Olivier David, ou même sir Lomer Gouin. J'ai donné à Laurier de magnifiques majorités dans Québec-Est lors de six élections générales.

Il marqua une pause, ferma les yeux avant de jeter avec dépit :

— Regarde ce petit prétentieux, certain de pouvoir venir à Ottawa pour occuper la place laissée vide.

Il parlait du premier ministre Gouin. Marchand dans la Basse-Ville, Picard tolérait mal de se voir oublié lors de cérémonies semblables. Élisabeth se rapprocha de lui, serra son bras. Tout de suite après ces notables venait une automobile découverte où la vieille silhouette de Zoé, l'épouse du grand homme, paraissait crouler sous les fourrures. Une dame de compagnie se tenait près d'elle, attentive à ses moindres souhaits.

— Avec ses rhumatismes, commenta Élisabeth, on aurait dû prévoir un véhicule fermé.

Thomas ne répondit rien.

— Les journaux ont beau insister sur sa fidélité au grand homme, son désir de l'accompagner chaque seconde de ces derniers jours, elle devrait penser à elle.

La femme leva les yeux afin de recevoir au moins un assentiment muet de son mari. Elle découvrit des yeux clos, une bouche entrouverte. Puis tout d'un coup, les genoux de l'homme se dérobèrent, le corps s'écrasa comme un sac.

— Thomas !

Le cri attira l'attention des badauds sur le trottoir. Elle arriva à le soutenir assez pour amortir un peu la chute et éviter surtout que la tête heurte le trottoir. Accroupie près du corps, elle cria encore :

— Aidez-moi, quelqu'un, mon mari !

La foule des curieux dégagea un cercle autour du couple.

— Je vous en prie, aidez-moi.

Des jambes entrèrent dans son champ de vision, puis un genou se posa sur le pavé. Le son de la voix la força à lever les yeux vers l'inconnu.

— Je suis médecin.

Le praticien posa sa main nue sur le cou du gisant, juste sous l'oreille. Il remarqua tout de suite les lèvres bleutées, entrouvertes, la respiration hésitante, les yeux mi-clos. Il souleva une paupière du bout de l'index, la pupille parut s'empresser de se dérober vers le haut.

— Monsieur, et vous aussi, monsieur, il faut transporter cet homme.

Le ton impératif, la désignation d'individus jeunes et robustes, ne permettaient guère de se dérober. Au moment où les deux bons Samaritains conscrits de la sorte soulevaient le malade en le prenant par les épaules, l'inconnu dit à Élisabeth :

— L'hôpital des sœurs de la Charité se trouve à deux pas, j'y fais transporter votre mari.

Elle donna son accord d'un signe de la tête. Des larmes coulaient sur ses joues.

— Je vous remercie, monsieur...

— Je suis le docteur Landry. Je travaille dans cet hôpital, je pourrai m'occuper de votre mari tout de suite.

Incertaine de pouvoir articuler de nouvelles paroles, elle hocha simplement la tête.

~

Heureusement, les religieuses purent mettre le nouveau patient dans une chambre privée. La mise soignée du malade et la gravité de son état lui interdisaient la promiscuité d'une salle commune.

Élisabeth dut attendre longuement sur une chaise placée dans le corridor. Plus de quarante minutes après son arrivée, le docteur Landry vint la rejoindre. Après avoir pris place sur un second siège près d'elle, il répondit à son interrogation muette :

— Madame Picard, votre époux a repris conscience, même s'il demeure un peu... perdu, comme vous le verrez tout à l'heure.

— Va-t-il se remettre ?

— Cela repose entre les mains de Dieu. Je vous promets toutefois de le soigner de mon mieux.

L'engagement lui parut peu convaincant. Ce genre de précaution verbale précédait généralement les mauvaises nouvelles.

— Cet épisode n'est pas le premier, n'est-ce pas ? questionna le praticien.

— Il a perdu conscience en juin dernier. Mais depuis, il s'est reposé, a fait attention à sa diète. Le docteur Caron – c'est le nom de son médecin – s'est montré satisfait.

— La mauvaise hygiène de vie est souvent responsable de ces crises d'apoplexie. Malheureusement, le retour à de bonnes habitudes ne suffit pas toujours.

« Thomas doit trouver la situation bien ironique, songea la femme. Tous ces sacrifices pour se trouver dans une situation pire qu'au début. » Elle demanda, inquiète :

— Cela tient à quoi ?

— À sa pression artérielle très élevée, comme en témoigne mon examen avec le sphygmomanomètre.

Le mot, aussi impressionnant que n'importe quelle incantation de sorcier, devait semer une admiration béate chez les patients et leurs proches.

— Votre mari est robuste, il a survécu à une attaque cérébrale sévère. Si aucune récidive ne se produit dans les deux prochaines heures, ce sera un signe excellent. Demain marquera une nouvelle étape.

— Encore vingt-quatre heures et il sera sauvé ?

L'espoir écarquillait les yeux de la jolie femme.

— Si les symptômes de sa paralysie s'amenuisent, cela voudra dire de meilleures chances. Toutefois, il continuera à souffrir d'hypertension…

Devant le regard désespéré de son interlocutrice, Landry décida de laisser le médecin de famille du patient évoquer les mauvaises nouvelles. Cet homme risquait fort d'être sous terre dans six mois.

— Gardez espoir. Parfois la prière…

Élisabeth choisit de ne pas entendre les derniers mots, prononcés le plus souvent en présence de cas désespérés.

— Vous avez parlé de paralysie…

— Tout son côté gauche. Mais déjà, il semble récupérer un peu de sensibilité dans le bras et la jambe. Ces symptômes peuvent disparaître tout à fait au cours des prochaines heures.

— Puis-je le voir ?… demanda la femme en se levant.

Le médecin posa la main sur son avant-bras pour lui dire doucement :

— Bien sûr. Je dois toutefois vous prévenir, sa vue vous surprendra. La paralysie lui donne une allure étrange. La bouche demeure tordue, il s'exprime avec beaucoup de difficulté.

Elle hocha gravement la tête, continua vers la porte de la chambre, le médecin sur les talons. Malgré l'avertissement, elle demeura un moment interdite, dut faire un effort pour accrocher un sourire sur son visage. Thomas fixait sur elle son œil droit alors que le gauche paraissait ne plus lui obéir. Puis sa bouche dessinait un trait oblique au milieu du visage, la bave se répandait sur la joue gauche. De ce côté, son bras immobile se terminait par des doigts tout crispés.

— Mon amour, comme tu m'as fait peur !

— ...

La réponse, dans un souffle, lui parut d'abord totalement incompréhensible. À la troisième tentative, elle devina : « Désolé ».

— Ne dis pas cela.

Elle prit une pièce de lin sur le meuble de chevet, essuya un peu la salive sur le menton.

— Je vais rester près de toi. Ne t'en fais pas, les choses s'améliorent déjà.

Elle approcha une chaise pour la mettre à la droite du lit étroit ; l'allure du profil gauche la troublait au point de lui faire perdre sa contenance. Le médecin se montrait plus familier de ce genre de situation. Il se pencha sur son patient, lui posa la main sur la poitrine.

— Je reviendrai vous voir en fin d'après-midi. D'ici là, je dirai à l'infirmière de vous servir un peu de bouillon.

Le malade répondit d'une grimace plus éloquente que son grognement.

Pendant les heures suivantes, Thomas alterna entre le sommeil et les moments de conscience inquiète. Élisabeth consultait sa montre discrètement, additionnait les minutes. Landry avait évoqué une période de deux heures comme une étape significative. Pendant tout ce temps, elle hésitait sur l'attitude à adopter. D'un côté, son devoir exigeait qu'elle avertisse les enfants, Édouard et Eugénie. De l'autre, les appeler au chevet de leur père ne constituerait-il pas une démission face à la maladie ? Ce serait admettre le caractère désespéré de la situation.

~

La directrice du petit hôpital des sœurs de la Charité, le visage encadré par le tissu de son uniforme, assurait de sa voix la plus apaisante :

— Vous savez, madame, les derniers sacrements et la confession ne font jamais mourir personne. D'un autre côté, dans l'état de votre mari, il serait dangereux de négliger ces précautions.

Elle voulait dire « dangereux pour le salut de son âme ». Élisabeth accepta d'un signe de la tête. Le prêtre se trouvait déjà là, accompagné d'un servant de messe. Tout d'abord, il avait été seul dans la chambre du malade, le temps d'entendre ses péchés. Pour l'extrême-onction proprement dite, la présence de tiers était non seulement tolérée, mais souhaitée.

Étendu dans un lit étroit, vêtu d'une simple chemise de nuit, Thomas reposait sous un grand crucifix noir, dans une chambre discrète, loin des grands dortoirs communs. Son visage présentait une teinte d'un mauvais gris. Tout le côté gauche paraissait encore tordu, l'œil à demi clos, le coin de la bouche affaissée. Un filet de bave s'en échappait pour couler sur la joue.

Le prêtre, son étole autour du cou, traça une première croix sur le front du malade avec son pouce. Il continua en effleurant successivement le nez, les yeux, les mains, les pieds, laissant chaque fois une mince pellicule d'huile sainte.

Élisabeth entendait les mots sans en saisir vraiment le sens.

— Par cette sainte Onction, le Seigneur vous pardonne tout ce que vous avez fait de mal, par la vue, par l'odorat, par le toucher…

Ses yeux ne pouvaient se détacher de ceux de son homme, remplis de terreur. Le prêtre récupéra ensuite une petite boîte de nacre sur le chevet, en sortit une hostie pour la placer sur la langue du malade. L'homme tenta de déglutir pour l'avaler, n'y arriva pas. Le morceau de pain se dissolva bien vite avec la salive.

Après une dernière bénédiction, un masque grave et préoccupé sur le visage, l'ecclésiastique quitta la pièce, son servant de messe sur les talons. La femme eut l'impression qu'il jetait vers elle un regard réprobateur, comme si sa présence était de trop. La religieuse s'approcha du lit, recouvrit le corps d'un drap tout en murmurant :

— Je suis certaine que vous vous sentez mieux maintenant, monsieur Picard, avec une âme toute blanche comme celle d'un nouveau-né.

Les yeux de Thomas ne témoignèrent pas d'une immense satisfaction à ce propos. Il articula péniblement.

— Seul… avec ma femme.

Quelques heures après son attaque, tout le côté gauche de son corps demeurait paralysé. Cependant, il éprouvait de la douleur si on le piquait avec une aiguille. Même si son bras ressemblait encore à un morceau de bois mort, avec ses doigts un peu tordus, ce constat permettait au médecin d'afficher maintenant un optimisme prudent. Puis, son visage paraissait retrouver un peu sa mobilité. Si on écoutait avec une extrême attention, ses mots devenaient à peu près intelligibles.

— Vous voulez parler avec madame ?

Le souhait paraissait incongru à la soignante. Le malade fit un geste affirmatif de la tête. Elle se retira un peu de mauvaise grâce, en disant :

— Surtout, ne vous fatiguez pas.

Élisabeth prit la chaise placée contre le mur pour l'approcher et s'asseoir à son chevet, puis s'inclina vers lui. Pendant tout ce temps, il la suivait de ses yeux brûlants.

— Je suis tout près, maintenant.

— Je… veux… dire…

Chacun de ses mots venait avec difficulté, déformé par le rictus permanent de la bouche. Il fallait reconstituer ses phrases, ajouter les mots manquants, pour en saisir parfaitement le sens.

— Je ne veux pas mourir en te cachant cela. La confession au curé…

Il eut un geste de la main droite, comme pour chasser une mouche, comme si la formalité accomplie un peu plus tôt lui paraissait futile.

— Mais je veux recevoir ton pardon.

Elle s'habituait au débit très lent, à la prononciation à la limite du perceptible, même au désespoir dans les yeux.

— Voyons, je n'ai rien à te pardonner.

De la main droite, il lui signifia de se taire.

— Tu te souviens, la nuit de sa mort…

Elle le regarda sans comprendre, totalement perdue.

— Alice, grogna-t-il.

— La nuit où Alice est morte ?

Une main glacée se ferma sur le cœur de l'épouse, ses yeux prirent une dureté nouvelle, comme si une part d'elle-même devinait déjà.

— Je suis allé dans sa chambre après toi.

Le silence, entre les mots murmurés, devenait très dense, comme l'acier.

— Elle était là, sa respiration sifflante, la sueur couvrait son visage et son cou.

Il s'interrompit encore, reprit après un long moment :

— Te souviens-tu de la chaleur dans cette pièce ? Et l'odeur… Cela me levait le cœur.

Élisabeth se souvenait très bien du mélange des excréments dans le pot de chambre, de la crasse de son corps, de la haine et de la colère mélangées aussi.

— Bien vite, toute ma vie aurait pris cette teinte, cette odeur. Elle nous tenait dans sa main, elle allait nous séparer en utilisant Eugénie…

La petite fille réclamant son entrée immédiate au pensionnat, la présence d'Élisabeth devenait immédiatement inutile. De plus, le curé de la paroisse menaçait de refuser la communion à la préceptrice de dix-huit ans si elle ne quittait pas le domicile des Picard. Il pouvait même la dénoncer du haut de la chaire pour la forcer à obtempérer.

Puis, in extremis, Alice était décédée.

— Cette nuit-là, je suis allé la voir pour tenter de la raisonner… tout en sachant que cela ne donnerait rien. Je ne souhaitais pas lui faire de mal, je le jure.

Le long soliloque entrecoupé de silences lui coûtait un effort infini. Elle écoutait, fascinée de découvrir sous un nouvel éclairage un pan immense de sa propre vie.

— J'ai pris l'oreiller…

Avec sa seule main droite, il mimait le geste de prendre un oreiller, de le placer sur un visage. Dans la réalité, il avait dû utiliser les deux mains.

— Je n'ai pas réfléchi, je n'ai pas planifié. Je me trouvais là, cela paraissait le geste à faire.

L'homme fixait son œil droit sur sa femme. Le gauche semblait enclin à faire preuve d'autonomie. Lentement, la vérité envahissait la conscience d'Élisabeth. À la fin, elle souffla :

— Tu as tué Alice.

— Je me suis défendu contre sa haine, sa méchanceté. J'avais le droit de le faire. Elle détruisait la vie de nos enfants. Tu vois combien Eugénie est devenue… bizarre. Elle a semé sa folie dans sa tête. Qui sait si Édouard n'aurait pas été sa prochaine victime.

Sa belle-fille était perturbée, impossible de le nier. Toutefois, cela tenait-il à une influence maternelle délétère ? Rien ne paraissait moins sûr.

— Tu as tué ta femme.

— C'était de la légitime défense. Elle faisait tout pour ruiner mon… notre existence. Tu te souviens, je voulais la placer dans un établissement spécialisé. Le docteur Couture, ce foutu imbécile, et mon frère Alfred, aussi, me mettaient des bâtons dans les roues. Nous étions condamnés…

Le long discours tout juste intelligible le laissa épuisé. Élisabeth demeura silencieuse, assommée par la révélation. Soudainement, la mine horrifiée d'Eugénie lui revint en mémoire, le jour des funérailles. Thomas avait jugé bon d'annoncer à ses enfants dès ce moment son intention de se remarier.

— Elle a dit: "Elle a tué maman", murmura la femme. Pauvre petite.

— Comment?

— Ta propre fille m'accusait, et toi, si généreusement, tu venais à ma défense en lui interdisant de répéter ces mots horribles. Pauvre Eugénie: son intuition était fondée. Elle se trompait simplement de coupable.

Un bruit parvint depuis la porte. La sœur hospitalière passa la tête dans l'embrasure pour demander:

— Tout va bien, j'espère.

— Oui. Nous conversons entre mari et femme, répondit Élisabeth d'une voix agacée.

La religieuse demeura interdite, puis répéta:

— Vous ne devez pas le fatiguer. Il a reçu les derniers sacrements, tout à l'heure.

Elle acquiesça d'un hochement de la tête, l'autre se retira. Après un long silence, Thomas implora:

— Me pardonnes-tu?

— Dieu seul peut pardonner les péchés. Surtout un péché aussi grave.

— Je me fous de Dieu. Je veux ton pardon à toi.

Son énervement apporta une pellicule de sueur malsaine sur son visage malade.

— Je ne peux pas.

— J'ai fait cela pour nous.

Elle songea à hurler pour le contredire, garda finalement le silence. Toutefois, elle recula sa chaise, suffisamment loin pour ne plus entendre ses murmures.

Chapitre 20

Toute la journée du dimanche, Élisabeth demeura dans la chambre de son époux, se limitant à prendre quelques heures de sommeil dans une minuscule pièce attenante. Normalement, elle aurait dû appeler les deux enfants au chevet de leur père, tellement l'issue demeurait incertaine. D'un autre côté, elle tenait à mettre de l'ordre dans ses propres idées avant de se trouver face à eux. Elle se résolut à leur téléphoner en soirée.

Le lundi en matinée, Édouard arriva à l'hôpital. Il se pencha sur le lit, lança d'un ton faussement joyeux:

— Papa, quel farceur tu fais! J'ai eu une belle frousse.

— Moi aussi, je te l'assure.

Thomas parlait d'une voix légèrement plus assurée. Sa bouche demeurait un peu tordue, tout le côté gauche n'était plus paralysé mais restait très faible. Son teint, moins grisâtre, laissait croire que la mort desserrait son étreinte.

— Crois-tu être en mesure de revenir à Québec?

— Ces religieuses vont me rendre fou. Je veux rentrer à la maison.

— ... Cela me semble réalisable. Il faudra obtenir de l'aide pour la durée du trajet et même une fois rendus à la maison. Je ne saurais pas m'occuper de toi, maman non plus.

— Une infirmière...

Le jeune homme hocha la tête.

— Je suppose qu'elles sont des dizaines à avoir été formées pour aller travailler dans les hôpitaux des Flandres. Nous en trouverons bien une désireuse de surveiller un vieux libéral. Je vais régler ça.

Édouard se leva pour gagner la porte. Il demanda, au moment de sortir :

— Viens-tu avec moi, maman ?

Élisabeth quitta sa chaise pour aller le rejoindre.

— Reviens vite, s'il te plaît, fit une voix plaintive depuis le lit.

Elle regarda son mari, donna son assentiment d'un signe de tête. Une fois dans le couloir, le fils abandonna son air bon enfant pour laisser libre cours à son inquiétude.

— Qu'est-ce qui s'est passé ?

— Comme je te l'ai dit au téléphone hier, Thomas a subi un accident vasculaire cérébral.

— Exactement la même chose que Laurier. C'est pousser la fidélité un peu loin... Cela est-il arrivé en pleine rue ?

— Nous avons regardé le cortège funèbre passer devant nous, puis il s'est écrasé comme une masse. Sur le coup, il ne voyait plus de l'œil gauche, tout un côté de son corps était paralysé. Maintenant, il a retrouvé un peu de mobilité.

Édouard paraissait profondément ému, comme s'il commençait tout juste à comprendre combien son père avait frôlé la mort.

— Que dit le médecin ?

— Selon lui, après trois heures, les chances de se remettre sont bonnes. Après deux jours, nous pouvons être rassurés...

Toutefois, le praticien ne s'était pas montré d'un optimisme sans bornes. Le risque d'une récidive mortelle demeurait élevé dans les six mois suivant ce genre d'accident.

— Tu comprends cependant qu'il ne reprendra pas vraiment le travail. Enfin, pas avant très longtemps, et cela dans le meilleur des cas.

Édouard acquiesça d'un signe de tête, le visage très grave. Il avait attendu si longtemps ce moment de tenir tout à fait les rênes de l'entreprise et voilà qu'un trac fou s'emparait de lui.

— Je vais prendre les arrangements pour son transport. Retourne auprès de lui. Il a semblé si inquiet de rester seul, tout à l'heure.

Depuis sa confession, le malade ne la quittait plus des yeux, implorant en silence son pardon. Au moment de le rejoindre dans la chambre, elle reçut encore la même prière.

— Je te le jure, je l'ai fait pour nous, insista-t-il. Nous méritions un peu de bonheur. Je ne pouvais tolérer de la voir détruire tant de vies, tout en ne bougeant même plus de sa couche malodorante.

Élisabeth le contempla, puis demanda à voix basse :

— Te souviens-tu du jour où tu es venu me chercher au couvent ?

— Comme si c'était hier.

— La supérieure tenait à me voir quitter les lieux tandis que moi, je réclamais d'y demeurer pour toujours. Elle exigeait que je passe une année hors des murs du monastère avant de m'accepter comme novice.

Thomas hocha la tête. L'attitude de la directrice lui avait alors semblé un peu étrange.

— Elle me reprochait ma beauté. Un jour, elle a même déclaré que c'était là l'arme du diable.

— Une vieille folle…

— Elle craignait que je devienne une occasion de péché.

À l'époque, son innocence l'avait empêchée de comprendre les motifs de cette méfiance. Vingt ans de plus la rendaient moins naïve à ce propos. Même enfermées dans un couvent, les passions ne disparaissaient jamais du cœur des femmes.

— Elle avait raison. C'est ma malédiction. Ma beauté a fait de toi un meurtrier.

— Ne dis pas de sottise…

— Tu viens de l'exprimer toi-même, tu l'as fait pour nous. Sans ma présence sous ton toit, cela ne serait jamais arrivé.

Le malade demeura interdit. Terrorisé par la probabilité de son décès imminent, il avait tenu à obtenir son pardon, le seul qui comptait vraiment. Moins de deux jours plus tard, elle paraissait prête à réclamer à son tour une absolution.

— La faute nous appartient à tous les deux, ajouta-t-elle. Ma clémence n'aurait aucun sens. J'aimerais en parler avec un prêtre...

— Ne fais pas cela.

Vingt-deux ans plus tôt, il lui avait reproché de trop en dire au curé de la paroisse Saint-Roch. Pourtant, il s'agissait à cette époque de jeux de main bien innocents.

Un moment plus tard, Édouard revenait dans la chambre, heureux d'avoir pu régler très vite les détails de leur retour à Québec.

~

Tout de même, le voyage prit bientôt l'allure d'une expédition périlleuse. Deux solides infirmiers portèrent jusqu'à l'ambulance le malade assis dans un fauteuil roulant. Après une balade dans les rues de la ville, ils durent répéter l'exercice pour le mettre à bord du train. Au moment où Thomas arrivait enfin dans le compartiment réservé pour lui, Édouard déclara, à demi amusé :

— C'est curieux, ce trajet m'a rappelé notre petit voyage dans Charlevoix, il y a presque vingt-trois ans. Te souviens-tu ? Il avait fallu des hommes pour porter maman, je veux dire Alice, dans une calèche.

— ... Oui, je me souviens.

L'allusion spontanée à sa première épouse, dans ces circonstances, le troubla fort.

— Je ne pense presque jamais à elle, continua le garçon. Mais j'ai eu soudainement l'impression de revivre une scène familière.

Élisabeth échangea un regard troublé avec son mari. Un bruit dans le couloir du wagon attira son attention. Elle sortit pour se trouver face à face avec Ernest Lapointe.

— Madame Picard, je suis si heureux de vous rejoindre à temps. Je me suis présenté à l'hôpital quelques minutes après votre départ, j'ai demandé à mon chauffeur de se dépêcher jusqu'ici.

— Nous pensons que Thomas récupérera mieux dans notre domicile.

— Que dit le médecin ?

— Il montre un optimisme prudent. Comparé à samedi dernier, le pronostic s'est amélioré de façon significative, même s'il convient de prendre les choses une étape à la fois.

Le politicien lui adressa un sourire plein de compassion, avant de demander :

— Puis-je le voir ?

La femme hocha la tête et s'effaça pour le laisser passer. Le colosse de Rivière-du-Loup pénétra dans le petit compartiment. En sa présence, l'espace devint soudainement très exigu.

— Mon ami, commença le politicien en tendant la main, je suis heureux de vous voir un peu mieux. Hier, la sœur hospitalière m'a refusé l'accès à votre chambre.

— Dans une autre vie, elle montait la garde devant les Enfers, comme Cerbère. Quant à ma condition… Vous le constatez, je ne m'engagerai pas tout de suite dans une campagne électorale.

— Vous nous avez habitués aux miracles.

— Je souhaite que vous ayez raison. Heureusement, d'ici ce prodige, mes affaires seront entre bonnes mains. Vous connaissez mon fils, Édouard ?

Le jeune homme se tenait au fond du compartiment, derrière le fauteuil roulant de son père. Il offrit la main au nouveau venu.

— Nous nous sommes déjà croisés, précisa-t-il, sans être présenté l'un à l'autre, toutefois.

— Mais je suis certain que nous aurons la chance de collaborer bientôt.

Le politicien ne renonçait pas à son projet de poursuivre sa carrière dans Québec-Est et déjà il cherchait un nouvel appui. Un silence embarrassé suivit ces mots. Heureusement, une jeune femme arriva sur les lieux, leur épargnant la nécessité de chercher un moyen de relancer la conversation.

— Voilà l'infirmière dépêchée par l'Ordre de Victoria, annonça Élisabeth.

L'uniforme de la nouvelle venue, visible sous son grand paletot bleu, témoignait bien de sa fonction.

— Odile Bouchard, précisa cette dernière.

Trouver une personne de langue française dans cette organisation tenait du tour de force. Édouard résolut d'envoyer un mot de remerciement pour sa célérité à la religieuse à la tête du petit hôpital, en même temps que son chèque.

— Je ne veux pas vous chasser, enchaîna-t-elle en s'adressant à la ronde, mais il importe de ne pas fatiguer notre malade.

Ernest Lapointe prit ces mots comme un congé.

— Thomas, je vous souhaite la meilleure des chances et j'espère sincèrement que nous travaillerons ensemble.

— Ce sera un plaisir, répondit son interlocuteur, sans y mettre trop de conviction.

Le politicien serra encore la main du fils et de l'épouse avant de se retirer. L'infirmière se pencha sur son patient.

— Monsieur Picard, cette banquette se transforme en couchette. Je préférerais vous voir à l'horizontal.

— Vous me le demandez si gentiment, je ne saurais vous dire non.

— Alors si votre fils accepte de m'aider…

Leurs efforts réunis permirent de débarrasser le malade de son manteau, sous lequel il ne portait qu'un pantalon et une chemise de nuit, avant de le coucher. Édouard sortit ensuite pour rejoindre sa mère.

— J'ai réservé le compartiment à côté. Allons nous y asseoir. Le train partira dans une minute.

— Je te suis.

Quand le train quitta la gare, les paupières baissées, elle tentait de mettre de l'ordre dans ses pensées.

~

La garde-malade de l'Ordre de Victoria assurait une présence discrète dans la grande maison de la rue Scott. Sous ses dehors modestes, Odile Bouchard savait donner des ordres. Dès le retour d'Ottawa, elle décréta que le grand escalier représenterait un défi insurmontable pour son patient. Il fallait l'installer au rez-de-chaussée.

Le petit salon paraissait un choix naturel, la salle d'eau ne se trouvait pas trop loin. Thomas opposa son veto, jugeant néfaste le papier peint de couleur pastel pour un homme dans sa condition. Il proposa plutôt de sortir les fauteuils de la bibliothèque pour y mettre un lit. L'infirmière rétorqua en le fixant dans les yeux :

— Vous n'oseriez pas travailler en cachette ?

L'homme baissa les siens. L'idée lui en était venue.

— Jamais ! affirma-t-il en retrouvant sa contenance.

— D'accord pour cette pièce, mais le bureau va sortir et je compte sur votre fils pour enlever tous les documents relatifs à vos affaires.

Puisqu'elle n'évoquait pas le tabou de la politique, son interlocuteur se considéra comme chanceux. Il approuva d'un signe de la tête. Durant les semaines suivantes, il occupa la grande pièce où, au dire de sa femme, il avait allégrement « brûlé la chandelle par les deux bouts ». Près de la grande fenêtre, le lit d'Édouard au temps de son célibat, tiré du grenier, lui permettait de dormir seize heures par jour. Près du foyer, les deux fauteuils l'autorisaient à recevoir les membres de sa famille, des voisins ou des amis, jamais plus d'une personne à la fois.

Le plus souvent, excepté Odile Bouchard, il ne voyait que sa femme. Depuis sa grande confession, une fois passé son désarroi premier, Élisabeth demeurait songeuse. Son existence à la fois paisible et confortable, toutes ces dernières années, résultait d'un meurtre. Sans le décès inespéré, que serait-elle devenue ?

La question sans cesse retournée dans son esprit la conduisait à un bien triste constat. En 1897, les portes du monastère des ursulines se fermaient devant elle. L'enseignement élémentaire aussi, malgré son brevet d'institutrice. Tous les commissaires d'école exigeaient un certificat de moralité des candidates. Elle avait confessé ses péchés de la chair au curé de la paroisse Saint-Roch, elle demeurait sous le toit de son amant : jamais le prêtre n'aurait accepté de témoigner de ses bonnes mœurs.

Deux choix s'étaient offerts à elle. Thomas lui aurait sans doute procuré un petit appartement discret et une allocation mensuelle. Entamer une existence de courtisane, de prostituée en réalité, une fois son statut débarrassé des précautions sémantiques, aurait couronné un peu curieusement ses années au couvent. L'autre choix devant cette situation, sans doute plus vertueux, la terrifiait. Elle aurait pu chercher un emploi de vendeuse ou d'ouvrière dans une manufacture. Un travail harassant, environ soixante heures par semaine, lui aurait valu une pitance. Elle serait devenue l'une des innombrables employées de la Basse-Ville.

Si elle pouvait clamer être innocente du crime de Thomas, elle en avait profité autant que lui. La prétention de son mari de l'avoir perpétré « pour nous » l'horrifiait par son exactitude. D'un geste, il avait transformé leur misère à tous les deux en une existence que beaucoup de leurs concitoyens enviaient.

— Un couple idéal, maugréait-elle. Une très jolie femme et un entrepreneur hardi.

La faute elle-même cadrait avec les caractéristiques innées de cet homme. De toute part, on jalousait sa résolution, sa persévérance. Alice menaçait de faire de son existence un enfer, en le privant de tout bonheur. Comment un être si vigoureux, décidé à multiplier les efforts afin de connaître le succès, capable de si belles réalisations, se serait-il abandonné aux manigances d'une épouse à la méchanceté féroce, qui tissait une toile autour de lui depuis son grabat puant ?

« Se résoudre à une existence d'eunuque allait contre sa nature, concluait-elle. Son instinct de vie ne le lui permettait pas. »

Sans compter son désir de protéger ses enfants. Édouard paraissait immunisé contre les entreprises de cette folle. L'était-il vraiment ? Eugénie, de son côté, devenait une arme entre ses mains.

Au fil des jours, Élisabeth en venait à admettre que les êtres humains obéissaient à des pulsions complexes. À l'horreur ressentie au moment de la confession succédait un jugement plus nuancé. Dans l'intimité, son époux s'était révélé tendre, sensuel, respectueux. Il s'était affirmé comme un père exemplaire.

Sa détermination à réussir sa vie, à être heureux, au moment où sa chance de le devenir semblait se dérober, suscitait l'admiration dans toutes les autres circonstances de son existence. Devait-elle tourner le dos à cet homme remarquable pour une seule faute, si terrible soit-elle ?

Surtout, constatait cette femme magnifique, son amour pour lui demeurait intact depuis 1896.

~

Eugénie mettait son chapeau en offrant à tous sa mine renfrognée. La mi-mars était fraîche, les journaux évoquaient encore de nombreux cas de grippe espagnole. L'automne précédent, l'épidémie avait reflué comme une marée en emportant sa moisson de cadavres. Elle revenait maintenant, un peu moins virulente peut-être, mais toujours dangereuse.

— Les journaux recommandent la plus grande prudence et voilà que ma belle-mère insiste pour organiser un dîner familial, grommela-t-elle en examinant sa mise dans le miroir de l'entrée.

— Nous n'y sommes pas allés depuis un bon mois, plaida Fernand. Puis, elle se réjouit sans doute des progrès de ton père. Le pauvre homme va mieux, il pourra être avec nous.

— Ma foi ! On dirait que tu es tombé aussi sous le charme de la sainte femme.

Depuis l'accident, l'attitude d'Élisabeth agaçait fort sa belle-fille. Attentionnée, littéralement enchaînée au malade, elle incarnait l'épouse idéale, prête à affronter l'épreuve aux côtés de son compagnon avec une calme détermination.

— Elle doit calculer sans cesse sa part d'héritage, cracha Eugénie.

Fernand découvrait au jour le jour de nouvelles facettes de la mesquinerie de sa femme. Elle évoquait sans vergogne sa nouvelle lubie : sa belle-mère sentait venir l'héritage. Après toutes ces années, la gourgandine arrivait enfin à son but, dépouiller les enfants du commerçant de leur dû.

— Le plus désolant à mes yeux, remarqua-t-il, c'est que tu puisses cultiver de pareilles pensées. Pour voir toujours chez les autres de telles motivations, elles doivent t'animer d'abord.

Elle lui jeta un regard assassin, puis franchit la porte du domicile. La maison des Picard se dressait tout près, faire le trajet prit moins de trois minutes. Au premier coup de heurtoir, Élisabeth vint ouvrir elle-même.

— Entrez, entrez, les invita-t-elle en se plaçant en retrait. Je suis si heureuse de vous voir.

Plutôt que de risquer un silence gênant, Fernand prit sur lui de répondre :

— Le bonheur est partagé. Je me réjouis de penser que monsieur Picard se rétablit bien.

— Vous le constaterez dans une minute, son état s'est beaucoup amélioré.

Une domestique les aida à se défaire de leur manteau. Elle attendit encore pour prendre leur chapeau et leurs gants. La maîtresse de maison les conduisit ensuite dans le grand salon, celui qui donnait sur la rue. Thomas se leva à leur arrivée, en s'aidant de sa canne.

— Papa, fit Eugénie en l'embrassant sur la joue, je constate que tu vas bien.

— Je ne suis pas prêt à reprendre mes occupations. Mais je peux maintenant mettre mon pantalon sans aide. À chacun ses victoires.

La déconvenue marquait sa voix. Il ajouta, un ton plus bas, en regardant son infirmière en biais :

— Si au moins je pouvais prendre un cognac. Mais le cerbère, là-bas, se montre inflexible. Si on l'avait envoyé contre les Allemands, en 1914, ceux-ci auraient cédé tout de suite.

Odile Boucher lui adressa un sourire complice.

— De toute façon, c'est la prohibition, commenta-t-elle.

— Vous devez murmurer dans l'oreille de Borden. Ce fou veut nous mettre au sec pour toujours, comme le sont les États-Unis depuis janvier dernier.

Finalement, tous les deux s'entendaient plutôt bien. Elle savait ignorer les gros mots, oubliait bien vite les moments de dépression, gardait une mine toujours avenante.

Le maître de la maison tendit la main à son gendre.

— Faites comme elle, n'écoutez plus si je ronchonne trop.

— Comparé à il y a deux semaines, vous avez fait beaucoup de progrès, je vous assure.

— Il y a deux semaines, j'avais la force d'un bébé de six mois. Maintenant, je dois avoir un an, tout au plus.

Sur ces mots, il tapa le plancher de sa canne. Pour son malheur, à la fois sa jambe et son bras gauche demeuraient très faibles. En conséquence, l'instrument ne le rendait pas vraiment plus mobile, car il ne pouvait faire porter son poids dessus.

— Vous devriez vous asseoir, proposa Fernand, en saisissant son coude pour l'aider.

— Vous le voyez bien, je n'arrive même pas à donner le change pendant trois minutes.

Si la maigreur et l'état de faiblesse se remarquaient sans mal, le visage trahissait sa condition. Tout le côté gauche demeurait un peu figé. Cela en faisait un Janus étrange. D'un côté, ses traits exprimaient la force, la détermination ; de l'autre, une mollesse et un abandon suspects. Surtout, le coin affaissé de la bouche laissait en permanence échapper un filet de salive. Le convalescent gardait toujours un mouchoir dans la main pour essuyer régulièrement la bave d'un mouvement rageur.

Fernand le laissa prendre ses aises dans son grand fauteuil pour se diriger vers Édouard, debout devant le canapé.

— Comment se passent les choses pour toi ?

— Je mesure l'ampleur du défi de prendre sa relève, murmura-t-il en regardant son père à la dérobée. Je croyais tout savoir, mais je réalise aujourd'hui combien j'ai été présomptueux.

— Papa me répète que l'expérience ne s'achète pas.

— Si nous n'en avons pas dans le grand magasin Picard, railla son vis-à-vis, cela ne se trouve nulle part ailleurs.

L'invité accorda son attention à Évelyne. Celle-ci arborait un ventre de nouveau arrondi, mais aucun homme ne pouvait commenter ce genre de chose sans passer pour un goujat. Il affecta d'ignorer sa condition.

— Comment allez-vous ?

— Je me porte bien.

Son sourire souligna l'affirmation. Le poids de ses nouvelles responsabilités ramenait Édouard à la maison avec une rassurante régularité, un second enfant lui rappellerait bientôt ses engagements familiaux.

Eugénie s'attardait près de son père, murmurait à son oreille. Après sa récente déclaration, Fernand redoutait une scène très désagréable. Peut-être entretenait-elle le malade de son testament. Élisabeth se tenait tout près, semblant couver sa belle-fille d'un regard affectueux. « Elle ne sait plus reconnaître ses ennemis », songea-t-il.

La domestique vint bientôt dans l'embrasure de la porte pour annoncer :

— Madame est servie.

La maîtresse de maison s'adressa à son mari :

— Te joindras-tu à nous, comme convenu ?

— Je tenterai de traverser le premier service.

Elle l'aida à se lever pour l'accompagner dans la salle à manger. S'il arriva à rester avec les membres de sa famille toute la durée du repas, il toucha à peine aux plats. Un peu de nourriture se répandait sur son menton, à cause de la bouche tordue. Il l'essuyait avec colère, puis abandonnait la cuillère ou la fourchette jusqu'au prochain service.

~

Pour la première fois peut-être depuis les funérailles de Laurier, Thomas arborait un véritable sourire en mettant son manteau, aidé de son fils.

— Êtes-vous certaine que cela ne lui fera pas de mal? questionna Élisabeth.

L'infirmière de l'Ordre de Victoria habitait toujours dans la grande maison de la rue Scott, sous les combles, avec les domestiques. Toutefois, elle jouissait du privilège de prendre ses repas à la table familiale quand son employeur s'y trouvait aussi. Les jours où il préférait la discrétion de la bibliothèque, car la bave coulant sur son menton le gênait beaucoup, elle lui tenait compagnie.

— Vous le voyez comme moi, il est si heureux de rencontrer ses amis. Puis, monsieur Édouard sera là pour s'occuper de lui. Au moindre signe de fatigue, il le ramènera à la maison.

Odile Bouchard admettait que demeurer vivant ne valait rien, si tous les plaisirs de l'existence se dérobaient. Son patient sortait avec sa bénédiction.

À demi rassurée, la maîtresse de maison se rendit dans l'entrée du domicile. Elle attacha elle-même les derniers boutons du paletot en disant:

— Les derniers jours de mars demeurent froids et humides.

— Et j'ai bien du mal à me vêtir tout seul. Je redeviens un enfant.

Sa main gauche, faible et maladroite, rendait les plus petites tâches bien difficiles.

— Je suis là pour cela.

Les relations entre eux prenaient une tournure nouvelle. Ils ne se trouveraient sans doute jamais plus dans le même lit. Toutefois, leurs échanges revêtaient une sereine complicité. Elle se surprenait même à passer des jours entiers sans songer à la confession de son mari.

— Me promets-tu de faire bien attention ?

— Je te le promets.

— Si tu ressens la moindre douleur, même une simple fatigue…

Les yeux vers son fils, elle quêta une réassurance.

— Maman, je le tiendrai à l'œil, sois sans crainte.

Un instant plus tard, son melon sur la tête, sa canne à la main, Thomas sortit de la maison d'un pas hésitant, pour se rendre jusqu'à la Chevrolet de son fils. Celui-ci lui ouvrit la portière, l'aida à s'asseoir. Quelques minutes leur suffirent pour atteindre la rue des Remparts.

— Vous n'avez pas acheté cette maison ? demanda l'homme, en se penchant pour regarder une bâtisse de pierre haute de trois étages.

— Voyons, les jeunes libéraux n'en ont pas les moyens.

— Surtout, elle ne paie pas de mine.

— Elle appartenait tout de même au consul de Suède.

Le rictus paternel témoignait de la vénalité de l'argument. Depuis un an, le Club de réforme logeait dans cette demeure un peu décrépite. Les jeunes militants trouvaient là un lieu discret où discuter de leurs projets d'avenir, un verre d'alcool de contrebande à la main.

Le jeune homme aida son père à descendre de voiture, il lui tint le bras jusqu'à l'entrée de l'édifice, le soutint au moment de franchir la porte. Une grande pièce occupait tout le rez-de-chaussée. Des chaises disparates permettaient à une trentaine de personnes de prendre place. Tout le monde se retourna pour le voir entrer, puis les yeux se détournèrent pudiquement quand Édouard dut l'aider à se défaire de son paletot.

Ensuite, Louis-Alexandre Taschereau quitta la première rangée pour venir lui serrer la main.

— Je suis heureux de te voir ici, Thomas. Tu sais combien la nouvelle de ton... accident nous a tous attristés.

Le ministre marqua une pause, puis lui prit le bras gauche en murmurant:

— Je suis là à parler, alors que tu es debout. Viens t'asseoir près de moi.

— ... Je ne vois aucune chaise de libre.

— Attends un moment, tu seras à la meilleure place.

Il l'aida à se faufiler entre les sièges. Tout le long du trajet, de fidèles libéraux se levèrent pour le saluer, multipliant les bons mots. Rendu au premier rang, Taschereau mit la main sur l'épaule d'un jeune homme.

— Paul, tu voudras bien laisser ta place à mon ami.

L'autre leva un visage aux traits réguliers, orné d'une fine moustache.

— Bien sûr, papa. Je suis heureux de vous revoir, monsieur Picard.

Une fois assis, le marchand se tourna pour contempler les visages, saluer d'un signe de la tête quelques connaissances.

— Tout le monde est là, observa le politicien avec fierté. Mes fils ont organisé cette petite réunion.

— Tout le monde? ricana son compagnon. Voyons, mon ami, sauf toi, je ne vois personne ici jouissant d'une réelle autorité.

Thomas aurait pu dire, six semaines plus tôt, «sauf toi et moi». Il prenait l'habitude de se percevoir lui-même comme une personne en sursis.

— Bien sûr, notre cher sir Lomer manque à l'appel, murmura Taschereau.

— Et Ernest Lapointe?

Le ministre éclata de rire, puis admit, du ton de la confidence:

— Nos amis ne savent pas encore qui succédera à Laurier. Ils ne veulent pas favoriser la mauvaise personne. Cela ruinerait leurs chances d'occuper un ministère juteux, après l'élection.

— Voilà une repartie bien plus raisonnable. Je me demandais si tu me trouvais déjà trop gâteux pour me répondre honnêtement.

Thomas dut sortir son mouchoir pour le passer sur la commissure gauche de sa bouche. Heureusement, à ce moment, l'entrée de l'invité d'honneur attira l'attention de tous les spectateurs.

— Laurier ressemblait à un prince et lui fait penser à un commis de banque, murmura-t-il à son compagnon.

William Lyon Mackenzie King avançait vers la petite estrade à l'avant de la salle en serrant les mains.

— C'est la nouvelle génération.

Thomas se sentit très vieux, tout à coup.

— Hier, il a séduit tout le monde au Château Frontenac, renchérit le ministre.

— Ce genre de banquet se déroule toujours avec des invités triés sur le volet, choisis pour leur aptitude à s'enthousiasmer pour l'invité de marque.

— Cet après-midi, les travailleurs de la Basse-Ville l'ont ovationné à la salle Saint-Pierre.

— Ils ne comprennent pas un mot d'anglais et ton petit bonhomme ne connaît pas le français.

Devant tant de mauvaise grâce, Taschereau préféra se taire. De toute façon, l'invité se tenait devant eux, souriant, débonnaire. Quand tous les murmures se turent, il commença :

— Depuis que je suis dans cette ville, une émotion m'étreint le cœur. Pendant des décennies, vous avez élu Wilfrid Laurier, cet homme exceptionnel, le plus grand des Canadiens. Bien plus, je vois juste en face de moi monsieur Thomas Picard, le premier artisan de toutes ces victoires...

L'homme avança d'un pas, se pencha la main tendue.

— Monsieur Picard, je suis honoré de vous connaître. Au cours des dernières années, Wilfrid a souvent vanté votre collaboration.

Tout cela, devinait Thomas, avait été concocté par Édouard, l'un des artisans de cette rencontre avec les jeunes libéraux. En même temps, il espérait tellement que ces mots soient sincères. Pendant de longues années, le petit politicien de l'Ontario avait fréquenté assidûment le vieux couple des Laurier, tout en publicisant cette amitié filiale. Tous les Canadiens français l'aimaient déjà à cause de cela. Le vieil homme lui avait peut-être parlé de son fidèle organisateur. Celui-ci voulut le croire.

— En briguant la direction du Parti, continua l'orateur en s'adressant au petit groupe de militants, je n'ai qu'un seul objectif: suivre la voie tracée par le grand homme. Les conservateurs ont divisé les Canadiens avec leur politique à la fois déraisonnable et insensible. Je vous tends la main, je ne me reposerai pas avant d'avoir réuni les deux peuples d'abord au sein du Parti, puis de toute la nation.

Les applaudissements éclatèrent à ce moment. À sa grande surprise, Thomas constata qu'il imitait les autres avec enthousiasme. Le discours s'allongea encore pendant une heure. Quand le petit homme chauve se tut, les dirigeants du Club de réforme, Oscar Drouin et Wilfrid Lacroix, vinrent sur l'estrade pour le remercier chaudement. Dix-huit mois plus tôt, ceux-là s'égosillaient dans les marchés publics pour chanter les louanges d'Armand Lavergne et ils s'agitaient au sein de la Ligue anticonscriptionniste. Au moment de « faire carrière », ils changeaient d'allégeance et cultivaient de meilleurs appuis.

Les compères allaient se retirer de l'estrade avec leur invité quand Louis-Alexandre Taschereau se leva de sa chaise et fit face à l'assistance pour déclarer:

— Comme je crois être le seul membre du cabinet provincial présent dans cette salle, je tiens à exprimer publiquement mon appui à notre nouveau chef national, Mackenzie King.

Les applaudissements reprirent. Thomas sourit à son voisin, amusé. Il prenait là un risque calculé. Si ce petit homme l'emportait, la suite de sa carrière serait grandement facilitée. Dans le cas contraire, il devrait renoncer à ses ambitions.

— Si l'Ontario ne veut pas d'un homme comme vous, monsieur King, continua le ministre, venez à Québec ; et Québec sera heureux de vous donner l'un de ses comtés.

Le visage du candidat s'éclaira. Sa réponse émue se trouva malheureusement couverte par une quinte de toux. Thomas se retourna vers le fond de la salle, soudainement fort inquiet.

~

Le surlendemain de la réunion tenue au Club de réforme, le lundi 30 mars, les journaux libéraux ne tarissaient pas d'éloges à l'égard de King, l'un des deux candidats à la succession de Laurier. À la fin de la campagne à la chefferie, le petit homme sans prétention recevrait l'appui de tous les délégués de la province de Québec.

Ce matin-là, Thomas se leva, résolu à mettre de l'ordre dans ses affaires. Après un petit déjeuner si léger qu'il confinait à la famine, il profita d'un moment de solitude pour confier à sa femme :

— J'ai demandé au notaire Dupire de passer me voir.

— … Tu ne vas pas mieux ?

Elle allait directement au fait.

— Je ne vais pas plus mal. Mais dans ma condition, il convient de régler tous les détails.

Élisabeth passa la main sur son avant-bras, esquissa une caresse, puis monta à l'étage. Évelyne se sentait un peu fatiguée ce matin, elle tenait à s'assurer que sa grossesse se poursuive sans accroc.

Le vieux notaire Dupire arriva un peu après neuf heures. Au son du heurtoir contre la porte, Thomas voulut se lever de son fauteuil pour aller ouvrir lui-même. Il retomba, laissa échapper un juron, chercha sa canne afin de s'appuyer dessus. Il lui fallut tellement de temps que la bonne vint depuis la cuisine pour accueillir le visiteur.

Le tabellion se débarrassa de son manteau et de ses couvre-chaussures. Il s'engageait dans le couloir quand son hôte arriva devant lui.

— Comment vous portez-vous ? commença le notaire en tendant la main.

— Comme un homme âgé de quatre-vingts ans alors que j'en ai un peu plus de cinquante.

— Alors nous sommes des jumeaux.

Le professionnel obèse et chenu marchait avec difficulté. Son souffle court et sa respiration sifflante témoignaient d'une santé déclinante.

— Venez vous asseoir, invita Thomas. Vous devrez toutefois endurer mon nouvel aménagement des lieux.

Le lit placé près de la fenêtre donnait un air étrange à la bibliothèque.

— L'escalier me paraît un obstacle insurmontable, alors je me limite au rez-de-chaussée.

— Vous êtes tout de même installé confortablement.

— Je passe de mon lit à ce fauteuil, expliqua-t-il en se laissant tomber lourdement, puis de ce fauteuil au lit. Mes journées s'égrènent à relire les livres entassés sur ces étagères, mais je ne veux pas en commencer un nouveau. J'aurais trop peur de ne pas le terminer.

— Voyons, vous vous remettez très bien.

Thomas lui adressa un sourire attristé.

— Nous n'allons pas nous raconter des histoires, après toutes ces années. Cet accident, survenu à Ottawa, était le second. Je doute de passer à travers le troisième. C'est comme si j'avais une petite bombe dans la tête.

— Pourtant, vous paraissez beaucoup mieux.

— Le docteur Caron, sous ses dehors timides, n'hésite pas à dire la vérité. Six mois après une crise d'apoplexie, j'ai une chance sur trois de ne plus être de ce monde…

Ce pronostic l'avait laissé songeur. Lentement, il se faisait à l'idée de ne plus en avoir pour longtemps, peut-être.

— Avez-vous apporté mon testament avec vous ?

Le notaire ouvrit son vieux porte-documents pour en sortir un dossier de format légal.

— Voulez-vous y apporter des changements ?

— De simples détails. Par exemple, prévoir une petite somme, cent dollars, pour la jeune infirmière qui loge ici, si elle se trouve encore à mon emploi au moment de mon décès. Cette personne m'aide à prendre mon bain, cela vaut quelque chose. Elle se nomme Odile Bouchard.

Le tabellion sortit un crayon de sa poche, écrivit une note en marge du document.

— Pour le reste, je veux juste me remémorer ce que je vous demandais de préparer l'été dernier. J'ai peur que ma mémoire faiblisse un peu.

— Alors, commençons par votre principal héritier, Édouard. Vous avez prévu lui laisser trois de vos cinq parts du magasin et des ateliers, de même que vos terrains du côté de Sainte-Foy et quelques actions dans diverses entreprises.

— Avec le salaire qu'il pourra se consentir pour la gestion des entreprises Picard, il comptera parmi les personnes les mieux nanties de la ville.

— Il n'aura certes pas à se plaindre.

Le jeune homme pourrait sans mal conserver son train de vie actuel. Son père se demandait toutefois s'il saurait enrichir ce patrimoine.

— Votre femme doit garder la propriété de cette maison, une part, c'est-à-dire le cinquième de vos entreprises, toutes vos obligations d'épargne, vos bons de la victoire.

— Tout bien compté, cela doit représenter le cinquième de mes avoirs. Elle devrait se trouver à l'abri du besoin.

Le notaire laissa échapper un rire bref, puis il commenta :

— Sans le moindre doute.

— Au moment de son propre décès, ses biens iront aux enfants, en parts égales.

— Ainsi le veut la tradition.

— Et son propre testament aussi, ajouta Thomas. Elle vous l'a dicté l'été dernier. Nous n'avons pas de secrets, à ce sujet.

L'homme tenait à ce que sa femme puisse continue à mener une vie confortable, si elle devenait veuve. Toutefois, au bout du compte, il souhaitait voir le patrimoine familial revenir à ses enfants.

— Quant à ma belle-fille, continua Dupire, en plus d'une dot généreuse au moment de son mariage, vous lui consentez l'une des cinq parts de vos entreprises.

— Exactement.

— Là aussi, vous respectez les usages.

Le convalescent essuya machinalement le coin gauche de sa bouche avec son mouchoir, demeura songeur un moment.

— Son mariage n'est pas un succès, n'est-ce pas ? murmura-t-il.

— Je ne sais pas si je peux…

— Nous connaissons tous les deux les aléas de son existence. Au moment où Fernand a fait la grande demande, je me suis réjoui de la voir enfin casée. En plus, votre fils présentait un excellent parti, à mes yeux.

— De mon côté, je lui ai déconseillé cette union.

Dupire préférait jouer franc-jeu. Il continua à voix très basse :

— À ce moment, je lui ai fait part de la naissance survenue quelques années plus tôt. Il l'aimait assez pour l'épouser quand même.

— Quant à Eugénie, elle voulait simplement quitter notre toit.

Le notaire hocha la tête avant d'enchaîner :

— Dès leur retour du voyage de noces, tous les deux savaient que cette union était une erreur. Depuis, elle passe sa vie dans les pièces que nous avons fait aménager à l'étage. Nous la voyons au moment des repas… enfin, lors de ceux qu'elle accepte de partager avec nous. Parfois, en soirée, elle se joint à nous. Nous la côtoyons très peu finalement, ses enfants ne la voient guère plus souvent.

Le notaire secoua la tête, visiblement navré par un tel gâchis.

— Sa mère se comportait exactement de la même façon, grommela Thomas.

Son interlocuteur le regarda fixement, puis demanda :

— Vous voulez dire Alice. Je me souviens qu'elle était malade. Vous abordiez parfois le sujet.

— Cloîtrée dans sa chambre. Je couchais dans un petit réduit attenant à mon bureau. Ma vieille cuisinière a élevé les enfants pendant les premières années. Puis j'ai embauché Élisabeth...

— Vous avez raison, nous vivons une situation semblable.

Thomas ferma les yeux, voulut parler encore, mais une quinte de toux l'arrêta. Son visiteur plaça machinalement sa main devant son visage. Les journaux évoquaient le retour de la grippe espagnole, comme si la maladie venait chercher les personnes oubliées la saison précédente. Le convalescent retrouva sa contenance.

— Je regrette d'avoir permis ce mariage, admit-il enfin. Mais en 1914, Fernand me paraissait si bien disposé à son égard. Je pensais qu'il gagnerait son affection au fil des semaines.

— Mon garçon croyait y arriver aussi. Elle-même semblait pleine de bonne volonté, au tout début.

La conversation s'interrompit sur ce triste constat.

— Je me demande s'il conviendrait de créer une provision dans le testament, remarqua encore Thomas, afin de continuer à pourvoir aux besoins du fils d'Eugénie.

Dupire comprit que son interlocuteur évoquait l'enfant confié en adoption.

— Ce Létourneau ne se trouve pas dans le besoin, je pense.

Son interlocuteur confirma cette impression d'un signe de la tête.

— Cela ne me paraît pas nécessaire. La présence d'une clause de ce genre attirera l'attention, au moment de la lecture du testament. Cet imbroglio mérite la plus grande discrétion.

Au moment du décès de son client, le tabellion devrait lire le document devant toutes les personnes intéressées. Cela voulait dire Édouard, Eugénie et même Fernand.

— Si jamais un malheur vous arrivait, continua le gros homme, je pourrai mettre Édouard au courant de la situation... Ai-je raison de croire qu'il ignore ce qui est advenu de l'enfant de sa sœur ? Et même celle-ci...

Thomas hocha la tête, puis il précisa :

— Tous les deux savent seulement que j'ai cherché une bonne famille.

— Je lui parlerai. Il a bon cœur, je suis sûr qu'il honorera vos engagements. De plus, nous parlons ici d'une somme plutôt modeste.

De nouveau, le convalescent acquiesça d'un signe de la tête. Il réussit à sourire au moment de conclure cet entretien.

— Finalement, les décisions prises l'été dernier étaient les bonnes. Je vous ai dérangé pour rien.

— Ne dites pas cela. Nous nous sommes parlé en amis, je chérirai ce moment. Je ferai une petite note au sujet de votre infirmière. Pour le reste...

Le notaire fit un geste vague de la main.

— Nous ne pouvons protéger nos enfants des écueils de la vie, conclut-il. Mais quelle tristesse de voir chaque génération nouvelle répéter les erreurs de la précédente.

— Vous m'excuserez, mais je ne peux pas vous reconduire à la porte.

Des larmes perlaient aux yeux du malade. Dupire quitta son siège pour lui tendre la main. Il la garda un long moment dans la sienne.

— Ne perdez pas espoir. Si le docteur Caron vous a dit que le tiers des victimes d'un accident cérébral ne survivent pas après six mois, cela signifie aussi que deux sur trois passent à travers.

— Je vous remercie de votre visite, de vos bonnes paroles et de votre amitié.

Un moment plus tard, plié en deux au moment de remettre ses couvre-chaussures, le gros homme entendit une nouvelle quinte de toux, puis les pas d'une femme dans le couloir. En sortant, il vit l'infirmière entrer dans la bibliothèque.

~

Depuis février, Édouard gérait seul les entreprises Picard. Les responsabilités l'amenaient à afficher plus de sérieux. Désormais, il ne pensait plus aux activités politiques autrement que comme un moyen de faire progresser ses affaires. Les activités du Club de réforme lui permettaient de fréquenter ceux qui, dans vingt ans, se trouveraient au pouvoir. Cette nouvelle attitude ne signifiait pas une rupture totale avec ses anciens camarades. Drouin, Lacroix et les fils Taschereau demeuraient proches des idées nationalistes.

Surtout, le jeune homme devait peser soigneusement toutes ses décisions commerciales, car personne ne viendrait corriger ses erreurs. Cela signifiait parfois terminer ses journées de travail tard le soir, d'autant plus que la bibliothèque de la grande demeure de la rue Scott servait de refuge au malade.

— Je vous fais travailler beaucoup trop tard, Flavie.

Le commerçant déposa une liasse de feuillets sur la table de sa secrétaire.

— Je comprends, nous sommes au moment des commandes pour la belle saison… Si la nécessité de terminer à neuf heures du soir ne dure pas jusqu'en mai, je survivrai.

— Ne craignez rien. Nous sommes le 8 avril. Nous en aurons fini avec le temps supplémentaire d'ici le 15.

— Vous ne vous attendez pas à ce que je tape tout cela ce soir.

En utilisant la forme affirmative, elle lui dictait sa réponse. L'homme lui adressa son meilleur sourire avant de convenir :

— Je m'apprête à partir, je vous reconduis tout de suite jusqu'à la porte. Nous nous reverrons demain matin.

Flavie Poitras ne craignait pas de rentrer à sa maison de chambre une fois la nuit tombée, mais le grand magasin lui paraissait receler bien des ombres, une fois toutes les lumières électriques éteintes. Elle préférait avoir de la compagnie au moment de parcourir les rayons désertés.

Les premières fois, son employeur avait multiplié les remarques suggestives, les invitations plus ou moins licites. À la fin, elle lui avait précisé que les emplois ne se révélaient pas rares au point de la forcer à accepter des avances déplacées. Cela avait suffi à mettre fin à son insistance. Il aimait séduire, pas forcer la main.

Au moment où Édouard récupérait son feutre sur la patère, un bruit de voix attira son attention.

— De quoi s'agit-il encore ? se demandait-il en s'approchant de la fenêtre.

— La manifestation. Vous le savez pourtant, les journaux en ont parlé.

— En lien avec le plébiscite sur la prohibition... Vous avez raison. Je néglige la lecture des journaux, ces temps-ci.

La jeune femme afficha sa tristesse.

— Comment monsieur Thomas se porte-t-il ?

— Vous savez, attraper la grippe espagnole, dans sa condition... Le docteur Caron ne paraît pas bien optimiste. Dans son actuel état de faiblesse, je crains de le voir mourir.

— C'est affreux, ce retour de l'épidémie. Heureusement, la maladie frappe moins durement que l'automne dernier.

Les écoles, tout comme les lieux de rassemblement, demeuraient ouverts, le port du masque ne s'imposait pas. Malgré tout, les journaux évoquaient de nombreux décès.

Dans la rue, les mots « Libérez le vin, libérez la bière » étaient sans cesse répétés. Édouard ouvrit la fenêtre, se pencha sur la rue. Toutes les unions ouvrières de la ville avaient appelé leurs membres à parader afin de mobiliser les électeurs.

— J'espère juste qu'aucun maladroit ne mettra le feu à un commerce.

Plusieurs des manifestants portaient un flambeau à la main. Ils avançaient sur quatre ou cinq rangs, des panneaux tenus bien haut pour clamer les bienfaits des boissons alcoolisées.

— Heureusement, personne ne doit être ivre parmi eux, avec la prohibition.

La secrétaire s'amusait de la situation. Elle plaçait son chapeau sur ses boucles brunes. Sa posture permit à Édouard d'apprécier sa silhouette mince et élancée.

— Vous passez le premier, déclara-t-elle.

— Si des fantômes se cachent derrière les pipes et le tabac, je vous défendrai.

— J'ai moins peur des fantômes que des voleurs. Avec toutes les richesses du magasin… J'imagine parfois qu'un client se cache dans un coin, pour faire main basse sur la marchandise, une fois tout le monde parti.

— Vous connaissez la façon de faire. Je devrai vous garder à l'œil.

Ils descendirent les escaliers dans l'obscurité, en se tenant à la rampe. Au rez-de-chaussée, ils gagnèrent la porte donnant rue Saint-Joseph. Au moment de sortir, Édouard offrit une fois de plus :

— Je peux vous reconduire chez vous.

— Non, ce ne sera pas nécessaire. De toute façon, j'habite tout près… Si l'occasion se présente, dites à votre père que je prie pour lui.

Son compagnon hocha la tête. Plus loin vers l'ouest, les manifestants clamaient toujours les bienfaits des boissons faiblement alcoolisées. Les lampadaires jetaient une lumière jaunâtre dans la rue, autour d'eux.

— À demain, mademoiselle Poitras.

— À demain… Je vous souhaite la meilleure des chances, à vous et à votre père.

Édouard toucha le bord de son feutre du bout des doigts pour la saluer, puis il se dirigea vers la rue Dupont afin de retrouver sa Chevrolet.

~

La soirée au Club de réforme devait permettre à Thomas de renouer avec plusieurs de ses amis. Tout de suite après l'événement, il avait semblé ragaillardi. La toux était apparue deux jours plus tard, pour ne plus l'abandonner. Élisabeth se félicitait d'avoir demandé à l'infirmière de demeurer au service de la famille. Bouleversée, elle aurait eu du mal à prendre soin du malade. Puis Évelyne vivait une nouvelle grossesse un peu difficile, ce qui drainait encore plus son énergie.

Par crainte de la contagion, la bibliothèque devenait une zone de quarantaine. Seules Élisabeth et l'infirmière pénétraient dans la pièce, toutes les deux affublées d'un masque. Les premiers jours, l'homme avait lutté de toutes ses forces contre la maladie. Appuyé contre un amoncellement d'oreillers, un sirop à base de miel à portée de la main, il paraissait déterminé à défier la mort encore quelques années.

Puis sa respiration devint plus difficile, comme si une poigne solide, invisible, lui serrait les côtes. Pâle, les lèvres bleuies, à demi conscient, ses yeux s'accrochaient à tous les objets du décor. Un peu après neuf heures, le 11 avril, Élisabeth vint s'asseoir près du lit.

— Tu me sembles un peu mieux, ce matin.

— ... Tu n'as jamais eu de talent pour le mensonge, balbutia-t-il dans un souffle.

Elle tendit la main pour la poser sur l'avant-bras de son mari et esquisser une caresse. Elle se faisait lentement à l'idée de rester seule. À mots couverts, Thomas l'avait informée de son testament. La certitude de continuer une existence confortable enlevait un poids de ses épaules.

— Es-tu arrivée à me pardonner ? demanda-t-il encore.

La femme détacha son masque afin de lui permettre de voir son visage.

— Ce n'est pas à moi de le faire, mais à Dieu.

Il ferma les yeux, laissa échapper un long soupir.

— Ta confidence n'a rien changé à mes sentiments pour toi. Au fil des ans, j'ai compris que tu étais un homme bon. Que tu en sois arrivé là, en 1897, témoigne seulement de ta détresse à ce moment.

Deux larmes coulaient sur les joues de Thomas. Oubliant la prudence, Élisabeth se pencha pour les effacer de ses lèvres.

— J'aurais aussi aimé exprimer mes regrets à Marie. Je lui ai fait du tort.

— Tu pourras le faire bientôt.

De nouveau, Thomas préféra fermer les yeux et taire sa protestation. Après un silence, il demanda dans un souffle à peine audible :

— Accepterais-tu de faire quelque chose pour moi ?

— Oui, bien sûr.

— Va chercher le journal et lis-moi les résultats du plébiscite.

— Voyons, tu n'es pas sérieux.

L'ombre d'un sourire passa sur les lèvres du malade.

— S'il te plaît.

Elle alla récupérer la copie du *Soleil* abandonnée dans la salle à manger, reprit place sur son siège et commença de sa voix douce :

— Le premier ministre Gouin a gagné son pari d'une prohibition “mitigée”. Seulement sept comtés se sont opposés à sa proposition de permettre la vente de la bière et du vin.

Thomas hocha légèrement la tête.

— Tu es étrange, constata-t-elle. La politique pour te détendre, dans une situation pareille.

Après cette nouvelle interruption, elle recommença :

— Seuls sept comtés ruraux du Québec ont appuyé la prohibition totale : Compton, Brome, Richmond, Stanstead…

Elle entendit Thomas exhaler un long soupir, ne perçut pas son effort pour aspirer.

— … Dorchester, Huntingdon et Pontiac. Les villes ayant déjà tenu des consultations populaires sur le sujet devront toutefois demeurer fidèles à la réglementation en vigueur.

Pendant un moment encore, elle continua de lire, évoqua la loi américaine de Volstead adoptée en janvier dernier. Elle avait fait de tous les États-Unis un territoire sec. Bientôt, l'infirmière entra dans la pièce. D'un regard, Odile constata le décès de son client, posa ses deux mains sur les épaules de la veuve, exerça une légère pression.

— Madame, il nous a quittés.

Élisabeth replia le journal, étrangla un sanglot.

— Sans un bruit, sans un mot, souffla-t-elle. Aucune plainte.

— Je n'ai jamais vu un homme lutter aussi fort et présenter en même temps un calme semblable.

— Il a voulu maîtriser chaque minute de sa vie, réaliser toutes ses ambitions. Il lui restait tant à faire.

Élisabeth tendit la main pour fermer complètement les yeux demeurés entrouverts.

Chapitre 21

En fin de soirée, les rendez-vous discrets prenaient une tournure nouvelle. Fernand ne s'approchait plus de la fenêtre, il recherchait plutôt les zones d'ombre dans le grand salon. Le premier contact physique entre eux les rendait immédiatement fébriles. Après un baiser un peu chaste, ils se laissaient emporter par l'excitation, joignaient la langue aux lèvres, les mains se perdaient bien vite sur des parties du corps sensibles aux caresses.

La crainte de se faire surprendre par un occupant de la maison ou d'attirer l'attention d'un passant dans la rue, les ramenait parfois à des conversations plus anodines, un verre à portée de la main.

— Arthur n'a pas eu beaucoup de chance depuis sa démobilisation, constata Jeanne après des baisers goulus.

— A-t-il passé l'hiver dans les chantiers forestiers ?

Elle acquiesça :

— Avec la crise actuelle, il n'a rien trouvé dans les usines.

Les entreprises libéraient une main-d'œuvre abondante. Après des années de plein emploi, la population renouait avec un chômage endémique.

— Que fera-t-il pendant la belle saison ? demanda le notaire.

— De grands travaux de construction vont débuter à La Tuque. Ce sera encore un travail de force, mais comme il sait à peine lire…

La conversation les intéressait médiocrement tous les deux. Les doigts de Fernand parcouraient le cou de la jeune femme, juste sous l'oreille. Elle bougea la tête dans un mouvement circulaire, offrit bientôt sa nuque à la caresse. Il posa les lèvres sur la peau, joua des dents sur la surface très douce, juste sous les cheveux. Sa main saisit un sein, insista sur la pointe.

Jeanne se tourna vers lui, offrit sa bouche entrouverte. Le jeu de langue favorisa d'autres contacts plus intimes. Une large main se posa sur son genou, remonta doucement à l'intérieur de la cuisse, apprécia la douceur tiède de la peau entre son bas et le sous-vêtement. Bientôt, les doigts s'insinuèrent sous celui-ci, se perdirent dans la toison douce, trouvèrent la fente mouillée.

La jeune femme s'offrait plutôt que de s'enfuir sous ces assauts. Sa propre main s'aventurait sur le bas-ventre de son compagnon, appréciait la raideur du sexe gonflé. Sourds et aveugles à tout ce qui survenait autour d'eux, ils ne perçurent ni les craquements des marches de l'escalier, ni la présence dans l'embrasure de la porte.

— Quel sale vicieux !

La voix, rauque et basse, les fit sursauter. Eugénie se tenait dans la pénombre, frêle dans son peignoir, les cheveux en désordre.

— Jeanne, quand je me lèverai demain, vous aurez disparu de cette maison. Je vous souhaite de finir au bordel. Vous avez des aptitudes pour ce métier.

Fernand gardait son bras gauche sur les épaules de sa compagne. De la main, il la força à le regarder puis déclara à voix basse :

— Ne bouge pas de ta chambre. J'irai te dire un mot tout à l'heure.

— Je t'interdis... clama la mégère.

La domestique quitta le canapé. Méfiante et effrayée, elle passa la porte en se plaquant de côté pour ne pas effleurer sa patronne, craignant un coup de griffe, une gifle retentissante.

L'homme déclara du même ton très doux, afin d'attirer l'attention de sa femme et lui enlever toute envie d'un excès de ce genre :

— Eugénie, le moment, tout comme les circonstances, me paraissent un peu étranges, mais nous allons parler un peu. Assieds-toi, je te verse un porto.

Le calme de son époux lui paraissait plus menaçant que tous les éclats de voix.

— Il n'y a rien à discuter. Tu avais la main sous sa robe.

— Tiens-tu vraiment à en informer toute la maisonnée ?

De nouveau, le ton posé la surprit. Au lieu de le trouver penaud, cramoisi même, il se montrait assuré.

— Ferme soigneusement la porte et assieds-toi.

La situation avait fait disparaître son érection. Il se leva pour allumer une lampe discrète, ouvrit l'armoire à boisson pour verser un porto. Au moment où elle prenait place dans le fauteuil, il lui tendit le verre, puis se cala dans le canapé.

— Tu es un porc. Peloter la bonne dans mon salon.

— D'abord, je te recommande de surveiller tes paroles.

Fernand n'élevait jamais la voix, mais il pouvait néanmoins se montrer autoritaire.

— Quand je t'ai demandé en mariage, je croyais réaliser enfin le rêve de ma jeunesse : épouser la femme aimée depuis longtemps. Je savais bien que tu ne m'aimais pas, mais j'espérais tout de même une certaine tendresse, une complicité bienveillante. Puis j'ai découvert la vérité sur ton compte. Retiens-toi de jouer les vierges offensées. Mon péché est-il pire que le tien ?

Elle demeura silencieuse. La pénombre ne permettait pas de percevoir sa pâleur soudaine.

— Tu vois, après ton accouchement, en 1909, ton père s'est entendu avec l'un de ses employés afin qu'il accepte ton fils en adoption. Il lui payait une pension, en quelque sorte. Maintenant qu'il est mort, Édouard a hérité de cette responsabilité.

Eugénie avala son verre de porto d'une traite, attendit la suite avec une attitude de condamnée à mort.

— Dans les circonstances, menacer Jeanne du bordel me semble un peu… présomptueux. Non seulement tu t'es fait engrosser par un marin de passage, mais tu m'as menti.

— Ce n'est pas vrai, gronda-t-elle.

— Tes protestations ne servent à rien. Toutes ces années, le contrat d'adoption se trouvait dans mon bureau. Maintenant, il repose dans mon coffre, à la banque. Ne te donne pas la peine de mettre tout à l'envers pour le retrouver et le détruire.

Défaite, la femme se leva pour remplir son verre une autre fois.

— En allant voir un avocat, poursuivit son mari, je suppose que tu pourrais obtenir la séparation de corps. L'accusation d'adultère attendrit toujours les juges.

Cette façon de présenter les choses, elle le devina, signifiait qu'il gardait une carte dans sa manche.

— Mais dans ce cas, tu me donnerais un motif de me défendre. Tu m'as trompé au moment du mariage, car tu n'étais plus… innocente et en plus tu m'as dissimulé l'existence de ton fils. Je me demande si cela ne constitue pas une cause d'annulation de notre mariage, en vertu du droit canon. Je connais bien le personnel de l'archevêché, je pourrais m'informer dès demain.

Le sang se retira du visage de la jeune femme, la tête lui tourna un peu.

— Tu es cruel.

— Moi, cruel? Quand tu monteras te coucher, tu te remémoreras nos cinq années de mariage. Ce que je fais avec Jeanne ne te prive de rien. Tu y as renoncé de ta propre initiative. Au contraire, mon… infidélité te permettra de t'isoler dans ton petit salon à ta guise, un petit roman français à la main.

Le notaire doutait fort de la sympathie d'une cour ecclésiastique pour sa situation. Ces célibataires porteurs de soutane souhaitaient l'indissolubilité du mariage des autres. Toutefois, Eugénie craindrait désormais plus que lui de rendre publics leurs curieux arrangements conjugaux. Ce serait risquer de voir sa faute exposée sur la place publique.

Fernand quitta le canapé en poussant un soupir. En sortant de la pièce, la main posée sur la poignée de la porte, il se tourna pour dire encore :

— J'ai été très malheureux depuis mon mariage avec toi. Récemment, Jeanne m'a apporté un peu de bonheur. Si tu veux détruire cela, tu le regretteras amèrement. Je t'en fais le serment sur la tête de toutes les personnes que j'aime.

Il ferma doucement la porte dans son dos.

Toute de noire vêtue, Élisabeth demeurait séduisante, la taille à peine plus épaisse que vingt-deux ans plus tôt, au moment de ses épousailles avec Thomas. Elle enfilait son second gant de dentelle quand Édouard vint la rejoindre dans l'entrée.

— Maman, je demeure encore bouleversé par notre conversation d'hier. Je comprends que tu préfères me vendre cette grande maison pour ne plus en assumer la responsabilité, mais je ne veux pas te voir habiter ailleurs.

— Je t'ai donné mes raisons, fit-elle d'une voix douce, afin de ne pas être entendue par Évelyne.

— Je sais bien que tu ne cesses pas de voir papa dans chaque pièce, dans les couloirs. C'est le cas pour moi aussi. Mais c'est une présence amicale pour nous deux.

Autant avoir son père au-dessus de son épaule, scrutant tous ses gestes, l'avait agacé jusqu'à un mois plus tôt, autant cette présence lui manquait maintenant. Le fantôme bienveillant le rassurait, l'aidait à faire face à la réalité.

— Bien sûr, tu as raison. Cette présence bienfaisante, je l'aurai n'importe où. La seconde raison que je t'ai donnée me paraît la plus importante.

Le rose monta aux joues d'Édouard.

— Les choses ne vont pas aussi mal, avec elle.

— Évelyne ne semble pas le savoir, tu devras le lui expliquer.

Les gants enfilés, elle regarda le chapeau de paille noir posé sur sa tête. Ses larges bords la protégeraient du soleil. Il laissait voir la chevelure abondante, d'un blond riche et foncé. Elle apprécia sa mine avant de conclure la conversation :

— Une chose me paraît certaine. Un couple dans votre situation n'a pas besoin d'une belle-mère, veuve et morose de surcroît, dans son environnement immédiat.

— Moi, je t'ai aimée depuis le tout début. Nous nous entendons toujours aussi bien.

— Et en prenant une certaine distance, nous nous assurerons de continuer à nous aimer. Mais je sais de quoi je parle : tu dois te rapprocher d'elle, partager son intimité. Sinon, votre vie à tous les deux deviendra un enfer.

À la fin, il acquiesça d'un signe de la tête.

— Quand veux-tu nous quitter ?

— Je commencerai dès la semaine prochaine à regarder où je désire aller vivre. Il faudrait boucler la vente d'ici deux, trois semaines.

— Je ferai le nécessaire. Mais cela me rend très triste. J'ai un peu l'impression de perdre mes deux parents l'un à la suite de l'autre.

« Si cela te permet de devenir un adulte, tant mieux », songea-t-elle. Elle lui caressa la joue du bout des doigts, puis quitta la maison de la rue Scott.

~

La boutique ALFRED fermerait ses portes dans quelques minutes. Élisabeth entra en cherchant des yeux la propriétaire des lieux. Thalie se tenait derrière la caisse, souriante.

— Êtes-vous revenue pour les grandes vacances ? demanda la visiteuse en tendant la main.

Le tutoiement, naturel avec la fillette quelques années plus tôt, ne convenait plus avec une jeune femme qu'elle rencontrait tout au plus deux fois l'an.

— Oui. Je travaillerai ici tout l'été. Ce sera le dernier. L'an prochain, je tenterai de dénicher une occupation plus en harmonie avec mes études.

La jeune fille marqua une pause, regarda l'escalier, puis ajouta un ton plus bas :

— Je vous offre mes sympathies pour le décès de votre mari. Je n'ai pas eu l'occasion de le faire plus tôt.

— Merci, vous êtes gentille.

Le bruit des chaussures, sur les marches, l'amena à lever les yeux. Marie arrivait, un sourire contraint sur les lèvres.

— Je ne vous ai pas fait attendre trop longtemps, j'espère ?

— Je viens tout juste d'arriver.

— J'ai réservé une table dans le petit restaurant en face de la place d'Armes. Nous y avons déjà mangé.

— Je me souviens.

La marchande salua sa fille d'un signe de la tête, puis elle saisit le bras de sa compagne pour l'entraîner vers la sortie. Au moment de mettre le pied sur le trottoir, elle dit d'une voix peinée :

— Mes condoléances.

Élisabeth caressa les doigts de sa compagne, posés au pli de son coude.

— Vous comprenez, je ne pouvais me présenter aux funérailles.

— Je sais. Je vous remercie de tout mon cœur.

Plutôt que de traverser la place encombrée par la circulation, elles se rendirent devant la cathédrale, s'engagèrent sur la chaussée de la rue de Buade. De l'autre côté, Élisabeth trouva le courage de transmettre un dernier message.

— Thomas m'a exprimé ses regrets pour ce qu'il vous a fait.

Les doigts de sa compagne se resserrèrent sur son bras en une crispation douloureuse.

— Ce furent presque ses dernières paroles.

— Il aurait pu me dire cela en face.

— Vous ne l'auriez pas écouté.

Marie resta coite jusqu'à ce qu'elles arrivent au restaurant.

— Vous avez raison.

Avant d'entrer, elle demanda, curieuse :

— Quels furent ses derniers mots ? Enfin, si ce n'est pas indiscret.

— Il m'a demandé de lui lire *Le Soleil*. L'article donnant les résultats du plébiscite sur la prohibition.

Sa compagne laissa échapper un rire nerveux, secoua la tête.

— Je n'aurais pas dû vous le demander. Cela me le rend presque sympathique.

Un serveur les conduisit à une table placée près des grandes fenêtres. À cause du beau temps de ce début mai, de nombreux promeneurs allaient et venaient sur la place d'Armes.

— Nous avons évoqué mes malheurs, commenta Élisabeth après avoir commandé son repas. Changeons de sujet. Comment vous portez-vous ?

— Très bien. Vous l'avez aperçue, ma fille se trouvera avec moi tout l'été. Elle est jolie, intelligente et têtue en diable. Surtout, Mathieu arrivera à Québec demain. Son navire a jeté l'ancre à Halifax ce matin.

— Il paradera donc avec son bataillon.

— C'est le mauvais côté de cette journée : je pourrai le voir marcher au pas sous mes fenêtres si je le veux, le contempler de loin à la cathédrale ou au Manège militaire. Toutefois, je ne le serrerai dans mes bras qu'en soirée seulement.

Élisabeth hocha la tête pour lui signifier sa sympathie.

— Il aura été parti près de deux ans.

— Vingt-deux mois. La guerre est terminée depuis novembre. Tout ce temps supplémentaire a joué sur mes nerfs, même si je le savais en sécurité.

La conversation porta ensuite sur divers sujets, au gré de l'inspiration du moment. Après avoir été débarrassée des assiettes du plat principal, Marie remarqua :

— Dorénavant, je suppose que vous demeurerez dans la grande maison avec Édouard et sa famille.

Son invitée devint songeuse.

— Je lui ai annoncé hier que ce n'était pas mon intention. Servir de chaperon à un jeune couple ne me dit rien.

— Vous pourrez vivre de vos rentes où bon vous semble.

Une certaine frustration pointait dans la voix de Marie, alimentée par une pointe de jalousie, peut-être.

— Le notaire Dupire m'assure que je pourrais le faire. Cela ne me dit rien. J'aurai bientôt quarante et un ans. Je me vois mal passer mes journées à lire les pages féminines des journaux. Imaginez si je vis encore quarante ans ! Vous-même avez préféré travailler.

— Je ne connais pas la valeur de l'héritage de votre mari, mais je suppose que vous pouvez vous permettre de ne rien faire. Moi, je n'avais pas vraiment le choix. Si j'étais restée inactive, avec la hausse des prix à la consommation pendant la guerre, je serais sans le sou, aujourd'hui. Mon commerce m'occupe et surtout il me permet de bien vivre.

— ... Me promettez-vous de ne pas vous moquer de moi ?

La blonde paraissait intimidée, tout d'un coup. L'autre hocha la tête.

— En venant à notre rendez-vous, je me suis demandé si vous accepteriez de m'engager comme vendeuse.

— ... Vous ne connaissez rien à ce travail, puis...

— Vous ne me faites pas confiance, glissa-t-elle. Je pourrais apprendre tout aussi bien que les jeunes filles à votre emploi.

Élisabeth baissa les yeux, contempla ses mains un moment.

— Je ne doute pas de vos capacités, la rassura son interlocutrice. Mais je ne veux pas avoir une employée plus âgée que moi...

Un peu plus et elle ajoutait « ... plus riche, avec plus de prestance et comptant des relations dans toutes les rues de la Haute-Ville ».

— Du côté du magasin Picard... enchaîna-t-elle.

— Ce serait sans doute possible, mais je porterais ombrage à Édouard.

— Alors à la place, vous avez pensé à me porter ombrage à moi, déclara Marie.

— Je ne vous ai pas élevée.

Le constat les fit rire toutes les deux. La marchande versa du thé dans les deux tasses.

— Je ne peux tout de même pas demeurer à ne rien faire, conclut son invitée.

— Avez-vous de grands moyens financiers ?

— Pas assez pour m'enivrer de loisirs dispendieux. Une croisière autour du monde est hors de ma portée… et je devrais revenir, tôt ou tard.

Marie goûta la boisson chaude, commanda un dessert au serveur.

— Je ne pensais pas à cela, précisa-t-elle ensuite. Vous pouvez investir, vous acheter un commerce.

— Je ne connais rien…

— Je parie même que vous pourriez vous verser une rente suffisante pour bien vivre pendant le reste de votre vie et conserver encore de quoi investir.

Élisabeth demeura songeuse. À la fin, elle convint :

— Vous avez raison, bien que les chiffres ne soient pas mon fort. Votre objection de tout à l'heure demeure toutefois valable : je ne sais rien faire. Même si je me lançais dans le commerce des vêtements…

— Je vous en voudrais à mort.

Sa compagne demeurait souriante, mais le timbre de sa voix exprimait sa sincérité.

— Je ne veux pas gaspiller le reste de ma vie à papoter avec mes voisines. Je n'ai jamais été bonne à ce jeu, de toute façon. Mais je ne sais pas comment m'occuper.

— Je demeure convaincue que vous pourriez trouver un endroit où investir.

— Vous avez des suggestions, à part le commerce des vêtements ?

Exprimer une opinion était facile. Toutefois, elle-même n'avait pas eu à choisir un secteur d'activité.

— Il ne m'en vient qu'une. Thalie a passé les derniers mois dans une pension tenue par une veuve. Bien des femmes se retrouvent avec une grande maison sur les bras.

— Je viens de vendre la mienne à Édouard.

— Ce qui vous donnera de quoi en acheter une autre.

Marie fit bon accueil au morceau de tarte apporté par un serveur. Après quelques bouchées, elle leva la tête pour regarder sa compagne dans les yeux.

— Que diriez-vous de souper encore avec moi, la semaine prochaine ? D'ici là, lisez les petites annonces des journaux. Cela vous donnera une idée de ce qu'il y a à vendre et de ce que vos concitoyens désirent acheter.

— Serez-vous mon amie ?

— Je le suis déjà.

La nouvelle veuve tendit la main au-dessus de la table pour toucher celle de sa compagne.

— Merci.

~

Thalie contemplait sa silhouette dans le grand miroir placé près de la salle d'essayage, au rez-de-chaussée du magasin.

— C'est un peu court.

Elle arborait une jupe de serge bleue. De chaque côté, en haut de la cuisse, trois boutons faisaient office de décoration. Le bas lui arrivait à mi-mollet. En conséquence, toute la cheville et plusieurs pouces de la jambe se trouvaient découverts. Les hasards des vents, des contre-plongées, des postures moins prudentes permettraient aux regards masculins de s'aventurer jusqu'aux genoux.

— Elle tombe bien, ajouta-t-elle en faisant dos à la psyché, le cou cassé afin de voir son côté pile.

— Cela condamne les bottines lacées à disparaître du marché, commenta Françoise, amusée. Maintenant, pour terminer une jolie jambe, il faudra de ravissants escarpins.

— Comme ceux-là ?

Thalie regardait ses souliers de cuir noir neufs.

— Si tu les prenais avec un talon haut comme cela…

Des doigts, son amie montrait un espace de deux pouces.

— Je paraîtrais un peu plus grande, mais je serais moins à l'aise. En conséquence, je suis condamnée à attirer les regards des hommes de petite taille ou alors de ceux qui acceptent de se pencher vers moi.

Elle mima la jeune fille forcée d'incliner la tête vers l'arrière et de se mettre sur le bout des pieds pour faire la bise.

— La blouse aussi est très bien, continua Françoise en riant de son imitation.

Bleue aussi, d'une teinte un peu plus pâle, les pointes du col s'allongeaient un peu. L'encolure en « V » offrait aux regards un cou et un triangle de peau sur la poitrine.

— De quoi affronter tous ces militaires.

Elle passa la veste assortie à la jupe, examina encore une fois son reflet. Sa compagne glissa un ton plus bas :

— Je devrais t'accompagner.

— Ce qui te ferait arriver en retard à la cérémonie, un péché grave pour la fille d'un député. Moi, je suis une mécréante, cela se murmure déjà dans les chaumières.

Thalie plaça son chapeau en paille de Java sur ses cheveux noirs. Un ruban bleu s'accordait à la teinte de ses vêtements. Le bord un peu tombant protégerait son cou et son visage des rigueurs du soleil.

— Tu sais bien que j'ai le trac, à l'idée de le revoir, laissa tomber la jeune fille.

— Tu t'en fais pour rien. Je connais mon grand frère. Tout se passera bien.

Surtout, elle avait échangé de longues lettres avec lui. Il comprenait, ou à tout le moins affirmait comprendre, qu'après des mois d'absence, les sentiments changeaient forcément. De part et d'autre, ils avaient vécu des expériences susceptibles de modifier leur personnalité en profondeur. Tous les deux se retrouvaient à la case départ.

— J'aurais tout de même pu t'accompagner.

— Pourquoi ? Je le verrai de très loin ou peut-être pas du tout.

Des bruits de pas se firent entendre dans l'escalier. Marie apparut, déjà vêtue de ses habits du dimanche.

— Nous y allons, Françoise ? Cela paraîtrait un peu mal, entrer après le début de la cérémonie.

Elle posa un regard appréciateur sur sa fille, puis commenta :

— Tu feras une jolie réclame pour le magasin ALFRED.

— Du genre "ALFRED habille les filles sages".

— Mais tu es une fille sage.

L'affirmation contenait juste une pointe d'inquiétude. Thalie la rassura d'un sourire. Sa mère offrit son bras à Françoise. Elles sortirent toutes les deux. Alors qu'elles remontaient la rue de la Fabrique, la jeune fille revint sur la conversation souvent répétée au cours des derniers jours.

— Je ne pourrai plus habiter chez vous, vous le comprenez bien.

— Pour le moment, tu te trouves très bien dans la chambre d'Alfred. Cinq ans après sa mort, je suis heureuse de la voir reservir. Celle de Mathieu se trouve donc à la disposition de notre vétéran.

— Mais si nous découvrons que nos sentiments l'un pour l'autre sont les mêmes, cohabiter sera tout à fait incorrect. Si nos sentiments ont changé…

Elle marqua une pause avant de compléter sa pensée :

— La situation sera tout à fait insupportable.

— Nous ne savons rien encore de tout cela, répondit Marie.

Elle s'arrêta devant l'entrée du Petit Séminaire afin de regarder sa compagne dans les yeux.

— Mathieu ne voudra peut-être pas vivre chez sa mère, après deux ans dans les baraquements militaires. Il m'a déjà fait part de son désir d'offrir ses services dans les bureaux d'avocat cet été, afin de renouer au plus vite avec sa profession. Paul a offert de l'aider à ce sujet. Dans quelques jours, nous discuterons de cela tous ensemble et nous prendrons les meilleures décisions. Je te répète que je ne veux perdre ni ma meilleure vendeuse, ni une très bonne amie à cause de son retour.

— Vous êtes gentille.

— Ma gentillesse compte aussi dans ma décision, mais ce n'est pas mon seul motif, je t'assure. Viens assister à ces cérémonies, même si toutes les deux, nous avons vraiment la tête ailleurs.

Un instant plus tard, elles pénétraient dans la cathédrale.

~

Une foule compacte se pressait dans le hall de la gare, débordait sur les quais. Des bouquets de verdure ornaient les murs et chacune des colonnes. Les drapeaux britanniques se trouvaient partout dans le vaste espace.

Le train cracha un lourd nuage de vapeur. Les hommes en uniforme descendaient les uns après les autres, examinaient les lieux, autrefois familiers pour certains d'entre eux, avec une mine surprise. Plusieurs paraissaient étonnés de les revoir.

— Formez les rangs, hurla quelqu'un en anglais.

Appartenir au 22e bataillon – le fameux « van doos » – ne signifiait pas toujours recevoir des ordres en français. L'attention de Thalie se porta sur les officiers. Mathieu figurait parmi eux. Elle reconnut bientôt la haute silhouette, cria son nom de toutes ses forces une première fois, puis une seconde.

Le capitaine se tourna, chercha dans la foule. Petite, elle devenait difficilement repérable. Jouant des coudes, balbutiant des « pardon, je m'excuse, pardon » sans conviction, elle s'approcha jusqu'au cordon de policiers destiné à empêcher les civils de se mêler aux militaires.

À la fin, Mathieu l'aperçut, s'avança en tendant sa main droite, gantée, jusqu'à toucher celle de sa sœur.

— Je te retrouve enfin, murmura-t-elle. Tu n'as pas changé.

Elle mentait. Le visage présentait des traits plus accentués, les yeux paraissaient plus creux, les plis à la commissure des lèvres aussi.

— Toi, oui, déclara-t-il. Tu fais plus… jeune femme.

La voix aussi était différente, un peu éraillée. Heureusement, elle retrouva dans le regard la même affection. Au moment de lui serrer les doigts, le contact du majeur lui parut étrange. Devant son regard intrigué, il dit d'une voix un peu hésitante :

— Les Belges l'ont gardé en souvenir. Je rapporte tout le reste avec moi, je t'assure.

Elle se pencha afin de pouvoir embrasser la main gantée, se redressa pour bredouiller, les larmes aux yeux :

— Au moins, tu es là.

Mathieu lui adressa un sourire attristé, se tourna pour constater une certaine pagaille dans les rangs de ses soldats.

— Je ne donne pas le bon exemple. Je dois les retrouver.

— À tout à l'heure.

— Après toutes les singeries prévues au programme, je vous rejoindrai, maman et toi. Je devrai toutefois retrouver le régiment à la Citadelle en soirée. Nous devrons répéter ces simagrées à Montréal demain.

Thalie hocha la tête quand il s'éloigna d'elle. L'officier aboya des ordres, ses hommes reprirent leur place en maugréant. Des mois après le retour de la paix, ces soldats perdaient l'habitude d'obéir. De nombreuses émeutes, au cours des derniers mois, avaient encore alourdi le nombre des morts et des blessés parmi eux.

À la fin, le 22e bataillon put former les rangs. Des policiers militaires ouvrirent un passage jusqu'aux grandes portes. Dehors, tous se mirent en ordre de marche. Sur les trottoirs, une foule de badauds hurlait son admiration. Une fois tout danger de conscription écarté, les gens voulaient contempler ces vainqueurs, se répéter avec délectation les faits d'armes de la « race ». Le mythe du Canadien français héritier du courage des héros de Carillon, un soldat forçant l'admiration des Allemands, se forgeait déjà.

La longue colonne d'uniformes kaki se mit en branle. Dans la rue Saint-Joseph, elle passa sous un arc de triomphe construit en carton-pâte et orné de sapinage. Aux *Union Jack* nombreux s'ajoutaient des drapeaux tricolores et des Carillon-Sacré-Cœur. Le 22e bataillon emprunta la rue de la Couronne vers le sud, puis la côte d'Abraham. Sortis de la messe depuis peu ou alors sur le point d'y aller, les Québécois des deux sexes multipliaient les ovations.

Le bataillon devait emprunter les rues Saint-Jean et de la Fabrique. Plutôt que de lui emboîter le pas, Thalie préféra gravir l'un des quelques escaliers abrupts conduisant à la Haute-Ville, puis parcourir des artères secondaires. Un peu essoufflée, elle prit place dans le banc déjà occupé par sa mère et son amie. Toutes les trois virent entrer les militaires. Ceux-ci se tinrent au garde-à-vous dans l'allée centrale et les allées latérales.

De sa place, Marie apercevait son fils, grand, large d'épaules, bien droit, les yeux fixés devant lui, son képi placé sous son bras droit. Les hommes de troupe au garde-à-vous portaient leur fusil sur l'épaule.

— Comme il a l'air fatigué, chuchota-t-elle.

— Il va bien, je t'assure. J'ai échangé quelques mots avec lui.

La messe commença tout de suite, car le programme de la journée serait interminable pour ces hommes déjà lourdement éprouvés. Le chanoine Laflamme, curé de la cathédrale, officiait. La moitié des paroissiens n'écoutaient rien, les yeux braqués sur un être cher en uniforme. Les autres, au moment du sermon, purent savourer un beau passage de la prose ecclésiastique :

— La page de gloire qui a été écrite par notre 22e sera immortelle. Ce feuillet d'épopée s'insère de lui-même dans notre *Livre d'histoire*. Courcelette et Vimy feront belle figure aux côtés du Long-Sault et de Carillon.

Thalie comptait parmi les personnes gardant les yeux rivés sur les militaires. Elle remarqua les épaules de son frère se raidir au moment du refrain nationaliste.

— … Nos soldats canadiens-français ont hautement défendu notre réputation nationale et le drapeau britannique qui protège nos droits et nos libertés ; ils ont, du même coup, défendu et soutenu, contre le péril commun, la France qui nous a donné le jour, la France, notre sentinelle avancée, la première exposée aux portes de notre Occident. Par leur bravoure, leurs actions d'éclat, et dans cette Grande Guerre à laquelle nous avons été, par eux et leurs frères, intimement liés, notre histoire se trouvera agrandie et élevée. Et c'est pourquoi il faut crier d'un seul cœur : Vive à jamais le 22e bataillon canadien-français !

Plusieurs de ces hommes devaient avoir un haut-le-cœur en entendant les porteurs de soutane reprendre à leur compte la rhétorique des campagnes de recrutement. La cérémonie s'acheva bientôt, la cathédrale résonna du *Te Deum*, ce chant de gloire au Seigneur.

Te Deum, laudamus,
te Dominum confitemur.
Te æternum patrem,
omnis terra veneratur.

Les militaires sortirent les premiers pour reformer les rangs. Ils devaient se rendre au pied du monument Champlain pour recevoir le drapeau de la cité, puis dans la cour du Manège militaire afin d'entendre les discours de bienvenue des autorités politiques.

Ces prochains épisodes se dérouleraient sous une pluie battante.

— Moi qui voulais les suivre, murmura Thalie debout sur le parvis, en regardant le ciel menaçant.

— Tu ne vas pas risquer la grippe pour entendre des discours stupides dont le texte se trouvera demain dans tous les journaux, remarqua Marie.

Elle vivait comme un affront personnel de voir les militaires s'engager dans la rue Desjardins. Leur imposer ces péroraisons ronflantes, après des années de souffrance, lui semblait être le comble de la cruauté.

— Je n'irai pas, céda sa fille, afin de préserver ces vêtements neufs. Toutefois, j'aimerais me sentir près de lui.

Sa mère posa son bras sur ses épaules, la serra contre elle.

— Viens, nous allons tourner en rond toutes ensemble jusqu'en soirée.

Elles hâtèrent le pas vers la boutique. Les premières gouttes de pluie tombèrent au moment où elles s'engouffraient à l'intérieur.

— Vous n'allez pas me laisser dehors, j'espère.

La voix venait de Paul Dubuc. La marchande l'accueillit d'un sourire.

~

Finalement, le téléphone sonna passé huit heures trente. Toute la famille descendit ensuite pour se poster au rez-de-chaussée du commerce. Même Gertrude, peu encline à se risquer dans les escaliers les jours où le mauvais temps rendait sa jambe douloureuse, se joignit à eux.

Quand la silhouette se découpa dans la fenêtre de la porte, Marie ouvrit pour se précipiter dehors, dans les bras du grand jeune homme.

— Enfin, tu es là ! réussit-elle à articuler.

Il la serra dans ses grands bras robustes, s'éloigna un peu pour contempler ses traits dans la pénombre du soir.

— Maman… tu seras toute mouillée.

La pluie n'avait pas cessé depuis la fin de la messe. Ils entrèrent, ce fut au tour de Thalie de se perdre dans sa longue étreinte.

— Maintenant, vas-tu rester avec nous ?

— Je ne serai libéré que dans trois jours. Nous allons parader encore. Mercredi matin cependant, je vais ranger cet habit affreux pour toujours.

Le jeune homme parlait de son uniforme. De sa sœur, il passa dans les bras de la vieille domestique en sanglots. Françoise se tenait un peu à l'écart, aux côtés de son père, convaincue d'être de trop en ces lieux.

Mathieu commença par tendre la main au député.

— Je suis, moi aussi, tellement heureux de te revoir en bonne santé, déclara ce dernier. Tu as toute mon admiration.

— Nous demeurerons les meilleurs amis du monde à une condition: ne faites aucun discours à la gloire des valeureux combattants. Jamais.

— C'est juré... Jamais devant toi.

Le politicien ne pourrait éviter de multiplier les discours patriotiques à l'intention des vétérans du comté de Rivière-du-Loup, au cours des dix prochaines années.

Mathieu s'arrêta devant Françoise, demeura un long moment silencieux.

— Bonsoir, articula-t-il enfin.

Elle demeura muette, les joues en feu.

— Nous allons monter, décréta Marie. Nous vous attendons là-haut.

Les jeunes gens demeurèrent immobiles, les yeux dans les yeux. Quand les jambes de Gertrude disparurent de l'escalier, elle sortit de son mutisme.

— Bonsoir, murmura-t-elle enfin. Je suis si heureuse et si soulagée de te revoir enfin.

— Alors, viens aussi mouiller ta robe.

Elle écrasa son corps contre le sien, se laissa envelopper dans ses grands bras.

— Je te demande pardon, mais je n'en pouvais plus d'attendre.

— Je te demande pardon de t'avoir laissée seule.

Elle se dégagea de son étreinte, mais conserva ses mains bien à plat sur sa poitrine.

— Je ne sais plus où j'en suis.

— En vérité, moi non plus. Nous examinerons cela ensemble dans quelques jours.

Rassurée de retrouver sa gentillesse, elle hocha la tête.

— Nous allons monter, déclara le militaire, sinon l'une d'entre elles va descendre pour nous y forcer.

— Je parierais pour Gertrude, glissa Françoise. Et celle-là me jetterait bien volontiers à la rue.

— Nous allons travailler tous les deux à la faire revenir à de meilleurs sentiments.

Ils montèrent les escaliers en se tenant par la main. À ce moment, aucun des deux ne savait si leur émotion réciproque tenait à la nostalgie de leurs premiers émois ou aux promesses d'un futur commun.

FIN DU CYCLE

Quelques mots sur la grippe espagnole

D'abord, pourquoi parle-t-on de grippe « espagnole » ? La maladie semble d'abord être apparue en Chine et l'une des explications de son origine mentionne la mutation d'un virus affectant les volailles. Cette hypothèse et certaines autres informations données ci-après viennent de l'encyclopédie en ligne *Wikipédia*. Elle réveille en nous un souvenir récent, n'est-ce pas ? Celui de la grippe aviaire qui a touché le monde il y a quatre ans.

Cette fameuse grippe, erronément qualifiée d'espagnole, serait apparue dès 1917 en Asie, pour toucher les États-Unis à la toute fin de l'été de 1918, et l'Europe peu avant, ou peu après, car les études sur le sujet se contredisent. Comme l'Espagne n'était pas engagée dans la Première Guerre mondiale, aucune loi de censure ne s'appliquait dans cette contrée. En conséquence, ce fut le premier pays à publier des informations sur l'épidémie. De ce fait, l'habitude s'établit très vite de parler de la grippe espagnole.

Dans les journaux du Québec, on trouve une première allusion à la maladie le 16 septembre 1918, pour décrire la situation à Boston. L'infection dans cette ville tiendrait à l'arrivée d'un bataillon de soldats rapatriés récemment de Chine. Victoriaville est touchée peu après, ensuite le camp militaire de Saint-Jean, puis la ville de Sherbrooke.

Bientôt, toute la province s'émeut : cette grippe est particulièrement contagieuse. Quinze jours suffisent pour qu'elle s'étende à l'ensemble du continent américain. En octobre, 30 % à 40 % de la population totale paraît atteinte et le taux de mortalité atteint 5 % des malades. Les chiffres sont à peu près semblables pour l'Europe de l'Ouest. Une grande majorité des grippés se remet très vite : après cinq jours, le pire est passé. Toutefois, l'issue fatale se révèle environ 30 fois plus fréquente que dans le cas d'une grippe ordinaire. En outre, la mortalité frappe le plus souvent les personnes dans la force de l'âge (de 20 à 40 ans), plutôt que les nourrissons et les personnes âgées, comme il arrive habituellement.

Dans le monde, la moitié de la population aurait été atteinte par l'une ou l'autre des trois vagues de la grippe (en Chine, peut-être aussi tôt que dès 1917 ; ailleurs, de septembre à décembre 1918, puis de février à mai 1919). Les estimations des pertes de vies les plus prudentes évoquent 20 millions de victimes, les plus apocalyptiques, 100. Le premier estimé représente plus de 1 % de l'humanité, le second, plus de 5 %. Au Québec, pour une population d'un peu plus de deux millions d'individus, *La Patrie* évoque, le 30 novembre 1918, 476 535 personnes atteintes et 13 100 décès. À cette date, la première vague était passée, la seconde vint quelques mois plus tard, entraînant un nouveau lot de décès. Comme les statistiques ont commencé à être compilées en octobre et que la maladie revint l'année suivante, le bilan humain se révéla plus cruel encore. La province a été touchée aussi durement que les autres contrées occidentales.

Les autorités de la Ville de Québec ont-elles été si lentes à prendre les précautions habituelles face à la contagion ? Oui, et un journal comme le *Quebec Chronicle* en témoigne éloquemment. Toutefois, ce n'est pas le docteur Hamelin, un personnage fictif, qui plaida devant le médecin hygiéniste, le Comité d'hygiène et le conseil municipal pour obtenir des mesures de prudence. Ce fut un autre praticien, William Jolicœur, qui utilisa sans succès les pages du *Soleil* pour alerter ses concitoyens, puis, faute de résultats, le *Quebec Chronicle*. Bien que je reprenne les péripéties de cette querelle de façon fidèle, j'ai parfois modifié légèrement l'ordre des événements afin de servir la trame dramatique et d'éliminer des faits répétitifs.

Évidemment, en romancier prudent, je n'ai pas inventé le décès du fils du maire Lavigueur, le jeune père d'une petite fille âgée de quelques mois. Les journaux du temps nous offrent une description poignante de ses funérailles. Cela se passa peu de temps après la présentation de *Faust* à l'Auditorium de Québec, par la compagnie San Carlo. Donnons encore une précision : on doit à cette dernière le premier opéra filmé de l'histoire du cinéma. Et, chose à la fois triste et ridicule, la foule qui assista à ce spectacle, puis au service funèbre, participa vraisemblablement à la dissémination de la maladie.

La suite : *Les Folles Années*

Ici se termine un premier cycle de quatre tomes sur les deux familles Picard, celles d'Alfred et de Thomas. Les deux protagonistes principaux ont disparu, mais en laissant une progéniture si attachante.

Je ne peux me séparer d'elle. Aussi j'espère renouer avec Eugénie, Édouard, Mathieu et Thalie dans une nouvelle série, intitulée *Les Folles Années*. Bien sûr, dans le cadre des années 1920, on retrouvera encore les fascinantes Élisabeth et Marie.

HURTUBISE COMPACT

Dans la même collection :

BERNARD, Marie Christine, *Mademoiselle Personne*, roman, 2010.
BRIEN, Sylvie, *Les Templiers du Nouveau Monde*, roman historique, 2008.
CHARLAND, Jean-Pierre, *L'Été 1939, avant l'orage*, roman historique, 2008.

CHARLAND, Jean-Pierre, *Les Portes de Québec.*
Tome 1 : Faubourg Saint-Roch, roman historique, 2011.
Tome 2 : La Belle Époque, roman historique, 2011.
Tome 3 : Le prix du sang, roman historique, 2011.
Tome 4 : La mort bleue, roman historique, 2011.

DAVID, Michel, *La Poussière du temps.*
Tome 1 : Rue de la Glacière, roman historique, 2008.
Tome 2 : Rue Notre-Dame, roman historique, 2008.
Tome 3 : Sur le boulevard, roman historique, 2008.
Tome 4 : Au bout de la route, roman historique, 2008.

DAVID, Michel, *À l'ombre du clocher.*
Tome 1 : Les années folles, roman historique, 2010.
Tome 2 : Le fils de Gabrielle, roman historique, 2010.
Tome 3 : Les amours interdites, roman historique, 2010.
Tome 4 : Au rythme des saisons, roman historique, 2010.

DAVID, Michel, *Chère Laurette.*
Tome 1 : Des rêves plein la tête, roman historique, 2011.
Tome 2 : À l'écoute du temps, roman historique, 2011.
Tome 3 : Le retour, roman historique, 2011.
Tome 4 : La fuite du temps, roman historique, 2011.

DUPÉRÉ, Yves, *Quand tombe le lys*, roman historique, 2008.

FYFE-MARTEL, Nicole, *Hélène de Champlain.*
Tome 1 : Manchon et dentelle, roman historique, 2009.
Tome 2 : L'érable rouge, roman historique, 2009.
Tome 3 : Gracias a Dios !, roman historique, 2009.

MALKA, Francis, *Le Jardinier de monsieur Chaos*, roman, 2010.
SZALOWSKI, Pierre, *Le froid modifie la trajectoire des poissons*, roman, 2010.

Achevé d'imprimer en avril 2011
sur les presses de l'imprimerie Transcontinental-Gagné
Louiseville, Québec